VERDWENEN

Val McDermid

Verdwenen

Uitgeverij Luitingh-Sijthoff

Uitgeverij Luitingh Sijthoff en Drukkerij Ten Brink vinden het belangrijk om op milieuvriendelijke en verantwoorde wijze met natuurlijke bronnen om te gaan.

Eerste druk 2013
Tweede druk 2013

© 2012 Val McDermid
All rights reserved
© 2013 Nederlandse vertaling
Uitgeverij Luitingh - Sijthoff B.V., Amsterdam
Alle rechten voorbehouden
Oorspronkelijke titel: *The Vanishing Point*
Vertaling: Frank Lefevere
Omslagontwerp: Studio Jan de Boer
Omslagfotografie: Yolande de Kort/Trevillion Images/Arcangel Images

ISBN 978 90 218 0912 0
NUR 305

www.lsamsterdam.nl
www.watleesjij.nu
www.valmcdermid.com
www.boekenwereld.com

Voor degenen die ons tijdens het schrijven van dit boek hebben verlaten:
Davina McDermid, Sue Carroll en Reginald Hill.
Zonder jullie allen en jullie heel verschillende hulp zou ik nooit zo ver gekomen zijn.
Jullie afwezigheid is een constante aanwezigheid.

Als je beroemd wordt zonder te weten wie je bent, dan zul je erdoor gedefinieerd worden.

OPRAH WINFREY

Deel 1

VLUCHT

I

Vliegveld O'Hare, Chicago

Stephanie Harker was net oud genoeg om zich een tijd te herinneren toen vliegen nog spannend was. Ze wierp een blik op haar vijfjarige zoon, die met het lint stond te spelen dat tussen de verplaatsbare paaltjes was gespannen waarmee de kronkelende rij wachtende mensen voor de veiligheidscontrole werd afgeperkt. Jimmy zou dat gevoel van gespannen verwachting nooit kennen. Hij was opgegroeid met het idee dat vliegen iets saais was. Hij associeerde het alleen maar met de toenemende irritatie die ontstond door het omgaan met mensen die zich verveelden, neerbuigend deden of gewoon ronduit onbeleefd waren. Jimmy leek te voelen dat ze naar hem keek en keek haar nu met een onzekere en behoedzame uitdrukking op zijn gezicht aan. 'Kunnen we vanavond zwemmen?' vroeg hij op een toon die aangaf dat hij verwachtte van niet.

'Natuurlijk,' zei Stephanie.

'Ook als het vliegtuig te laat is?' Haar antwoord leek hem totaal niet gerust te stellen.

'Zelfs als we te laat aankomen. Het huis heeft een eigen buitenzwembad. Pal naast de woonkamer. Het maakt niet uit hoe laat we aankomen, je kunt sowieso zwemmen.'

Hij fronste, dacht even na over haar antwoord en knikte toen. 'Oké.'

Ze schuifelden een meter of wat naar voren. Stephanie kon woest worden van overstappen in Amerika. Wanneer je per vliegtuig aankwam, was je al minstens één keer langs een veiligheidscontrole geweest. Soms twee keer. In de meeste andere landen hoefde je niet weer langs een controlepost bij het overstappen op een doorgaande vlucht. Je was al in het luchtruim. Je was veilig verklaard, zo redeneerden de autoriteiten, en het was niet nodig om die hele rompslomp nog een keer over te doen.

Maar Amerika was anders. Amerika was altijd anders. In Amerika, zo vermoedde ze, dichtte men geen enkel ander land op de planeet een deugdelijke vliegveldbeveiliging toe. Dus wanneer je voor een aansluitende vlucht in Amerika aankwam, moest je vanuit het luchtruim weer het land betreden om dan met veel gedoe weer helemaal in de rij te mogen gaan staan en hetzelfde proces te doorlopen dat je al op het eerste verdomde vliegtuig had moeten ondergaan. Soms raakte je zelfs de zwaar afgeprijsde fles mandarijnwodka kwijt die je in de taxfreewinkel had gekocht. Je was even vergeten dat er nog een tweede veiligheidscontrole wachtte, waarbij ze het verbod op vloeistoffen zouden handhaven. Zelfs vloeistoffen die je verdomme op een vliegveld had gekocht. Klootzakken.

En alsof dat nog niet irritant genoeg was, benaderde de nieuwste Amerikaanse versie van een fouillering door beveiligingsbeambten de grens van wat Stephanie als aanranding zag. Dankzij de schroeven en de metalen plaat die haar linkerbeen de afgelopen tien jaar bijeenhielden, was ze maar al te bekend geworden met de grondigheid van het beveiligingspersoneel. De handelingen van de vrouwen die haar benaderden wanneer de metaaldetector ging piepen en oplichtte, waren overal anders. Er zat totaal geen lijn in. In Madrid werd ze zelfs helemaal niet gefouilleerd en kwam er ook geen detectiestaaf aan te pas. In Rome werd het vluchtig gedaan en in Berlijn efficiënt. Maar in Amerika werd de grondigheid ronduit aanstootgevend: ruggen van handen die borsten omhoogduwden en tegen haar lichaam stootten alsof er een stuntelige tienerjongen aan het werk was. Het was onprettig en vernederend.

Weer een meter of wat. Maar nu kwam de rij verderop echt in beweging. Het vorderde langzaam, maar gestaag. Jimmy glipte onder het lint door op het punt waar de rij de hoek omging en stond voor haar op en neer te springen. 'Ik heb van je gewonnen,' zei hij.

'Ik zie het.' Stephanie liet de handbagage los en haalde een hand door zijn dikke, zwarte haar. De frustraties over de reis leidden haar gedachten tenminste af van haar zorgen over deze vakantie samen met haar zoon. Haar neusgaten sperden zich open, terwijl het ongewone idee in haar hoofd rondstuiterde. Op vakantie met haar zoon. Hoe lang zou het duren voordat dat niet meer bizar, onwerkelijk en onmogelijk klonk? In Californië zouden ze door normale gezinnen worden omringd en Jimmy en zij vormden allesbehalve een gewoon gezin. En ze had nooit gedacht dat ze een reis als deze zou maken. Laat het alsjeblieft niet fout gaan, dacht ze.

'Mag ik weer bij het raam zitten?' Jimmy trok aan haar elleboog. 'Alsjeblieft, Steph?'

'Maar dan moet je wel beloven dat je het raam niet opendoet onderweg.'

Hij keek haar wantrouwig aan en grijnsde toen. 'Zou ik dan de ruimte in worden gezogen?'

'Ja. Je zou de jongen op de maan worden.' Ze maakte hem met een wuifgebaar duidelijk dat hij verder moest lopen. Het ging nu behoorlijk snel en ze waren bijna bij het punt waar ze hun handbagage en de inhoud van hun zakken in een plastic bak zouden moeten leggen, waarna die door de röntgenscanner ging. Stephanie zag een grote, afgesloten, plexiglazen ruimte opdoemen achter de metaaldetectorpoort en ze drukte haar lippen op elkaar. 'Onthou wat ik je heb verteld, Jimmy,' sprak ze hem ferm toe. 'Je weet dat bij mij het alarm afgaat en dat ik in die doorzichtige ruimte moet blijven tot iemand me komt fouilleren. Je mag niet met me mee naar binnen.'

Hij trok een sip gezicht. 'Waarom niet?'

'Dat zijn de regels. Maak je geen zorgen,' voegde ze er nog aan toe, omdat ze de bezorgde blik in zijn ogen wel zag. 'Er zal me niets overkomen. Jij blijft gewoon wachten bij de bagageband, oké? Nergens naartoe gaan, gewoon wachten tot ik er aan de andere kant weer uit kom. Heb je dat begrepen?'

Nu ontweek hij haar blik. Misschien vond hij dat ze hem als een peuter behandelde. Het was ook zo lastig om de juiste toon te vinden. 'Ik zal de bagage bewaken,' zei hij. 'Zodat niemand die kan stelen.'

'Fantastisch.'

De man voor hen in de rij trok zijn jasje uit en legde het opgevouwen in een bak. Hij trok zijn schoenen uit en deed zijn riem af. Hij ritste zijn laptoptas open en legde de computer in een tweede bak. Hij knikte naar hen ten teken dat hij klaar was. 'Reizen is een oneervolle aangelegenheid tegenwoordig,' zei hij met een wrange glimlach.

'Ben je er klaar voor, Jimmy?' Stephanie deed een stap naar voren en pakte een plastic bak. 'Want je hebt een belangrijke taak als bewaker.' Ze legde hun spullen op de band, controleerde Jimmy's zakken en joeg hem vervolgens door de metaaldetector voor haar. Hij draaide zich om en keek haar aan, terwijl de machine begon te piepen en er rode lampen begonnen te branden. De zwaarlijvige beambte van de vliegveldbeveiliging stuurde haar naar de omheinde plexiglazen ruimte.

'Vrouwelijke agent,' riep hij, waarbij zijn lobberende onderkin en buik trilden. 'Wacht in de afzonderingsruimte, mevrouw.' Hij wees naar de enkele meters lange en een meter brede, omheinde ruimte. Op de vloer stonden de omtrekken van twee voeten. Tegen een van de wanden stond een plastic stoel. In een houten sokkel stak een handbediende metaaldetector. Jimmy's ogen werden groot toen hij Stephanie naar binnen zag gaan. Ze gebaarde naar hem dat hij naar de transportband moest lopen, waar hun persoonlijke bezittingen langzaam weer uit de scanner tevoorschijn kwamen.

'Wacht op mij,' vormde ze met haar lippen en ze stak haar duim naar hem op.

Jimmy draaide zich om en liep naar het uiteinde van de transportband, waar hij zijn ogen op hun plastic bakken gericht hield. Stephanie keek ongeduldig om zich heen. Ze zag drie of vier vrouwelijke agenten van de luchthavenbeveiliging, maar geen van hen leek veel zin te hebben haar onder handen te nemen. Gelukkig hadden zij en Jimmy tijd zat om hun aansluitende vlucht te halen. Omdat ze wist hoe overstappen in Amerika tegenwoordig werkte, had ze expres veel tijd tussen hun vluchten ingepland.

Ze keek achterom naar Jimmy. Een van de beveiligingsbeambten leek met hem in gesprek gewikkeld. Een lange man in een zwarte uniformbroek en een blauw overhemd. Maar er klopte iets niet aan hem. Stephanie fronste. Hij had een petje op, dat was het. Geen van de andere beveiligingsmensen droeg een hoofddeksel. Ze zag hoe de man Jimmy's hand wilde pakken.

Heel even kon Stephanie haar ogen niet geloven. De man leidde een gehoorzame Jimmy weg van de controlepost en liep met hem naar de centrale hal, waar tientallen mensen heen en weer liepen. Geen van hen wierp ook maar een blik achterom.

'Jimmy,' schreeuwde ze. 'Jimmy, kom terug.' Haar stem werd hoger, maar het geluid werd gedempt door het plexiglazen omhulsel. Noch de man, noch het kind hield in. Ze begon zich nu echt zorgen te maken en sloeg met haar vuisten tegen de zijkant van de afzonderingsruimte en gebaarde naar de centrale hal. 'Mijn kind,' schreeuwde ze. 'Iemand heeft mijn kind meegenomen.'

Haar woorden leken geen uitwerking te hebben, maar haar daden wel. Er kwamen twee agenten naar de afzonderingsruimte toe in plaats van dat ze naar Jimmy gingen. Ze hadden geen idee wat er zich achter hen afspeelde. Stephanie was wanhopig en bracht de stem in haar hoofd tot zwijgen die haar zei dat ze gek was. Ze besloot ervandoor te gaan.

Ze was de plexiglazen afzonderingsruimte nog niet uit, of een van de agenten greep haar arm vast en zei iets tegen haar wat ze niet verstond. Ze werd erdoor vertraagd, maar niet tegengehouden. Het idee dat ze Jimmy zou verliezen deed haar normale grenzen overschrijden. De agent graaide met zijn andere hand naar haar en zonder erbij na te denken draaide Stephanie zich razendsnel om en sloeg hem met haar vuist tegen zijn gezicht. 'Ze ontvoeren mijn kind,' schreeuwde ze.

Er stroomde bloed uit de neus van de bewaker, maar hij bleef haar stevig vasthouden. Nu kon Stephanie alleen nog maar het petje van de man zien. Jimmy was in de menigte opgegaan. Haar paniek gaf haar kracht en ze sleurde de bewaker achter zich aan. Ze was er zich vaag van bewust dat andere agenten hun wapens trokken en naar haar schreeuwden, maar ze had maar één doel voor ogen. 'Jimmy,' schreeuwde ze.

Een andere bewaker had haar inmiddels vast om haar middel en probeerde haar tegen de grond te werken. 'Ga op de grond liggen,' schreeuwde hij. 'Op de grond, nu.' Ze trapte om zich heen en schraapte met haar hiel omlaag over zijn scheenbeen.

De luide stemmen veranderden in betekenisloos rumoer, terwijl er zich een derde vliegveldbeveiligingsbeambte in het gevecht mengde en zich boven op haar rug wierp. Stephanie voelde hoe ze door haar knieën ging en ging vervolgens tegen de grond. 'Mijn jongen,' mompelde ze, terwijl ze op de tast naar de zak zocht waarin ze hun boardingpassen had gestoken. Opeens waren de lichamen die haar in bedwang hielden verdwenen en was ze vrij. Ze was verward, maar ook opgelucht dat ze eindelijk naar haar luisterden en ze duwde zich op één hand overeind tot ze op haar knieën zat.

En toen gebruikten ze een stroomstootwapen om haar een elektrische schok uit te delen.

2

Alles gebeurde tegelijk. Er schoot een ondraaglijke pijn door haar ze-
nuwbanen en haar snel bewegende synapsen stuurden vernietigende
signalen naar haar spieren. Stephanie zakte onmiddellijk in elkaar, een
totale systeemuitval, alsof er een schakelaar werd omgezet. Haar ver-
warde geest deed wanhopige, maar vergeefse pogingen om de pijn en
het totale verlies van de controle over haar lichaam te bevatten. De enige drijfveer die ze nog had was de noodzaak te vertellen wat er was gebeurd.

Ze was ervan overtuigd dat ze Jimmy's naam schreeuwde, zelfs toen
ze hard tegen de grond ging. Maar wat ze hoorde was een betekenisloze
woordenbrij, het soort dromerig gemompel dat mensen voortbrengen
wanneer ze een nachtmerrie hebben.

Zo plotseling als de pijn had toegeslagen, zo plotseling was hij ook
weer verdwenen. Stephanie richtte verward haar hoofd op. Ze schonk
geen aandacht aan de beveiligingsbeambten die op veilige afstand in een
cirkel om haar heen stonden. Ze sloeg geen acht op de starende passagiers, op hun uitroepen of hun cameratelefoons. Ze strekte haar hals uit
om Jimmy te zoeken en ving een glimp op van zijn lichtrode Arsenal-
shirt naast het zwart en blauw van een beveiligingsuniform. Ze sloegen
af van de hoofdpromenade en verdwenen uit het zicht. Stephanie negeerde de overgebleven pijn in haar spieren en duwde zichzelf overeind.
Toen welde er een oerkreet uit haar keel op en lanceerde ze zichzelf in de
noodzakelijke richting.

Ze kon haar eerste stap niet eens afmaken. Dit keer duurde de elektrische schok langer en was de algehele ontwrichting groter. Toen het aanvankelijke, verlammende effect voorbij was, bleef ze dit keer langer ge-
desoriënteerd en zwak. Twee bewakers trokken haar overeind en sleepten
haar over de promenade in de tegenovergestelde richting als waar ze Jimmy voor het laatst had gezien. Met haar laatste krachten probeerde Stephanie zich los te wurmen.

'Geef het toch op,' schreeuwde een van de agenten die haar in bedwang hield haar toe.

'Doe haar handboeien om,' zei een tweede, autoritairder stem.

Stephanie voelde hoe haar armen achter haar rug werden getrokken en de koude armbanden van metalen handboeien om elke pols werden gesloten. Ze begonnen sneller te lopen en sleurden haar een zijgang in en vervolgens door een deur. Ze lieten haar op een plastic stoel zakken en trokken haar armen ongemakkelijk over de rugleuning naar achteren. In haar hoofd voelde het alsof de versnellingsbak doorslipte. Ze kon geen enkele gedachte vasthouden.

Er kwam een gedrongen latino vrouw in een beveiligingsuniform voor haar staan. Ze had een keiharde en onverbiddelijke uitdrukking op haar gezicht, maar haar ogen leken vriendelijk. 'U zult u een tijdje verward voelen, maar dat zal weer overgaan. U gaat niet dood. U bent niet eens gewond. Niet zoals mijn collega met de kapotte neus. Probeer deze kamer niet te verlaten, want u zult worden tegengehouden.'

'Iemand heeft mijn zoon ontvoerd.' Haar woorden waren onverstaanbaar, alsof ze ze met dubbele tong had uitgesproken. Zelfs in haar eigen oren klonk het als dronken en onverstaanbaar gebrabbel. Ze kon zich niet eens voldoende concentreren om het naamplaatje van de vrouw te lezen.

'Ik kom zo weer terug om u te ondervragen,' zei de vrouw, die haar collega's naar de deur volgde.

'Wacht,' gilde Stephanie. 'Mijn zoontje. Iemand heeft mijn zoontje meegenomen.'

De vrouw hield niet eens in op haar weg naar buiten.

Nu voelde Stephanie alleen nog maar de koude greep die de angst op haar borst had. Het maakte niet uit wat het stroomstootwapen met haar lichaam en geest had gedaan: het enige wat ze op dat moment voelde was panische angst. Haar aanvankelijke paniek was veranderd onder invloed van de drang tot vlucht- of vechtgedrag. De ongerustheid voelde nu als een kille klomp in haar borst, die haar hart bezwaarde en het ademhalen bemoeilijkte. Terwijl allerlei gedachten en gevoelens door haar geest tolden, dwong Stephanie zichzelf ertoe zich te concentreren op de enige betrouwbare informatie die ze had: iemand was met Jimmy weggelopen bij de controlepost. Een vreemde had hem weggerukt zonder ook maar een rimpeling in het oppervlak van de normaliteit te veroorzaken. Hoe kon dat gebeurd zijn? En waarom wilden ze niet naar haar luisteren?

Ze moest hier weg, ze moest iemand van de leiding te verstaan geven dat er iets vreselijks was gebeurd, dat het op dit moment nog gaande was. Stephanie worstelde met de rugleuning van de stoel en probeerde haar armen los te krijgen. Maar hoe meer ze tegen het onbuigzame plastic duwde, hoe vaster haar armen verstrikt leken te raken. Uiteindelijk besefte ze dat ze haar armen vanwege het ontwerp van de stoel niet ver genoeg achter zich kon krijgen om ze langs de rugleuning omhoog te schuiven. En het feit dat de stoel met bouten aan de grond was vastgezet, betekende dat ze niet eens kon opstaan om de stoel als een soort bizar schildpadschild met zich mee te dragen.

Op het moment dat ze tot die conclusie was gekomen, kwam de vrouw die eerder tegen haar had gesproken weer de kamer binnen. Ze werd gevolgd door een slungelige man van middelbare leeftijd in het inmiddels vertrouwde uniform van de luchthavenbeveiliging, die zonder Stephanie te begroeten tegenover haar ging zitten. Een keurig, grijzend, donker stekeltjeskapsel omlijstte een gezicht dat uit een en al holten en scherpe hoeken bestond, alsof het met magnetisch constructiespeelgoed door een kind in elkaar was gezet. Hij had een koude blik in zijn ogen, maar zijn mond en kin waren te week voor het beeld dat hij wilde uitstralen. Op zijn naamplaatje stond Randall Parton en hij had twee gouden strepen op de schouderstukken van zijn blauwe overhemd. Tot Stephanies opluchting begreep ze nu weer wat ze zag.

'Iemand heeft mijn zoontje ontvoerd,' zei ze, waarbij ze in de haast over haar woorden struikelde. 'U moet alarm slaan. Zeg het tegen de politie. Wat jullie dan ook doen wanneer een vreemde een kind steelt.'

Parton bleef haar ijzig aanstaren. 'Wat is uw naam?' zei hij. Stephanie hoorde de afgeknepen, nasale klanken van New England in zijn stem.

'Mijn naam? Stephanie Harker. Maar dat is niet belangrijk. Wat belangrijk is...'

'Wij bepalen hier wel wat belangrijk is.' Parton rechtte zijn schouders in zijn keurig gestreken overhemd. 'En wat nu van belang is, is dat u een veiligheidsrisico vormt.'

'Dat is krankzinnig. Ik ben hier het slachtoffer.'

'Wat mij betreft is mijn agent hier het slachtoffer. De agent die u heeft geslagen in uw poging om uit de onderzoeksruimte te ontsnappen voordat u gefouilleerd kon worden. Nadat u de metaaldetector had laten afgaan.' Stephanie zag de vrouw achter hem er wat onrustig bij staan, alsof ze zich hier ongemakkelijk bij voelde.

'De metaaldetector ging af, omdat er een metalen plaat en drie schroeven in mijn linkerbeen zitten. Ik was tien jaar geleden betrokken bij een ernstig auto-ongeluk. De detectoren gaan bij mij altijd af.'

'En op dit moment hebben we geen middelen om vast te stellen of dat waar is. Voordat we verdergaan, moeten we eerst vaststellen of u een gevaar voor mijn land of voor mijn team vormt. We eisen dat u zich aan een grondige fouillering onderwerpt.'

Stephanie voelde de druk in haar schedel oplopen, alsof er achter haar ogen elk moment een bloedvat kon springen. 'Dat is krankzinnig. Wat zijn mijn rechten?'

'Het is niet mijn taak om u op uw rechten te wijzen. Het is mijn taak om de luchthaven veilig te houden.'

'En waarom zijn jullie dan niet op zoek naar de ontvoerder die mijn zoon heeft gestolen? Jezus christus.'

'U hoeft ook niet meteen te gaan vloeken. Dat ontvoeringsverhaal kan net zo goed een ingewikkelde afleidingsmanoeuvre zijn. Ik wacht nog steeds op uw toestemming om u grondig te visiteren.'

'Ik stem helemaal nergens mee in, totdat jullie iets gaan doen aan wat er met Jimmy is gebeurd, idioot. Waar is je baas? Ik wil met iemand van de leiding spreken. Doe die handboeien af. Ik wil een advocaat.'

Parton drukte zijn lippen samen tot een strakke glimlach, die niets met humor te maken had. 'Niet-Amerikanen die voor een langere ondervraging in aanmerking komen, hebben in de regel geen recht op een advocaat.' Zijn stem klonk meer dan een beetje triomfantelijk.

De vrouwelijke agent schraapte haar keel en deed een stap naar voren. Lia Lopez, volgens haar naamplaatje. 'Randall, ze heeft het wel over een ontvoerd kind. Ze heeft recht op een advocaat, wanneer we haar over iets anders ondervragen dan over zaken rond immigratie of veiligheid.'

Parton draaide zijn hoofd gewichtig om, alsof het zo zwaar als een bowlingbal was. 'En dat doen we nu niet, Lopez.' Hij liet zijn boze blik een lang moment op haar rusten en keek toen Stephanie weer aan. 'U moet bevestigen dat u ermee instemt,' herhaalde hij.

'Ben ik volgens de wet verplicht me aan een fouillering te onderwerpen?' Het was Stephanie duidelijk geworden dat deze idioot niet naar haar zou luisteren en dat ze dus iemand moest vinden die dat wel zou doen. En vlug ook.

'Weigert u toestemming te geven?'

'Nee, ik vraag om uitleg. Ben ik wettelijk verplicht mee te werken? Of kan ik weigeren?'

'U bewijst uzelf hiermee geen dienst.' Er verscheen een lichtroze gloed op Partons wangen, alsof hij buiten in een koude wind had gestaan.

'Ik ken de wet hier niet. Zoals u al heeft opgemerkt, ben ik geen Amerikaans staatsburger. Ik probeer alleen maar vast te stellen wat mijn rechten zijn.'

Parton stak zijn hoofd naar voren, agressief als een boerderijhaan. 'Dus u weigert in te stemmen met een grondige fouillering? Is dat het?'

'Kent u de wet eigenlijk wel? Weet u eigenlijk wel wat mijn rechten in deze situatie zijn? Ik wil met iemand van de leiding spreken, iemand die weet hoe de vork in de steel zit.'

'Nu moet u eens goed luisteren, dame. U kunt wel de wijsneus uithangen, maar dat spelletje speel ik niet mee. Als u me niet het antwoord geeft waarnaar ik op zoek ben, dan is de volgende persoon die u te spreken krijgt iemand van de FBI. En dan gaat het heel anders toe.' Hij duwde zich af van de tafel en wendde zich tot Lopez. 'Wat weten we van haar op basis van haar identiteitsbewijs?'

Lopez mompelde iets in haar portofoon en draaide zich om. Parton begon weer te praten, zodat het andere gesprek niet meer te verstaan was. 'Zoals ik al zei: u bewijst uzelf hiermee geen dienst. U bent een van mijn agenten aangevlogen. Dat is alles wat we weten. Niemand heeft iets opmerkelijks gezien. Niemand heeft de ontvoering van een kind gemeld. Ik weet alleen maar dat u opeens tegen ons door het lint ging, mevrouw. Waarom bent u in hemelsnaam uit de afzonderingsruimte ontsnapt? Waarom heeft u die agent geslagen?'

De eerste keer had haar antwoord op die vraag niets teweeggebracht. Er was geen reden om aan te nemen dat ze door het te herhalen ook maar een stap verder zou komen. Als Stephanie haar armen over elkaar had kunnen slaan, dan had ze dat nu gedaan. Ze kon niet over de lichaamstaal beschikken om hun duidelijk te maken dat ze er genoeg van had. Ze slikte haar paniek in, hief haar hoofd op en keek hem recht in zijn ogen. 'Ben ik wettelijk verplicht antwoord te geven op die vraag?'

Parton sloeg geërgerd met zijn handen op het tafelblad. Lopez kwam naar voren en zei: 'Ze is Amerika een halfuur geleden binnengekomen, hier in Chicago. Ze zat op een vlucht vanaf London Heathrow.' Ze schraapte haar keel. 'Ze reisde samen met een klein kind.'

De stilte vulde de hele ruimte. Toen zei Stephanie met een stem, kil van ingehouden woede: 'Kan ik dan nu iemand van een echte wetsuit-voerende macht te spreken krijgen?'

3

Partons gewichtigdoenerij overleefde de informatie van Lopez niet. Hij gaf opdracht haar de handboeien af te doen, maar kon niet nalaten haar nog wat toe te snauwen. 'Hou uw handen uit uw zakken. En maak geen gebruik van uw mobiele telefoon.'

'Ik heb mijn telefoon niet bij me. Die zit in een plastic bak met alle andere spullen die door het röntgenapparaat zijn gegaan. En daar zit waarschijnlijk ook Jimmy's rugzak bij. Alles wat u had hoeven doen om vast te stellen of ik de waarheid sprak, was onderzoeken wat er van ons op de transportband van de scanner lag.' Stephanie deed geen enkele moeite haar minachting te verbergen.

Parton zei niets meer en verliet de kamer. Lopez glimlachte met spottend medelijden naar haar. 'Gaat hij iemand halen die iets aan de ontvoering van mijn kind kan doen?' vroeg Stephanie terwijl ze over haar polsen wreef.

De deur ging open en Lopez wendde haar gezicht af. Een agent van de luchthavenbeveiliging bracht twee grijze plastic bakken naar binnen en liet ze op de grond vallen. Stephanie zag dat haar handbagage in de ene bak lag en dat haar jasje, haar schoenen, haar toiletspullen, die met het oog op veiligheidscontroles in een plastic zak zaten, en een bonte verzameling losse spullen uit hun zakken in de andere bak lagen. 'Wacht eens even,' zei ze. 'Er moet er nog eentje zijn. Met Jimmy's rugzak en zijn sweater met capuchon erin.'

De agent haalde een schouder op. 'Dat was alles.' Hij deed de deur achter zich dicht.

De afwezigheid van Jimmy's spullen deed Stephanie opnieuw huiveren van angst. Het wees op de een of andere manier op koelbloedige berekening, op een gerichte actie in plaats van een spontane, willekeurige selectie. Ze was zich nog nooit zozeer bewust geweest van het verstrijken van de tijd. 'Heeft nu niemand hier het gevoel dat er snel iets moet gebeuren?' vroeg ze dringend. 'Heeft u kinderen? Zou u uw verstand niet verliezen wanneer iemand uw kind ontvoerde en niemand er aandacht aan schonk?'

Lopez leek zich ongemakkelijk te voelen. 'U moet geduld hebben. We doen gewoon ons werk en we hebben daarbij niet veel speelruimte. We zijn verplicht binnen zeer krappe grenzen te opereren. En ik zou niet eens met u moeten praten.'

Stephanie legde haar hoofd in haar handen. 'Met elke minuut die voorbijgaat, bevindt Jimmy zich langer in gevaar. Ik heb beloofd... Ik heb beloofd...' Haar stem stokte in haar keel. Haar angst en woede konden niet eeuwig op dit door adrenaline gevoede niveau blijven razen. Nu was het haar gevoel van mislukking dat haar naar adem deed snakken. Ze had haar woord gegeven. En het leek erop dat haar woord niets waard was.

Haar overplaatsing naar het kantoor in Chicago had FBI-agent Vivian McKuras als een promotie beschouwd. Maar toen ze haar een permanente positie op hun kantoor op het vliegveld gaven, begreep ze dat ze eigenlijk werd gestraft voor de zonden van haar vorige baas. Jeff diende momenteel een straf uit in een federale gevangenis voor de originele methoden waarmee hij zijn gokverslaving financierde. Ze had geweten dat er iets met hem aan de hand was, maar ze had gedacht dat het met zijn huwelijk te maken had, niet met een heimelijke regeling met de plaatselijke maffia. Dat was een fijn staaltje rechercheurswerk van haar geweest.

Een buitenstaander zou haar functie op het vliegveld als een moordbaan kunnen beschouwen: aan de frontlinie werken tegen terroristen die de Amerikaanse manier van leven wilden ondermijnen. De perfecte plek voor een agent om het weer goed te maken, om te bewijzen dat ze eigenlijk haar mannetje wel stond. De werkelijkheid was zo onaantrekkelijk als het maar kon. De meeste mensen die door de luchthavenbeveiligers uit de rij werden getrokken, hadden net zoveel met terrorisme te maken als haar grootmoeder. Dat was bij nader inzien niet zo'n gelukkige vergelijking. Haar grootmoeder kon zich de laatste tijd behoorlijk opwinden over de Schotse onafhankelijkheid. Ook al verliet ze Rutherglen toen ze nog maar vijf maanden oud was.

Het probleem voor Vivian McKuras was verveling. Elk verhoor dat ze had uitgevoerd als gevolg van een aanhouding door de luchthavenbeveiliging was totaal zinloos geweest. Meestal had ze binnen drie minuten al door dat de mannen, vrouwen en kinderen die werden vastgehouden om door haar ondervraagd te worden in termen van de staatsveiligheid compleet ongevaarlijk waren. Gehandicapte veteranen, incontinente bejaarden en de sikh met de zwarte plastic replica van een ceremoniële dolk, ze zouden geen van allen overgaan tot het kapen van een vliegtuig of het met de grond gelijkmaken van het vliegveld. En de enkele keren dat ze het gevoel had dat verder onderzoek op zijn plaats was, vereiste het protocol dat ze de afdeling Chicago erbij betrok. Haar mogelijke verdachte werd dan voor ondervraging afgevoerd door agenten met minder smetten op hun staat van dienst dan zij.

Ze verveelde zich dood. Ze had de afgelopen weken maar wat vaak onder de douche haar ontslagbrief aan de FBI opgesteld. Maar uiteindelijk stuitte ze altijd weer op praktische bezwaren. Wat voor werk zou ze dan kunnen doen? Ze zaten midden in een recessie. Niemand nam mensen aan. En personeel zonder beroepsopleiding nam men al helemaal niet aan. Vijf jaar bij de FBI leverde je geen andere vaardigheden op dan voor meer van hetzelfde. En meer van hetzelfde was nu precies wat ze niet wilde.

En om er helemaal een geslaagde dag van te maken, kwam Randall Parton nu ook nog haar kantoor binnenlopen. Vivian had geprobeerd de instinctieve weerzin die ze tegen Parton had geen invloed te laten hebben op hun professionele relatie. Maar dat was moeilijk, omdat hij bij hun eerste kennismaking en bij elke ontmoeting daarna een ware vloedgolf aan arrogantie en stommiteit tentoonspreidde.

'Agent McKuras,' zei hij, terwijl hij haar met een scherpe knik begroette. Het lukte hem altijd duidelijk te maken dat het gebrek aan respect wederzijds was.

'Waar heb je me vandaag voor nodig, agent Parton?' Vivian glimlachte innemend. Ze wist dat hij het vreselijk vond dat zij degene was met de macht iets meer te doen dan voorkomen dat iemand aan boord van een vliegtuig zou stappen.

Parton keek naar de bezoekersstoel tegenover haar bureau, zoals altijd in tweestrijd tussen de wens om te gaan zitten zonder op een uitnodiging te wachten die nooit zou komen en de behoefte om boven haar uit te torenen. 'We zitten met een gestoorde vrouw. Ze liet de metaaldetector afgaan, waarna een agent haar in de afzonderingsruimte zette om op een vrouwelijke beambte te wachten. Het duurde even voordat we iemand bij haar hadden, je weet hoe druk het op dit moment van de dag kan zijn.'

'Ik weet het,' zei Vivian. Ze zou willen dat ze het niet wist en wenste dat deze luchthaven en al de kleine details van haar dagelijkse functioneren een mysterie voor haar waren.

'En dan schiet ze opeens de afzonderingsruimte uit.' Het klonk alsof Parton in de verdediging ging, als een man die verwachtte dat zijn handelen vroeg of laat zou worden afgekeurd. 'Agenten gaan haar onderscheppen, maar ze is niet van plan zich door hen te laten tegenhouden. Voor ik het wist lag er een agent op de grond met een kapotte neus en overal bloed. Ze loopt nog altijd door en schreeuwt iets waar geen van mijn mensen iets van begrijpt.'

'Spreekt ze geen Engels?'

Parton krulde een mondhoek omlaag ten teken van zijn afkeer. 'O, ze spreekt wel Engels, maar niemand kan verstaan wat ze roept. Dus ze geven haar een stroomstoot, zoals ze horen te doen wanneer ze met gewelddadige tegenstand te maken krijgen. Ze gaat neer, maar ze staat meteen weer op. Alsof ze gek is. Dus ze zetten haar wat langer onder stroom en deze keer blijft ze op de grond liggen tot ze haar de handboeien hebben omgedaan. Daarna heeft Lopez haar meegenomen naar de verhoorkamer.'

Dat luchtte Vivian weer een beetje op. Lia Lopez mocht dan Partons ondergeschikte zijn, maar ze had meer verstand dan de rest van haar ploeg bij elkaar. 'Goede zet,' zei ze.

'En toen werd ik er dus bij geroepen. En toen begon het ingewikkeld te worden.'

'Hoezo ingewikkeld?'

'Om te beginnen is ze een wijsneus. Elke keer dat ik haar een vraag stelde, zeurde ze maar door met vragen of ze wettelijk tot antwoorden verplicht was. En zo bleven we in kringetjes ronddraaien. Vervolgens begint ze te beweren dat haar kind werd ontvoerd. Maar er was geen alarm geslagen in de beveiligingszone en niemand heeft gezien dat er een kind werd ontvoerd. Het enige ongewone voorval in mijn werkgebied vanmiddag was deze gestoorde vrouw die uit de afzonderingsruimte ontsnapte. En daarom was ik niet geneigd haar serieus te nemen. Ik dacht dat het een afleidingsmanoeuvre was om te voorkomen dat we haar zouden fouilleren zoals we dat zouden moeten doen.' Nu kwam zijn kin omhoog en werd zijn zelfingenomenheid helemaal overduidelijk.

'Ik begrijp wel waarom je zo zou kunnen denken.' Als je een idioot was, denkt ze. 'En waar staan we nu dan? Wil je dat ik met haar ga praten? Wil je dat ik haar overhaal om met een fouillering in te stemmen?'

Parton deed zijn armen over elkaar. 'Het is gecompliceerder geworden. Lopez heeft haar naam uit haar paspoort door immigratie laten nakijken. Het blijkt dat ze inderdaad een kind bij zich had toen ze eerder op de middag bij de grens aankwam.'

'En nu wordt dat kind vermist?' Nu had hij Vivians volledige aandacht. Wat dit ook was, het was geen doorsneezaak zoals de vele waaronder ze zo gebukt ging.

Parton knikte. 'Daar ziet het wel naar uit.' Zijn mond trok weer scheef. 'Maar nu komt het: ze is niet de moeder. Ze heeft de jongen het land binnengebracht met documenten van het Britse gerechtshof, die haar toestemming geven om met hem te reizen. Dus wie weet wat er hier verdomme allemaal aan de hand is.'

De plotselinge stoot adrenaline prikkelde Vivian op een manier zoals ze al maanden niet had ervaren. 'Jezus, Parton. We zullen een Code Adam moeten afroepen.' Ze strekte haar hand uit naar de telefoon en vroeg zich af wie ze als eerste moest bellen als het ging om het afsluiten van de drukste luchthaven van de wereld.

Parton wendde beschaamd zijn gezicht iets af. 'Het is te laat om de boel af te sluiten. We hadden niet snel genoeg door wat er aan de hand was. Ze zullen allang verdwenen zijn. Je kunt de videobeelden bekijken als je me niet gelooft. Je wilt echt geen groot alarm voor een vermist kind slaan als je niet zeker weet dat ze nog steeds in het gebouw zijn.'

Vivian vond dat hij daar een goed punt had. Dat zou een snel einde aan haar carrière betekenen. Ze slaakte een korte, scherpe zucht en drukte op de zelden gebruikte snelkeuzetoets voor het controlecentrum van het gesloten videosysteem van de luchthaven. Parton leek beledigd en wilde iets zeggen, maar ze hief een vinger naar hem op om hem het zwijgen op te leggen. 'Hé,' zei ze toen de medewerker opnam. 'Hier agent McKuras van het FBI-kantoor. Ik heb de videobeelden van het afgelopen uur nodig uit...'

'Beveiligingszone twee, terminal drie,' zei Parton gretig, omdat hij voelde dat Vivians acties hem uit de problemen zouden kunnen helpen. Vivian herhaalde de details en gaf de medewerker haar computer-ID door. Ze hing op en stortte zich met behendige en vlugge vingers op haar toetsenbord. Strikt genomen zou ze een van haar collega's moeten oproepen om samen met haar naar de videobeelden te kijken. Maar de twee mannen met wie ze de post op het vliegveld deelde, zaten in een klein kantoor in de hal voor internationale vluchten. Ze wilde niet wachten tot een van hen zich naar haar toe had gesleept. Als er inderdaad een ontvoering had plaatsgevonden, dan telde elke minuut, helemaal omdat ze te laat door hadden gehad dat het nodig was de luchthaven nog te laten afsluiten. Bovendien had ze een kant-en-klare getuige bij zich in de kamer, hoe laag haar dunk van hem dan ook was. Ze keek Parton aan. 'Nu zullen we wat meer inzicht krijgen in waar we mee te maken hebben. Waarom kom je niet met je stoel aan deze kant van het bureau zitten? Twee paar ogen zien meer dan één.'

Parton pakte een stoel op en zette hem bij de hoek van het bureau neer, zodat hij het beeldscherm kon zien. Hij ging zitten, strekte zijn lange benen uit en sloeg zijn armen over elkaar. Ze rook een vlaag wasmiddel vermengd met de geur van gebakken vlees en nam zonder erbij na te denken wat meer afstand van hem. Hij zag het en gromde. Toen vouwde hij zijn benen onder de stoel, zodat hij minder ruimte innam. 'Het is een geweldig systeem,' zei hij. 'Wanneer alles het doet.'

'Laten we hopen dat het een van die goede dagen is,' mompelde Vivian, terwijl ze op haar muis klikte om een nieuw venster te openen. Ze kreeg de keuze uit drie camera's die de beveiligingszone bestreken. 'Welke?'

Parton leunde naar voren en wees met een lange, knokige vinger. 'Die daar. De middelste.'

Vivian keek op haar horloge. 'Hoe lang geleden is dit gebeurd?'

'Ongeveer twintig minuten geleden.'

Ze riep de camerabeelden op, spoelde vijfentwintig minuten terug en speelde het beeldmateriaal vervolgens af. Ze keken een paar minuten zwijgend toe. Toen kwam er een vrouw met een kind het beeld binnenlopen, die de plastic bakken aan de andere kant van de metaaldetector begon te vullen. 'Daar is ze,' zei Parton.

'En die jongen hoort absoluut bij haar.' Vivian zette de beelden stil en bestudeerde het duo. De vrouw leek langer dan gemiddeld. Zo tegen de een meter tachtig. Haar bruine haar zat in een rommelige, tot haar kaaklijn reikende knot. Ze was aantrekkelijk, met hoge jukbeenderen en een vierkante kin. Haar brede mond was in een glimlach bevroren, terwijl ze naar de jongen keek. Het leek erop dat ze die typisch Engelse rooskleur had, alles roze en wit. De jongen had een dikke bos zwart haar, een olijfkleurige huid en wangen als abrikozen. Hij was een en al armen en benen, pezig en stuntelig als een veulen in een van die sentimentele renpaardenfilms. Het leek er niet op dat hij aan haar genen was ontsproten. Maar er was geen twijfel mogelijk. 'Ze horen bij elkaar, Parton.'

'Kut.'

Ze zagen hoe de jongen door de metaaldetector liep en naar de andere kant van het röntgenapparaat doorliep, waar hun bezittingen weer op de transportband tevoorschijn zouden komen. Hij keek over zijn schouder naar de vrouw, die glimlachte en haar duim naar hem opstak, terwijl ze de afzonderingsruimte inging om te wachten tot een vrouwelijke agent haar zou fouilleren. Tot zover was alles normaal. Vivian besefte dat ze haar adem inhield, alsof ze naar een thriller zat te kijken.

Er gingen enkele seconden voorbij. De jongen stond er wat onrustig bij en de vrouw keek naar hem. Toen kwam er vanuit de centrale hal een man aanlopen, met een zwarte broek aan en een overhemd dat op het luchthavenbeveiligingsuniform leek. Hij liep op de jongen af. Net voordat de man hem bereikte, zette Vivian de videobeelden stil. 'Wat klopt er niet aan dit plaatje?'

'Hij heeft een baseballcap op,' zei Parton zonder te aarzelen. 'Dat hoort niet bij het standaarduniform. We dragen geen hoofddeksel.'

'En hij heeft het soort hoofddeksel op waardoor je gezicht gegarandeerd onzichtbaar blijft wanneer je met hoog opgehangen camera's te maken hebt.' Vivian liet de beelden weer lopen.

'Hij is geen lid van mijn team. Zeker niet.' Parton liet zijn armen zakken en balde zijn vuisten.

De man liep recht op de jongen af en legde een hand op zijn rug. De jongen keek omhoog en knikte. De man in het beveiligingsuniform pakte een rugzak uit een van de plastic bakken en begeleidde de jongen vervolgens van de transportband naar de promenade. Het effect dat het op de vrouw had was als dat van een elektrische schok. Ze kwam meteen in beweging toen de man de jongen aanraakte. Ze hadden het uiteinde van de transportband bij de scanner amper bereikt, of ze was de plexi-glazen afzonderingsruimte al uit.

Vivian negeerde de ophef op de voorgrond en concentreerde zich op de man en de jongen. Ze bleven nog een paar meter in beeld, maar toen de promenade een bocht naar rechts maakte, sloegen ze scherp rechts af.

'Kut,' zei Parton weer.

'Dat is toch een uitgang?'

'Dan sta je meteen buiten,' bevestigde Parton. 'Binnen een minuut sta je langs de openbare weg. En daarna zou je overal kunnen zijn.'

Vivian zette de videobeelden weer stil. 'Het ziet ernaar uit dat die dame de waarheid sprak,' zei ze met een stem die net zo kil was als ze zich vanbinnen voelde. Er was een kind ontvoerd en door de bureaucratie van de luchthavenbeveiliging had de ontvoerder een voorsprong gekregen. 'Jezus, Parton. Waarom heeft niemand naar die vrouw geluisterd?' Ze reikte alweer naar de telefoon.

'Niemand kon haar aanvankelijk verstaan,' zei hij. 'Ik zweer het.'

'Ik ben ervan overtuigd dat dat je redding zal worden wanneer er rechtszaken volgen. Maar voor nu wil ik dat je me een lijst bezorgt met alle mensen die vanmiddag dienst hadden. We zullen hen allemaal moeten ondervragen om uit te vinden wie wat heeft gezien.'

Parton kwam niet in beweging. Hij leek gebiologeerd door de hand waarmee ze de telefoon vasthield. 'Parton,' zei Vivian ongeduldig, 'bezorg me die namenlijst.'

Hij keek haar in haar ogen. Het leek hem te duizelen. 'Het komt toch wel in orde, hè? Met dat jongetje? Jullie gaan hem toch vinden?'

Ze deed geen moeite om tegen hem te liegen: dat verdiende hij niet. 'Levend? Waarschijnlijk niet. Ga nu maar.' Ze keek toe hoe hij struikelend over de stoel op weg ging. Daarna haalde Vivian diep adem om te kalmeren. Ze drukte de snelkeuzetoets voor haar baas in. Er werd verbinding gezocht, waarmee de zaak van het ontvoerde kind niet langer haar zaak was.

4

De drang om op te staan en ervandoor te gaan was bijna overweldigend. Stephanie had al geprobeerd om op te staan, maar Lopez had er op scherpe toon op aangedrongen dat ze bleef zitten. 'Laat me u niet weer in de handboeien moeten slaan,' waarschuwde ze.

'Mag ik niet een telefoontje plegen of zoiets?' vroeg Stephanie. 'Ik dacht dat jullie Amerikanen het altijd zo hoog ophadden met het recht op vertegenwoordiging door een advocaat?'

Lopez glimlachte vreugdeloos. 'Heeft u nog nooit van Guantanamo Bay gehoord? We nemen het niet zo nauw met mensenrechten wanneer het gaat om het soort mensen dat ons van de planeet wil blazen.'

'Maar ik ben geen terrorist. Het is overduidelijk dat ik geen terrorist ben. Ik ben een vrouw van wie het kind voor haar ogen werd ontvoerd en jullie behandelen me alsof ík de misdadiger ben. Wanneer gaat iemand me nu eens serieus nemen?' Ondanks haar voornemen om kalm te blijven, kon Stephanie niet voorkomen dat ze haar stem verhief. Ze was misselijk en zweterig en ziek van angst en bezorgdheid. Maar ze moest sterk zijn. Voor Jimmy. Vanwege de beloften die ze had gedaan.

Ze hadden deze vakantiereis nooit moeten maken. Maar ze had zich laten verleiden door het idee van Californië. Stranden en golven, Disneyland en de Universal Studio's, zonneschijn en Yosemite-park. Vanaf het moment dat ze het liedje van Joni Mitchell had gehoord, was de stad van zwembaden haar verbeelding blijven prikkelen. Ze wilde weten hoe de golven in Malibu klonken. Dat Jimmy aan vakantie toe was, was alleen maar een excuus geweest om zichzelf te verwennen.

Stom.

Ze hadden naar Spanje moeten gaan. Met de auto op de veerboot naar Santander en dan verder rijden naar de Costa Brava. Of langzaam langs de Franse Atlantische kust omhoog naar Bretagne trekken. Iets zonder metaaldetectors en afzonderingsruimten. Iets waardoor Jimmy niet op een presenteerblaadje werd aangeboden aan eenieder die hem wilde wegkapen.

En wie zou dat sowieso doen? Wie zou het lef en de intelligentie hebben om hem te ontvoeren vanuit het hart van een drukke luchthaven, onder het toeziend oog van een gesloten videosysteem en van een van de striktste beveiligingsregimenten op de planeet? Het was niet te geloven.

Het was moeilijk te geloven dat het om een willekeurige ontvoering ging, om een impulsieve actie. Iemand had dit voorbereid. De man die met Jimmy was weggelopen, was duidelijk geen echte agent van de luchthavenbeveiliging geweest, anders hadden Parton en Lopez ervan geweten. Dat betekende dat het een bedrieger was. Maar je kon niet heel lang in een namaakuniform rondlopen zonder de aandacht van de echte beveiligingsmensen te trekken. Ze kon zich moeilijk aan de conclusie onttrekken dat Jimmy een heel specifiek doelwit was geweest. En dat betekende dat de ontvoerder het tragische lot van de jongen kende. En hun reisplannen vanzelfsprekend ook.

Alstublieft God, laat het in orde met hem zijn. Ze kon het idee dat Jimmy nog meer zou lijden niet verdragen. Hij had al meer doorgemaakt dan een vijfjarige ooit doorstaan zou moeten hebben. Wanneer hij zich rond bedtijd tegen haar aan nestelde, stelde ze zich soms voor dat ze zijn pijn opzoog en in haar lichaam opnam, zoals lymfeklieren giftige stoffen opnemen. Zo kon ze hem in een soort magische standaardtoestand terugbrengen waarin hij geen ondraaglijk lijden had moeten doorstaan. Welke klootzak zou bereid zijn die last van pijn en angst nog groter te maken?

Stephanie zette de gedachte uit haar hoofd dat ze misschien iemand kende die zo'n wrede daad zou kunnen overwegen. Maar de losgeslagen gedachte liet haar niet met rust.

Ze had iets nodig waarnaar ze haar aandacht kon verleggen. 'Is er niet een soort systeem dat een alarm verstuurt over ontvoerde kinderen? Ik weet zeker dat ik daar een keer op televisie iets over heb gezien. Geven jullie het door aan automobilisten op de snelweg of zoiets?'

'U bedoelt het Amber Alert,' zei Lopez. 'Wanneer een kind wordt ontvoerd, sturen ze berichten door naar de borden boven de snelweg. Maar het gaat veel verder dan dat. Ze zenden het uit op de radio en laten een lichtkrant zien tijdens nieuwsprogramma's op televisie. Veel mensen geven zich ook op voor het ontvangen van sms-berichten. Het is bij veel zaken een effectief middel gebleken.'

'Dat zouden ze voor Jimmy ook moeten doen.' Stephanie greep het haar aan weerszijden van haar hoofd vast. 'Dat zouden ze nu al moeten doen.'

'Agent Parton is ermee bezig.' Lopez klonk niet erg overtuigd.

'U heeft hier een portofoon. Zou u kunnen uitzoeken wat men aan het doen is? Alstublieft?'

Lopez leek in verlegenheid gebracht. 'Er is niets wat ik kan doen. Geloof me, de zaak is nu aan het rollen.'

'Maar niet snel genoeg,' zei Stephanie woest. 'Er is daar ergens een jongetje dat steeds angstiger wordt naarmate hij langer van me weg is. Ik hoop dat u daarmee kunt leven, agent Lopez. Want als ik hieruit kom, zal uw naam voorkomen in de krantenkoppen. Ik heb contacten bij de media waar u bang van zou worden. En ik zal die ten volle benutten.'

'Ik denk niet dat het in uw huidige situatie verstandig is dreigementen te uiten, mevrouw.'

'Vanuit mijn positie gezien zijn dreigementen alles wat ik heb. Want jullie aanspreken op jullie menselijkheid werkt blijkbaar niet, toch? Misschien moet ik uw eigenbelang beginnen aan te spreken. Ziet u toekomst in uw huidige carrière, agent Lopez? Of wilt u hieruit tevoorschijn komen als een van de mensen die aan de goede kant stonden?'

Lopez deed een stap in haar richting. Stephanie verwachtte woede of angst, maar in plaats daarvan kreeg ze iets heel anders. Lopez legde een hand op haar schouder. 'Ik zal net doen alsof u niets van dat alles heeft gezegd. U bent bang. Dat begrijp ik. Maar ik adviseer u die bedreigingen voor u te houden tot u ergens bent beland waar u er ook iets mee kunt doen. Onze organisatie heeft niet echt veel aanleiding nodig om mensen in eenzame opsluiting te plaatsen.'

Het klonk zo goedbedoeld en redelijk, maar Stephanie ervoer het als een angstaanjagender dreigement dan ze zelf ooit had kunnen bedenken.

Vivian McKuras legde de telefoon zachtjes neer, alsof ze bang was hem te laten schrikken, zodat hij haar zou bijten. Ze had verwacht dat haar baas de ontvoeringszaak van haar zou afnemen en haar zou opdragen om de passagierslijst door te nemen of een ander, net zo stompzinnig karwei te doen. In plaats daarvan stoorde ze hem tijdens iets wat als groot alarm klonk. Hij kakelde, kakelde inderdaad letterlijk, dat ze een geloofwaardig dreigement over een zelfmoordaanslag op een aanstaande politieke bijeenkomst hadden onderschept, waarbij ook de president en zijn gezin aanwezig zouden zijn. Al het beschikbare personeel, behalve zij dus blijkbaar, was opgeroepen om het gevaar uit te schakelen voordat ze er de controle over zouden verliezen. Normaal gesproken zou ze van haar stuk zijn gebracht door dit vertoon van een man die waarschijnlijk op de middelbare school 'cool' als zijn motto had aangenomen en er sindsdien niet ver van was afgeweken. Maar vandaag was ze er blij om dat ze was gepasseerd. Want vandaag betekende het dat ze haar eerste grote zaak mocht afhandelen. Zevenentwintig jaar oud en ze had haar eigen grote zaak. Haar baas had haar dan wel gezegd dat ze haar collega's op het vliegveld erbij moest halen om haar te helpen, maar ze beschouwde dat liever als een suggestie dan als een bevel. Dit was haar zaak. Nu kreeg ze de kans om het tij voor haar te keren.

Het eerste wat ze moest doen was het Amber Alert opstellen. Ze had een beschrijving van het kind nodig en een recente foto. Gelukkig had ze dat alles binnen handbereik, letterlijk. Vivian opende haar mailprogramma en stuurde een dringend bericht naar haar tegenhanger bij ICE-HSI, de zo pakkend genaamde Immigration and Customs Enforcement and Homeland Security Investigations.

Hallo, Kevin. Ik zoek informatie over een minderjarig kind dat jullie team vanmiddag het land heeft binnengelaten. Het is geen immigratiekwestie, maar het ziet ernaar uit dat de jongen daarna is ontvoerd. Hij kwam binnen vanuit Engeland en werd vergezeld door Stephanie Jane Harker, een ingezetene van het Verenigd Koninkrijk. Volgens mijn informatie had ze documenten van een Britse rechtbank bij zich die haar toestemming gaven om met het kind te reizen. We moeten een Amber Alert opstellen, dus ik heb zo snel mogelijk kopieën nodig van alles wat je hebt: de naam van het kind, de geboortedatum en een beschrijving. Als je een foto hebt uit het paspoort of uit het systeem, des te beter. We hebben wel beelden van het gesloten videosysteem, maar die hebben nooit een zodanig hoge resolutie dat we er veel mee kunnen. En als je aantekeningen hebt over die documenten zou dat ook helpen. Bedankt.

En omdat ze graag op zeker speelde, stuurde ze Kevin een sms'je om hem erop te wijzen dat ze hem een verzoek had gestuurd.

Ze haalde diep adem.

Totdat ze wat informatie had om mee aan de slag te gaan, kon ze verder niets meer doen aan het opstellen van het Amber Alert. Het was tijd om met Stephanie Jane Harker te gaan praten.

Toen er een vrouw de kamer binnenkwam in plaats van Randall Parton, kreeg Stephanie een absurd gevoel van opluchting. Jaren werken in een industrie waarin vrouwen iemand net zo makkelijk te grazen namen als mannen hadden haar van een dergelijk seksistisch optimisme moeten genezen, maar ze kon er niets aan doen. En zeker wanneer het om kinderen ging, verwachtte ze nog altijd een vleugje solidariteit van een andere vrouw.

Deze zag eruit alsof het haar menens was. Ze wierp een blik op Stephanie, nam vervolgens Lopez apart en boog haar hoofd om zachtjes tegen de agent van de luchthavenbeveiliging te praten. Hoe zou ik haar beschrijven als ik over haar zou schrijven? Dat was Stephanies standaardhouding wanneer ze een onbekende ontmoette. Haar kleding was netjes, maar anoniem: een donkergrijze broek, een marineblauwe blazer en een donkergroene overhemdbloes, waarvan ze alleen de bovenste knoop had losgemaakt. Ze zag een glimp van een gouden ketting om haar hals en eenvoudige gouden knopjes in haar oren. Ze had kort bruin haar dat rond haar oren en van haar voorhoofd uitwaaierde om een uiterlijk te benadrukken dat elfachtig zou zijn als ze niet zo'n stevige kaaklijn had gehad. Een gemakzuchtige schrijver zou haar groene ogen en de lichte zweem van sproeten op haar neus en wangen misschien Iers hebben genoemd. Maar hoewel Stephanie wist dat ze geen geweldige schrijfster was, was ze nog nooit zó gemakzuchtig geweest. Dit was Amerika, het land van de smeltkroes. Geen plek om snel te oordelen over iemands afkomst.

Nu draaide de vrouw zich om en keek haar effen en formeel glimlachend aan. 'Ik ben agent Vivian McKuras,' zei ze, terwijl ze de stoel bijschoof en ging zitten. 'Van de FBI.'

'Goddank,' zei Stephanie. 'Eindelijk een agent van een echte wetsuitvoerende dienst. U weet waarschijnlijk wél wat mijn rechten zijn?' Ze was verheugd iets van verrassing in de ogen van de agent te zien.

'Wat mij betreft heeft u melding gemaakt van een ernstig misdrijf, mevrouw Harker. Dat is de enige reden dat ik in u geïnteresseerd ben. Ik zie niet in waarom u een advocaat nodig zou hebben om een misdaad aan te geven. Op een zeker moment zullen mijn collega's van de lucht-havenbeveiliging u willen fouilleren, omdat u de metaaldetector bij de controlepost liet afgaan. Maar ik zie ook niet in waarom u daarvoor een advocaat nodig zou hebben.' Ze klapte een tablet-pc open en wekte het ding tot leven. 'Wat mij betreft moeten we nu eerst een vermist kind opsporen.'

Stephanie voelde haar schouders iets zakken. Eindelijk iemand die iets verstandigs zei. 'Bedankt dat u dat heeft opgehelderd,' zei ze. 'Dus jullie hebben alarm geslagen over Jimmy?'

Vivian keek haar recht in haar ogen. 'We zijn bezig om de benodigde informatie te verzamelen om nu juist dat te kunnen doen. Ik heb de vi-deobeelden bekeken van wat er in de beveiligingszone is gebeurd, maar jammer genoeg kunnen we het gezicht van de man die uw kind heeft meegenomen niet zien.'

Stephanie vermande zich. 'Hij is eigenlijk niet mijn kind.'

Vivian knikte. 'Dat weten we. En daarover zal ik u straks ook nog wat vragen willen stellen. Maar op dit moment ligt mijn prioriteit bij het la-ten uitgaan van dat alarm. Dus: wat is de naam van de jongen?'

'Jimmy Joshu Higgins.' Ze keek toe hoe Vivian het intikte. 'Dat is Joshu, zonder een "a" op het einde. Naar zijn vader. Hij was een dj.' Het lukte Stephanie niet helemaal om de minachting uit haar stem te weren.

'U heeft niet zo'n hoge dunk van zijn vader?'

'Nee, dat klopt.' Dat was niet het hele verhaal, maar dat kon wach-ten.

'Oké, hoe lang is Jimmy volgens u?'

'Hij is ongeveer één meter vijftien. Nogal slungelig en mager. Hij is licht voor een vijfjarige. Hij weegt net iets minder dan twintig kilo.' Om-dat ze Vivian zag fronsen, voegde ze er nog aan toe: 'Ongeveer veertig pond.'

'Bedankt. We hebben nog een beschrijving nodig om samen met een foto van Jimmy te versturen.'

'Hij heeft dik zwart haar. Het is kortgeknipt, maar behoorlijk wild. Heeft u *Jungle Book* ooit gezien?'

Vivian keek haar aan alsof ze gek was. 'Nee. Is dat een film?'

'Het is een tekenfilm. Het joch in de film heet Mowgli. Jimmy lijkt een beetje op hem. Hetzelfde soort haar, hetzelfde brutale gezicht als hij. Ik weet niet hoe ik het anders moet beschrijven. Googel Mowgli maar, dan ziet u wel wat ik bedoel.' Het frustreerde haar dat ze er niet in slaagde een beeld van Jimmy over te brengen. Stephanie dacht een moment na. 'Hebben jullie zijn paspoort niet? Het lag in dezelfde bak als dat van mij.'

Vivian draaide zich om naar Lopez. 'Hebben we dat paspoort, Lia?'

Lopez schudde haar hoofd. 'Nee. Alleen het paspoort van mevrouw Harker. Er lag niets van de jongen in de bak. Ik zal nog eens kijken, maar...' Ze bukte en begon de plastic bakken te doorzoeken.

'En zijn rugzak dan?' vroeg Stephanie.

'De man met wie hij is meegegaan heeft de rugzak opgepakt. Hij moet het paspoort ook hebben gepakt.'

'Hier ligt niets,' meldde Lopez.

'Shit,' zei Stephanie. Toen klaarde haar gezicht op. 'Mijn telefoon. Ik heb vorige week een paar foto's van hem genomen in het park. Zou dat helpen? Mijn telefoon ligt toch in de bak?'

Lopez stond op en zwaaide met de telefoon. 'Ik heb hem.' Ze keek Vivian vragend aan. 'Is het oké als ik haar de telefoon geef?'

'Geef hem maar aan mij.' Vivian opende snel de fotogalerij en tikte de laatste foto aan. Een man in een spijkeroverhemd op een hoge kruk, gebogen over zijn steelgitaar. Zijn haar onttrok zijn gezicht grotendeels aan het zicht. Duidelijk niet Jimmy Higgins.

'Dat is een vriend van me,' zei Stephanie. 'Probeer wat terug te bladeren.'

Nog een foto van de gitarist, deze keer met zijn hoofd achterovergegooid, zodat de spieren in zijn armen en nek goed uitkwamen. Daarna een naar de camera grijnzend jongetje, dat zijn arm in een weids gebaar naar een groepje vlak bij hem rondlopende eenden uitstrekte. 'Dat is hem. We waren de eenden aan het voeren.' Haar stem trilde en de tranen prikten achter haar ogen. 'Hij is nog maar klein. Jullie moeten hem vinden, voordat hem echt iets ergs overkomt. Alstublieft.'

5

Stephanie wist niet precies hoe de hiërarchische verhoudingen tussen de FBI en de luchthavenbeveiliging lagen, maar nu Vivian McKuras zich met de zaak bezighield, zag het er zonder meer beter uit. Vivian was weggegaan en had beloofd dat ze terug zou komen wanneer het Amber Alert was uitgegaan. In ruil daarvoor had ze zelf voorgesteld om zich door Lopez te laten fouilleren op de door de luchthavenbeveiliging voorgeschreven manier, die zonder meer eerder op een lichte vorm van aanranding leek dan op een beveiligingsprocedure. Lopez deed haar best haar afstand te bewaren en haar in haar waardigheid te laten, maar het kostte haar moeite.

'Het wordt er niet eenvoudiger op wanneer je de persoon die je fouilleert hebt leren kennen, hè?' zei Stephanie, die probeerde niet te huiveren toen de hand haar onder haar broeksband betastte.

'Het is voor uw eigen veiligheid,' zei Lopez. 'U zou er niet gelukkig mee zijn wanneer u in de lucht werd opgeblazen, omdat ik mijn werk niet goed heb gedaan.'

'U lijkt mij iemand die veel te slim is om in die onzin te geloven.'

'Wilt u een kop koffie?' zei Lopez, die achteruitliep en de blauwe nitrilrubberen handschoenen afstroopte.

Het was belachelijk dat ze huilerig werd van zo'n alledaags vriendelijk gebaar. Maar hoe langer ze van Jimmy gescheiden was, hoe kwetsbaarder Stephanie zich voelde. Voordat ze Jimmy kreeg, had ze nooit ervaren hoe het was om verantwoordelijk te zijn voor iemand die volkomen afhankelijk van haar was. Er waren momenten geweest in de afgelopen negen maanden dat die grote verantwoordelijkheid haar te veel werd. Maar er waren ook momenten geweest dat ze korte flitsen onverwacht genot ervoer, die haar een intens gevoel van geluk hadden gegeven. Juist de last van haar taak maakte de vreugde des te geweldiger. Ze zou kunnen zweren dat het een lichamelijk gevoel was. En nu ze het onbekende was ingestuurd, voelde ze zich verloren. Hoeveel erger moest het voor hem dan wel niet zijn.

Het was ironisch voor een vrouw die nooit enige kinderwens had gehad. Maar het leven met Jimmy had haar, ondanks alle complicaties en problemen, zo goed bevallen, dat ze zich nog moeilijk kon voorstellen hoe haar leven er zonder hem had uitgezien. Haar aanvankelijke onwil om hem op te nemen leek nu een onbegrijpelijke herinnering. Het was haar missie geworden om hem te helpen weer geluk te vinden na zoveel verlies, en elke vordering die hij maakte had haar vreugde gebracht. En al die zwaarbevochten vorderingen waren misschien niets meer waard, nu hij uit zijn heropgebouwde leven was weggerukt.

'Koffie zou lekker zijn,' zei ze. 'Maar bent u niet bang dat ik ervandoor ga als u weggaat?'

Lopez keek haar vreemd aan. 'Waarom zou u dat doen? Of er moet iets zijn wat u ons niet heeft verteld over de man die met uw kind is weggelopen.' Toen ze de deurkruk vastpakte, draaide ze haar hoofd om en keek Stephanie vol medelijden aan. 'Om nog te zwijgen van de bewaker aan de andere kant van de deur. Het is de man die u eerder een stroomstoot heeft uitgedeeld, dus het is maar dat u het weet.'

Over tegenstrijdige signalen gesproken, dacht Stephanie. Lopez was een combinatie van de goede en de slechte agent, gebundeld in één verpakking. Ze vroeg zich af of daarvan ook iets doorsijpelde naar haar privéleven. Stephanie huiverde. Ze had genoeg van relaties met mannen die hun ware gezicht onder een masker van valse goedaardigheid verborgen hielden. Ze dacht aan de man met de gitaar en gunde zichzelf een moment warmte. Aan die gewoonte was met hem een einde gekomen, daarvan was ze overtuigd.

Maar Stephanie was slim genoeg om te beseffen dat dat niet betekende dat ze van haar verleden was bevrijd. En op dit moment was haar grootste angst dat Jimmy het nieuwste slachtoffer van haar verleden was.

Het bodempje koffie was steenkoud tegen de tijd dat Vivian terugkwam en Stephanies paniekgevoel had nieuwe hoogten bereikt. 'Wat gebeurt er?' vroeg ze dringend zodra de FBI-agent de kamer binnenkwam. 'U bent bijna een uur weggeweest.'

'Ik moest alle beschikbare informatie verzamelen en vervolgens heb ik met de mensen van het noodalarmsysteem gesproken. Het spijt me dat het zo lang duurde, maar ik had wat informatie van de immigratiedienst nodig voordat ik verder kon. We zijn ook alle beelden van het ge-sloten videosysteem uit de hele terminal aan het verzamelen. We moe-ten de bewegingen van de ontvoerder nagaan om te zien of we kunnen achterhalen waar hij vandaan kwam. Of hij op de stoep werd afgezet of dat hij met het openbaar vervoer is binnengekomen.'

'En hoe zit het met forensisch onderzoek? Er zullen toch wel vinger-afdrukken zijn, of DNA?'

Vivian schudde haar hoofd. 'Uit de beveiligingszone valt niets van betekenis op te pikken. Daar gaan te veel mensen doorheen. En omdat we niet meteen doorhadden wat er aan de hand was, zijn er na de ont-voering al allerlei andere mensen langs de controlepost geweest. Het spijt me, maar dat is een dood spoor.' Ze ging zitten en plaatste een digi-tale spraakrecorder tussen hen in op tafel. 'Nu alles in gang is gezet, wordt het tijd dat u een paar lege plekken voor me invult. Volgens de documenten die u aan de immigratiedienst heeft laten zien is Jimmy ei-genlijk niet uw zoon. Maar u bent wel verantwoordelijk voor hem?'

'Dat klopt. Ik ben zijn wettelijk voogd.'

'Hoe zit dat dan in elkaar?'

Stephanie haalde haar vingers door haar haar, zodat het als een chao-tische wolk rond haar hoofd hing. 'Hoe lang heeft u?'

Vivian leunde achterover in haar stoel. 'We hebben de hele avond. We kunnen op dit moment niets anders doen dan proberen uit te vin-den wie hierachter zit. Behalve wanneer het een willekeurige actie was, is er een grote kans dat de oorzaak van deze misdaad in het verleden van de jongen ligt. En u bent mijn enige bron daarover. Dus als u geen slim-me ingevingen heeft over de identiteit van de ontvoerder, kunt u beter bij het begin beginnen.'

De airconditioning sloeg plotseling aan en Stephanie schrok ervan. Maar de huivering die door haar lichaam trok had niets te maken met de instroom van koude lucht. Ze kon de verdenkingen die aan de ach-terkant van haar geest knaagden niet uitspreken. Dat zou ze te concreet maken. Ze was gek dat ze er überhaupt aan dacht. Ze sloeg haar armen om haar tengere lichaam en kneep haar ogen even stijf dicht. 'U moet eerst weten wie Jimmy is. En om dat te begrijpen moet u weten wie zijn moeder was.'

Deel 2

SPOOK

I

Londen, vijf jaar en vijf maanden eerder

Soms leek de willekeur van de via mijn computer direct afgespeelde muziek zich tegen mij te keren. Ik had vanmorgen al een treurige Janis Ian gehad, een ellendige Elvis Costello en een beroerde The Blue Nile. En nu zong Mathilde Santing 'Blue Monday', een liedje dat mijn stemming wel zo'n beetje weergaf. Mijn laatste project was vermoeiend geweest, maar het was alweer drie weken geleden dat ik het had afgerond. Ik had ernaar uitgezien om wat meer tijd met Pete door te brengen, dat is Pete Matthews, de man met wie ik al zeven maanden iets had. Maar de afronding van mijn werk had aan het begin gestaan van een nieuwe opdracht van hem, zodat hij tot diep in de nacht in zijn studio zat. Ik was er enige tijd eerder achter gekomen dat het werk van een geluidstechnicus niets met glamour te maken had. Alleen maar met onvoorspelbare werkuren, lange nachten en de wrange nasmaak van prima donna's met minder talent dan ze geloofden of hun fans beseften.

Ik zal eerlijk zijn. Ik kon op dat moment wel wat luchtige romantiek gebruiken. Ik word altijd wat onrustig tussen twee opdrachten in. Wanneer ik eenmaal was bijgekomen van de vermoeienissen van het halen van mijn deadline, begon ik me druk te maken over waar de volgende opdracht vandaan moest komen. Wat als dit het was? Wat als ik compleet faalde en geen nieuw werk meer kreeg? Hoe zou ik dan de hypotheek moeten betalen? Zou ik het huis moeten verkopen om Londen te verlaten en, god beware me, weer bij mijn ouders in te trekken in hun kleine, hokkerige rijtjeshuis in Lincoln? Een paar dagen lezen en winkelen, wat lunchen met de meiden, een middagvoorstelling of twee, dat hield ik nog wel vol. Maar dan begon het toch te kriebelen en wilde ik een nieuwe uitdaging.

Pete lachte me altijd uit wanneer ik hem over mijn angsten vertelde. 'Moet je jezelf nu eens horen,' plaagde hij dan. 'Je gaat binnen tien seconden van niets naar totale mislukking. Kijk eens naar je staat van dienst, meisje. Ze weten dat ze totale toewijding krijgen wanneer ze je inhuren. Jij bent hun hoer vanaf het moment dat de inkt droog is tot je het eindproduct hebt afgeleverd.'

Dat was niet echt hoe ik mijzelf zag, maar ik begreep wel wat hij bedoelde. Ik heb mijn projecten nooit licht opgevat en in deze bedrijfstak praat men met elkaar over dat soort zaken. Ik heb volgens mij wel een goede reputatie, maar het is soms moeilijk dat geloof in jezelf vast te houden. Pete kon naar zijn naam op een cd wijzen. Hij beschikte over tastbare bevestiging. Maar bij mij gaat het er nu juist om onzichtbaar te blijven. Soms duik ik op op de titelpagina of in het dankwoord, maar meestal willen mijn klanten het beeld van zichzelf hooghouden dat ze met het grootste gemak zinnen aan elkaar kunnen rijgen. Dus wanneer Pete en ik met vrienden uitgingen, kon ik bijna niets over mijn werk vertellen. Het was alsof ik lid van de maffia was. Behalve dat zij een familie om zich heen hadden die hen kon steunen. Ik was alleen maar die onbetekenende persoon in de schaduw.

Ik brak Mathilde Santing midden in de maat af en trok me terug in de keuken. Ik had net water opgezet, toen de telefoon ging. Voordat ik iets kon zeggen, was de stem aan de andere kant al met het gesprek begonnen. 'Stephanie, schat, ik heb zó'n geweldige opdracht voor je, wacht maar tot ik je erover vertel. Maar hoe ís het met je, liefje?' Het was mijn agente, Maggie Silver. Onstuitbaar, onweerstaanbaar en onvervangbaar. En altijd overdreven pratend. Niemand in deze branche werkte zoals Maggie. Nou ja, niemand deed het luider dan zij. Ik fleurde alleen van haar stem al op.

'Klaar voor een geweldige opdracht,' zei ik. Zelfs ik kon plezier in mijn stem horen.

'Perfect. Want ik heb écht iets fantastisch. Ze hebben om je gevraagd. Verder geen concurrentie, de uitgever is ervan overtúígd dat jij er perfect voor zou zijn.'

'Om wie gaat het?' Een popster? Een acteur? Een politicus? Een sportman? Ik heb ze allemaal gehad. Als mensen er al achter komen waarmee ik mijn geld verdien, dan vragen ze steevast wiens boek ik heb gedaan en welke categorie me het best bevalt. Om eerlijk te zijn heb ik geen favorieten. Zoveel verschil is er niet tussen degenen die door beroemdheid zijn aangeraakt. Wanneer je de oppervlakkige verschillen

44

wegschraapt zijn de uiterlijk mooie pretenties min of meer dezelfde. Maar het was niet mijn taak om dat aan het publiek te verklappen. Mijn enige rol in het leven van mijn onderwerpen bestond eruit hen interessanter, sympathieker en aantrekkelijker te maken. Ze noemen me een spook, maar ik zie mezelf als de goede fee die haar toverstaf boven hun levens heen en weer beweegt. Zo maak ik er een verhaal van dat uit een aaneenschakeling van roemrijke daden bestaat.

'Ken je *Goldfish Bowl*?'

Ik kon er niets aan doen: ik kreunde. Reality-tv. Was ik zo diep gezonken? Ik had net een voormalig conservatief kabinetslid in een energieke, behoorlijk intelligente held veranderd. En als beloning kreeg ik nu een of andere nietszeggende eendagsvlieg uit een saaie marktplaats die een kwartier lang beroemd zou zijn. Een maand lang een bestseller en dan rechtstreeks naar de ramsjtafel. 'Jezus, Maggie,' was het enige wat ik kon uitbrengen.

'Nee, lúíster, schat, het is niet wat je denkt. Er zit écht een verhaal in. Het gaat om Scarlett Higgins. Je hebt vást wel van haar gehoord.'

Natuurlijk kende ik Scarlett Higgins. Rechters van het hooggerechtshof en daklozen kenden Scarlett Higgins. En ik heb de gave om mijn vinger aan de pols van de tijdgeest te houden, al zeg ik het zelf. Het is een van de grondslagen voor mijn succes. Ik voel me thuis in de popcultuur en weet hoe je gebruik kunt maken van wat mensen van hun sterren willen. Dus ja, ik kende het publieke gezicht van Scarlett Higgins. De Scarlett Harlot, zoals ze wel door de roddelbladen werd genoemd. Niet omdat ze naar roddelbladbegrippen nu zo bijzonder los van zeden was, maar vooral omdat het rijmt en omdat ze bij de bladen gemakzuchtig zijn.

'Wat valt er nog te vertellen? Heeft ze niet alles al verteld aan de roddelkranten en de sensatieblaadjes?'

'Ze is in verwáchting, liefje.'

'Dat is ook geen nieuws, Maggie. Die zwangerschap is wat haar heeft gered van de publiekelijke lynchpartij na het debacle van de tweede serie.'

'Haar agent is met het idee gekomen voor een autobiografie in de vorm van een brief aan de baby. Scarlett zal de trágische gebeurtenissen uit haar eigen jeugd onthullen en praten over de fouten die ze heeft gemaakt. Ze is ermee naar Stellar Books gegaan en die vinden het een geweldig idee. En zij willen natuurlijk jou hebben. Biba was wíld over het boek van Maya Gorecka dat je voor hen hebt gedaan en ze is er ábsoluut van overtúígd dat Scarlett het met je zal kunnen vinden.'

Soms leek luisteren naar Maggie op verdrinken in uitroeptekens. 'Ik weet het niet,' zei ik. 'Ik kan niet echt opgewonden raken van iemand die al zoveel heeft gespuid over zo weinig.'

'Liefje, het betaalt fantástisch. En eerlijk gezegd is er momenteel ook niet echt iets anders. Voetballers en hun vrouwen en vriendinnen hebben hun beste tijd gehad, de meesten van die vreselijke rappers en genomineerden voor de Mercury-muziekprijs bereiken alleen de doelgroep en spreken de gemiddelde lezer niet aan, en werkelijk niemand is geïnteresseerd in door Tony Blair ontslagen kabinetsleden. Ik heb mijn best gedaan voor je, maar op het moment is Scarlett Higgins het énige wat er is. Als je liever op iets anders wacht, zal er heus over een paar maanden wel iets langskomen, maar ik vind het maar niets wanneer je daar thuis zit te duimendraaien. Je wéét hoe onrustig je daar van wordt, schat.'

Ze had vervelend genoeg gelijk. Nietsdoen was geen optie. Als Pete nu vrij had gehad, dan konden we ergens naartoe zijn gegaan, vakantie hebben gevierd. Maar hij zou het niet leuk hebben gevonden als ik zonder hem was vertrokken. En om eerlijk te zijn zou ik het ook niet leuk hebben gevonden. Ik had er lang over gedaan om een man te vinden aan wie ik me wilde binden. En nu ik met Pete was, had ik niet meer zo'n zin om alleen op reis te gaan, hoewel ik er vroeger altijd zo gek op was. Tegenwoordig vroeg ik me zelfs af in hoeverre dat in mijn eentje reizen eigenlijk alleen maar zelfbedrog was. 'Maar evengoed,' zei ik slapjes, omdat ik niet te snel wilde toegeven.

'Het kan geen kwaad om met die meid te gaan práten,' zei Maggie vastberaden. Vleierij is beneden haar waardigheid. Ze zal altijd assertiviteit boven smeekbeden verkiezen. 'Wie weet? Misschien vind je haar wel léúk. Er zijn gekkere dingen gebeurd, Stephie. Er zijn zéker wel gekkere dingen gebeurd.'

2

Maggie hing meteen op toen ze haar een belofte had ontfutseld dat ze de Scarlett Harlot op zijn minst zou willen ontmoeten. Ze beweerde altijd dat een van de geheimen van haar succes als literair agente eruit bestond dat ze alweer de deur uit was voordat ze op hun beloften konden terugkomen. 'Mensen schámen zich er over het algemeen voor om op hun woord terug te komen,' vertelde ze me toen we elkaar nog maar net kenden. 'Dat zou ik in gedachten houden als ghostwriter. Wanneer een klant met een onthulling komt waarvan jíj denkt dat ze spijt zullen gaan krijgen, bedank dan en vertrék. Maak er geen scène van, doe gewoon alsof het niet veel voorstelt en zeg dat het tijd wordt dat je naar huis gaat. Dat is zóveel eenvoudiger.'

Maggies advies is verrassend effectief gebleken. Maar het heeft me niet immuun gemaakt voor haar trucjes. 'Vervloekte Maggie,' mompelde ik tegen de telefoon, terwijl ik hem weer neerlegde. Mijn koffie was klaar en ik ging met mijn iPad aan de keukenbar zitten. Als ik met Scarlett Higgins zou gaan praten, dan moest ik wel helemaal op de hoogte zijn van haar verrichtingen. En omdat alle tijdelijke sterren uit realitysoaps de neiging hebben tot één amorfe blondine samen te smelten, moest ik ervoor zorgen dat ik voldoende over Scarlett wist om haar betreurenswaardige verrichtingen van die van de anderen te kunnen onderscheiden. Ik zou er flink van langs krijgen en een contract wel kunnen vergeten als ik haar een vraag over het verkeerde liefje uit een jongensband of over een verkeerde soapacteur zou stellen. Of als ik het zelfs maar mis had over haar lievelingsdrug. Ik kon een glimlach niet onderdrukken bij de herinnering aan het beruchte interview met Whitney Houston door Diane Sawyer. Ze was een en al tranen en biechtte van alles op, totdat Sawyer over crack begon. Toen steigerde de verontwaardigde diva en zei op bijtende toon: 'Laat me om te beginnen even iets duidelijk maken: crack is goedkoop. Ik verdien te veel geld om ooit crack te gaan roken. Dat dat even duidelijk is, oké? Wij doen niet aan crack.' Oké, rustig maar, dame.

Maar eerst het belangrijkste: ik wilde mijn geheugen opfrissen over de formule van *Goldfish Bowl*, de realitysoap die Scarlett vanuit de vergetelheid van Yorkshire naar de landelijke huiskamers had gelanceerd. Daarvoor kon Wikipedia wel volstaan.

Goldfish Bowl is een realitysoap waarbij steeds iemand moet afvallen, die in het Verenigd Koninkrijk is bedacht en in 2005 voor het eerst werd uitgezonden. Het speelt zich af op Foutra, een klein Schots eiland aan de uiterste grens van de Firth of Forth. Het anderhalve kilometer lange en op het breedste punt zevenhonderd meter brede eiland is onbewoond, afgezien van de deelnemers aan het spel. Het enige gebouw op het eiland is een ruïne van een geschutsbunker uit de Tweede Wereldoorlog, die voor het televisieprogramma werd opgeknapt en die de enige beschutting voor de kandidaten vormt. Met het oog op het doel van het spel zijn er konijnen en koeien op het eiland uitgezet. Er zijn ook stukken bouwland, waar de televisiemaatschappij eetbare gewassen heeft aangeplant, als de kandidaten ze tenminste weten te vinden.

De twaalf kandidaten zijn met opzet gekozen vanwege hun stedelijke achtergrond en hun gebrek aan praktische vaardigheden. Ze worden per boot naar het eiland gebracht en moeten vervolgens zelf onderdak en voedsel zien te vinden. Een deel van het vermaak komt voort uit de hulpeloosheid van de cast van stadskinderen die het platteland in worden gestuurd.

Ik kreunde toen ik me de eerste aflevering herinnerde. De regelrechte paniek van de deelnemers toen ze beseften dat hun grootstedelijke straatwijsheid totaal nutteloos was. Hun afkeer van de natuur. Hun onwetendheid over waar hun voedsel eigenlijk vandaan kwam. Het was tegelijkertijd komisch en tragisch geweest. Hun onnozelheid was tenenkrommend. Ze hadden het er waarschijnlijk beter afgebracht wanneer ze op Mars zouden worden achtergelaten.

Scarlett had voor het eerst indruk gemaakt op de kijkers door haar ontmoeting met een van de drie Schotse hooglanders op het eiland. 'Godallemachtig,' had ze met een mengeling van afgrijzen en bewondering uitgeroepen, 'ik wist niet dat koeien zo groot waren.' Nou, Scarlett, de meesten van ons eigenlijk wel.

Terwijl ik door de rest van het artikel bladerde, kwamen er steeds meer herinneringen boven. Er stonden maar zes smalle eenpersoonsbedden in de bunker. Dus de eerste uitdaging bestond uit het regelen van wie waar ging slapen. Het was ook de bron van het eerste conflict geweest. De jongen die ik in mijn hoofd de bijnaam 'Kapitein Verstandig' had gegeven, stelde een slaaprooster voor. Omdat er geen ramen in de ondergrondse slaapvertrekken zaten zouden degenen die overdag moesten slapen geen last van het daglicht hebben. De anderen hadden hem meteen voor gek verklaard. Het leek een aantrekkelijk idee om de bedden te delen, totdat ze het daadwerkelijk uitprobeerden en ontdekten dat de bedden zo smal waren dat ze er telkens weer uit vielen.

Het was Scarlett geweest die met een oplossing was gekomen. Bij de voorraden die ze hadden gekregen zaten balen hooi voor het vee. 'We kunnen op het hooi slapen,' zei ze. 'Zoals in dat kerstliedje: "het kindeke Jezus, hoe Hij sliep in het hooi." In oude films doen ze dat altijd als ze op de vlucht zijn.'

'En wat moeten de koeien dan eten?' stelde Kapitein Verstandig daar triomfantelijk tegenover.

'Die gaan het toch niet allemaal in een keer opeten?' zei Scarlett met een zwaai van haar dikke, blonde, lange haar. 'En elke week krijgt een van ons de kogel. Tegen de tijd dat het hooi opraakt, zal er voor iedereen een bed zijn.' Voor iemand die gevaarlijk dom leek, was dat een verrassend overtuigende redenering.

Maar dat was een van de zeldzame heldere momenten van Scarlett geweest. Wat me destijds nog het meest opviel aan Scarlett in de eerste serie van *Goldfish Bowl* was haar bereidheid om elke opdracht die Big Fish, de stem die de uitvoerende televisiemaatschappij vertegenwoordigde, de kandidaten gaf op zich te nemen. En ook haar scherpe oog voor de zwakke punten van anderen viel op. Scarlett was zeer bedreven in het ogenschijnlijk aanbieden van hulp, terwijl ze eigenlijk haar medekandidaten ondermijnde. Het was moeilijk te geloven dat dit een opzettelijke tactiek was, omdat ze over het algemeen opmerkelijk dom overkwam. Haar eerste poging om een boodschappenlijst voor de kandidaten op te stellen die binnen een bepaald budget bleef, gaf blijk van het vermogen tot lezen, schrijven en rekenen van een zesjarige. Haar kennis van de actualiteit was bedroevend: ze was ervan overtuigd dat premier Tony Blair de zoon van de danser Lionel Blair was en dat Bill Clinton nog steeds president van Amerika was ('Nou, waarom noemen ze hem dan president Clinton als hij niet de president is, hè?'). Ze werd huilerig en sentimenteel van kinderen, kittens en puppy's, maar gaf blijk van een alarmerende onwetendheid over hoe ze voor ze moest zorgen. Ze was niet populair bij haar medekandidaten in de *Bowl*, omdat ze de neiging had te zeggen wat ze dacht. Maar het publiek begon haar steeds leuker te vinden, omdat ze de gave bezat om de spijker op de kop te slaan en precies te zeggen wat de kijkers ook dachten. Ze bewonderden haar moed en schaamteloosheid. En ze wekte op de lachspieren, wat het altijd goed doet bij een realitysoap.

Ze was te zwaar en was op zich helemaal niet zo'n knappe meid, maar ze maakte er het beste van. Ze maakte net zoveel werk van haar kapsel en make-up wanneer ze wortels ging zoeken die ze kon opgraven als wanneer ze met Big Fish ging praten in het Aquarium, de ruimte met glazen wanden in het hart van het complex, waar de kandidaten naartoe werden geroepen voor hun voortgangsrapporten, debriefings en instructies.

De vaste kijkers begonnen haar ook steeds meer te bewonderen omdat ze van geen opgeven wilde weten. Wanneer de kandidaten nog maar weinig voedsel hadden, zag zij het als een mogelijkheid om af te vallen. Toen Kapitein Verstandig hun enige hengel in zee liet vallen tijdens de 'provisiekamer-van-de-zee-uitdaging', kamde ze het strand af tot ze een vervanging had gevonden. En ook al verloor ze vaak genoeg haar zelfbeheersing en ontpopte ze zich als een kleingeestige vuilbek, de mensen gingen van Scarlett houden. Ze werd een recordaantal van zes keer door haar medekandidaten voor uitschakeling genomineerd. En telkens koos het publiek ervoor haar erin te houden en de andere kandidaat eruit te gooien.

Maar ze hielden net niet genoeg van haar. In de laatste stemronde van de programmareeks verloor ze van Darrell O'Donohue, een gemoedelijke spierbundel uit Belfast. Ik denk dat hij won omdat er helemaal niets op Darrell viel aan te merken. Hij zag er goed uit, was vriendelijk en hij was een harde werker. Hij leek geen uitgesproken meningen over enig onderwerp te hebben. En hij gaf een goede uitvoering van Shania Twains 'Man! I feel like a woman!' ten beste tijdens de karaoke-uitdaging. Maar toch zou ik hem binnen het uur hebben vermoord als ik ertoe zou worden gedwongen een avond in zijn gezelschap door te brengen. Toen de reeks was afgelopen, kreeg hij nog zijn vijf minuten beroemdheid, waarna hij weer naar Noord-Ierland verdween, tevreden met een rol als derderangsvis in een kleine vijver.

Ondanks het feit dat ze de verslagen finaliste was, was het Scarlett die haar succes het meest wist uit te buiten. Ik wilde mijn geheugen opfrissen over het verloop van haar groeiende beroemdheid en zocht daarom het Wikipedia-artikel over Scarlett zelf op. Tijdens het lezen herinnerde ik me hoe moedig ze had geleken. Ze had haar verleden in de achterstandswijken van Zuid-Leeds afgeworpen en had het circuit van bekende Britten bestormd. Ze nam een agent in de arm en binnen enkele dagen was ze een vast item geworden van de boulevardkranten en de sensatieblaadjes, publicaties die vol stonden met dronken vrouwen die zich om drie uur 's nachts in limousines of in de goot lieten vallen. Scarlett slankte af, werd opgepoetst door stylisten en begon zowaar bijna een schoonheid te lijken. Het duurde dan ook niet lang tot ze een vriendje binnenhaalde dat al een voet tussen de deur van de sterren had.

Scarlett had nog niet helemaal genoeg supersterbonuspunten verzameld om een voetballer uit de Premier League aan de haak te slaan, maar ze kwam er behoorlijk dicht in de buurt. Reno Jacuba was spits bij een team uit de Championship League, dat ergens in het midden van de ranglijst bleef steken. Nadat hij te lijden had gehad onder een paar aantijgingen wegens nare gevallen van aanranding, had hij nu dezelfde agent als Scarlett en er was voor beiden voordeel te halen uit een verbintenis. Dus ze werden gekoppeld en bleven een paar tijdschriftencycli lang bij elkaar. Toen hij eenmaal weer in ere was hersteld en haar waarde iets was gestegen, dumpte hij haar. Of zij dumpte hem, dat hing af van wiens verhaal je wilde geloven.

Daarna was de beurt aan een tweederangs gangsterrapper, wiens belangrijkste aanspraak op roem had bestaan uit het laten zakken van zijn broek op de rode loper tijdens de uitreiking van de MOBO-prijzen. Een paar korte maanden van misselijkmakende verliefdheid later kwam er een tumultueus einde aan hun relatie. Na drie vechtpartijen in nachtclubs die op de voorpagina's van de roddelbladen belandden, was hij verleden tijd.

En toen was daar Joshu. Een Brits-Aziatische dj, superman van de draaitafels, een pronkerige jongen uit de bantamklasse, die dacht dat elk woord dat van zijn lippen droop van goud was. Koning van het clubcircuit, of dat dacht hij in ieder geval zelf. Hij kreeg er nooit genoeg van om in het openbaar tegen Scarlett te zeggen dat ze dankbaar moest zijn dat ze hem had, omdat hij elke vrouw kon krijgen die hij wilde. Het was een bewering die hij regelmatig uittestte. Ze maakten er ruzie over in nachtclubs, in bars en in restaurants. Ze vochten het uit tijdens praatprogramma's op de televisie, in interviews met de pers en op straat. Het probleem was dat het erop leek dat het domme meisje echt verliefd was op de aanstellerige jongen. Ze kreeg maar niet genoeg van hem. Alleen door erover te lezen kreeg ik al zin om er wat verstand bij haar in te rammen.

Het onderhouden van zeer openbare liefdesrelaties was niet het enige waar Scarlett goed in was. Een slimme televisieproducent had begrepen dat ze over de gave beschikte om een specifieke demografische groep aan te spreken. De intellectuele elite mocht dan wel de neus voor haar ophalen, alle kranten vanaf het niveau van de *Daily Mail* mochten haar dan wel bespotten, maar als het aankwam op het bereiken van leeghoofdige jonge vrouwen met genoeg vrij besteedbaar inkomen om interessant voor adverteerders te zijn, had Scarlett een feilloos instinct. Het leek alsof ze wist wanneer ze ordinair moest zijn of juist kwetsbaar, wanneer ze sexy moest zijn en wanneer ze heel erg grof moest zijn. En omdat ze ten minste twee keer per week werd gespot terwijl ze aan het stappen was, kreeg haar publiek echt het gevoel dat ze een van hen was.

Voor deze vrouwen was Scarlett het levende bewijs dat dromen konden uitkomen. Ze rechtvaardigde hun oppervlakkige ambities. Ze zagen hoe ze zich ondanks haar vreselijke jeugd, haar slechte scholing en het feit dat ze niet de mooiste was in de hoogste kringen bewoog, en daardoor begonnen ze te geloven dat het hun ook zou kunnen overkomen. En dat hielp hen de dagelijkse ellende door.

Daarom verslonden ze haar latenightshow op het satellietkanaal. Het programma bracht haar leven in kaart. Scarlett gaf schoonheidstips en modetips en verschafte de kijkers een kijkje in een van merkreclame vergeven wereld. Er was sprake van een persoonlijke geur, van een kledinglijn bij een goedkope confectieketen en van een maandelijkse column in een tijdschrift. Godzijdank is van dat laatste niets gekomen. Ik huiverde bij de gedachte aan de arme persklaarmaker die Scarletts simplistische, maar compleet verknipte wereldbeeld in een vorm moest kneden die de lezers zou bevallen en de advocaten tevreden zou stellen.

Maar ik moest toegeven dat ze goed geboerd had, die Scarlett. Naar haar maatstaven althans. Ze woonde in een afzichtelijke villa in haciëndastijl aan de rand van Epping Forest, die volgens het blad *Yes!* oorspronkelijk was neergezet voor een of andere onbeduidende gangster uit het Londense East End. Het zag eruit als het huis waaruit elke goede smaak was geweerd, met zijn mengeling van stijlen en zijn meubels uit ongeregelde partijen. Ze had een huis gekocht voor haar moeder en haar zuster, maar ze was zo verstandig geweest om ze een goed eind uit de buurt te houden, daar in het noordelijke Leeds. Er kwamen niet veel details naar buiten over Scarletts familie, en dat betekende in mijn ervaring dat het tuig was. Vanuit mijn perspectief was dat iets positiefs. Het droeg op zijn minst de belofte van pikante details in zich en in het beste geval zouden de lijken al snel uit de kast komen tuimelen.

En zo hobbelde Scarlett lekker door, behaaglijk dicht boven de bodem van het vat der faam. Toen het tijd werd voor de casting voor het tweede seizoen van *Goldfish Bowl*, kregen de producers het briljante idee om twee kandidaten uit de eerste serie te laten terugkomen. Ze kleedden het aardig in door te beweren dat ze de kandidaten zo meer kans gaven, omdat ze een paar teamleden bij zich zouden hebben die het al een keer eerder hadden meegemaakt en daarom zouden weten hoe je een koe moest melken of een konijn moest villen. Ik zag het eerder als een verzekeringspolis. De kijkers waren de eerste keer gek op hen, dus ze zouden daardoor eerder naar een tweede serie gaan kijken.

En Scarlett was natuurlijk de eerste bij wie ze aanklopten. Om de waarheid te zeggen, had ik er op dat moment weinig aandacht voor. Ik was bezig met de laatste loodjes van mijn verhaal over het hooggeplaatste conservatieve kabinetslid en probeerde een positieve draai te geven aan een paar van zijn minder fraaie verrichtingen. En daar waren er meer dan genoeg van.

Het was in het begin nog allemaal goed gegaan, maar al snel beseften de kandidaten dat het niet zo'n geweldig idee was om er rivalen uit de eerste serie bij te hebben. Er was onvrede binnen de groep over wat zij als een oneerlijk voordeel beschouwden. Totdat ze zich realiseerden dat sommige dingen die Scarlett en Darrell dachten te weten, zoals de plaatsen waar de voedselbronnen verstopt waren, niet langer zo waren. En toen kwamen ze in opstand en begonnen ze de zogenaamde eilandexperts in de maling te nemen.

Je hoefde geen psycholoog te zijn om in te zien dat Scarlett er nu net niet tegen kon wanneer ze voor gek werd gezet. Ze had door bittere ervaring geleerd dat ze door de meesten als onwetend en dom werd beschouwd. Zelfs de onwetenden en de dommen kunnen immers een kop in een boulevardkrant lezen. Maar ze haatte het wanneer men neerbuigend tegen haar deed, en in haar ogen vroeg iedereen die haar bespotte om moeilijkheden. En zij was degene die de klappen uitdeelde.

De zaken liepen al snel uit de hand. Op een avond in de tweede week bereikte de situatie een kritiek punt. De eilanders hadden een fles wijn verdiend, deels dankzij Scarletts bereidheid zich in het ijskoude water van de Firth of Forth te laten zakken om naar krabbenfuiken op de zeebodem vlak voor de kust te zoeken. Bij het avondeten vielen ze enthousiast aan op de wijn en de tongen werden losser. Danny Williams, die zichzelf tuinarchitect noemde, maar eigenlijk alleen maar in dienst was van een bedrijf dat tuinen ontwierp, begon een verhaal op te hangen over de redenen dat Scarlett er zo naast had gezeten wat betreft de vindplek van de groentebedden. Hij was slim genoeg om te zorgen dat zijn sarcasme haar pijn deed, en Scarlett was niet in de stemming om het over haar heen te laten komen.

'Rot toch terug naar Bongo Bongoland, dikke zwarte aarskever,' had ze naar hem geschreeuwd. Kassa! Zo'n uitspraak, en dan ook nog in een primetime televisieprogramma; de media gloeiden op als de hoofdstraat van Vegas. Dit was de jackpot. En natuurlijk stond in het Lagerhuis iemands getrainde aapje op om die hele 'het-land-is-verontwaardigd'-act op te voeren. Scarlett was meteen verloren en afgeschreven.

Bij *Goldfish Bowl* deden ze alsof ze net zo verontwaardigd waren als de bewakers van de nationale moraal, en later op die avond werd Scarlett naar het Aquarium geroepen. Big Fish ratelde de hele 'meer-met-verdriet-dan-met-woede'-routine af en wilde dat ze haar excuses aanbood aan Danny, aan de rest van de kandidaten, het hele land en in feite aan het complete zonnestelsel. Hij deed het voorkomen alsof ze gratie kon krijgen door maar diep genoeg door het stof te gaan, maar de kijkers wisten natuurlijk dat het niets anders dan een rituele vernedering was. Scarlett ging eruit en iedereen wist het, behalve zij.

Ik kan me de schok van ongeloof op haar gezicht nog herinneren, toen ze haar tranen eenmaal had laten vloeien. Daarmee had ze zichzelf al verlaagd, en na Big Fish' mededeling dat ze haar koffers kon gaan pakken en op weg naar de kade moest gaan, stond alles een lang moment stil. Toen sprong Scarlett overeind en stak ze een vinger op naar de camera. 'Vuile klootzak,' zei ze, 'Je bent nooit van plan geweest om me te laten blijven, hè? Nou, ik zal je eens de waarheid vertellen: het kan me geen ruk schelen. Helemaal niets. Dus steek deze maar in je reet en draai er maar rondjes op.'

Ik moet toegeven: het was op dat moment moeilijk om geen bewondering voor Scarlett te hebben.

3

Wat betreft het televisiepubliek was daarmee de kous af. Scarlett werd met schande van Foutra afgevoerd. De pers die zich buiten de haciënda had opgesteld was teleurgesteld dat ze de volgende dag niet kwam opdagen. Niemand leek te weten waar ze was gebleven. 'Waar is dat wijf?' schreeuwden de koppen een paar dagen lang, waarna het circus weer verder trok.

Maar Scarlett was niet voorbestemd om lang buiten de schijnwerpers te blijven. Een week na haar schanddaad werden de lezers van de *Sun* getrakteerd op een exclusieve wereldprimeur: '"Ik ben zwanger," onthult Scarlett.' Er werd ons verteld dat de in ongenade gevallen reality-tv-ster Scarlett Higgins zo vreselijk was ontspoord vanwege de zwangerschapshormonen en dat ze dingen had gezegd die ze onder normale omstandigheden nooit zou hebben uitgesproken.

Ik moet de journalist nageven dat hij Scarlett een paar fijne gevoelens en gedachten in de mond had gelegd, zoals elke goede ghostwriter. Ze was er blijkbaar kapot van dat ze Danny pijn en schaamte had bezorgd. En ook de makers van *Goldfish Bowl*, haar partner Joshu ('die ook een kleurling is'), haar ongeboren kind en elk lid van een minderheid op deze eilanden. Wat ze had gezegd was het tegenovergestelde van wat ze eigenlijk vond. Ze was gek op homoseksuele en zwarte mensen en op homoseksuele zwarte mensen al helemaal (niet dat ze er echt eentje kon opnoemen...). Haar eigen baby zou tenslotte ook een mix worden, zo benadrukte ze nog. En ze schaamde zich er zo vreselijk voor dat haar eigen kind op een dag achter haar oneervolle verleden zou komen.

Maar die hormonen, hè... Iedereen wist dat zwangerschap vrouwen in gestoorde wezens veranderde. Arme Scarlett had helemaal niet geweten dat ze zwanger was en daarom kwam wat er gebeurd was als een nog grotere verrassing voor haar. Als ze had geweten dat ze zwanger was, zou ze geen druppel alcohol hebben gedronken. En bovendien wist iedereen dat je veel sneller dronken werd wanneer je zwanger was. Dus het was ook de schuld van de wijn geweest, niet alleen van de hormonen.

En opeens was Scarlett weer de lievelingsdochter van een aanzienlijk deel van de Britse bevolking. Ze hielden van haar, omdat ze fouten maakte. Wat haar was gebeurd had iedere vrouw kunnen overkomen. De mannen begrepen het helemaal, omdat ze ervaren hadden dat zwangere vrouwen continu om van alles en nog wat door het lint gingen. En de vrouwen begrepen het ook helemaal: wie had niet een schuldig gevoel veroorzakend glas alcohol gedronken of had zich niet compleet suf gerookt voordat ze wist dat ze in verwachting was? De roddelbladen smulden ervan, omdat het hun een excuus gaf om eindeloze hoofdartikelen af te drukken over vrouwen die door toedoen van hun hormoonhuishouding ontspoorden. Sappige verhalen over het geweld, de vreemde behoeften en gemoedswisselingen van zwangere vrouwen vulden de kolommen van tijdschriften en kranten. Het begon er bijna op te lijken of zwangerschap een ander woord voor psychose was.

En nu werd ik erbij gehaald voor de laatste stap op weg naar Scarletts eerherstel. Het perfect getimede, laatste duwtje zou uit haar driehonderd bladzijden tellende brief aan haar ongeboren kind bestaan, een opgeschuurde en gelakte versie van haar autobiografie, die haar publiek zou weten te raken, zodat ze zeker van haar zouden blijven houden. Ik had een vaag vermoeden dat het iets te veel gevraagd zou blijken. Maar ik loop over het algemeen niet weg voor een professionele uitdaging.

En dat wist Maggie natuurlijk ook.

Hoe bedenkelijker de redenen voor iemands beroemdheid, hoe meer men de zaken in de hand moet houden bij elke stap die men doet. Degenen die werkelijk iets hebben bereikt of echte tegenslag te boven zijn gekomen, hebben er nooit ook maar een enkel probleem mee mijn suggesties over hoe we het proces gaan afhandelen over te nemen. Ze begrijpen dat ik de expert van de twee ben en dat ik door ervaring heb geleerd hoe zoiets het beste kan worden aangepakt. Maar wanneer ik te maken krijg met mensen zoals Scarlett, met hen die alleen maar beroemd zijn omdat ze beroemd zijn, lopen ze altijd over van eisen die maar amper als suggesties worden vermomd.

Het eerste meningsverschil van wat ik wist dat een hele reeks zou worden, ontstond over de plek waar de eerste ontmoeting zou plaatsvinden, het treffen waarbij Scarlett zou besluiten of ze me net zo graag mocht als haar agent en uitgever deden. Ze wilde dat we een suite in een hotel in Mayfair zouden nemen. Ik wilde het bij haar thuis doen. We hadden daar allebei zo onze redenen voor. Zij wilde ermee uitstralen hoe belangrijk ze was. En ik wilde haar ruiken en proeven. En Maggie geeft liever nooit een cent te veel uit, omdat alles waarmee je de klant van tevoren verwent ergens later in het traject terugbetaald moet worden. Voor de gratis lunch van de uitgever werd wel iets terug verwacht.

Je bereikt als ghostwriter niets door stampij te gaan maken en erop te staan dat de dingen gaan zoals jij dat wil. Je moet langs hun verdedigingslinie glippen en hen laten denken dat het allemaal hún idee was. Je weet dat je daarin bent geslaagd, wanneer je hen overdag op televisie met een ernstig gezicht aan de presentator ziet uitleggen dat ze elke ochtend twee uur eerder dan de kinderen opstonden, zodat ze wat rust hadden om te schrijven. Wanneer ze zóver zijn, denken ze echt dat ze het zelf hebben gedaan. Dat jij er alleen maar was om de komma's op de goede plaats te zetten en de spelling te controleren.

En dus belde Maggie George op, Scarletts agent, en voerden ze hun rituele dans op. Maggies argument was dat hotels zo lek als een mandje waren. Dat er, zodra Scarlett haar gezicht in een vijfsterrenhotel zou laten zien, iemand van het personeel de telefoon zou pakken om de pers in te lichten en dat de bladen vervolgens vol zouden staan met Scarletts uitgelekte onthullingen. Ik zat op de bank in Maggies kantoor bewonderend te kijken naar de manier waarop ze Grandioze George met vleierij om haar vinger wist te winden. Hij had de naam een man te zijn die zeer moeilijk door vleierij over te halen was, maar zoals ik al eerder had zien gebeuren, was zelfs hij geen partij voor Maggie. 'Schat,' zei ze. 'Laten we éérlijk zijn: wanneer ze ontdekken dat Stephanie het boek gaat doen, zal ze het doelwit van élke verderfelijke bróódschrijver in de stad worden. Ze zullen haar vuílnisbakken doorzoeken, een babbeltje met haar schóónmaakster gaan maken of misschien zelfs wel haar telefóón aftappen. Álles om maar als eerste iets te weten te komen.'

Ze stak haar tong naar me uit, rolde vervolgens met haar ogen en pakte de elektronische sigaret op die ze gebruikte sinds ze, net voordat het op het werk verboden werd, met roken was gestopt. Ze nam een trekje aan het buisje en trok een vies gezicht. 'Nieuwe smaak,' mompelde ze, terwijl ze de telefoon met haar hand bedekte. 'Het zóúden Camels moeten voorstellen, maar het smaakt eerder naar de strónt van kamelen.' Er verscheen even een gemaakte glimlach op haar gezicht.

'Maar natúúrlijk, Georgie. Ik weet óók wel dat de pers Scarletts huis in de gaten houdt. Maar nu de *Sun* het grote nieuws heeft gebracht, zullen ze weer verder gaan. Over een dag of twee gaat alles gewoon weer zijn gangetje. En natúúrlijk zorg ik ervoor dat de auto dónkergetinte ramen heeft, zodat de parasíéten die er nog rondhangen niet weten dat Stephanie erin zit.' Er volgde nog meer van hetzelfde. Ik luisterde al niet meer en was vol vertrouwen over de uitkomst.

Ik had gelijk. Twee dagen later sjeesden we in een Mercedes met donkergetinte ramen langs een groepje paparazzi. Ze hadden zich zo lang staan te vervelen dat ze nog maar amper hun camera's in de aanslag hadden toen we door de elektrische poort de in visgraatpatroon gelegde bakstenen oprijlaan naar de haciënda opreden. Een van de drie garages stond open, zodat we direct naar binnen konden rijden. 'Het was minder gedoe toen ik een Spice Girl deed,' zei ik.

'Je redt je wel,' zei Maggie kordaat, terwijl het rolluik achter ons omlaagging.

'Ik maak me geen zorgen om mijzelf.' Zo was het altijd vlak voor het begin van een nieuwe opdracht. Mijn maag zat in de knoop en ik was ervan overtuigd dat ik dit keer door de mand zou vallen.

Pete had mij de avond ervoor nu niet bepaald gerustgesteld. 'Waarom maak je je zo druk?' had hij gezegd. 'Ze is maar een of ander verachtelijk, dom blondje. Ik heb honden gehad met meer verstand dan zij. Als iemand zoals zij al in staat is om je uit balans te brengen, dan moet je misschien overwegen om het bijltje er maar bij neer te gooien.'

'Het bijltje erbij neergooien? Wat moet ik dan gaan doen?'

Zijn wenkbrauwen schoten op en neer. Ik was gek op zijn wenkbrauwen: zo recht en dun, niet dik en ruw zoals die van de meeste mannen. Ik heb ze altijd verrassend uitdrukkingsvol gevonden. Daaronder leken zijn bruine ogen me in te schatten. Ik voelde me ongemakkelijk, alsof ik onder de loep werd genomen en niet goed genoeg werd bevonden. 'Je zou hier kunnen zijn wanneer ik thuiskom,' zei hij. Ik kon niet echt uit zijn stem opmaken of hij dat nu serieus meende.

'Wil je hier komen wonen?' We hadden het eigenlijk nog nooit over samenwonen gehad. Niet met zoveel woorden.

'Ik zou het fijn vinden als je er was wanneer ik van mijn werk kom,' zei hij voorzichtig en zonder dat zijn gezicht iets verraadde.

'Wanneer je ergens druk mee bezig bent, zie ik je nooit,' zei ik. 'Je hebt zulke ongewone werktijden dat ik nooit weet wanneer ik je moet bellen. Als ik hier moet zijn wanneer je uit je werk komt, dan zou ik het huis niet meer uit kunnen, laat staan dat ik mijn werk zou kunnen doen.' Ik probeerde mijn stem zacht en plagerig te houden, maar de angst sloeg me om het hart.

Pete haalde zijn schouders op. 'Ik zou me in ieder geval nooit hoeven af te vragen waar je uithangt.' En toen draaide hij zich om en kuste me. Dat gaf meteen zoveel afleiding dat het gesprek compleet naar de achtergrond werd verdrongen. Maar nu was het er weer en voedde het het geknaag van ongerustheid over mijn ontmoeting met Scarlett. Nu ik erop terugkijk, besef ik hoe ondermijnend Pete kon zijn. En eigenlijk altijd al geweest was. Maar destijds had ik daar geen oog voor. Ik voelde alleen de effecten ervan. Dus toen Maggie en ik uit de auto stapten, was mijn zelfvertrouwen niet op zijn grootst.

We gingen de haciënda door de keuken binnen. Ik had geborsteld staal en graniet verwacht, geheel in lijn met de ouderdom en de stijl van het huis. Het eerste wat ik echter zag en die dag niet kon rijmen was het roomkleurige en grenen interieur van een keuken in Cotswold cottagestijl, compleet met geëmailleerd keukenfornuis. Achter gesloten deuren zouden een koelkast, een vrieskast en een magnetron staan. Maar je zou niet kunnen zeggen achter welke. Alles was brandschoon en onberispelijk opgesteld zoals een voorbeeld in een keukenshowroom. De ruimte rook naar citrusvruchten en kruiden uit een van die verstuivers die een klein fortuin kosten in South Molton Street. 'Geen keukenprinses dus,' zei Maggie droogjes.

Er klepperde een broodmagere jonge vrouw in een spijkerbroek, laarzen met hoge hakken en een nauwsluitend, geribd truitje de deur aan de overkant van de keuken binnen. 'Stephanie?' zei ze, waarbij ze naar Maggie keek.

'Ik ben Stephanie,' zei ik. 'Dat is Maggie, mijn agent.'

Ze was gespannen en knikte driftig. 'Ik ben Carla. Ik werk bij het impresariaat van George.'

'Ah, zeker nieuw, hè?' zei Maggie glimlachend. 'Je zult het snel oppikken.'

Carla reageerde met de glimlach van een geschrokken konijn. 'Scarlett en George wachten op jullie in de zitkuil.' Ze leidde ons door een brede gang, die uitkwam op een witte kubus met een verzonken zitgebied rond een vuurplaats waarin door gas gevoede vlammen flakkerden. De bloemengeur die in deze ruimte hing, was net zo nep als de keuken.

Scarlett en haar agent hingen op witte leren banken met eroverheen gedrapeerde koeienhuiden. Aan de muren hingen langhoornschedels als decoratie, met ertussenin westernlandschappen van een mindere kunstenaar dan O'Keeffe. Een stuk mindere kunstenaar. Het voelde veel meer aan als Essex dan als Texas. Als ik Scarlett was, had ik het meteen van de muur gehaald. Het leidde alleen maar de aandacht af van háár, en dat is niet iets waar minder belangrijke sterren naar streven.

Maar ik was alleen in Scarlett geïnteresseerd en daarom wendde ik mijn blik af van het interieur en richtte die op haar. Haar haar was vakkundig gekleurd en de lichte en donkere punten kwamen samen om een natuurlijk uitziende waterval van donkerblond haar te vormen. Ik was verrast dat ze niet onder de dikke lagen make-up zat: alleen een veeg donkerrode lippenstift en een laagje mascara om het blauw van haar ogen te accentueren. De opgespoten bruining, die naar ik aannam van top tot teen was aangebracht, kleurde de rest in. Ze droeg een rood, mouwloos shirt waarin haar borsten en de bolling van haar zwangere buik goed uitkwamen. Haar benen verdwenen in een wijde, grijze joggingbroek. Ze was op blote voeten, maar haar teennagels waren in dezelfde kleur gelakt als haar lippenstift. Ze zag er niet uit als een sletje uit een realitysoap. Scarlett had ergens een vleugje verfijning opgedoken.

George kwam moeizaam overeind toen we binnenkwamen. Scarlett verroerde echter geen vin, zodat we naar haar toe moesten komen. George handelde het aan elkaar voorstellen op zijn gebruikelijke, hoffelijke manier af. Scarlett liet warme, droge vingers in mijn hand glijden en trok haar hand bijna net zo snel weer terug. Ze zei niets, gaf alleen een klein knikje met haar hoofd en perste er een nietszeggende glimlach uit. Ik ben meestal behoorlijk goed in het oppikken van iets bruikbaars uit eerste indrukken, maar bij Scarlett kreeg ik geen aanvullingen op wat ik al uit mijn research had opgemaakt. Ik was geïntrigeerd en dat was genoeg om mijn zorgen te onderdrukken. Ook dit keer hielp mijn nieuwsgierigheid me over mijn zenuwachtige angst heen.

'Dus we zijn hier bij elkaar om de kleine lettertjes van onze overeenkomst glad te strijken,' zei George toen we allemaal op de diep doorzakkende kussens waren gaan zitten en Carla eropuit was gestuurd om koffie te zetten.

'Dat dacht ik niet, Georgieboy,' zei Scarlett. De sterk toegeknepen klanken van haar Leedse accent waren zelfs in die weinige woorden hoorbaar. 'Het belangrijkste waarvoor we hier samen zijn, is om te zien of ik met Stephanie wil werken. Want als we het niet met elkaar kunnen vinden, dan komt er geen overeenkomst.' Ze was veel assertiever dan ik had verwacht.

Nu was de beurt aan George om een nietszeggende glimlach tevoorschijn te toveren. 'Natuurlijk, liefje. Stephanie, misschien kun je je manier van werken aan Scarlett uiteenzetten?'

'Ik heb een beter idee,' zei Scarlett. 'Ik en Steph hier moeten elkaar leren kennen zonder dat jullie tweeën in onze nek staan te hijgen. Georgie, jij en Maggie kunnen net zo goed naar Londen teruggaan om daar jullie zaakjes in orde te maken. Ik zorg wel voor Steph.' Ze stond op en maakte wuivende gebaren met haar handen. 'Ga dan. Wegwezen, jullie tweeën.' Ze keek me aan en knikte met haar hoofd naar de overkant van de kamer. 'Kom op, laten we onze spullen uittrekken en elkaar beter leren kennen.' En weg liep ze, alsof verdere discussie niet nodig was.

4

Het bleek een stuk minder eng dan het klonk. Scarlett had een zwembad. Natuurlijk had ze een zwembad. En een jacuzzi en een sauna en een fitnessruimte. Net zoals elke goed opgetuigde haciënda in Essex. Ik volgde haar naar de achterkant van het huis en door een dubbele deur, die als een soort luchtsluis werkte tegen de stank van zwembadchemicaliën. In een door ceder- en vanillegeur vergeven kleedruimte gooide Scarlett een kledingkast open, zodat er een assortiment identieke, eendelige, zwarte badpakken op hangers zichtbaar werd. 'Ik heb alle maten vanaf achtendertig tot achtenveertig,' zei ze. 'Zoek maar uit.'

Met het totale gebrek aan verlegenheid die het gevolg is van dronken en naakt op de nationale televisie verschijnen, kleedde ze zich uit en trok een turquoise met blauw badpak aan. Ze zag er verrassend gebruind en fit uit, waardoor de lichte bolling van haar vier maanden oude zwangerschap er moeilijk mee te rijmen viel. Maar ik had gelijk wat betreft de over haar hele lichaam opgespoten bruining.

Ik was wat preutser in het openbaar dan Scarlett en daarom stapte ik een kleedhokje met een gordijn binnen om me te verkleden. Tegen de tijd dat ik tevoorschijn kwam, ploegde ze in een onregelmatige, maar effectieve borstcrawl op en neer door het tien meter lange zwembad. Ik zat op de rand en liet mijn benen in het water bungelen. Ik dacht dat het geen kwaad kon om Scarlett het initiatief te laten nemen en te kijken waar we zouden uitkomen. Er zou een punt komen waarop ik mijn eigen grenzen zou moeten stellen. Als ze zich daar niet aan kon houden, dan kon ik daar net zo goed nu meteen achter komen, nu ik er nog onderuit kon.

Ik zag dat ze me opnam, telkens wanneer ze haar baantje mijn kant op zwom. Ik denk dat ze verwachtte dat ik zou toegeven en me in het water zou laten glijden. Dat ik het tegen haar zou opnemen in een poging te laten zien wie hier de baas was. Maar aan dat soort spelletjes deed ik niet mee. Na een tiental baantjes had ze er genoeg van. Ze zwom uit totdat ze stillag en keek omhoog. Door het zwemmen zaten haar haren achterover tegen haar hoofd geplakt, maar haar waterbestendige mascara zat er nog prima op. Ze had haar lippen opgetrokken tegen haar tanden terwijl ze op adem kwam, en ik zag dat, dankzij het werk aan haar gebit, haar glimlach was veranderd na die eerste serie van *Goldfish Bowl*. Soms gaat cosmetische orthodontie te ver en geeft het mensen een in het donker oplichtende glimlach die je in de natuur nooit tegenkomt. Maar Scarletts tandarts had goed werk verricht. Als je haar gebit nooit 'voor' had gezien, dan had je niet gedacht dat het een product van 'na' was. Gewoon de glimlach van iemand die met goede gebitsgenen gezegend was.

'Ben je niet zo'n zwemster of zo?' vroeg ze. Gewoon nieuwsgierigheid of agressie, ik zou haar toon op beide manieren kunnen opvatten.

Het werd tijd dat ik haar wat van mezelf liet zien. 'Ik hou wel van zwemmen, maar ik ben niet zo gek op zwembaden. Ik hou meer van de zee. En daarom zwem ik niet zo vaak, want daarvoor is het te vervloekte koud in dit land.'

Ze legde haar onderarmen over elkaar op de rand van het zwembad en keek grijnzend naar me omhoog. 'Oké. Wat is er met je been gebeurd? Het is niet dat je mank loopt of zo, hoor. Ik wist niet dat er iets met je was, totdat je je broek uittrok.'

Ik keek omlaag naar het lange litteken dat van mijn linkerknie bijna tot aan mijn enkel liep. 'Ik heb een auto-ongeluk gehad. Een dronkenlap ramde de auto van mijn vriend. We raakten een boom en mijn been kwam vast te zitten tussen het autoportier. Een metalen plaat en een handvol schroeven houden mijn been bij elkaar. Ze hebben goed werk verricht en ik heb gedaan wat de fysiotherapeut me heeft geleerd, zodat ik nu niet mank loop.'

'Dat moet vreselijk pijn hebben gedaan,' zei Scarlett. Ze trok zich op uit het water en kwam overeind.

'Dat deed het ook. Maar nu niet meer. Alleen wanneer ik te veel heb gelopen. Dan doet het wat pijn.' Ik tilde mijn benen uit het water en stond op. Ik was zeker acht centimeter langer dan zij en ik kon zien dat haar haarwortels binnenkort bijgewerkt moesten worden. 'Wil je dat ik je vertel hoe ik te werk ga om mensen te helpen hun verhaal te vertellen?'

Scarlett streek het haar uit haar gezicht en lachte snuivend. 'Jullie noemen het beestje nooit bij zijn naam, jullie soort.'

'Welke soort?'

'Journalisten. Schrijvers. Interviewers. Alle mensen die me in iets veranderen waar jullie lezers zich te goed aan kunnen doen.'

'Denk je dat dit allemaal daarom draait? Want als dat echt is wat je gelooft, dan heeft het weinig zin om dit gesprek voort te zetten.' Ik liep naar een tafel toe, waarop een stapel schone handdoeken lag en pakte er een op.

'Wat kom je hier dan doen?' daagde Scarlett me uit. 'Kom op, kom in de jacuzzi zitten en vertel me er daar over.' En weer keek ze niet achterom. Ik wilde het nog niet opgeven, dus ik volgde haar.

Ze prutste wat aan de knoppen, waarna het diepe bad begon te grommen en te borrelen. Ik ben niet zo gek op jacuzzi's. Ik vind ze te heet. Ik kom er altijd oververhit en zweterig uit en heb alleen maar zin in een douche. Maar dit was werk en dus ging ik gewoon in een rechte hoek ten opzichte van haar in het bad zitten. Mensen maken zo minder snel ruzie dan wanneer ze tegenover elkaar zitten. Ik glimlachte breed en geruststellend naar haar. 'Wat jij hebt gedaan is niet alledaags,' begon ik. Nu volgde een routine die ik door de jaren heen vervolmaakt heb. 'Dat betekent dat jijzelf ook niet meer alledaags bent. Andere mensen, de gewone mensen, ze willen ontzettend graag je verhaal horen. Ze willen uitvinden hoe je zo buitengewoon bent geworden. Ze willen je geheim kennen. Het is mijn taak om je te helpen dat verhaal te vertellen. Zo simpel ligt het.'

Ze fronste. 'Is dat dan anders dan al die andere journalisten die al die troep over me schreven toen ik in *Goldfish Bowl* in de fout ging? En die andere keren, toen ik het ene had gezegd en er totaal iets anders uit kwam?'

'Ik werk niet voor een krant of een tijdschrift. Ik werk voor jou en voor je uitgever.'

'Maar je wilt boeken verkopen. Hoe meer boeken je verkoopt, hoe meer geld je eraan verdient. Dus dan is het logisch dat je er alles aan zal doen om het zo op te schrijven dat je de meeste boeken verkoopt.' Scarlett had een koppige uitdrukking op haar gezicht, maar in haar ogen was onzekerheid te zien. Ik had het eerder gezien bij mensen die van jongs af goede redenen hadden om mensen te wantrouwen.

'Als we dit gaan doen, Scarlett, dan sluiten we een deal.' Het was de eerste keer dat ik haar bij haar naam noemde en ja, daar had ik over nagedacht. Op dezelfde manier als waarop je een vreemde hond aait waarvan je denkt dat hij aan je gewend zou kunnen raken. 'Wat mij betreft is het beste verhaal niet noodzakelijkerwijs ook het verhaal met de meest schokkende onthullingen. Het is het verhaal dat de lezers het meest aanspreekt. Wat ik je beloof, is dat ik je verhaal zal vertellen zoals jij wilt dat je verhaal verteld wordt. Als je me iets vertelt waarvan ik denk dat je er later spijt van zult krijgen, dan zal ik het eruit laten en je vertellen waarom. Maar dat ga ik niet tegen je uitgever vertellen. Omdat je inderdaad gelijk hebt. Als ik dat wel doe, zullen ze het in het boek willen laten om er een paar duizend extra mee te verdienen door het verhaal aan de *Daily Mail* te verkopen.'

'Waarom zou je dat doen? Ik geloof niets van dat slappe gedoe over me tegen mezelf beschermen. Waarom zou je de echt sappige verhalen eruit laten? Ben je niet goed wijs of zo?'

Dat was weer een van die verrassende, intelligente momenten van haar. Of misschien was het gewoon een door schade en schande verworven slimheid, die voortkwam uit het feit dat er in het verleden net een keertje te vaak misbruik van haar was gemaakt. Ik schudde lachend mijn hoofd. 'Ik ben het tegenovergestelde van niet goed wijs, Scarlett. Ik doe het om één heel goede reden: de tweede portie. Ik heb heel wat buitengewone mensen geholpen een publiek voor hun verhaal te vinden. En ik weet uit ervaring dat die mensen over het algemeen niet weer gewoon worden. Ze gaan door met dingen doen die fantastische verhalen opleveren. Dus als ik je verhaal zou opschrijven met de bedoeling zo'n groot mogelijk slaatje uit je te slaan, dan zal ík niet degene zijn met wie je een volgende keer gaat praten, of wel soms?'

Er is voor een mindere beroemdheid geen duidelijker motief dan eigenbelang. Scarlett fleurde op. 'Dus als je me nu niet naait, dan kun je nog een volgende portie komen halen wanneer ik zelfs nóg beroemder ben geworden?'

'Zo is het. Wanneer ik zo naar je kijk, Scarlett, dan zie ik niet alleen het verhaal dat je voor je baby uit de doeken wilt doen voor wanneer je kinderen er oud genoeg voor zijn. Ik kan zien dat je van ver bent gekomen. En ik denk dat je nog een lange weg voor je hebt. En ík wil de persoon zijn die al die verhalen vertelt die nog gaan komen.

Dan zou ik mijn glazen ingooien als ik je niet correct zou behandelen.'

Ze knikte met tegenzin naar me. 'Dat lijkt logisch. Ik kon niet bedenken waarom je aan mijn kant zou staan. Maar nu snap ik het. Je wilt mijn verhaal niet alleen doen omdat we er nu allemaal een zooitje geld mee kunnen verdienen. Je denkt dat ik ook later een goede melkkoe zal zijn.'

Het was bot uitgedrukt, maar het kwam op hetzelfde neer als Maggie zou hebben gezegd. 'Ik zie het meer als een partnerschap voor de lange termijn,' zei ik laconiek.

'Ik wil zien wat je hebt geschreven voordat er een boek van wordt gemaakt.' Scarlett veegde met de rug van haar hand het zweet van haar bovenlip.

'Maar natuurlijk. Hoe kun je er anders achter komen of ik je naai? Je zult de eerste persoon zijn die het krijgt te lezen. Je krijgt het voordat mijn agent, jouw agent of de uitgever het krijgt. Nadat je het hebt gelezen, gaan we er samen naar kijken en spreken we alles door waarmee je niet gelukkig bent. Maar dat zou geen problemen moeten opleveren. Want het is tenslotte jouw verhaal. Ik ben alleen maar de persoon die de zinnen in een goede vorm kneedt en die zorgt dat de spelling klopt.' Het blijft me verbazen dat mijn onderwerpen dat verhaal altijd weer slikken. Ze nemen zonder meer aan dat wat ik doe geen kunst aan is. Ze geloven echt dat ik er alleen maar ben om de komma's op de juiste plaats te zetten. Omdat ik zo'n goede buikspreker ben, horen ze alleen hun eigen stem. Ze hebben geen idee hoeveel vakmanschap ervoor nodig is om goed vorm te geven aan iets wat vaak uit niet veel meer dan onuitgewerkte, onsamenhangende opmerkingen bestaat.

Maar Scarlett had toegehapt. En dat was het belangrijkste. 'Klinkt goed,' zei ze. 'Ik mag je wel, Steph. Je zegt zinnige dingen. Je probeert me niet te overdonderen met je kennis. Dus hoe pakken we dit dan aan?'

'Jij praat en ik neem het op. Ik heb begrepen dat je wilt dat het de vorm krijgt van een brief aan je ongeboren kind? Is dat wat je in gedachten had?'

Scarlett stak haar kin iets omhoog. 'Daar is toch niets verkeerds mee?'

Ik vind het zeer interessant dat het altijd de vrouwen zijn over wie ik schrijf die de gewoonste vragen als kritiek opvatten. De mannen, zelfs degenen die een beschuldiging van misbruik hebben overleefd, hebben zelden last van enige zweem van twijfel aan zichzelf. Diep vanbinnen geloven ze dat ze het recht hebben om gehoord te worden. Zelfs als ze tot hun nek in de seksuele en financiële schandalen zaten, zoals de politicus die ik een paar jaar geleden heb gedaan, zijn ze er nog altijd van overtuigd dat hun verhaal precies zo moet worden verteld als zij het zien.

'Integendeel. Ik vind het een goed idee. Het helpt altijd wanneer er een thema is dat het boek bij elkaar houdt. Hoe had je je dat voorgesteld?'

'Ik weet dat het verkeerd om klinkt, maar ik wil beginnen met waar ik nu sta, zwanger en mezelf weer bij elkaar aan het rapen. En dat mijn baby me tegen mezelf heeft beschermd. Over Joshu en hoe mijn liefde voor hem alles heeft veranderd. En dan terug naar mijn eigen rotjeugd en mijn klotefamilie en hoe ik dat allemaal overleefd heb.' Scarlett liet haar hoofd iets zakken en wierp me de van-onder-naar-boven-blik toe die prinses Diana aan het arsenaal van generaties vrouwen heeft toegevoegd. 'Zonder als een trutje over te komen, natuurlijk.'

Ik wierp haar een scheve glimlach toe. 'Dat zou ons wel zo'n beetje moeten lukken. Het zou mooi zijn als ik ook met Joshu zou kunnen praten.'

Ze leek onzeker. 'Dat zal wel, maar hij gaat niet zo makkelijk even zitten praten, Joshu.'

'Het hoeft ook geen lang gesprek te zijn. Woont hij hier ook echt bij je?'

Nu werd Scarlett zonder meer onrustig. 'Dat zou wel moeten. Alleen, wanneer hij als dj aan het werk is in nachtclubs en god weet waar, dan wordt het laat en blijft hij bij zijn maten in de stad slapen. Daarom is hij er soms wel en soms niet. Vroeger ging ik met hem mee de stad in, maar nu ik zwanger ben kan ik dat soort shit natuurlijk niet meer doen. Niet met de bladen achter elke verdomde hoek.'

Ik probeer nooit over hen te oordelen. Vooral omdat het mijn werk eenvoudiger maakt. Maar soms klinkt er een stemmetje in mijn achterhoofd dat dingen kakelt als: 'Dat van de paparazzi zal wel, maar wat dacht je verdomme van je baby?' En dan kost het me moeite om mijn gezicht in de plooi te houden en het niet in mijn stem te laten doorklinken. 'Dat geeft niet. Hij zal vast wel een keer langskomen wanneer we onze gesprekken hebben, en dan kan ik wat ruimte voor hem inbouwen. En als dat niet lukt, dan regelen we iets.'

'Dus we nemen die gesprekken hier op?'

'Niet hier in de jacuzzi. We moeten een rustige, stille plek hebben. Maar hier bij jou thuis zou inderdaad het makkelijkste zijn.'

Ze keek weer ongerust. 'Zou je hier dan blijven slapen en zo?'

'Nee, aan het einde van de dag ga ik weer naar huis. Terug naar Londen.'

Ze knikte. 'Ja, je wilt hier echt niet zijn wanneer Joshu muziek begint te maken. Soms neemt hij 's nachts bands en allerlei andere gasten mee naar huis.' Haar mond krulde zich tot een lankmoedige grijns. 'Je zou het maar niets vinden wat ze hier allemaal uitspoken, zo'n fatsoenlijke dame als jij.'

Ik lachte. 'Ik ben al heel lang geen dame meer genoemd. En fatsoenlijk trouwens ook niet.'

Scarletts gezicht betrok. 'Vergeleken met mijn leven, schat, ben jij Moeder Teresa. En nu we het daar toch over hebben; ik wil niet dat je naar Leeds gaat om een gezellig praatje met mijn ma en zuster te maken. Je houdt ze er verdomme helemaal buiten. Ik zal je alles vertellen wat je over hen moet weten, en dan zul je begrijpen waarom ik niet wil dat je naar hun valse praatjes luistert. Is dat afgesproken?'

Ik drukte me op tot ik op de rand van de jacuzzi zat. 'Jij bent de baas. Maar het zou goed leesvoer opleveren als we met iemand kunnen afspreken die jou nog van vroeger kent. Gewoon om de vergelijking krachtiger te maken.'

Scarlett fronste haar voorhoofd. 'Daar moet ik over nadenken. Het probleem is dat ze allemaal dronken sletten en klotejunkies zijn. Je zou niet in dezelfde ruimte met ze willen zijn.'

'Je kunt vast wel iemand vinden die...'

'En wat hebben we hier?' klonk een jolige stem dwars door de mijne. 'Scarlett, mijn meisje, mijn vrouw, wat ben je van plan? Neem je nu je vriendinnen mee naar huis om samen lol mee te maken? Heb je een lekker triootje in gedachten?'

Ik draaide me om en zag een Aziatische jongeman in een bekende uitdossing: een baseballcap schuin op zijn hoofd, een twee maten te groot, beletterd jack van een of ander universiteitsteam, dat losjes over een donker poloshirt hing, en een laaghangende wijde broek, die in kreukels op zijn bovenmaatse sportschoenen viel.

Maar mijn aandacht werd niet getrokken door zijn outfit. Wel door het glimmende, verchroomde pistool dat in zijn handen rustte.

5

Stephanie onderbrak haar verhaal en herleefde de schok van dat moment zichtbaar. Als getrainde FBI-agente had Vivian McKuras met gevaar en geladen vuurwapens te maken gehad en werd ze er in haar adrenalineroes niet meer door van haar stuk gebracht, maar zelfs zij schrok van Stephanies onthulling. Het verhaal van de vrouw had haar tot op dat moment een alledaagse geschiedenis over minder bekende sterren geleken, verfraaid door de rozenrode tinten van het Britse leven zoals ze dat hoofdzakelijk via de spannende hoorspelen van het Mystery Theatre had opgepikt. Maar dat plaatje werd volledig verstoord door de verschijning van een groot glimmend pistool.

'Droeg hij een pistool?' Ze wilde dat duidelijk hebben voordat ze een opsporingsbericht voor deze Britse dj zou laten uitgaan.

'Met de nadruk heel erg op "dragen",' zei Stephanie. 'Het probleem met Joshu is dat hij altijd al een enorme oetlul was.' Omdat ze Vivian zag fronsen, voegde ze er voor de duidelijkheid nog aan toe: 'Een lulhannes. Een rukkertje. Veel geschreeuw maar weinig wol.'

'Maar toch. Hij droeg een wapen toen u hem voor het eerst ontmoette. Dat moet behoorlijk schrikken zijn geweest. Ik heb begrepen dat dat nu niet bepaald gebruikelijk is in het Verenigd Koninkrijk.'

Stephanie staarde naar een stuk muur boven Vivians schouder. 'Aanvankelijk begreep ik nog niet echt wat ik zag. Dat glimmende ding in zijn handen. Hij stond een beetje met dat ding te wiegen. Maar toen drong het tot me door dat het echt een pistool was. En natuurlijk was ik bang. En dat was ook wel te zien. En hij stond gewoon maar wat te giechelen.' Ze schudde haar hoofd en richtte haar blik omlaag, zodat ze Vivian weer aankeek. 'Hij was high, zoals gebruikelijk. En dat maakte het alleen nog maar een stuk enger.'

'Hoe reageerde Scarlett?'

'Ze rolde met haar ogen en zei: "Godverdomme, ik heb je toch gezegd dat je niet met dat ding moet rondlopen. Straks ziet een of andere politieman het en schiet hij je neer." Daarna zei ze dat ik moest "chillaxen", omdat het alleen maar een replica was. En dat bleek ook wel heel erg bij Joshu te passen.' Ze zuchtte. 'Hij bevond zich altijd wel op het randje van het criminele circuit, maar hij werd nooit een echte misdadiger. Hij kende de belangrijke dealers en gangsters, gebruikte zijn charmes om in hun kringetje te komen en ging wel een paar keer bijna over de grens, maar hij was niet een van hen. En ervan uitgaande dat hij in een positie was om iets aan zijn zoon te doen, dan zou wat er met Jimmy is gebeurd niets met hem te maken hebben. Scarlett en Joshu waren getrouwd en weer gescheiden voordat het kind nog maar een jaar oud was.'

'Dat verandert niets aan het feit dat Joshu zijn vader is. Dat soort gevoelens gaan diep. En ze hebben de neiging je te achtervolgen. Als hij het niet was, dan zou het een familielid kunnen zijn dat op zijn aangeven of uit eigen beweging heeft gehandeld.' Vivian begon iets in te tikken op de computer.

'U begrijpt het niet. Jimmy bestaat niet voor de Patels. De familie van Joshu haatte Scarlett. Ze gaven haar de schuld van alles wat er misging met hun dierbare zoon. Ze waren niet op de bruiloft, ze zijn nooit bij hen thuis geweest en Scarlett heeft nooit een voet bij hen over de drempel gezet. Voor zover ik weet, hebben ze hun kleinzoon nog nooit gezien, afgezien dan van de roddelbladen.'

Vivian schudde haar hoofd. 'Maar toch. Het is het sterkste aanknopingspunt dat u me tot nu toe heeft gegeven. Wat is zijn achternaam, van die Joshu?'

'Dat is Patel. Maar...'

'Joshu Patel.'

'Eigenlijk is het Jishnu, dat is zijn echte naam. Hij heeft hem veranderd toen hij dj werd.'

'Oké. Jishnu Patel dan. Heeft u zijn adres? Zijn geboortedatum? Details over zijn familie? Iets wat ons kan helpen hem op te sporen?'

'Ik kan u precies vertellen waar Joshu momenteel is,' zei Stephanie vermoeid. 'Geloof me, dit heeft niets met hem te maken.'

6

Wanneer ik terugdenk aan die eerste ontmoeting met Joshu, kan ik niet anders dan er in elk aspect de laatste akte in aangekondigd zien. Die behoefte om altijd als een grote jongen over te komen. De manier waarop hij met drugs de kloof tussen zijn werkelijke toestand en zijn fantasie dichtte. Zijn onvermogen om ooit zijn verantwoordelijkheid te nemen en zich als een vent te gedragen.

Maar ik loop op de zaken vooruit. Toen ik eenmaal besefte dat Scarlett de waarheid sprak en ik niet doodsbang hoefde te zijn voor die idioot met zijn pistool, kon ik Joshu pas op juiste waarde schatten. Wat mij betreft was hij op dat moment niets anders dan een irritante afleiding. Het begon net wat te klikken tussen Scarlett en mij, en toen was híj binnen komen sloffen en had hij de stemming doen omslaan. Ik wist dat ik met hem erbij niet veel verder zou komen met het winnen van Scarletts vertrouwen. Dat was me zelfs in die korte tijd wel duidelijk geworden. Ze had alleen nog maar oog voor hem en hij had alleen maar oog voor zichzelf. Mijn enige functie in deze driehoeksverhouding was het ophemelen van Joshu, en daar hoefde ik me nu nog niet mee bezig te houden. Ik wilde zijn verhaal wel horen, maar niet voordat ik een duidelijker idee had van hoe hij zou kunnen bijdragen aan het laten slagen van Scarletts verhaal. Het enige wat ik nu nog kon doen, was het afspreken van een tijdsschema.

'Laten we kijken wanneer we elkaar kunnen spreken,' zei ik, terwijl ik naar de kleedruimte liep. Scarlett volgde me en dat deed Joshu verontrustend genoeg ook. Ik trok het gordijn van het kleedhokje stevig dicht en probeerde zijn pogingen om de situatie in een seksuele ontmoeting te veranderen te negeren. 'Niet nu, schatje,' bleef Scarlett tussen geschuifel en gekreun door herhalen.

Toen ik tevoorschijn kwam, hield hij haar tegen de muur gedrukt en had hij zijn hand tussen haar benen. 'Heb je je agenda bij de hand?' vroeg ik kordaat.

Hij wierp een vuile blik over zijn schouder. 'Moet je jezelf horen: "Heb je je agenda bij de hand?"'

'Voor je imitaties moet je nog wel wat aan je *skills* werken, weet je,' zei ik in zijn eigen taaltje.

Scarlett giechelde en dook onder zijn arm vandaan. 'Die ligt in de keuken,' zei ze, waarna ze een luxe badjas van een haak aan de muur pakte en flirterig wuivend langs Joshu liep. 'Waarom ga je niet naar boven? Ik kom er zo aan.'

Joshu's gezicht klaarde op en hij slofte achter haar aan, na zich nog even met een zelfvoldane grijns naar me te hebben omgedraaid. Ik volgde Scarlett door de gang, waar Joshu afsloeg en via een smalle trap naar boven verdween.

We spraken drie blokken van een drie dagen durende interviewtijd af, die we om Scarletts schema van openbare optredens, productpromoties en vergaderingen met tv-bonzen en brandmanagers heen planden. Ze had racisme en homofobie zonder meer in haar voordeel weten om te buigen.

'Ik wil dat je voor onze volgende ontmoeting over één ding nadenkt,' zei ik.

'En wat is dat?'

'Hoe wil je neergezet worden? Hoe wil je dat ze over je denken? Welke indruk moeten ze van je meekrijgen?'

'Je bedoelt bijvoorbeeld of ik ze wil laten denken dat ik een gewone meid uit het noorden ben? Of bijvoorbeeld dat ik geluk heb gehad en dat een van hen de volgende zouden kunnen zijn? Is dat wat je bedoelt?'

Ik knikte. 'Ja. Want hoewel ik alleen maar weergeef wat je me vertelt, kan de manier waarop ik dat doe een enorm verschil maken. In zekere zin moet ik je als een personage in een boek gaan zien. En daarom moet ik ervoor zorgen dat het boek als een consistent geheel aanvoelt. Alsof het een roman was. En daarom moet ik weten hoe je wil dat de wereld over je denkt nadat ze het boek hebben gelezen.'

Ze grinnikte. 'Je bent een erg slimme dame, Stephanie. Hoe gaan we dat boek dan noemen?'

Wíj, dacht ik tevreden. Ondanks Joshu hadden we toch echt vooruitgang geboekt. Scarlett dacht dat ik aan haar kant stond, in haar kamp. Daarmee was de helft gewonnen. 'Had jij al ideeën?'

Ik verwachtte er niet veel van. 'Wat dacht je van *Scarlett: mijn verhaal*,' zei ze. Ik had gelijk gehad.

Het werd tijd voor wat tact en diplomatie. 'Tja, het dekt de lading wel, maar ik denk dat we wel iets beters kunnen verzinnen. *Scarlett: mijn verhaal* zal je fans aantrekken. Zonder twijfel. Maar ik wil dat ook mensen die eigenlijk niet zoveel van je weten het boek oppakken. En daarom moeten we hun nieuwsgierigheid prikkelen. Ik dacht misschien zoiets als *Naar goud vissen*. Hoe klinkt dat?'

Ze keek bedenkelijk. 'Maar hoe weten ze dan dat het over mij gaat?'

Ik grinnikte. 'Je gezicht zal pontificaal op het omslag staan, liefje. Er zal geen twijfel over bestaan over wie het verhaal gaat.'

Scarlett was nog steeds niet overtuigd. 'Ik moet er een nachtje over slapen.'

'Geen probleem. Dus het zit goed tussen ons? Denk je dat je me lang genoeg om je heen kan velen om deze klus te klaren? We kunnen niet meer terug als we eenmaal zijn begonnen, weet je. We zullen aan een contract vastzitten.'

'Ik denk het wel.' Ze legde een hand op haar buik, alsof ze op het leven van haar baby zwoer, en hield haar hoofd toen iets scheef. 'Je laat me toch niet stikken, hè, Steph?'

Als ik ook maar een vaag besef had gehad van wat ik me op de hals haalde, zou ik de volgende woorden nooit hebben uitgesproken. 'De mensen over wie ik schrijf worden mijn vrienden, Scarlett. En ik laat mijn vrienden niet stikken.'

7

Toen ik vier dagen later bij de haciënda aankwam, was Joshu nergens te bekennen. Maggie en George hadden het hard tegen hard gespeeld bij de onderhandelingen over de contracten, Biba van Stellar Books maakte veel ophef over de deal in de vakpers, en de roddelbladen waren al aan het vissen naar de feuilletonrechten. In mijn wereld kan het niet veel beter dan dat.

Dit keer reed ik zelf naar de binnenlanden van Essex. Mijn auto genoot duidelijk weinig status, want de dienstdoende paparazzi kwamen niet eens in beweging toen ik voor de poort tot stilstand kwam. Scarlett liet me binnen en ik parkeerde op dezelfde garageplek waar we tijdens mijn eerste bezoek hadden gestaan. De rode Mazda-cabriolet die ik eerder had opgemerkt stond nog steeds op de plek aan de andere kant. Het zag er niet naar uit dat hij van zijn plaats was geweest. Scarlett reed op stand: ze hoefde alleen zelf te rijden als ze er zin in had.

Ik trof Scarlett aan in de keuken, waar ze met een mok op haar buik rustend tegen het fornuis leunde. Dit keer was de joggingbroek zwart en het mouwloze shirt wit. Toen ik binnenkwam gaapte ze voluit, waarbij ze zonder gêne de glinstering van haar met goud bekroonde kiezen liet zien. Ze had blijkbaar altijd in een wereld geleefd waar niemand ooit zijn hand voor zijn mond deed. 'Hi,' zei ze nog half gapend. 'Shit, ik heb het zó laat gemaakt vannacht.'

'Was je aan het feesten met Joshu?' zei ik. Niet dat me dat ook maar iets interesseerde. Maar het maakt deel uit van mijn werk om een praatje te maken, om de kloof tussen mij en de klant te dichten.

Ze snoof spottend. 'Hij zit in Birmingham. Daar opent een of andere nieuwe club. Ze hadden de king of cool nodig om voor hen te scratchen en te krabbelen en te stotteren.' Ze giechelde. 'Lijkt of hij een opa is, hè? Een oude sok die niet meer bij zijn verstand is. Knarsend en stotterend. Nee, er was een marathonuitzending van *Wife Swap* op tv. Ik werd er helemaal ingezogen en heb naar al die hopeloze dwazen zitten kijken die proberen het leven van een ander over te nemen.'

'We kijken ernaar omdat ze zo zitten te klagen en te vitten.' Ik moet toegeven dat ik ook een zwak heb voor *Wife Swap*. 'Het is sensatietelevisie. Ik zit te wachten op de avond dat iemands kind de indringer een klap uitdeelt.'

Scarlett giechelde weer. Ik kon me voorstellen hoezeer me dat tijdens negen dagen interviewen zou gaan irriteren. Soms hebben klanten ongelooflijk irritante verbale of lichamelijke tics waar ik gestoord van word. Het enige wat ik dan kan doen om zelf niet gek te worden, is de score per uur van die tic bijhouden en in gedachten kleine weddenschappen met mezelf aangaan.

'Als ík zou meedoen, zou ik iedereen helemaal gek maken,' zei ze, waarna ze zich van het keukenfornuis afduwde en naar de ketel liep. 'Koffie?'

'Koffie zou lekker zijn. Wat bedoel je, je zou iedereen helemaal gek maken?'

'Ik zou wachten tot ze allemaal naar het werk of naar school waren. Dan zou ik een schoonmaakbedrijf en een stel cateraars inhuren. Ze zouden me bij thuiskomst het einde vinden en hun echte vrouw helemaal zat zijn.'

'Dus je bent zelf niet zo'n huisvrouw?'

Ze trok een gezicht. 'Ik kan wel schoonmaken als het moet, maar tegenwoordig hoeft het niet meer. En wat koken betreft: bonen op geroosterd brood, roereieren op geroosterd brood. Geroosterd brood op geroosterd brood. En dat is het dan wel. Voor de rest heb je afhaalrestaurants, toch? Zodat we onze tijd niet in de keuken hoeven te verdoen. Je bent toch niet zo'n Nigella Lawson-type, hè? Zo'n verdomde huishoudgodin?' Een vernietigendere minachting had ze niet in drie woorden kunnen vatten.

'Ik kook nooit van die ingewikkelde dingen, maar in het weekend mag ik graag een ouderwetse maaltijd met rosbief maken.'

'Dat is oké, een goede zondagse rosbief,' gaf ze toe. 'Maar ik wil wedden dat je wel zo iemand bent die van echte koffie houdt.'

Ik grinnikte. 'Dat heb je helemaal goed gezien. Heb je dat in huis?'

'Ja, die Carla kwam met een doos van die metalen capsules voor de koffiemachine terug toen ze Georgie de vorige keer hiernaartoe reed.' In de kast die ze opendeed, stond een gigantische doos met theezakjes en een plastic tas gevuld met verschillend gekleurde metalen capsules. 'Wij drinken alleen thee,' zei ze. 'We zijn echte proleten, ik en Joshu. Nou ja, hij doet alsof. Maar hij is het eigenlijk niet. Zijn vader geeft les aan de universiteit en zijn moeder is arts. Hij is een grote teleurstelling voor ze, die Joshu.' Ze zette de tas naast een koffiemachine neer, die eruitzag alsof hele teams ontwerpers erover hadden zitten ruziën. 'Ik hoop dat jij weet hoe dat ding werkt.' Ze draaide zich om en wierp me die glimlach van honderd watt weer toe, waardoor heel haar gezicht tot leven kwam. 'Anders moet ik Carla bellen om haar te zeggen dat ze als de donder hiernaartoe moet komen, zodat ze ons kan laten zien wat we moeten doen.'

'Hoe moeilijk kan het zijn? George Clooney kan het blijkbaar ook, en hij is een vent.' Het duurde niet lang voordat ik het doorhad, maar Scarlett was er hevig van onder de indruk dat ik erin slaagde om binnen enkele minuten een behoorlijke kop koffie voor mezelf te maken.

'Wil je híér werken?' vroeg Scarlett met een blik op mijn schoudertas. 'Want er staat een tafel, dat is wel makkelijk om aantekeningen aan te maken.'

'Ik heb geen tafel nodig. Ik ga ons gesprek opnemen. Ik zal af en toe wel een aantekening maken, maar dan leg ik mijn notitieboekje gewoon op mijn knie. We zullen urenlang bij elkaar zitten. Het is beter om op een comfortabele plek te gaan zitten. Wat dacht je van de woonkamer, met die banken?'

'Vind je dat niet iets te veel lijken op gewoon maar wat rondhangen?'

'Geloof me, gewoon rondhangen is goed. Hoe relaxter je bent, hoe natuurlijker je zult klinken.' Ze keek nog steeds bedenkelijk, maar ze ging me voor naar de kamer. 'Is het je nog gelukt om wat foto's uit te zoeken?' vroeg ik haar voordat ze ging zitten.

'Ik heb ernaar gekeken,' zei ze. 'Het is niet veel. Ik ben zo terug.' Scarlett verdween de hal in, en ik hoorde het zachte geschuifel van haar voeten op de trap. Ik had haar gevraagd me haar leven in beelden te laten zien, helemaal vanaf haar kinderjaren. Ik wist uit ervaring dat foto's vaak herinneringen opriepen. Maar ze zorgden er ook voor dat de klanten minder terughoudend werden, omdat ze door het beeld een ander gevoel van tijd en plaats kregen. Geuren, beelden en geluiden beleefden ze opnieuw, waardoor vaak een hele stroom aan herinneringen werd ontsloten.

Toen Scarlett me het dunne stapeltje overhandigde, wist ik dat dit nu niet bepaald veel voor ons zou gaan opleveren. Zoals de meesten in de pubertijd vond ik mijn ouders maar een stel sukkels: niet meer op de hoogte, geen tijd meer over en geen ideeën meer. Maar ze begrepen in ieder geval dat je aandacht aan je kinderen moest schenken. Mijn leven in beelden zou een dik pak foto's opleveren van vakanties, van school, door de camera vastgelegde momenten om trots op te zijn en een overzicht van familiefeesten. De bruiloft van mijn nicht, de gouden bruiloft van mijn grootouders en de doop van mijn neefje. Alles nauwgezet bewaard voor het nageslacht.

Zo was het bij Scarlett niet gegaan. Waar haar ouders dan ook wel mee bezig waren, in ieder geval niet met het tonen van hun trots voor hun nageslacht door elk vertederend moment van haar vast te leggen. 'Zoals ik al zei, het is niet veel.' Ze haalde haar schouders op en liet zich pruilend achterovervallen op de bank.

Boven op de stapel lag natuurlijk de ziekenhuisfoto. De jonge moeder die ondersteund door kussens rechtop zit en met de pasgeboren baby dicht tegen haar borst vermoeid naar de camera lacht. Chrissie Higgins zag er eerder verward dan stralend uit. Ze moet ongeveer dezelfde leeftijd hebben gehad als haar dochter nu, maar dat zou je nooit gezegd hebben. Haar gezicht was opgeblazen, haar huid zag er ruw uit en ze had donkere plekken onder haar ogen. Dat kon de tol van het harde werken zijn, maar het was waarschijnlijker dat het door het zware leven kwam. Desondanks kon ik de gelijkenis met haar dochter wel zien.

'Ik was niet moeders mooiste,' zei Scarlett zonder een blik op de foto te werpen. 'Ik zie eruit als een honderdjarige aap.'

Ze zat er niet ver naast. 'Alle baby's zien er zo uit,' zei ik. 'Maar we zijn geprogrammeerd om van onze eigen kinderen te houden en daarom valt het ons niet op.'

Scarlett snoof. 'Geprogrammeerd om van onze eigen kinderen te houden? Ik dacht het verdomme niet! Mijn moeder kon haast niet wachten tot ze het ziekenhuis weer uit mocht, zodat ze een borrel kon pakken. Ze zat alweer in de kroeg voordat ik een week oud was.'

'Nam ze je dan mee?'

'Soms. Maar meestal liet ze me alleen met haar moeder. Die was al aan de drank verslaafd. En mijn vader zat tussen twee gevangenisstraffen in en ze wilde hem niet kwijtraken, wat betekende dat ze met hem

79

mee de stad in moest. Ze wilde niet dat hem een andere troela in het oog zou springen, die hem dan vervolgens van haar zou afpakken.' Weer die keiharde minachting. 'Alsof iemand hem godverdomme graag aan de haak wou slaan.' Ze deed haar armen over elkaar, hield ze strak tegen haar borst gedrukt en zuchtte. 'Dus dat gaan we doen, dan? Naar oude foto's kijken zodat ik eens lekker kan zeiken over hoe klote mijn leven vroeger was?'

Ik glimlachte. Ik moest haar verdedigingslinies ontmantelen. 'Nou, de lezers moeten nog uitvinden wat een kloteleven je eigenlijk achter de rug hebt. Dat is de enige manier waarop ze zullen begrijpen van hoever je echt bent gekomen,' zei ik mild. 'We komen een andere keer nog wel terug op de foto's, wanneer ik een duidelijker idee heb waar ik ze zou kunnen inpassen. Waar ik vandaag over wil praten, is over je jeugd. We kunnen die niet gewoon negeren en doen alsof die er nooit was. Niet wanneer je je leven goed wilt uitleggen aan je eigen kind. Ik begrijp wel dat het geen geweldige tijd voor je is geweest, maar dat is des te meer reden om het maar afgehandeld te hebben. Dan blijft het niet als een schaduw over je heen hangen.'

Ze dacht na over wat ik had gezegd en knikte toen. 'Je hebt gelijk. Oké, wat wil je weten?'

Nu volgde standaardprocedure, stap één. 'Wat is je allereerste herinnering?'

Ze dacht een tijdje na, dat doen ze allemaal. 'Op de kermis,' zei ze langzaam. 'Met mijn vader.'

Ik ging zachter en op mildere toon praten. 'Wat ik nu van je wil, is dat je je ogen sluit en een beeld van die herinnering oproept. Ik wil dat je je erin laat wegzinken alsof je je op een heerlijk comfortabel bed laat vallen. Laat alles los en roep het beeld op van dat meisje op de kermis. Laat de jaren wegvloeien en reis terug in de tijd naar dat uitstapje naar de kermis.'

Scarlett barstte in lachen uit. 'Wat is dít? Probeer je me te hypnotiseren of zo?'

'Niet echt. Ik probeer je te laten ontspannen, dat is alles. Een sterke herinnering is een goed beginpunt.'

'Je gaat me toch niet onder je macht brengen en me allerlei rare dingen laten doen, hè?'

Op basis van wat ik Scarlett op televisie had zien doen, was er niet echt veel voor nodig om dat te bereiken. Maar het zou niet handig zijn haar daarop te wijzen. 'Nee, ik probeer alleen maar het balletje aan het rollen te krijgen. Als je niet met die herinnering wil beginnen, dan gaan we het over iets anders hebben. Maar ik waarschuw je vast: ik zal hier later op terugkomen. Dus we kunnen het net zo goed nu meteen maar achter de rug hebben.'

'Waarom niet? Er is heus niets mee aan de hand of zo. Het was gewoon een uitstapje naar de kermis.' Ze rolde met haar ogen en leunde achterover, waarna ze haar hoofd tegen een in een koeienhuid gehuld kussen liet rusten en haar ogen sloot. Ik wachtte af, en na een korte pauze ging ze langzamer ademen. Toen ze weer iets zei, praatte ze langzamer en afgemetener. 'Ik ben op de kermis. Het smaakt naar hotdogs en uien en diesel en suikerspin. De lucht ruikt heet. Ik ben hoog in de lucht...'

'Zit je in een attractie?' zei ik zacht, want ik wilde het moment niet verstoren.

'Ik zit op de schouders van mijn vader. Ik kan over de hoofden van iedereen uit kijken. Het is donker, want het is 's avonds. Overal zie ik gekleurde lichtjes, alsof ik in een regenboog zit of zo. Ik graai met mijn hand in mijn vaders haar, dat erg dik en weerbarstig is, en als ik me er te stevig aan vasthoud schreeuwt hij naar me dat ik ermee moet kappen.'

'Is je moeder er ook?'

'Ik kan de bovenkant van haar hoofd zien wanneer ik omlaag kijk. Ze hebben allebei een blikje in hun hand en ik kan ruiken dat ze bier drinken. Maar ze lachen en maken grappen en het is net alsof we zoals alle andere mensen zijn.' Ze opende haar ogen en ging abrupt rechtop zitten. 'Daarom herinner ik het me. Voor één keer voelde ik me geen uitschot en had ik niet het gevoel dat iedereen op ons neerkeek.' Ze schudde met een bittere glimlach haar hoofd. 'We waren de buren uit de hel. Niemand wilde naast ons wonen.'

'Maar het lukte jullie toch om samen plezier te hebben. Op de kermis.'

'Waarom denk je dat ik me het herinner?' Scarlett leunde naar voren, ogenschijnlijk bezield door oprechte nieuwsgierigheid.

'Waarschijnlijk omdat het leuk was?'

'Omdat het verdomme ook echt de enige keer was dat we het leuk hadden,' zei ze bitter. 'Ik heb bijna geen herinneringen aan mijn vader.

Ik was nog maar zes toen hij overleed, en het merendeel van die zes jaar zat hij in de gevangenis. Behalve toen die keer op de kermis, herinner ik me hem en mijn moeder alleen maar dronken en ruziënd. En dat ze naar elkaar schreeuwen en elkaar slaan. Het soort dingen waarvoor je je wanneer je klein bent onder het bed wil verstoppen en in je eigen pis wil blijven liggen.'

Het was moeilijk iets te zeggen zonder neerbuigend of laatdunkend te klinken. 'Praat je met anderen over hem? Mensen die hem hebben gekend?'

'Natuurlijk. Dat soort shit wil je toch weten?'

'Natuurlijk. En je wilt die kennis doorgeven aan je kind. Vertel me dus maar wat je over hem weet. Wat andere mensen je hebben verteld.'

Het was een treurig verhaal. Alan Higgins was een van zeven kinderen, die dankzij een alcoholische vader en een moeder die onder de kalmerende middelen zat al vanaf hun vroege jeugd een losgeslagen leven leidden. Zijn oudere broers hadden hem al op jeugdige leeftijd laten kennismaken met inbraak, autodiefstal en een grote variëteit aan oplichtingspraktijken, en hij stortte zich vol geestdrift op de misdaad. Helaas waren zijn bedrevenheid, zijn intelligentie of zijn geluk niet zo groot als zijn enthousiasme. Tegen de tijd dat hij Chrissie ontmoette, had hij al twee keer in de jeugdgevangenis gezeten en ook nog een keer als volwassene. Tijdens zijn laatste verblijf had hij de geneugten van heroïne ontdekt, en vanaf dat moment werd zijn leven een onophoudelijke sleur van stelen voor zijn verslaving, gepakt worden, naar de gevangenis gaan en weer vrijkomen om de hele cyclus opnieuw te doorlopen. Het lukte hem lang genoeg buiten de gevangenis te blijven om Chrissie met Scarlett en Jade, haar oudere zus, te bezwangeren. Maar hij was er bijna nooit om een bijdrage aan de dagelijkse gang van zaken te leveren.

'Iedereen die hem kende, zegt dat hij geen slechte gozer was,' zei Scarlett vermoeid. 'Hij was gewoon zwak. En lui. Wanneer je rijk bent en je bent zwak en lui, dan zorgt iemand er wel voor dat je een baan krijgt en dat soort shit. Maar wanneer je arm bent, dan loopt het met je af als met mijn vader.' Dat was weer een van die verrassende inzichten van haar. En zodra ze die woorden had uitgesproken, leek Scarlett ze weer te willen inslikken.

Ik wilde er verder niet op ingaan. Ik begon te vermoeden dat Scarlett Harlot meer in haar mars had dan je op het eerste gezicht zou zeggen, en ik wilde niet dat ze voor me in haar schulp kroop. 'Hoe is hij aan zijn einde gekomen?' vroeg ik om het gesprek gaande te houden. Ik dacht dat ik het antwoord wel wist, maar ik wilde het van haar horen. Om te zien hoe eerlijk ze zou zijn.

'Je weet hoe hij is gestorven. Je bent hier niet gekomen zonder me te googelen. Het staat op internet. Vertel jij het me maar.' Ze sloeg haar armen weer over elkaar en bleef me aanstaren tot ik mijn ogen zou neerslaan.

'Natuurlijk heb ik je gegoogeld. Ik heb je nagetrokken voordat ik er überhaupt mee instemde om je te ontmoeten. Als ik niet geïnteresseerd was geraakt door wat ik daar las, had je mijn naam nooit te horen gekregen. Maar dat betekent niet dat ik alles geloof wat ik online vind. Ik zou behoorlijk slecht in mijn werk zijn als ik dat wel deed. Ik weet wat ik over je vader heb gelezen. En jij weet waarschijnlijk ook wat ik daar heb gelezen. Wat ik wil, is dat je me de waarheid vertelt.' We waren amper een uur op weg, en ik voelde me nu al dodelijk vermoeid. Scarlett was moeilijker op haar gemak te stellen dan een kat in de wachtkamer van een dierenarts. De meeste minder grote sterren vonden het geweldig dat ze een publiek hadden en waren er heilig van overtuigd dat elk aspect van hun leven vreselijk fascinerend was, zodat het eerder een probleem was om hun de mond te snoeren. Maar Scarlett liet me werken voor mijn geld. Dat was alweer een tijdje geleden, en ik was er niet langer zo zeker van of ik dit project wel leuk zou gaan vinden.

Ze keek me nog wat langer dreigend aan en gaf toen op. 'Het is waar. Wat er op internet staat. Hij is gestorven aan aids. Hij moet het van een vervuilde naald hebben gekregen. In de gevangenis deelden ze continu naalden. Ze hadden geen andere keuze. In de bak zijn geen vervloekte inruilpunten voor je naalden. Dus ja, een vervuilde naald.' Haar mond verhardde tot een streep. 'Of anders door de dingen die hij in de gevangenis moest doen om aan zijn heroïne te komen. Ik ben niet achterlijk, ik weet wat er daarbinnen gebeurt.'

'Dat moet moeilijk zijn geweest voor je moeder.'

'Echt wel. De wijzende vingers, het gescheld. Ik was toen nog te jong om het te begrijpen, maar geloof me, het ging nog jaren door. Ook nog toen ik het maar al te goed begreep. Die domme klootzakken dachten dat zij ook aids had omdat hij het had. En dus ik en Jade ook. Op school en op straat wezen de jongens ons na en jouwden: "Daar gaan de aidszusjes" en dat soort shit. We moesten al jong hard en sterk worden, ik en Jade.'

'Was hij thuis toen hij overleed?'

'Nee, godzijdank niet. Dat zou het alleen nog maar erger hebben gemaakt. Hij stierf in de gevangenis. Mijn moeder ging door het lint en eiste dat hij buitengewoon verlof zou krijgen, maar eigenlijk meende ze het niet. Ze houdt van strijd om de strijd zelf. Hem in huis hebben zou haar tot waanzin hebben gedreven. Dan zouden ik en Jade degenen zijn geweest die hem verzorgden en niet zij.'

'Maar je was nog maar zes. En Jade was, wat, acht?'

Daar had je Scarletts spottende lachje weer. 'Zeker beschermd opgevoed, hè? Wanneer je vader een junkie is en je moeder een zuipschuit, dan word je snel volwassen. Of je wordt helemaal niet volwassen. Ik keek naar hen en wist dat ik hoe dan ook niet wilde eindigen zoals zij. Zoals het met Jade is gegaan.' Ze keek me recht in de ogen. 'Ik ben niet zomaar toevallig in *Goldfish Bowl* beland. Ik had een plan.' Ze streek het haar uit haar gezicht en duwde haar borst naar voren in een karikatuur van verleiding. 'Maar dat hoeven we ze niet te vertellen, toch?'

8

Ik weet niet voor wie van ons beiden Scarletts onthulling als een grotere schok kwam. Ze begon bijna onmiddellijk terug te krabbelen. 'Moet je mij nou horen,' zei ze lachend. 'Een beetje dik zitten doen. Alsof ik slim genoeg ben om verder vooruit te plannen dan mijn volgende nummertje.'

Maar ik wist wel beter. Ik wist dat ik een glimp had opgevangen van iets wat niet bij haar publieke imago paste. Dom maar ze bedoelt het goed, dat was hoe de wereld Scarlett zag. En dat was het verhaal dat ik tegen goede betaling moest reproduceren. Dat was een fluitje van een cent voor me. Wanneer er onder die oppervlakte nog een verborgen laag zat, zou dat het veel interessanter maken. Een laag die ik nooit in mijn 'autobiografie' zou kunnen gebruiken. Maar schrijvers gooien nooit iets weg. Scarletts geheime innerlijke leven zou mogelijk de springplank kunnen zijn naar de roman die ik altijd al wilde schrijven.

De rest van de dag hield ze zich zo grondig aan haar imago dat ik bijna geloofde dat ik me vergist had. Maar toen ik naar huis was gegaan en de opname van onze sessie begon uit te schrijven, klonk dat heldere moment als artillerievuur te midden van het monotone gedreun van Scarletts verhaal. Ik had heel wat materiaal over Scarletts vroege jeugd verzameld, en veel daarvan zou voor ieders bestwil op de snijtafel blijven liggen, maar belangrijker nog was dat ik een reden had gevonden om enthousiast over dit project te worden. Ik vond het gewoon jammer dat Pete aan het werk was, zodat ik mijn enthousiasme niet met hem kon delen. Ik was teleurgesteld en besloot hem dan maar een sms'je te sturen. Maar hij had het blijkbaar te druk om te antwoorden. Er stond tenminste wel een sms'je van hem op me te wachten toen ik opstond: hij had me uiteindelijk om 3.17 uur geantwoord. Maar toen lag ik natuurlijk al diep te slapen.

Ik kon niet wachten om weer met Scarlett te praten. Ik had geen idee tot welke uitspraken ik haar verder nog zou kunnen verleiden. Ik had echter het gevoel dat die verborgen laag het oppervlakkige verhaal leven zou kunnen inblazen, waardoor het een beter boek zou worden.

Toen ik deze keer bij de haciënda tot stilstand kwam, was er geen ruimte meer in de garage. De cabriolet had gezelschap gekregen van een opgevoerde zwarte Golf met een compleet gepimpte carrosserie, gouden sierstrippen en getinte ramen. Dat moest Joshu's auto wel zijn. Ieder ander zou zich te zeer schamen om achter het stuur van die blingbling op wielen te zitten. Ernaast stond een discrete, zilveren BMW uit de 5-serie.

Ik hoefde me niet lang af te vragen wie de eigenaar van de BMW was. Toen ik de keuken binnenliep, stonden Scarlett, Joshu en George op drie punten van een driehoek, elk van hen in een pose die op een illustratie voor een seminar over lichaamstaal leek. Scarlett had haar armen over elkaar geslagen en hield ze stijf tegen haar borst gedrukt in een uiting van opstandigheid die me langzamerhand maar al te bekend voorkwam. Joshu zag er onaantrekkelijk uit met zijn warrige haar, zijn boxershort en zijn Arsenal-shirt. Hij stak zijn hoofd vooruit en had zijn handen in zijn zij. En George leunde loom tegen het keukenfornuis, zijn rechterhand onder zijn linkerelleboog, terwijl zijn linkerhand de lucht kietelde.

Ze keurden me amper een blik waardig toen ik binnenkwam. 'Hoe je het ook bekijkt, het is gewoon een verstandige zet,' zei George. 'Dat zien jullie toch ook wel?'

'Niet zoals ik het zie,' mompelde Joshu opstandig. 'Wat denk je dat het voor mijn imago zal betekenen, man?'

'Je bent toch al bezet in de ogen van je publiek, Joshu,' zei George. 'Je relatie met Scarlett is nu niet bepaald een staatsgeheim.' Hij knikte licht naar me en voegde daar nog in één moeite door aan toe: 'Goedemorgen, Stephanie. Wat fijn om je te zien.'

'Dat iedereen weet dat ze mijn vrouw is betekent nog niet dat ik geen eigen man is, weet je. En wat jij voorstelt werkt als een keten voor mij.'

Ondanks Joshu's verkrachting van de taal begon ik er wel iets meer van te begrijpen. Ik sprak George aan in mijn beste Lady Bracknell-imitatie. 'Je stelt voor dat ze moeten gaan trouwen?'

'Ik zal wel weer ouderwets zijn, maar ze is wel in verwachting van zijn kind.' George spreidde zijn armen en liep naar het koffieapparaat. Scarlett deed de kast open en wierp de tas met capsules voor hem neer. Het kwam gevaarlijk dicht in de buurt van náár hem gooien.

'We krijgen sámen een kind,' corrigeerde Scarlett hem. 'En ik zie niet in waarom we getrouwd zouden moeten zijn om dat te laten gebeuren.'

'Precies. We hoeven geen papiertje van justitie.' Joshu krabde aan zijn kruis. Ik denk dat hij nonchalant probeerde over te komen.

'Dat begrijp ik wel.' George wendde zich tot mij: 'Koffie, Stephanie?'

'Graag. Ik geloof dat ik gisteren die paarse had.'

'Goede keuze. Joshu, ik wil geen moment beweren dat je een huwelijksakte nodig hebt om je verhouding met Scarlett te legitimeren. De paparazzi lijken dat eerlijk gezegd ook overbodig gemaakt te hebben. Wat ik bedoel, is dat een huwelijk op niet al te lange termijn een geweldig winstgevende onderneming zou zijn.'

'Zeg dat nog eens?' Joshu maakte zijn oor schoon met zijn vingernagel en at daar toen de resten van op.

'Hij bedoelt dat we er leuk aan zouden kunnen verdienen,' zei Scarlett. 'Zo is het toch, Georgie?'

Hij glimlachte. 'Dat is het in een notendop, liefje. Zie het als een zakelijk voorstel. We gaan een tv-documentaire maken, laten een of andere ontwerper de kleding verzorgen en een hotel mag de catering regelen. We slijten de exclusieve rechten aan *Yes!*. En we brengen een nieuwe geur uit ter gelegenheid van de ceremonie. Stephanie, hoe was het ook alweer, wanneer moet het boek gaan verschijnen?'

'Een maand voordat ze is uitgerekend.'

'Perfect. Dan doen we het rond die tijd.' George keek stralend de kamer rond terwijl hij me mijn koffie aangaf. 'De verkoop van het boek zal met duizenden exemplaren stijgen.'

'Wat? Zodat ik er op mijn trouwfoto's als een verdomde aangespoelde walvis uitzie?' Scarlett liep rood aan van verontwaardiging.

'Lieverd, we zullen de jurk door de beste ontwerper laten maken,' zei George. 'Je zult er echt schitterend uitzien... Niemand zal je bobbel zien.'

Joshu lachte snuivend. 'Je hebt geen ontwerper nodig, maar een gemetselde muur waar ze achter kan gaan staan.'

'Hou je kop, jij,' snauwde Scarlett hem toe. 'Als je mij niet had, zou niemand je bruiloft willen betalen.'

'Als ik jou niet had, zou niemand tegen me over een vervloekte bruiloft beginnen, afgezien van mijn tantes.'

Ik werd verschrikkelijk treurig van het gesprek. Niet dat ik zo'n groot voorstander was van het instituut dat huwelijk heet. Maar waar ik wel in geloof, is dat er iets van liefde bij betrokken zou moeten zijn. In de tijd dat ik in de kamer was, had niemand het over liefde of genegenheid gehad. En over de baby praatten ze alleen maar alsof die een stok tussen de spaken van het zakelijke wiel was. Je hoefde niet helderziend te zijn om te voorspellen dat ze blij mochten zijn als dit huwelijk het papieren jubileum zou halen, als het al daadwerkelijk voltrokken zou worden.

'Zie het als de laatste publieke rehabilitatie,' zei George. 'Niemand kan je voor racist uitmaken als je met Joshu trouwt.'

'O, dus ik is de knuffelneger van mijn eigen huwelijk, is dat het?'

Ik was het bij uitzondering eens met Joshu.

'Bek houden,' zei Scarlett weer. 'Ik heb wat dat betreft niets te bewijzen, Georgie. Als ik met deze kloothommel trouw, zal dat niet zijn om mijn huid te redden van het gezeik van de linkse meute. Wat je zei over er een grote happening van maken... Denk je dat dat gaat lukken? Denk je dat we het allemaal betaald kunnen krijgen en dat we er dan ook nog iets aan kunnen verdienen?'

'Ik weet het absoluut zeker,' zei George. 'Ik heb al een aantal mensen gepolst, en geloof me, er is zonder meer markt voor. Stephanie, vertel haar hoe het halen van de krantenkoppen de verkoop van een boek kan stimuleren.'

Ik wierp George een snelle blik toe die hem zou hebben moeten vertellen hoe weinig ik het op prijs stelde om bij deze verachtelijke overeenkomst betrokken te worden. 'Hij heeft gelijk,' gaf ik toe. 'Als we het journaal halen, zal de verkoop naar een ander niveau worden getild. Het herinnert mensen eraan wie je bent en waarom ze in je geïnteresseerd zouden moeten zijn. Het heeft hetzelfde effect als het verdubbelen of verdriedubbelen van je promotiebudget.'

'Zie je wel, Joshu?' Scarlett stak de kamer over en sloeg haar armen om hem heen. 'We moeten het doen. We zullen niet voor eeuwig voer voor de krantenkoppen zijn, schat...'

'Spreek voor jezelf,' mopperde hij.

Ze trok zich los. 'Oké dan... ik zal niet voor altijd in de belangstelling staan en daarom moet ik mezelf nu te gelde maken. En hou jij jezelf ook maar niet voor de gek, hoor, Joshu. Dit is ook niet bepaald mijn droombruiloft. Wat romantiek zou best leuk zijn geweest. Maar ik moet pakken wat ik pakken kan. Als we hiermee echt een behoorlijk zooitje geld kunnen verdienen, dan moeten we het doen. Er zal hierdoor niets veranderen tussen ons.'

'En je kunt ook huwelijkse voorwaarden laten opstellen, als je bang bent dat je er geld bij zult inschieten als de zaken niet zo lopen als je had gehoopt,' viel George haar bij. 'Echt, Joshu, er kleven geen nadelen aan.'

'Voor jou misschien niet. Maar mijn familie zal nooit meer met me praten.'

'Je haat je familie,' zei Scarlett. Ze boog zich naar hem toe en wreef met de punt van haar neus tegen de zijne. 'En wie anders zou je trouwens willen hebben?'

'Ik zou het voor het uitkiezen hebben,' zei hij. Maar het antwoord kwam niet van ganser harte. Hij greep haar bij haar billen en trok haar dicht tegen zich aan. 'Ach, wat maakt het verdomme ook uit, waarom niet? Oké, George, we zullen het doen. Regel alles maar, maar je kunt er maar beter voor zorgen dat we een eersteklas gastenlijst krijgen en dat alle onkosten worden vergoed. Ik wil niet dat die vervloekte bruiloft me geld gaat kosten.'

George straalde. 'Ik wist wel dat je tot een verstandig besluit zou komen.'

Ik probeerde niet te kokhalzen. 'Maar er is nog wel één ding,' zei ik. Ze keken me allemaal verwachtingsvol aan. 'Je moet nog een romantisch verhaal over het huwelijksaanzoek verzinnen voor de media. Want het is de bruidegom die normaal gesproken het aanzoek doet en niet je agent.'

Voor het eerst stonden ze allemaal met de mond vol tanden.

Vertrouwen is essentieel om een effectieve ghostwriter te kunnen zijn. Je hebt maar korte tijd een kleine kans om een band op te bouwen. Ik heb sommige ghostwriters wel horen beweren dat het niet uitmaakt of de klanten je aardig vinden en dat het erom gaat of ze geloven dat je het karwei kunt klaren. Maar daar ben ik het niet mee eens. Ik geloof dat je ze moet laten geloven dat je een vriend van ze bent.

Ik wil trots op mijn werk kunnen zijn. Ik wil het best mogelijke boek schrijven. Begrijp me niet verkeerd: ik heb ook wel met mensen gewerkt met wie het niet klikte, zodat ik er keihard aan moest trekken om dat gebrekkige contact voor de lezers verborgen te houden. Maar als je wilt dat ze zich openstellen, dat ze de dingen met je delen waarover ze nooit eerder hebben gesproken en dat ze je toelaten tot het verhaal achter het verhaal, dan heb je vertrouwen nodig.

Opgelopen schade raakt iedereen anders. Soms heeft het tot gevolg dat ze wanhopig graag in iemand willen geloven. In om het even wie, eigenlijk. Zelfs in iemand die wordt betaald om te glimlachen en hun te vertellen dat ze zeer bijzonder zijn. Bij anderen gebeurt precies het tegenovergestelde. Het is alsof hun receptoren blijvend zijn beschadigd, waardoor ze niet langer op anderen durven te vertrouwen. Ik dacht eerst dat Scarlett tot die laatste categorie behoorde. Dat het nooit meer dan een oppervlakkige relatie zou worden, hoe hard ik ook mijn best zou doen om een band met haar te krijgen. Het was een frustrerende gedachte, want die paar kijkjes achter het masker hadden me zowel in persoonlijk als professioneel opzicht geïntrigeerd.

Maar ik had het mis wat betreft Scarlett. Tegen het einde van onze negen dagen samen had ik het gevoel dat we de eerste stappen hadden gezet op weg naar een onwaarschijnlijke vriendschap. Ik was vertrokken vanuit mijn gebruikelijke uitgangspositie: bereid om mijn mening over haar opzij te zetten in het belang van de totstandkoming van het boek. Maar uiteindelijk bleek dat ik haar echt een leuke meid vond. Dat ik haar aardig vond, veranderde niets aan hoe Scarlett feitelijk was: dom, onbeschaamd en compleet losgeslagen. Maar eerlijk gezegd kon je ook niet veel anders verwachten, zoals de kaarten voor haar waren geschud.

Het bijzondere van Scarlett was dat ze veel slimmer was dan ze liet blijken wanneer de camera's op haar gericht waren. Ze was zich bewust van haar tekortkomingen, en privé, wanneer er niemand keek, probeerde ze daar verandering in te brengen. Toen ik op een morgen eerder dan verwacht aankwam, betrapte ik haar op het kijken naar een tv-zender met geschiedenisprogramma's. Toen ze een keer de kamer was uit gelopen, deed ik snel haar iPad aan en ontdekte dat ze een boek over Michelle en Barack Obama aan het lezen was. Toen er op een avond iets fout was gegaan met het boeken van vervoer, bracht ik haar naar vliegveld Stansted toe, en toen ik van Radio 4 naar een andere zender wilde gaan, zei ze op zeer nonchalante toon dat ik de radio zo moest laten. Het was nu ook weer geen *Pygmalion*, maar interessant was het wel.

Dat bewonderde ik in haar. Ik had ook respect omdat ze zich niet door haar achtergrond kapot had laten maken. Het leek wel alsof iedereen met wie ze was opgegroeid verslaafd was of achter de tralies zat. Of allebei. Drank, drugs en geweld waren de boeien die haar familie en haar buren geketend hielden. Scarlett had op de een of andere manier de koppigheid en wilskracht gevonden om een andere weg te gaan. Zelfs Joshu was niet helemaal de schooier die hij leek te zijn: ik had een donkerbruin vermoeden dat zijn degelijke middenklasse-achtergrond weer boven zou komen drijven zodra hij klaar was met net doen alsof hij bij de foute jongens hoorde. Ik kan me behoorlijk goed in iemand anders verplaatsen. Ik kon me echter amper voorstellen welke weg Scarlett had moeten afleggen om aan de schrijnende akeligheid van haar leven in Leeds te kunnen ontsnappen.

Scarlett had eigenhandig verandering in haar leven aangebracht. Het was mijn taak om haar te helpen aan de wereld, en aan het kind voor wie dit boek bedoeld was, te laten zien of ze echt zo sterk was als die grote mond beweerde.

9

Vivian McKuras leek niet onder de indruk van Stephanies beschrijving van Scarlett Higgins. Maar voordat ze haar oordeel over haar kon geven, begon haar telefoon te piepen. 'Ik ben zo terug,' zei ze, terwijl ze zonder om te kijken naar de deur liep.

'Abbott,' zei ze toen ze eenmaal de verhoorkamer uit was. 'Bedankt voor het terugbellen.'

Ze had haar bericht aan haar collega's zo ingehouden mogelijk gehouden. Ze waren allebei technisch gezien haar meerdere, maar ze was vastbesloten haar hoofdrol in dit onderzoek niet uit handen te geven. Haar ambitieuze ik had bijna gehoopt dat geen van hen haar zou terugbellen, maar haar fatsoenlijke, menselijke ik wist dat ze hulp nodig had bij de praktische uitvoering van de operatie. Van de twee in de hal voor internationale vluchten gestationeerde agenten was Don Abbott degene van wie ze had gehoopt dat hij haar bericht over het ontvoerde kind zou beantwoorden. Hij was slim en gretig, maar het belangrijkste was dat hij Vivian op dezelfde manier behandelde als zijn mannelijke collega's. 'Wat kan ik voor je doen?' vroeg hij. 'Ik zie dat je ervoor hebt gezorgd dat het Amber Alert op de rails staat. Heb je nog aanwijzingen waar ik achteraan moet?'

'Het ligt niet zo eenvoudig.' Het was niet makkelijk voor haar om dat toe te geven, maar Abbott zou het tenminste later niet ten overstaan van collega's tegen haar gebruiken. 'Ze zijn Brits. Ik heb de vrouw verhoord die samen met het kind reisde... Ze zit midden in een procedure om hem te adopteren. En tot dusverre heeft ze me nog niets verteld wat je een motief zou kunnen noemen.'

Abbott maakte een grommend geluid in zijn keel. 'Klote. Je zegt in je bericht dat de geboortemoeder van de jongen een sterretje uit een realitysoap was. Wat dacht je van een ouderwetse ontvoering om losgeld?'

'Dat zou kunnen, maar dan wordt het afwachten, en we hebben tot nu toe nog niets gehoord.'

'Het klinkt alsof je de verhoorkamer maar weer in moet om te kijken of je toch niet iets duidelijkers uit die vrouw kunt krijgen. Wil je dat ik ondertussen de beelden van het gesloten videosysteem bekijk? Om te zien of ik misschien het moment kan vaststellen waarop ze de centrale hal verlaten?'

'Dat zou geweldig zijn. De mensen van de controlekamer zijn alle beelden al aan het verzamelen, maar ik zou er een stuk geruster op zijn als jij ernaar kijkt in plaats van zij. En er is nog iets waar ik nog niet naar heb kunnen kijken: die vent moet hen op de een of andere manier naar de vertrekhal zijn gevolgd. De eenvoudigste manier om dat te doen is wanneer hij een instapkaart had voor een vlucht die hier vandaag zou vertrekken. Maar dat vliegtuig heeft hij dus duidelijk niet genomen. En daarom moet een van de vliegmaatschappijen een niet opgedaagde passagier hebben die onze man moet zijn.'

'Begrepen. Iemand die heeft ingecheckt en langs de beveiliging is gekomen, maar die niet bij de gate is komen opdagen. Daar zijn er elke dag wel een paar van. Laat dat maar aan mij over, Vivian. Ik zal kijken wat ik kan achterhalen.'

'Bedankt, Don.'

'Geen probleem. Wanneer het om een kind gaat, moeten we allemaal wat extra ons best doen.'

Ze herinnerde zich dat hij ook een kind had. Een dochter die een paar jaar ouder dan Jimmy Higgins was. Ze kon zich goed voorstellen dat de ontvoering van een kind daardoor een extra krachtige motivatie was om actie te ondernemen. 'Wat ook maar nodig is,' zei ze. 'Laten we elkaar later treffen en zien wat we hebben kunnen ontdekken.'

'Dat is goed. Bel me maar wanneer je klaar bent met het verhoor.'

Joost mocht weten wanneer dat zou zijn, dacht ze. Stephanie Harkers verhaal was ingewikkeld en de vrouw leek vastbesloten elk detail met haar te delen. Waarschijnlijk kreeg ze door over haar verleden met het joch te praten het gevoel dat ze iets deed wat aan zijn redding bijdroeg. Dat kon Vivian haar niet kwalijk nemen, maar het bleef een feit dat ze een karwei te klaren had waarbij tijd over het algemeen een belangrijke rol speelde. Zodra ze weer zat, bevond ze zich alweer in de verhoorstand. 'En Scarletts familie dan?'

'Wacht eens even,' protesteerde Stephanie. 'Wat gebeurt er? Dat telefoontje? Ging dat over Jimmy? Heeft u nieuws?' Haar paniek welde weer op en brak door haar zorgvuldig opgebouwde zelfbeheersing heen.

Vivian onderdrukte een ongeduldige zucht. 'Geen nieuws. Ik heb alleen overlegd met een collega die andere aanknopingspunten onderzoekt.'

'Wat voor aanknopingspunten? Heeft iemand zich gemeld? Hebben ze Jimmy gezien?' Stephanies ogen glinsterden van de tranen, die ze ongeduldig met de rug van haar hand wegveegde.

'Nee, dat niet. Mijn collega gaat de beelden van het gesloten videosysteem bekijken om te zien of we de bewegingen van de kidnapper voorafgaande aan de eigenlijke ontvoering kunnen vaststellen. En of we kunnen uitvinden waar en hoe ze daarna het terrein van het vliegveld hebben verlaten. We moeten heel wat praktische zaken nagaan. De ontvoerder moet bijvoorbeeld een geldig identiteitsbewijs of een wel heel goede vervalsing hebben overlegd om een instapkaart te krijgen, zodat hij voor of tegelijk met jullie langs de beveiliging kon glippen.'

Stephanie fronste haar voorhoofd en bedwong haar emoties, omdat ze opeens een dringend praktisch probleem zag. 'Niet noodzakelijkerwijs,' zei ze.

Vivian schrok. 'Hoe bedoelt u? De beveiliging hier is zeer strikt. Je kunt je niet zonder de juiste papieren langs de luchthavenbeveiliging babbelen.'

'Als de ontvoerder onze vluchttijden kende, dan hoefde hij ons niet eens te volgen. Er zijn verschillende manieren om via die centrale hal bij de vertrekkende vliegtuigen te komen,' hield Stephanie vol. 'Dat viel me vorig jaar nog op toen ik terugvloog na een bezoek aan een vriendin in Madison. Ik vond het des te opvallender, omdat we in het Verenigd Koninkrijk de aankomende en vertrekkende passagiers heel strikt van elkaar gescheiden houden. Maar hier word je wanneer je met een binnenlandse vlucht aankomt gewoon in de centrale hal gelaten, zodat passagiers die net zijn geland tussen mensen terechtkomen die nog moeten opstijgen. De ontvoerder zou op elke vlucht kunnen hebben gezeten die bij deze terminal eindigde, waarna hij zich op het toilet zou kunnen hebben verkleed.'

Ze sloeg de spijker op zijn kop, dacht Vivian. Waarom had ze zo snel de verkeerde conclusie getrokken? Waarom was iets wat ze maar al te goed wisten haar en Abbott ontgaan? Het voor de hand liggende antwoord was dat ze zich altijd bezighielden met mogelijke inbreuken op de veiligheid van buitenaf. Wanneer je eenmaal binnen was, dan was je per definitie veilig verklaard. Je was geverifieerd, gescreend en acceptabel bevonden. Waarom zou er nog verdere reden tot bezorgdheid zijn? Maar Stephanie Harker had met de ogen van een buitenstaander naar het systeem gekeken en haar was iets opgevallen wat zij over het hoofd hadden gezien. Misschien was de verhoorkamer toch de plaats waar deze zaak zou worden opgelost. 'Ik moet een telefoontje plegen,' zei ze. Toen duwde ze haar stoel naar achteren en koos op weg terug naar de hal het nummer van Abbott.

'We zijn op een dwaalspoor gezet door het idee dat iemand het joch heeft gevolgd. We zijn de binnenkomende passagiers vergeten,' zei ze zodra hij opnam. 'Ze komen uit heel Amerika en lopen rechtstreeks de centrale hal in. Het is niet duidelijk wie aankomt en wie vertrekt. Onze man kan wel van overal zijn komen binnenvliegen.'

'Shit,' zei Abbott.

'We zullen de videobeelden moeten terugkijken om te zien of we kunnen achterhalen waar hij verdomme vandaan kwam,' zei Vivian. 'Als hij op een binnenlandse vlucht zat, dan kan hij van alles hebben aangehad. Maar hij moest zich nog wel ergens omkleden. En dan moet hij dus van een toilet gebruik hebben gemaakt, toch?'

Abbott zuchtte. 'We hebben meer mensen nodig.'

'Neem contact op met de beveiligingsmensen in de cameraruimte. Dit heeft prioriteit. Het leven van een kind zou op het spel kunnen staan. Ik ga nu weer terug naar de verhoorkamer.'

'Oké. Goed gezien, Vivian.'

Toen ze deze keer ging zitten, bekeek Vivian Stephanie met meer respect. 'Men is ermee bezig,' zei ze. 'Bedankt voor dat inzicht. Zo, kunnen we nu weer terugkeren naar de familie van Scarlett Higgins? Ik vraag me af of zij misschien achter dit alles kunnen zitten? Waren ze niet boos dat u uiteindelijk het kind kreeg toegewezen? En het geld waarschijnlijk ook? Ik neem aan dat Scarlett haar geld aan u naliet? Voor Jimmy?'

'Ha,' zei Stephanie. 'Dat mocht ik willen. Eerst waren ze wel boos. Toen ze dachten dat er ook nog wat geld in het spel was. Maar ze waren nergens meer te bekennen toen ze eenmaal doorkregen dat Scarlett al haar geld had nagelaten aan het liefdadigheidsfonds dat ze had opgericht toen ze te horen had gekregen dat ze kanker had. Ik kreeg het kind, maar niet het geld.'

'Erfde Jimmy dan niets? Ze moet u toch iets hebben nagelaten om voor hem te kunnen zorgen? Gewoon om de onkosten te dekken.'

Stephanie schudde haar hoofd. 'Geen cent.' Ze glimlachte spottend.

'Maar dat is toch te bizar voor woorden?'

'Vertel mij wat. Haar principe was dat zijzelf met niets was begonnen en dat zij daardoor juist werd aangespoord om iets van zichzelf te maken. Ze vond dat kinderen geld in de schoot werpen niet goed voor ze was.'

Vivian wist niet of ze er onder de indruk van moest zijn of dat ze erdoor geschokt was. 'Dus haar familie toonde echt geen interesse voor de jongen?'

Stephanie zuchtte. 'Haar moeder is een dronkenlap en haar zuster is een junkie van wie al een kind door de kinderbescherming is afgenomen. Zelfs als ze Jimmy hadden gekend, wat niet zo was, dan nog zou geen enkele rechter die bij zijn volle verstand was hen zelfs maar bij hem in de buurt laten komen.'

Vivian schudde haar hoofd. 'Dat betekent nog niet dat ze hem niet wilden. Bloed kruipt tenslotte waar het niet gaan kan.'

'Bij de familie Higgins kruipt het geld waar het niet gaan kan. En als er voor hen geen geld te halen viel, dan kon die hele Jimmy hen geen ene moer schelen.'

'Hoe kwam het dat u uiteindelijk de jongen kreeg toegewezen? Wilt u me vertellen dat de beste vriendin die ze heeft haar ghostwriter was?' Vivian probeerde haar ongeloof uit haar gelaatsuitdrukking en haar stem te bannen, maar dat viel nog niet mee. Ze kon zich maar moeilijk een zo schraal gevoelsleven voorstellen, dat degene die nog het dichtst in de buurt van een hartsvriendin kwam de vrouw was die was ingehuurd om je op een zo flatteus mogelijke manier aan de wereld te presenteren.

Stephanie haalde haar schouders op. 'Zo zou je het kunnen zeggen. Je zou ook kunnen zeggen dat we vijf jaar geleden tijdens het schrijven van Scarletts eerste boek vriendinnen zijn geworden. Geen van ons beiden had dat verwacht. Maar het gebeurde en de vriendschap hield stand. Er stak veel meer achter haar dan je op het eerste gezicht zou zeggen. Ik ben er niet trots op dat de vrouw die ik aan de wereld heb gepresenteerd niet de vrouw was die ik kende, maar om allerlei redenen, de meeste economisch van aard, werkte dát voor ons allebei het best. En toen ze wist dat ze stervende was, was ik de persoon van wie ze wist dat ze die haar zoontje kon toevertrouwen.' Stephanie knipperde nog wat tranen weg. 'Het ziet ernaar uit dat ze er niet verder naast had kunnen zitten.'

'Het was niet uw fout,' zei Vivian.

Opeens viel Stephanie boos naar haar uit. 'Natuurlijk was het mijn vervloekte fout wel. Ik had hem onder mijn hoede. En nu niet meer. Scarlett vertrouwde me. Jimmy vertrouwde me. Ik heb iedereen laten zitten. Als die jongen iets overkomt, als hij niet levend en wel bij me terugkomt...' De spieren in haar gezicht verslapten toen dat vooruitzicht tot haar begon door te dringen.

'We zullen hem vinden,' zei Vivian, die zichzelf verafschuwde vanwege het geven van valse hoop. Maar ze moest er alles aan doen om Stephanie aan haar kant te houden. Ze moest blijven proberen haar details te ontfutselen over hun geschiedenis samen, in de hoop een reden te vinden voor wat er was gebeurd. 'Ik geloof wat u zegt over uw vriendschap. Hoewel het wat mij betreft eerlijk gezegd nogal onwaarschijnlijk klinkt. Maar hoe kwam het dat u zo hecht met elkaar werd? Waardoor kreeg ze het gevoel dat u degene was aan wie ze Jimmy moest toevertrouwen?'

10

Een ghostwriter is een professionele hypocriet. We passen de persoon die we hebben ontdekt constant aan aan de persoon die zíj aan de wereld willen laten zien. We zijn de cosmetische chirurgen van iemands image. We worden experts op het gebied van wat moet worden weggelaten. Ik vraag mijn klanten meestal of ze er problemen mee zouden hebben wanneer hun moeder of hun kind bepaalde episodes zouden lezen die ik obsceen of bloeddorstig vind. En wanneer ik bijvoorbeeld over seksueel misbruik schrijf, ben ik me er altijd van bewust dat er griezels zijn die dit soort memoires alleen maar ter hand nemen omdat ze er opgewonden van worden. En daarom zorg ik ervoor dat ik expliciete beschrijvingen vermijd en geef ik niet te veel details over het via internet benaderen van kinderen voor seksuele uitbuiting. Ik houd me niet bezig met het schrijven van een beginnershandleiding voor pedofielen.

Ook al had ik al zo vaak een centraal verzonnen verhaal gecreëerd als ruggengraat voor mijn 'autobiografieën', toch bleek *Naar goud vissen* een van mijn uitdagender projecten. Ik denk dat het kwam omdat Scarlett me voor een probleem stelde waarmee ik nog nooit eerder te maken had gekregen. Normaal gesproken filter ik al het materiaal eruit dat mijn onderwerp in een minder flatteus daglicht stelt. Toen ik bijvoorbeeld de autobiografie van een snookerkampioen aan het schrijven was die kanker had overwonnen, werd het hart van het boek gevormd door de kracht die hij had geput uit zijn liefdevolle huwelijk. Er was geen tussenkomst van mij voor nodig om de snookerspeler en zijn agent te laten inzien dat ze niet wilden dat het publiek iets zou lezen over de prostituees en de drugs die tot de realiteit van zijn leven achter de schermen behoorden.

Ik ben er zeer bedreven in geworden te zorgen dat ik net voldoende onthullingen doe om een feuilleton in een krant te rechtvaardigen. Aan de andere kant geef ik ook weer niet zoveel prijs dat de klant een paria in zijn eigen leven wordt. Ik weet precies waar die grens ligt. En hoewel het waar was dat wat ik over Scarlett verzweeg haar het leven zuur zou maken, kwam dat niet doordat de geheimen smerig en bezwarend waren. Afgezien van Joshu, die haar enige blinde vlek was, was de waarheid over Scarlett dat ze slimmer, sluwer en veel gevoeliger was dan welke tv-kijker of roddelbladenlezer voor mogelijk zou hebben gehouden. Ik kon het zelf eerst ook moeilijk geloven, maar langzamerhand werd mijn groeiende vermoeden bewaarheid dat de Scarlett die de wereld had leren kennen voor het overgrote deel net zo'n kunstmatige creatie was als het gezicht van Michael Jackson.

Ik kon niet geloven dat ze er zo'n lange tijd mee weggekomen was. Op de zevende of achtste dag van onze gesprekken sneed ik het onderwerp aan. 'Je bent veel slimmer dan je doet voorkomen,' zei ik.

Het was in de namiddag en we hingen onderuit op de leren banken. We hadden over het rampzalige tweede seizoen gesproken, en slechts met zeer grote tegenzin kon Scarlett door mij worden overgehaald te praten over de vreselijke dingen die ze tegen Danny Williams had gezegd. 'Luister, het is gebeurd,' zei ze, waarbij ze met moeite rechtop ging zitten en me boos aankeek. 'Dat hoef ik toch allemaal niet nog een keer te herhalen voor je? Het staat voor altijd op YouTube.'

'YouTube vertelt me niet wat er in je omging.'

Ze wendde haar blik af. 'Wat wil je dat ik zeg? Dat ik een soort verstandsverbijstering had? En dat ik helemaal niet wist wat ik zei?' Ze duwde zichzelf ongeduldig helemaal rechtop. 'Luister, ik heb iets gezegd wat ík zelfs niet kan geloven. Ik was al een aantal dagen van slag. Er kwam gewoon opeens allerlei onzin in me op. Nu weet ik dat het kwam omdat ik zwanger was en de hormonen door mijn lijf gierden, maar destijds was ik zelf nog het meest verbijsterd over wat er uit mijn mond kwam.' Ze snoof. 'Zo goed?'

En dat was het moment dat ik alle regels brak en de grens van de stilzwijgende overeenkomst tussen ghostwriter en klant overschreed. Ik ben geen onderzoeksjournalist. Het is niet mijn taak om vraagtekens te zetten bij wat een klant me vertelt. Behalve wanneer wat ze vertellen compleet afwijkt van de feiten zoals die algemeen bekend zijn, word ik verondersteld het allemaal te slikken. Soms voel ik me dan ook als een python die een dubbeldekker moet verstouwen, maar je zult er verbaasd van staan waar de fans allemaal heilig in geloven. Heel soms moest ik mijn klant er heel voorzichtig op wijzen dat zijn versie van de gebeurtenissen niet helemaal overeenkwam met wat de rest van de wereld zich herinnert. Dan had ik steeds het gevoel dat ik me op dun ijs begaf. Alsof je een gat in het ruimte-tijdcontinuüm scheurde. Want als je hen met één leugen confronteert, dan kun je moeilijk voorkomen dat het geheel uit elkaar valt.

Maar bij Scarlett kon ik me niet inhouden. Ik was zeer gesteld op haar geraakt in de drie weken dat we gesprekken met elkaar hadden gevoerd. Het lukt me over het algemeen wel om een goede verstandhouding te blijven houden met de mensen over wie ik schrijf, maar dit keer had ik een vermoeden dat we er daadwerkelijk een echte vriendschap aan zouden overhouden. En als dat ging gebeuren, dan moesten we allebei ophouden met elkaar voor de gek houden. De waarheid zou natuurlijk nooit in mijn boek terechtkomen, maar ik moest het gewoon weten.

En dus zei ik: 'Je bent een stuk slimmer dan je doet voorkomen. Er was niets spontaans of hormonaals aan dat alles, hè?'

Scarletts langzaam opkomende glimlach zei genoeg. 'Ik weet niet wat je bedoelt,' zei ze, terwijl ze naar mijn kleine digitale recorder wees.

Maar ik wist wat ze bedoelde. Ik hou er niet van wanneer het allemaal heel vertrouwelijk wordt. Je kunt daardoor in allerlei ongemakkelijke situaties terechtkomen. Ik herinner me nog de man van middelbare leeftijd die een jeugd van afschuwelijk misbruik door de Christelijke Broeders had overleefd: hij vroeg me de opname stil te zetten, waarna hij opbiechtte dat zijn huwelijk een lege huls was en dat hij een seksuele relatie met hun parochiepriester onderhield. Dezelfde parochiepriester die leiding gaf aan een campagne om de leden van zijn kerk die kinderen seksueel hadden misbruikt publiekelijk aan de schandpaal te nagelen. Dat zijn van die gevallen dat je zou wensen dat je niet zoveel wist.

Daarom was het een grote stap voor me die grens van vertrouwen over te gaan en de opnameapparatuur uit te zetten. Maar vroeg of laat zou ik buiten de gebaande paden moeten treden om te proberen een echte vriendin van Scarlett te worden.

Ik zette de opname stil.

We zaten allebei een tijdje zwijgend naar de recorder te staren. Maar toen schraapte Scarlett haar keel. 'Je hebt gelijk. Ik had het gepland. Ik wist dat ik zwanger was toen ik naar Foutra terugging. En ik wist dat de tweede serie mijn kans was om het volgende niveau te bereiken. Ik had bedacht dat ik maar één kans zou krijgen om groot opzien te baren met het nieuws over de baby en dat ik daarom dus maar beter alles op alles kon zetten.' Ze keek me sluw aan. 'En ik denk dat ik daar aardig in geslaagd ben.'

Ik lachte. 'Ik geloofde je helemaal. En ik ben de beste. Zo goed heb je het gespeeld. Was het allemaal gepland, Scarlett? Meteen vanaf het begin?'

En toen kwam het er allemaal uit. Het vreemde, verwrongen plan van een vrouw die geen vooruitzichten had, die over geen kwalificaties beschikte en voor wie er geen ontsnappen mogelijk leek uit een uitzichtloos bestaan waarvan ze walgde. 'Ik herinner me nog toen *Big Brother* begon. Ik was nog veel te jong om het te volgen, maar ik zag wel hoe zoiets de uitweg zou kunnen zijn voor iemand zoals ik. Iemand met een absoluut kloteleven.'

'En met een goed stel hersens,' zei ik. 'Want daarin verschilde je van de anderen, hè?'

'Dat denk ik wel, ja,' zei ze. 'Ik was nooit goed op school, vooral omdat ze me al hadden afgeschreven voordat ik mijn voeten ook maar onder het bureau had gestoken. Maar ik dacht dat ik goed genoeg een rol zou kunnen spelen om een beeld van mezelf te geven als ik in een van die shows terecht kon komen. Ik bestudeerde ze alsof het wiskunde of geschiedenis was of zoiets. Ik had wel aan *Mastermind* kunnen meedoen, met realitysoaps als mijn specialisatie.' Ze grinnikte. 'Maar de algemene kennis zou natuurlijk een beetje een ramp zijn geworden.'

Ze moest drie keer auditie doen voordat ze eindelijk haar plekje in *Goldfish Bowl* kreeg. 'Ik moest me telkens nog dommer voordoen.' Ze rolde met haar ogen. 'Je zult niet geloven hoe ongelooflijk stompzinnig de meeste mensen zijn die aan dat soort shows meedoen. Ze hebben geen flauw benul. Geen wonder dat de televisiemaatschappijen gek zijn op shows zoals *Goldfish Bowl*. Ze kunnen de kandidaten naar hartenlust uitbuiten en die arme stakkers hebben het niet eens door.'

'Dus het was allemaal gespeeld?'

'Van het begin tot het einde. Weet je nog die avond tijdens de eerste serie, toen ik dronken werd en naakt op tafel danste?'

Ik huiverde. Het was onvergetelijk geweest, maar niet omdat het zo fraai was. 'Nou en of.'

Scarlett schudde van het lachen. 'Ik weet het, het is tenenkrommend om naar te kijken. Maar het leverde me wel veel krantenkoppen op. Ik was helemaal niet dronken, weet je. Ik speelde het zó dat het leek alsof ik veel meer dronk dan eigenlijk het geval was. En ik was broodnuchter. Ik heb ze allemaal bij de neus genomen, Steph. En moet je me nu eens zien. Ik heb mijn eigen huis en geld op de bank. Jij gaat een bestseller van me maken. En mijn kindje zal een vader hebben.'

'En Joshu dan? Maakt hij ook deel uit van het plan?'

Ze leek verontwaardigd. 'Natuurlijk niet. Zo wreed zou ik niet zijn. Ik zou nooit zo met iemands gevoelens spelen. Ik hou van Joshu en hij houdt van mij.'

Ik was niet zo zeker van dat laatste. Vooral als Joshu ooit zou gaan inzien dat de vrouw in zijn leven ongeveer zeven keer zo slim was als hij. 'Als je maar gelukkig bent, dat is alles wat telt. Maar ik moet je feliciteren, Scarlett. Je hebt het fantastisch gedaan. Toen ik nog gewoon een van de fans van de serie was, had ik geen idee dat je iemand anders was dan het aardige, maar domme blondje.'

Scarlett schoof naar voren om me een *high five* te geven. 'Jij gefeliciteerd, Steph. Je bent de enige die het ooit heeft doorzien. Alle journalisten, televisieproducenten en de zakenlui die mijn merken maken denken dat ik dom ben en doen daarom vreselijk neerbuigend tegen me, om vervolgens alles via Georgie te regelen. En gelukkig is Georgie net zoals de meeste mensen. Hij had zijn mening over mij al bepaald voordat hij me ooit had ontmoet. Hij denkt mijn grenzen te kennen en handelt daar dan ook naar. Hij kijkt me nooit echt aan en luistert ook nooit echt naar me. Hij heeft alleen maar aandacht voor de oppervlakte. Dat is een van de redenen dat ik voor hem heb gekozen. Dat en zijn reputatie als een eerlijk mens. Want als je doet alsof je dom bent moet je er natuurlijk wel heel goed voor zorgen dat je een agent uitkiest die voor je zorgt in plaats van dat hij je een poot uitdraait.'

Ik moest toegeven dat ze het uitstekend had uitgevoerd. 'Maar krijg je er soms niet genoeg van? Van altijd maar doen alsof?'

'Soms wel, ja. De zwangerschap is een zegen voor me. Ik werd er doodmoe van om drie of vier avonden per week te moeten gaan stappen. Maar nu verwacht men van mij dat ik een goed voorbeeld stel en eindigt het thuis. Vroeg naar bed en niet roken of drinken. Want je weet dat het hele mediacircus klaarstaat en dat ze er alles voor overhebben om me erop te betrappen dat ik een vreselijk slechte aanstaande moeder ben. Je hebt geen idee hoe dat is. Telkens wanneer ik het huis verlaat, zitten ze me op de hielen. Als ik naar de supermarkt ga, maken ze foto's van mijn boodschappen. Als ik ergens ga lunchen en met de parkeerwacht heb staan praten, dan wordt hij door ze belegerd en met vragen bestookt over wat ik heb gezegd. Ik heb verdomme alleen maar wat privacy hier binnen deze muren. Ze zitten allemaal te wachten tot ik als zes maanden zwangere vrouw voor een of andere nachtclub op mijn gat val. Als dat voorpaginanieuws is, zit een terugkeer er voor mij niet meer in. En daarom moet ik voor die arme Joshu een treurig gezicht trekken en hem vertellen dat ik niet kan komen kijken wanneer hij overal en nergens in de stad zijn pompende swings speelt.'

'Pompende swings?'

Ze snoof minachtend. 'Stom dj-jargon voor een set. Hij neemt het allemaal erg serieus, die schat. Hij heeft achterin een kleine studio waar hij dagen bezig is dingen in de juiste volgorde aan elkaar te plakken. Het gaat echt goed met hem, weet je. Hij begint nu wat grote optredens te krijgen.'

'Wat wel eens iets te maken zou kunnen hebben met het feit dat hij jouw vriendje is.'

Scarlett keek me fronsend aan. 'Dat heeft hem misschien wel wat meer aandacht opgeleverd, maar hij is best goed, weet je.'

'Zelfs wanneer hij uit zijn pan gaat?' Een kleine test van onze beginnende vriendschap.

'Wat bedoel je?' Nu kwam de oude vertrouwde, ruziezoekende Scarlett ineens weer tevoorschijn.

'De helft van de keren dat ik Joshu heb ontmoet was hij high. Je hebt te veel tijd doorgebracht in het gezelschap van mensen die drank en drugs misbruiken, zodat je het zelf niet ziet.'

'Hij gebruikt, ja. Maar dat maakt hem nog geen junkie. Hij houdt van lol hebben. Dat betekent nog niet dat hij verslaafd is.'

Dit was niet het moment of de plaats om Scarlett erop te wijzen dat ik Joshu niet eens in de buurt van een kind van mij zou laten komen, met zijn drugs en zijn namaakpistolen. Maar ik had mijn punt gemaakt: als we vriendinnen wilden worden, was het maar beter dat ik mijn bedenkingen van het begin af aan tegen haar uitsprak. Nu wist Scarlett in ieder geval dat ze erop kon vertrouwen dat ik eerlijk tegen haar was, zelfs wanneer het haar niet beviel wat ik te zeggen had.

We sloegen die dag een nieuwe weg in. Ik zou alleen willen dat ik duidelijker zicht had gehad waar die weg heen leidde.

II

Wanneer ik de interviews heb afgerond, zie ik mijn klanten in de regel helemaal niet meer, totdat ik de eerste versie klaar heb. Als ik vragen heb, dan stuur ik een e-mail of ik bel hen op. Met Scarlett liep het anders. Vijf dagen na ons laatste gesprek stuurde ze me een sms om te vertellen dat ze in de stad was en of ze bij me langs kon komen.

Ik laat klanten nooit tot mijn leven toe. Ze weten mijn huisadres niet en ze komen niet bij me thuis. Ze zijn zakelijke bekenden en ze blijven bij mij in de zakelijke sfeer. Maar Scarlett had een gat in haar vestingmuren geblazen door me binnen te laten. Het minste wat ik kon doen, was haar een wederdienst bewijzen. En dus stuurde ik een sms terug met mijn adres en legde ik een fles mineraalwater in de vriezer.

Ze reed voor in de rode Mazda-sportwagen. Mijn huis staat aan het eind van een huizenblok van smoezelige gele bakstenen in wat nog net Hackney mag heten. De auto vloekte enorm met de omgeving, maar Scarlett was wel zo slim geweest om haar haren onder een haarnet te verbergen en haar ogen met een donkere zonnebril te bedekken. Geen grote, moet-je-mij-eens-zien-zonnebril, maar een sober montuur dat haar gezicht er anders deed uitzien. Ze liep het pad op zonder dat de aandacht daardoor van de auto werd afgeleid.

Eenmaal binnen deed ze geen moeite haar nieuwsgierigheid te verbergen. Terwijl ik thee stond te zetten, rommelde ze beneden rond en bekeek ze mijn cd-verzameling, mijn boeken en de foto's aan de muur. 'Leuk,' gaf ze haar eindoordeel, terwijl ze terugliep naar de geborsteld grenen tafel in het eetkamergedeelte van de ruimte zonder tussenmuren die ik bewoon. Ze liet een geurspoor van Scarlett Smile na, de zoete bloemengeur van het parfum, speciaal voor haar gecreëerd.

'Wel wat anders dan jouw huis.' Ik schonk kokend water in de mokken en roerde de zakjes erin rond.

'Om je de waarheid te zeggen had ik geen flauw idee wat ik ervan moest vinden toen ik daar introk. De halve inrichting stamt nog van die failliete oude vent van wie ik het huis heb gekocht. En de andere helft is door Georgie geregeld.' Ze lachte, maar niet voluit. 'Niemand in mijn kennissenkring had "binnenhuisarchitectuur."' Ze gebruikte haar vingers om aanhalingstekens in de lucht te vormen. 'Je kwakte gewoon wat verf tegen de muren. Of je kocht wat behang op de markt. Dus ik leer het al doende. Dit hier...' Ze maakte een gebaar naar mijn citroengele muren, de afgekrabde vloerdelen met de blauw-wit gestreepte jute kleden erop en de lichthouten kasten en planken. 'Dit bevalt me wel. Met zoiets als dit zou ik kunnen leven. Ik vind het leuk om bij mensen thuis te komen en te kijken wat voor keuzes ze hebben gemaakt. Ik leer nog continu, Steph. Ik begin me de dingen een beetje eigen te maken die mensen zoals jij heel gewoon vinden.'

Ik had er nooit echt bij stilgestaan hoeveel zaken aan mensen in Scarletts positie voorbijgingen. Niet dat ik kakkineus ben. Mijn vader werkt bij een verzekeringsmaatschappij en mijn moeder is secretaresse op een basisschool. Maar Scarlett was een van Thatchers bastaardkinderen, de werkloze onderklasse. Die hielden we allemaal voor de gek, we deden er neerbuigend over of we hadden ons oordeel over hen klaar. Maar zonder ons af te vragen waarom mensen die plotseling in de schijnwerpers komen te staan toch zo'n slechte smaak hebben. Wanneer je wel de moeite nam om ernaar te vragen, kreeg je een pijnlijk antwoord.

Scarlett verbrak mijn overpeinzingen. 'Heb je koekjes? Ik rammel van de honger.'

Ik vond de restanten van een pak volkorenbiscuits met chocolade, waar Pete de avond ervoor een gat in had geslagen. 'Je hebt geluk. Ik heb meestal geen koekjes in huis. Dat is te verleidelijk wanneer ik thuis aan het werk ben.'

'Waar zit je dan eigenlijk te werken?' Ze keek vaag om zich heen, alsof ze iets over het hoofd had gezien.

'Ik heb vijf jaar geleden de zolder laten verbouwen. Ik heb daarboven een kantoor.'

Scarlett pakte de theemok van me aan en ging zitten, waarna ze haar benen onder tafel uitstrekte alsof ze thuis was. 'En woon je hier helemaal alleen?'

'Zo'n beetje wel, ja. Mijn vriend blijft wel vaak slapen, maar we wonen niet samen.'

'Waarom niet?' Ze roerde suiker door haar thee en glimlachte om de scherpe randjes van haar vraag glad te schuren.

Ik zuchtte. 'Ik weet het niet precies, om eerlijk te zijn.' Ik dacht erover na. 'Ik ben te zeer gesteld op mijn eigen ruimte, denk ik. Ik heb lange tijd alleen gewoond en dat wil ik niet opgeven.'

'Klinkt alsof je niet van hem houdt,' zei Scarlett.

Ik lachte ongemakkelijk. 'Dat is ook wat hij zegt. Maar het is niet waar. Je kunt van iemand houden zonder dat je ook elke minuut van je leven met hen wilt doorbrengen. Net zoals Joshu met jou. Hij houdt van je, maar het is ook belangrijk voor hem dat hij vrij is om zijn eigen dingen te doen. Zo ben ik ook een beetje, denk ik. Maar Pete, mijn vriend, zou liever willen dat we samenwonen en dat ik zou stoppen met werken, zodat ik mij aan hem kan wijden. En dat wil ik absoluut niet.'

Scarlett trok een gezicht. 'En gelijk heb je. Ik begrijp wat je bedoelt met ruimte voor jezelf hebben. En ik denk dat ik er compleet gestoord van zou worden als ik Joshu vierentwintig uur per dag om me heen zou hebben. Het zal al vreemd genoeg zijn wanneer de baby er is.'

'Hoe sta je daar tegenover?'

'Best oké. Weet je? Het is alsof ik al mijn hele leven heb gezien hoe mensen de fout ingaan met hun kinderen. Ik ben de grootste levende expert op het gebied van wat je je kinderen niet moet aandoen. Ik zal een goede moeder zijn. Ik ga dit kind een behoorlijke opvoeding geven. En niets kan me tegenhouden.' En ik geloofde haar.

Ze graaide in haar schoudertas en trok er een stapeltje verkreukelde, uit verschillende brochures en catalogi gescheurde bladzijden uit en spreidde ze vervolgens uit op de tafel. 'Dit is de wieg die ik wil,' zei ze, terwijl ze een felgekleurde foto gladstreek en naar me toe schoof. Terwijl ze al haar aankopen langsliep, begon het me te dagen dat ze waarschijnlijk niemand anders kende met wie ze dit kon doen. De meiden met wie ze het op een zuipen zette, konden zich daarvoor niet lang genoeg concentreren. Joshu leek zich niet druk te maken om de praktische details van het ouderschap en ze had geen moederfiguur in de familie tot wie ze zich kon wenden. Ik kwam nog het dichtst in de buurt van een tante of een grote zus. Ik kon me niet aan het gevoel onttrekken dat als ik inderdaad die rol had, Scarlett me dan absoluut de verkeerde vraag stelde, omdat ik nog nooit een sprankje moedergevoel in mijn lichaam had ervaren.

Toch werkte de aanblik van haar enthousiasme aanstekelijk en on-willekeurig begon ik mee te discussiëren over buggy's en autostoeltjes. We zaten door de mobiles voor boven het wiegje te bladeren, toen de wekker van haar telefoon afging. Scarlett schrok op en begon haar pape-rassen bij elkaar te zoeken. 'Hè, shit,' zei ze. 'Ik moet ervandoor. Ik po-seer in zwangerschapskleding bij een of ander liefdadigheidsevenement in Knightsbridge. Mama uit de achterbuurt ontmoet de hippe moe-ders.' Ze schoof de bundel papier in haar tas. 'Dit was geweldig. Ik vond het verdomde gezellig.' Ze stond op en legde haar hand kreunend op haar onderrug. 'Vervloekte rug. Dit wordt er niet makkelijker op.' Ze omhelsde me. 'Kan ik nog een keer langskomen?'

Ik beantwoordde de omhelzing. 'Natuurlijk.'

We liepen halverwege de hal te kletsen over wanneer we elkaar weer zouden zien, toen de voordeur openging. Pete deed een stap naar bin-nen en bleef toen aan de grond genageld staan. Zijn gezicht verraadde niets. Dat was nooit een goed teken. Scarlett deed een stap naar achte-ren en op de een of andere manier slaagde ik erin om hen in de nauwe hal aan elkaar voor te stellen. Pete gromde een antwoord, maar Scarlett merkte dat niet of het kon haar niet schelen. 'Je hebt een goeie aan de haak geslagen met haar, makker,' zei ze tegen hem terwijl ze zich langs hem wurmde en naar de deur liep. 'Ik zou maar goed voor haar zorgen als ik jou was. Tot gauw, Steph.' En weg was ze. Ze liet alleen een vleugje Scarlett Smile achter.

Je kunt wel zeggen dat Pete niet echt blij was met mijn nieuwe beste vriendin. Hij leek beledigd dat ik maatjes zou willen zijn met iemand die ik had leren kennen door mijn werk als hun ghostwriter. Nee, dat is niet helemaal waar. Als het om een politicus was gegaan of om iemand anders met status en macht, dan zou hij die persoon maar wat graag in onze kennissenkring hebben opgenomen. Maar hij zag alleen maar de Scarlett Harlot en alles wat er bij haar image hoorde.

'Mensen vormen hun mening over ons op basis van de mensen met wie we omgaan,' zei hij geduldig, alsof hij het aan een kind stond uit te leggen. 'Ik wil niet dat ze je fout inschatten omdat je ervoor kiest met haar om te gaan. Iedereen weet dat ze racistisch is en homo's haat. Bo-vendien is ze zo dom als het achtereind van een varken...'

'En dat hebben ze dan mis. Dat is niet wie ze is. Dat is de persoon die ze heeft besloten te spelen.'

Hij maakte een wegwerpgebaar. 'Het maakt niet uit of het klopt of niet. Het gaat erom hoe mensen haar zien. Ze vinden haar een verachtelijke slet. En dat zou voldoende moeten zijn om uit haar buurt te willen blijven. Je hebt niets met haar gemeen, Stephanie.'

'Ik vind haar leuk.'

'Ik vind Reginald D. Hunter ook leuk, maar ik hoef hem niet bij me in de keuken te hebben.'

'Wie is hier nu de racist?' Ik probeerde opgewekt te klinken, maar Pete zag er de grap niet van in.

'Nu niet zo bijdehand doen,' zei hij, waarna hij naar de koelkast liep en er een flesje bier uit pakte. 'Ik denk alleen maar aan jou.'

Ik wist dat dat een vette leugen was. Hij dacht alleen maar aan zichzelf. Hij was bang dat mensen hem zouden veroordelen vanwege de mensen met wie ik omging. Maar ik wilde er geen scène van maken. Het zou alleen maar eindigen in wederzijdse wrok en ik vond het vreselijk om de pijn in zijn ogen te zien wanneer hij overstuur was. 'Ik zal ervoor zorgen dat jullie paden elkaar in het vervolg niet meer kruisen,' zei ik.

Het was me blijkbaar niet gelukt om verzoeningsgezind genoeg te klinken. 'De eenvoudigste manier om ervoor te zorgen dat onze paden elkaar niet kruisen is door haar niet meer hier uit te nodigen,' mopperde hij, waarna hij langs me heen liep en met de afstandsbediening in zijn hand op de bank ging zitten. 'Wat eten we?'

'Ik wist niet dat je zou langskomen,' zei ik. 'Ik zal wat spaghetti carbonara maken.'

Hij gromde. 'Daar moeten we het dan maar mee doen. Kom hier en geef me een knuffel voordat je druk met koken bezig bent. Het is een lange, vermoeiende weg geweest om deze mix goed te krijgen.' En dat was dan dat. Wanneer ik erop terugkijk, vraag ik me af of hij ervan uitging dat ik Scarlett inderdaad wel zou laten vallen. Het was nooit bij me opgekomen dat hij me zo fout zou inschatten.

12

Tijdens het schrijven van de eerste versie zagen Scarlett en ik elkaar één of twee keer per week. Meestal lunchten we samen in het centrum, maar ze is ook nog een aantal keren bij me thuis geweest. Inmiddels wisten we allebei dat we vriendinnen zouden worden. Maar er was ook werk aan de winkel. De plannen voor de bruiloft vorderden gestaag, waaronder ook de verkoop van de rechten voor exclusieve verhalen. Ondanks het feit dat Georgie geheel terecht tegenwierp dat ik geen journaliste was, stond Scarlett erop dat ik de enige schrijver zou zijn met wie ze zou praten. Dus ik was niet alleen druk bezig met het boek, maar ik moest ook nog een groot tijdschriftartikel over die verdomde bruiloft schrijven.

Het was als worstelen met katten. Scarlett en Joshu leken geen van beiden ook maar enige interesse te tonen om over hun liefde, hun bruiloft of het getrouwde leven en het ouderschap te praten. Uiteindelijk ben ik naar de haciënda gereden toen ik wist dat ze allebei thuis waren, waarna ik ze in de woonkamer in westernstijl bijeendreef en hen dwong voldoende uitspraken te doen om iets mee in elkaar te kunnen flansen.

Terwijl ik voor journaliste speelde, las Scarlett de eerste versie van het boek. We moesten nu wel stevig aan de bak, want Stellar Books wilde dat het boek op de dag van de bruiloft zou uitkomen. Gelukkig was Scarlett tevreden met mijn werk en wilde ze maar een paar kleine dingen veranderen, omdat ik iets wat ze in haar rol van Scarlett Harlot wilde zeggen verkeerd had begrepen. In de week van het trouwfeest lag het boek bij de drukker en waren de artikelen ingeleverd bij de bladen in kwestie. Ik had aan mijn deel van de zakelijke overeenkomst voldaan.

De rest behoorde tot de persoonlijke sfeer. Mijn uitnodiging was voor zowel Pete als mij. Ik dubde erover of ik het hem überhaupt wel moest vertellen. Hij zou waarschijnlijk aan het werk zijn. En hij zou toch niet willen komen. Ik besloot uiteindelijk om er niets over te zeggen. Ik realiseerde me dat ik laf voor de makkelijkste weg had gekozen, maar ik wilde gewoon van de dag kunnen genieten, zonder me slecht over mezelf te voelen. Ik wist dat er veel foto's in de media zouden verschijnen, maar ik dacht dat ik wel uit de frontlinies zou kunnen blijven. Niemand zou interesse voor me tonen wanneer ze een hele verzameling derdeklas sterren voor het uitkiezen hadden.

Het bruidspaar was piekfijn gekleed. Scarletts jurk was een wonder van finesse van de hand van de ontwerper. Hoewel ze al acht maanden zwanger was, waren de snit en uitvoering van de ivoorkleurige zijden jurk zo kunstig dat je amper zag dat ze hoogzwanger was. Rond haar hoofd zweefde een extravagante aureool van fijne kant en gouddraad, die haar in een madonna voor het omslag van het tijdschrift *Yes!* veranderde. Joshu zag er ook een stuk beter uit dan gewoonlijk. Zijn jacquet paste perfect, zijn haar was keurig geknipt en hij leek drugsvrij. Ik zou het fijn voor hem hebben gevonden als zijn familie erbij was geweest om te zien hoe mooi hij was uitgedost. Alhoewel, gezien zijn vaste overtuiging dat zijn moeder pas gelukkig zou zijn op het moment dat ze Scarlett op straat gestenigd zou zien worden, was het waarschijnlijk ook maar beter dat ze wegbleven.

De ceremonie zelf was een verrassend waardige aangelegenheid. Ze hadden gekozen voor een niet-kerkelijke dienst met een spirituele dimensie. De voordrachten waren echt ontroerend, de muziek was niet gemixt of gemanipuleerd door Joshu. En omdat ze het in de ochtend hielden, voordat de meeste gasten waren begonnen met drinken, maakte niemand zichzelf publiekelijk te schande. Ik was verbaasd: de media waren teleurgesteld.

Tegen het einde van de avond was de balzaal van het hotel niet eens in een wrak veranderd, maar was de meerderheid van de gasten wel een dronken wrak. En de bruidegom ook. Scarlett had de trouwreceptie grotendeels uitgestrekt op een muurbank gezeten, met een kussen achter haar onderrug gepropt. Ze had hof gehouden en had vriendelijk luchtzoenen uitgedeeld aan iedereen die bij haar wilde komen staan om met haar op de foto te gaan. Maar ik kon zien dat ze aan het eind van haar Latijn begon te raken.

Ik vond Joshu aan de bar met een luidruchtige verzameling vrienden van hem. Zijn das hing los uit zijn kraag, zijn jasje hing over een stoel en zijn haar zat tegen zijn voorhoofd geplakt van het zweet. Hij was het toonbeeld van zelfvernietigende losbandigheid. Het was duidelijk dat het geen zin had om hem te vragen zijn vrouw van de plakkers te bevrijden. Ik liet hem verder begaan en vroeg me af of dit zou uitlopen op de eerste van vele ruzies binnen hun huwelijk. Hij zou de huwelijksreis in ieder geval niet verpesten.

Want die zou er niet komen.

Althans, voorlopig nog niet. Scarlett was al zo hoogzwanger dat geen enkele luchtvaartmaatschappij haar als passagier wilde. En Scarlett en Joshu konden zich geen van beiden ook maar iets voorstellen bij een huwelijksreis zonder intercontinentale vlucht. Het plan was dat ze een tijdje rustig thuis zouden blijven. De huwelijksreis zou moeten wachten totdat de baby oud genoeg was om te kunnen meevliegen naar de Maledieven. Dus het was niet zo dat Joshu strikt noodzakelijk was voor dit deel van het programma.

Mijn tweede optie was George. Maar hij was nergens te bekennen. Uiteindelijk trof ik wel zijn assistent, Carla. Ze was aangeschoten en probeerde in de gunst van een tweederangs soapster te komen, maar ze wist zich lang genoeg van hem los te rukken om te vertellen dat George uren geleden al was vertrokken. En ze had bovendien de gegevens van het chauffeursbedrijf dat opdracht had gekregen het pasgetrouwde stel naar huis te brengen.

Ik belde de chauffeur en zei hem dat hij over vijf minuten voor moest staan. Ik ging zijdelings op het bankje naast Scarlett zitten en boog me naar haar toe om in haar oor te fluisteren. 'Volgens mij sta je op het punt om in een pompoen te veranderen. Ik heb de auto laten voorrijden.'

Ze draaide zich om en kuste me op mijn wang. 'Ik hou van je, Steph,' zei ze. 'Kom maar op dan. En omdat ik niet echt veel hulp van mijn echtgenoot kan verwachten en hij ook niet bepaald een sieraad voor het oog is, moet jij me maar gezelschap houden.'

'Ik heb er niet op gerekend...'

'Ach. Kom op nou, Steph, het is mijn huwelijksnacht en ik kan me niet eens bezuipen. Het minste wat je kunt doen is met me mee naar huis komen om wat lol met me te maken.' Ze trok een sip gezicht en jankte als een puppy.

En zo sloop Scarlett uiteindelijk met haar ghostwriter weg van haar eigen trouwreceptie. We giechelden de hele weg terug naar Essex en maakten de bruiloftsgasten belachelijk, hoe ze waren uitgedost en de excentriekere kanten van hun gedragingen. Maar tegen de tijd dat we bij de haciënda aankwamen, was Scarlett duidelijk op. Ze kon amper van de achterbank van de limousine komen en zag er afgetobd en zwak uit in het licht van de beveiligingslampen. Ze gooide een arm om mijn middel ter ondersteuning en samen strompelden we naar binnen. Ik probeerde haar meteen in bed te krijgen, maar ze kreunde alleen maar en liet zich op een van de banken vallen. 'Die vervloekte jurk moet uit,' klaagde ze. 'Maar ik kan me er niet toe zetten.'

Ik ging naar de keuken om thee te zetten. Toen ik terugkwam was ze uit de beknelling van haar jurk gekropen en zat ze half liggend op de bank in een doorschijnend slipje, waarbij de keteltrom van haar buik de stof strak spande. 'Wat een dag,' zuchtte ze. Ze hield haar linkerhand omhoog in het licht en bewonderde de grote klomp goud om haar ringvinger. 'Mevrouw Patel.' Ze grinnikte. 'Dat zouden ze prachtig vinden daar in Holbeck.'

'Holbeck?'

'Het antwoord van Leeds op het Verloren Continent. Waar ik ben opgegroeid. Waar de helft van de bevolking uit Engelsen van Aziatische afkomst bestaat en de andere helft denkt dat de British National Party nog veel te links is. Weet je wat? Ik denk dat ik mijn eigen naam maar hou.'

'Miste je je familie?'

'Nee,' zei ze. 'Heb ik je verteld dat mijn moeder heeft geprobeerd contact met me op te nemen? Al die publiciteit moet door haar dronken waas zijn gedrongen. Of mijn zuster heeft haar ertoe aangezet. Omdat ze dacht dat er voor hen misschien iets aan te verdienen viel. Gelukkig is het enige nummer dat ze van me heeft dat van Georgie. En als puntje bij paaltje komt, kun je maar het beste de chique gasten aan je kant hebben. Ze weten als geen ander hoe ze het gepeupel de stuipen op het lijf moeten jagen. Hij heeft haar met van alles en nog wat gedreigd. Hij heeft haar gezegd dat hij de politie op haar dak zou sturen en dat soort gein. En dus krabbelde ze terug. En dat spijt me niets. Ik zou me anders de godganse dag hebben afgevraagd wanneer het allemaal mis zou beginnen te lopen.'

Ik geeuwde. 'Daar heb je gelijk in.' Ik stond op. 'En nu ga ik op weg naar huis.'

'Nee, toe nou,' protesteerde Scarlett, die zichzelf rechtop duwde. 'Je kunt me niet helemaal alleen laten op mijn huwelijksnacht. Dat zou zo fout zijn.'

Ik lachte. 'Kun je je voorstellen wat de boulevardkranten ervan zullen maken? "Scarlett Harlot brengt huwelijksnacht door met een spook." Nee, ik moest maar eens op huis aan.'

'Nee, serieus, Steph, ik wil vannacht niet alleen thuis zijn.' De luchtigheid had haar ineens verlaten. Scarlett was bloedserieus. 'Ik voel me klote en ik wil niet alleen zijn.'

Ik zag wel dat ze geen grapje maakte. Ik wilde op tijd terug zijn uit de wildernis van Essex, maar ik wilde haar ook niet in de steek laten. Dit was weer typisch die waardeloze rukker van een Joshu: haar laten zitten op haar huwelijksnacht omdat hij het te druk had met de grote dj uithangen tegen zijn maten. 'Ik zal wel tegen de chauffeur zeggen dat hij kan gaan,' zei ik zo vriendelijk als ik kon opbrengen.

Bijna meteen toen ik weer terug was, gingen we allebei naar bed. Scarlett sjokte vermoeid de trap op, terwijl ik door de gang naar de logeerkamers naast de poolbiljartruimte liep. De kamer die ik uitkoos was al klaar voor gebruik en was zo onberispelijk en onpersoonlijk als een hotelkamer, afgezien van de grote donzige chimpansee die op het kussen zat. Ik vroeg me af of dat Scarletts briljante idee was of dat het nog een erfenis van de vorige eigenaar was. In de ladekast lag zoals beloofd een stapel opgevouwen uniseks nachthemden. In het badkamerkastje lagen verpakte doosjes met tandenborstels, wegwerpscheermesjes en condooms. De plank in de douchecabine stond vol met toiletartikelen. Gezien het gebrek aan ervaring van Scarlett met dat alles, vermoedde ik dat George Carla of het schoonmaakbedrijf instructies had gegeven.

Ik kon nauwelijks de energie opbrengen om me uit te kleden en mijn tanden te poetsen. De volgende dag moest ik het hoofdstuk over de bruiloft schrijven. Alleen de gedachte daaraan was al genoeg om de laatste restjes energie uit mijn vermoeide lichaam weg te zuigen. Ik moet al hebben geslapen voordat ik mijn ogen had gesloten.

13

Het plotselinge felle licht wekte me uit een zeer diepe slaap. Ik knipperde met mijn ogen en gaf een gil, waarna ik mezelf overeind duwde. 'Het spijt me,' zei Scarlett naar adem happend. 'Maar ik geloof dat de baby eraan komt.' Ze leunde tegen de deuropening en greep haar bolle buik vast. Ze zweette als een landarbeider in hoogzomer. 'Ik werd helemaal nat wakker,' zei ze. 'Mijn vliezen zijn gebroken. En ik heb steeds van die weeën.'

Ik sprong uit bed en rende naar haar toe. Ik legde haar arm over mijn schouder en loodste haar naar het bed. 'Ga liggen,' zei ik. Ik wist niet meer over bevallingen dan wat ik in de loop der jaren uit films en van de televisie had opgestoken. Op dat moment had ik het gevoel dat dat verre van voldoende was. 'Hoe vaak heb je die weeën?'

'Dat weet ik niet, verdomme,' schreeuwde ze, terwijl ze van pijn ineenkromp en door stijf op elkaar geklemde kaken kreunde. Het leek eeuwig te duren, maar volgens mijn horloge duurde het maar een seconde of twintig. Toen het voorbij was, ontspande ze zichtbaar en veegde ze met de rug van haar hand haar mond af. Toen ze naar me opkeek, was ze zo deerniswekkend als een angstig kind. 'Het doet verdomde pijn, Steph.'

'Hoe lang is dit al bezig?' vroeg ik.

'Toen we nog in het hotel waren begon ik wat buikkramp te krijgen. Zoals wanneer je een opgeblazen gevoel hebt, weet je? Ik dacht dat het kwam omdat ik te veel rotzooi had gegeten. Ik heb al een week of zes last van mijn maag. Ik dacht dat dit net zoiets was. Maar dit is geen opgeblazen gevoel, Steph.' Ze ademde zwaar.

'Ben je ingeschreven bij een plaatselijk ziekenhuis?' vroeg ik.

'Natuurlijk niet. Ik ga bevallen in het St. Mary in Paddington. Waar prinses Diana haar jongens ter wereld bracht.'

Ik moest giechelen, of ik wilde of niet. 'Je bent ook zo'n professional, Scarlett. Altijd de krantenkoppen in je achterhoofd.'

'Wat? Denk je dat ik dat heb gedaan omdat alle domme blondjes dat doen? Dan heb je het mis.' Ze kreunde. 'Het leek me dat ze voor Diana alleen maar het beste wilden hebben. Dat is de reden dat ik voor dat ziekenhuis heb gekozen. Want als er iets verkeerd gaat, dan is dat de plek waar ik wil zijn.'

'Dus wie moet ik bellen?'

'Er staat een weekendtas van Louis Vuitton op de vloer van de inloopkast in mijn slaapkamer. Wil je die even ophalen? Er zit een map in met alle details. Arrgh!' Dit keer schreeuwde ze als een gewonde piraat. Volgens mijn horloge was het net iets minder dan drie minuten geleden sinds de vorige wee. Dat leek me tamelijk dringend.

Een kwartier later reed ik achteruit de garage uit in die belachelijke Golf van Joshu. Toen ik de situatie had uitgelegd aan de dienstdoende verloskundige, zei hij dat ik onmiddellijk met Scarlett moest langskomen. Ik probeerde een limousine te bestellen, maar het bedrijf waar Scarlett klant was had op zijn vroegst over een uur pas een auto beschikbaar. Ik wilde geen taxi bellen, want dat zou op hetzelfde neerkomen als via een directe lijn met de boulevardkranten bellen. Ik probeerde Joshu te bereiken, maar ik kreeg meteen zijn voicemail. Dus het kwam op mij aan. Het was drie uur in de nacht en het zou dus niet druk zijn op de weg. En het was ongeveer zes uur geleden dat ik voor het laatst iets gedronken had. Dan zat het waarschijnlijk wel goed met me. Maar Scarlett zou allesbehalve goed zitten in de kleine kuipstoelen van de auto.

Ik schonk niet veel aandacht aan de maximumsnelheid, wat behoorlijk dom was, gezien het soort auto waarin ik reed. Ik reed nog maar net op de A13, toen er blauwe zwaailichten in mijn achteruitkijkspiegel opdoken. Om eerlijk te zijn kwam het eigenlijk wel als een opluchting. Scarletts weeën leken elkaar sneller op te volgen en ze werden bovendien steeds heviger. Ik begon me een beetje zorgen te maken.

De verkeersagent, die stoer naar mijn bestuurdersraam kwam lopen, was zichtbaar geschokt toen hij een vrouw van in de dertig achter het stuur van die pooierbak zag zitten. Hij raakte nog meer van zijn stuk toen Scarlett van achterin naar hem begon te schreeuwen. 'Je moet ons verdomme escorteren,' schreeuwde ze.

'Ze is aan het bevallen,' zei ik. Totaal overbodig, leek me.

'Is dat...?'

'Ja,' zei ik ongeduldig. 'En als we haar niet snel in het ziekenhuis krijgen, dan kan het zijn dat je jezelf terugziet op de voorpagina's vanwege het helpen bij een bevalling langs de snelweg.'

Ik kon hem zien denken. 'Oké. Volg mij.' Hij draaide zich om en liep terug naar zijn auto.

'Wacht,' riep ik. 'U weet niet waar we naartoe gaan.'

Hij draaide zich lachend om. 'Jullie gaan naar het dichtstbijzijnde ziekenhuis. In haar toestand kan ze niet langer wachten.'

Ik was niet van plan hem tegen te spreken, hoewel Scarlett zat te vloeken alsof het een olympische sport was. Ik wist niet of dat kwam door de pijn of vanwege het feit dat al haar zorgvuldig voorbereide plannetjes in het water vielen.

Tegen de tijd dat we bij het ziekenhuis aankwamen, huilde Scarlett hoofdzakelijk als een wolf of ze jankte als een vastgeketende puppy. Niets medelijden: ik wilde alleen maar dat er een einde aan zou komen. En mijn wens werd al snel verhoord. Meteen toen we binnenkwamen, werd Scarlett weggereden op een brancard en ik werd naar de receptiebalie verwezen om haar in te schrijven. Ik bedankte de politieagent, die al zelfvoldaan bij de balie stond. 'Ik heb van tevoren gebeld,' zei hij. 'Daarom stonden ze al op haar te wachten.'

'Ik weet zeker dat ze u dankbaar zal zijn als ze het allemaal achter de rug heeft,' zei ik.

'Bent u haar persoonlijke assistent of zo?'

'Nee, ik ben haar vriendin.' Ik zag hem bedenkelijk kijken en keek eens goed naar mezelf. Een joggingbroek van Scarlett, die ongeveer tien centimeter te kort was voor mijn langere benen. Een ruimvallend T-shirt in een maat die op haar boezem was berekend in plaats van op die van mij. Het was dat of mijn beste jurk, en die leek me nu niet echt geschikt voor een race naar het ziekenhuis in het holst van de nacht. Ik zag er eerder uit als een schoonmaakster dan als een persoonlijke assistent zoals ik die had leren kennen, afgezien van die belachelijke feestschoenen. Maar ik was niet van plan de agent tekst en uitleg te gaan geven. In plaats daarvan vroeg ik nadrukkelijk een stuk papier aan de receptionist om zijn gegevens te kunnen noteren. Dan kon George hem later een fles whiskey toesturen.

Toen ik Scarlett ging inschrijven stond ik van mezelf versteld van hoeveel details ik meteen paraat had. Geboortedatum, volledige naam en adres. Ik wist zelfs waar haar huisarts kantoor hield, omdat ik een keer een recept bij hem had opgehaald, toen ik op een middag naar haar huis op weg was. Ik kwam er in ieder geval geloofwaardig door over in de ogen van de receptionist. Ik kende haar echt. Ik was niet gewoon een toevallig voorbijkomende stalker.

Toen ik de afdeling opliep, kreeg ik het gevoel alsof ik een niemands-land tussen twee onverenigbare uitersten had betreden. Aan de ene kant de rustige en competente verloskundigen en aan de andere kant de vrouwen die gek werden van de pijn, van angst en van verwarring. Ik vond Scarlett in een kleine zijkamer, waar ze in een ziekenhuishemd gehurkt op de vloer zat. 'Alles goed met je?' zei ik. 'Sorry, dat is wel een heel domme vraag. Wat zeiden ze?'

'Niet veel.' Ze kreunde. 'Er komt zo iemand om me goed te onder-zoeken.'

'Ik ga nog een keer kijken of ik Joshu te pakken kan krijgen,' zei ik.

'Nee,' schreeuwde ze, terwijl ze haar armen uitstrekte en mijn pols met de kracht van een bankschroef vastpakte. 'Blijf hier bij mij. Ik wil die waardeloze zak niet. Dit is onze huwelijksnacht en waar is híj?' Ze werd overvallen door een volgende wee en liet zich op de vloer zakken, waar ze haar bolle buik vasthield en heen en weer zat te wiegen. Dat leek mij toch ook niet echt een goed idee.

Ik hoefde gelukkig niet aan de bak. Er kwam met grote passen een potige verloskundige binnenlopen, die Scarlett vervolgens als door to-verkunst op het bed kreeg. 'De arts komt er zo aan,' zei ze met een Schots accent. 'Bent u de geboortepartner?' Ik zei van niet en Scarlett zei van wel. De verloskundige glimlachte stijfjes. 'Dat is dan een ja. Nu we haar op haar zij hebben gekregen, kunt u haar rug masseren.' En toen was ze weer weg.

'Dit is geen goed idee,' zei ik. 'Ik heb geen flauw idee wat ik kan ver-wachten.'

'Een baby. Dat is wat ik verwacht.' Scarlett grinnikte zwakjes. 'Ik ben degene die al het werk doet, Steph. Jij hoeft er alleen maar te zijn.'

En dat was ik dus ook. Omdat ik geen idee had wat er allemaal pre-cies gebeurde, is het moeilijk de daaropvolgende vier uur te beschrijven. Ik weet dat ze haar een ruggenprik gaven zodra de arts haar begon te onderzoeken. Naast dat en het gas en de zuurstof waar ze aan lag te zui-gen, kraamde Scarlett voornamelijk onzin uit. 'Ze zijn er niet meer bij in het tweede stadium,' zei de verloskundige, alsof dat alles verklaarde.

Ze had net zo goed kunnen zeggen dat er koolstronken op de manen van Jupiter dansen. Dat was net zo onbegrijpelijk voor me geweest. Ik bleef haar rug en haar hoofd en haar handen maar strelen en clichés tegen haar mompelen. En ik probeerde niet te veel aandacht te schenken aan de feitelijke bevalling zelf.

De professionals leken niet bezorgd. Het leek allemaal kalm en soepel te verlopen. Maar toen opeens niet meer. Het medische team raakte niet in paniek en men verhief ook zijn stem niet. Maar opeens gonsde het van de activiteit. Er waren meer mensen in de kamer en ze keken ernstiger, alsof hun iets was overkomen waardoor ze ophielden op de automatische piloot te werken en ineens heel goed gingen opletten. Scarlett leek niets in de gaten te hebben: ze zweette en vloekte en hapte naar adem en bleek opvallend gehoorzaam aan de verloskundige die haar instructies gaf.

'Wat gebeurt er?' Ik koos mijn woorden zorgvuldig. Ik wilde vragen wat er mis was, maar ik wilde Scarlett niet bang maken.

'De baby heeft een groot hoofd,' zei de arts. 'Hij zit vast in het geboortekanaal.'

'En dat is niet de bedoeling, hè?'

Ze wierp me een ongeduldige blik toe. 'Nee. We brengen Scarlett naar een andere ruimte, waar we de benodigde procedures makkelijker kunnen uitvoeren.' Terwijl ze dit vertelde, tilden verplegers de zijkanten van het bed op en haalden ze de rem van de wielen.

'Procedures? Wat voor procedures?'

'We gaan iets proberen dat een vacuümextractor heet,' zei ze. Inmiddels liepen we al door de gang achter het bed aan.

'Wat is dat?'

'Zoiets als een gootsteenontstopper. Alleen milder. Heeft u zich eigenlijk überhaupt wel voorbereid?' zei ze, terwijl ik achter haar aan naar een grote ruimte draafde, die eruitzag als een decor uit *Casualty*.

'Ik had er niet op gerekend dat ik dit zou moeten doen,' zei ik ietwat scherp. 'Ze heeft een man.'

De arts knikte licht naar me en glimlachte. 'U doet het aardig voor een eerste reserve. Maar nu moet u ons even niet voor de voeten lopen.'

Binnen enkele ogenblikken was alles veranderd. Nu bevond ik me midden in een medisch proces. Scarlett was niet langer een individu, ze was een patiënte. Een lichaam waaraan gewerkt moest worden. Een probleem dat moest worden opgelost. Het was niet zo dat er iemand onaardig was of niet zorgzaam voor haar was. Het was gewoon dat er, bij wat er nu gebeurde, geen ruimte was voor vriendelijkheid. Er hing een sfeer van urgentie, die er daarvoor niet was geweest. De angst sloeg me om het hart en ik had het gevoel dat ik elk moment in huilen kon uitbarsten.

Een paar minuten later zei een voorbijlopende verpleegster over haar schouder: 'Nu gaat het snel. We moeten ervoor zorgen dat de baby voldoende zuurstof krijgt.'

Ze had gelijk. Ik bevond me in het oog van een wervelwind van actie. De vacuümextractor werkte blijkbaar niet. De baby zat muurvast. Opeens waren we weer in beweging. Er verscheen een klembord met een pen aan een touwtje uit het niets. De arts drukte Scarlett de pen in haar hand, terwijl we weer de gang in liepen. 'U moet uw toestemming geven,' zei ze, waarbij ze veel relaxter klonk dan iedereen eruitzag.

'Toestemming waarvoor?' Hoe kon er sprake van toestemming geven zijn? Scarlett was van de wereld door de pijnbestrijdingsmiddelen en door de pijn zelf.

'We moeten een noodkeizersnee uitvoeren,' zei de arts. Ze keek om zich heen en trok een van de verpleegsters aan haar mouw. 'Jij daar, help Stephanie hier. Ze moet operatiekleding aan en dan naar de operatiekamer.'

'Ik?' gilde ik. 'U verwacht toch zeker niet dat...'

'Doe het nu maar. Alstublieft,' zei de arts, terwijl ze allemaal om een hoek in de gang verdwenen.

Ik liet mezelf wegvoeren. De verpleegster opende een kast en bekeek me kort van top tot teen, voordat ze er een groen operatiepak uit rukte. 'Wat is er aan de hand?' vroeg ik.

'U moet zich omkleden. Snel,' zei ze, terwijl ze me naar een kleedhokje bracht. 'Ze kunnen de baby er niet uit krijgen. Hij zit vast. Ze moeten een noodkeizersnee uitvoeren, zodat ze de baby weer door het geboortekanaal omhoog kunnen trekken. En ze moeten het snel doen, voor het geval zijn zuurstoftoevoer al in gevaar is.'

'Dat zal ze niet leuk vinden,' zei ik, terwijl ik me uit Scarletts kleren werkte en het operatiepak aantrok, dat me veel beter paste. 'Ze klaagde al over de zwangerschapsstriemen. Ze zal echt woedend zijn over een litteken.' Ik kwam uit het kleedhokje en zag het gezicht van de verpleegster. 'Ik maak maar een grapje. Zo oppervlakkig is ze helemaal niet, weet u.'

Mijn herinnering aan wat er daarna gebeurde lijkt wel iets op die Romeinse mozaïekvloeren die ze in het tv-programma *Time Team* stukje bij beetje blootleggen. Je ziet wel stukjes van een afbeelding, maar je kunt de inhoud alleen maar afleiden of voorstellen.

Een groepje mensen in groene of blauwe operatiepakken hield de aandacht gericht op de operatietafel. Er was een groen stoffen scherm over Scarletts bovenlijf geplaatst, zodat ik geen bloed zou zien. Een stem waarin wat wanhoop doorklonk zei: 'Er is hier veel bloed en ik kan niet zien waar het vandaan komt.' Paniek omklemde mijn borst als de klauwen van een roofvogel. Ik stelde me voor hoe ik Joshu het nieuws zou brengen dat zijn huwelijksdag hier op een bloederige operatietafel was geëindigd.

Toen haastte een verloskundige zich door de kamer met een bloederige bundel, waarna ze in een voorkamer verdween. Het volgende wat ik hoorde, was het zwakke gehuil van een baby. Een van de in operatieschorten gehulde figuren legde een hand op mijn schouder en zei: 'Het is een jongen. Ze kijken hem alleen maar even goed na, maakt u zich geen zorgen.'

'En hoe is het met Scarlett?'

Het was moeilijk iets uit zijn gezicht op te maken. Ik kon alleen zijn ogen en wenkbrauwen zien. 'Ze doen hun best. Maar we zijn een goed team. U moet zich nu concentreren op de baby.'

En toen legde de verloskundige hem in mijn armen, gehuld in een blauwe, los geweven deken. Zijn dikke, donkere haar zat verward tegen zijn voorhoofd geplakt, zijn neus was geplet als die van een bokser en hij had nog restanten bloederig slijm rond zijn oren. Maar hij glimlachte. Hij glimlachte, en zijn ogen waren open en ze keken recht in de mijne en ik was verloren.

14

Volgens wetenschappers zijn baby's genetisch geprogrammeerd om te glimlachen bij hun geboorte. Het is een mechanisme dat is bedoeld om hun leven te redden. Zij glimlachen en wij worden verliefd op ze. Omdat wij ook geprogrammeerd zijn om in de ban van die glimlach te raken. Het heeft niets met een biologische band te maken. Je valt net zo goed voor de glimlach van het kind van een compleet vreemde als je voor de vrucht van je eigen lendenen zou doen. Ga maar eens na: naar schatting een kwart van alle kinderen is geen nakomeling van de man die denkt dat het kind van hem is. En toch houden de vaders die daar onwetend van blijven net zo volledig van hun kinderen als biologische ouders. En het zijn niet alleen de vaders. Denk maar aan die verhalen over kinderen die bij hun geboorte per ongeluk worden verwisseld, wier moeders de vervanger net zo lief hebben als hun overige kinderen.

Dat is een omslachtige manier om te zeggen dat ik binnen minuten na de geboorte van Jimmy Joshu Higgins een band met hem voelde. Ze werkten ons haastig de operatiekamer uit en brachten ons weer naar de afdeling ernaast waar we eerder waren geweest. Ze zetten me op een stoel neer, gaven me een flesje met voeding en lieten me zien hoe ik hem moest voeden. Ik vond het destijds heel gewoon. Ik nam aan dat het standaardprocedure was.

Toen ik het verhaal een aantal jaren later als lokkertje aan een klant vertelde die pionierswerk had verricht op het gebied van het behandelen van onvruchtbaarheid, kwam ik erachter dat het anders zat. Ze leek ontzet. 'Echt waar? Hebben ze u hem flesvoeding laten geven?'

Ik begreep niets van haar reactie en zei: 'Ja. Ze zeiden dat hij het moeilijk had gehad bij de geboorte en dat hij wel honger zou hebben. En dat had hij ook. Hij maakte het hele flesje soldaat.'

Ze lachte wat spottend. 'En met de moeder is alles in orde?'

'Het gaat prima met haar. Ze klaagt nog wel over het litteken, maar voor de rest is ze helemaal in orde. Hoezo?'

'Nou, het klinkt alsof ze dachten dat ze haar zouden kwijtraken.'

'U bedoelt... dat ze zou overlijden?'

Ze knikte. 'Daarom hebben ze u zo snel naar buiten gebracht. Ze wilden u niet in de kamer hebben als ze op de operatietafel zou sterven. En dat is ook de reden dat ze u hem voeding hebben laten geven.'

'Ik begrijp het niet.'

'Ze zijn tegenwoordig geobsedeerd door borstvoeding. Ze hebben u hem een flesje laten geven, omdat ze bang waren dat de moeder het niet zou gaan halen. En het kind moet zich toch aan iemand kunnen hechten.' Ik moet er net zo geschrokken hebben uitgezien als ik was, want ze barstte in lachen uit. 'Ze waren bezig u als zijn pleegmoeder te installeren.'

En dat is wel heel ironisch, met het oog op hoe het uiteindelijk is gelopen. Maar toen dacht ik gewoon: ja, natuurlijk heeft dat kind honger. En Scarlett was binnen een uur alweer terug in de kamer. Ze lag aan een morfine-infuus en ze zag eruit alsof ze vijftien rondes boksen tegen een bakstenen muur achter de rug had. Maar ze was ontegenzeggelijk aanwezig en lachte stralend naar de kleine bundel in haar armen. 'Hij is prachtig,' zei ze maar telkens weer. Eerlijk gezegd verloor ik al vrij snel mijn interesse. Hoewel ik het wel met haar eens was.

'Ik zal jullie tweeën alleen laten om van jullie liefdesmaal te genieten,' zei ik. 'Mijn taak hier zit er nu op.'

Scarlett keek amper omhoog. 'Bedankt,' zei ze. 'Je was geweldig.'

'Daar heb je vrienden voor. Ik zal Joshu's auto terugbrengen. Kan ik dan jouw auto lenen om mee naar huis te rijden? Jij kunt de komende zes weken toch niet rijden.'

'Wat?' Nu had ik haar volledige aandacht.

'Je hebt een keizersnee gehad. Je mag zes weken lang niet autorijden. Je mag ook niets zwaarders dan een theeketel optillen. Joshu zal alles voor je moeten doen.'

'Je maakt een grapje, hè?'

'Nee. Luister. Ik zal proberen Joshu te pakken te krijgen wanneer ik hier weg ben. En ik zal Georgie ook bellen. Hij zal de mediarechten willen regelen. En ik moet wat slaap inhalen.'

'Bedankt. Tot later.' Ik boog me naar haar toe en kuste Jimmy op zijn voorhoofd. 'Hij is wonderschoon.'

Scarlett keek me vreemd aan, alsof haar zojuist iets te binnen schoot. 'Zou je zijn peetmoeder willen zijn?'

'Ik? Ik weet niets van kinderen.'

'Dan wordt het tijd om het te leren.'

'Ik zal er niets van bakken.'

'Nee, dat is niet waar. Dat zou je jezelf niet toestaan. Kom op. Doe het voor hém. Hij heeft iemand in zijn leven nodig die niet gestoord is.'

Ik weet niet waarom ik ermee instemde, maar ik ging akkoord. En zo is het begonnen tussen Jimmy en mij.

Ik had geprobeerd Joshu vanuit het ziekenhuis te bellen, maar de accu van mijn mobieltje was leeg. Hij zou het vast gewaardeerd hebben om van tevoren een kleine waarschuwing gekregen te hebben, want toen ik kwam binnenlopen, lag hij diep in slaap en spiernaakt op een van de leren banken. Het zag er niet appetijtelijk uit. Ik pakte een van de koeienhuiden en gooide die over hem heen. Hij gromde, bewoog toen iets en opende plotseling zijn ogen. De aanblik van mij in de kleren van Scarlett veroorzaakte een blik van totale verwarring.

'Wat gebeurt er?' gromde hij, waarna hij breeduit gaapte, zodat er een stroom onverteerde alcohol mijn kant opkwam. Nu merkte hij pas op dat ik alleen was. 'Waar is het vrouwtje?' zei hij met een plagerige grijns. 'Ik zag dat jullie meiden er met mijn auto vandoor waren.' Hij ging met moeite rechtop zitten en geeuwde weer. 'Kut, wat doet mijn hoofd pijn. Ik heb drugs nodig.'

'Je hebt een kop thee nodig,' zei ik. 'Want je moet bij je vrouw en je zoon gaan kijken.' Ik draaide me om en liep snel door naar de keuken. Ik wist niet of ik in staat was normaal tegen die onbeholpen, lamlendige, egoïstische miezerige klootzak te praten.

Ik had nog maar net water opgezet, toen hij naar binnen waggelde, met de koeienhuid als een bizar soort kilt om zijn middel geslagen. 'Zei je nou "zoon"?'

'Terwijl jij je huwelijksnacht zuipend met je maten doorbracht, is je vrouw van een kind bevallen, Joshu,' snauwde ik hem toe. 'Terwijl ze zich tussen de weeën door lag af te vragen waar die waardeloze sukkel van een man van haar uithing.'

Dat kwam totaal niet aan. 'Heb ik een zoon?' Hij schudde vol ongeloof zijn hoofd. 'Ben ik aan het hallucineren? Ik bedoel, ik weet ook niet meer wat ik gisteravond allemaal heb gebruikt, maar ik ben stevig uit mijn bol gegaan. Is dit echt? Heb ik een zoon?'

'Zes pond en twee ons. Hij heet Jimmy.'

'Maar ze is niet eerder uitgerekend dan over... wat? Zes weken?'

'Ze had de verkeerde datum in haar hoofd. De baby is waarschijnlijk wel een paar weken te vroeg, maar ook niet meer dan dat.' Ik drukte voor mezelf een capsule in het koffieapparaat.

Hij lachte liefdevol. 'Dat domme wijf kan niet tellen. Krijg nou wat. Ik ben vader.' Hij wreef met zijn hand over zijn haar en strompelde naar de ontbijtbar, waar hij blijkbaar de inhoud van zijn zakken had achtergelaten. Hij greep naar zijn sigaretten en stak er een op. 'Het hoort eigenlijk een sigaar te zijn, maar ik moet het voor nu maar hiermee doen. Je had op weg naar huis wel een sigaar voor me kunnen kopen, Stephanie.'

'Gek dat ik daar nu geen moment aan heb gedacht. Ik zou je maar gaan opfrissen, zodat je naar hen toe kan. Vreemd genoeg is ze niet zo heel erg blij met je.' Ik zette met een klap een mok thee voor hem neer. 'Drink dit nu maar op.'

'Was je erbij, ik bedoel bij haar?'

'Inderdaad. Het was echt eng. Ze moesten een noodkeizersnee uitvoeren.'

'Een wat?'

In gedachten hoorde ik mijn moeders stem: wat leren ze tegenwoordig nog op school? 'De baby kwam onderweg naar buiten klem te zitten. Daarom moesten ze haar buik opensnijden en hem er zo snel mogelijk uit halen.'

Hij nam een voorzichtig slokje thee en gooide toen in één keer de hele mok achterover. Hij huiverde en ging toen rechtop staan. 'Wat? Hebben ze haar buik opengesneden? Dat is verschrikkelijk. Zal ze er een litteken aan overhouden en zo?'

'Jezus, Joshu. Ze heeft meer dan de helft van haar bloed verloren. Ze dachten dat ze haar een bloedtransfusie moesten geven. Ik denk eerlijk gezegd dat een litteken het minste was waarover zich zorgen maakte.'

Hij knikte verzoenend naar me. 'Nou, dan neem ik ook aan dat dat betekent dat ze daarbeneden nog in orde is. Nog gewoon strak en zo.'

Ik sloot even mijn ogen en vroeg me af of ik gewoon mijn koffie over zijn hoofd moest gooien. Ik herinnerde mezelf eraan dat hij Jimmy's vader en Scarletts man was en dat het beter was dat hij als bezoeker naar het ziekenhuis ging dan als patiënt. 'Je zult voorlopig geen kans krijgen om dat uit te vinden, egoïstische klootzak. Ze heeft een zware operatie aan haar onderbuik ondergaan, Joshu. Je zult maandenlang alles voor haar moeten doen.'

Hij lachte nerveus. 'Ik dacht het niet. Georgie kan wel iemand vinden om voor haar en het joch te zorgen, ja? Daar betalen we hem verdomme voor, of niet dan?' Hij grijnsde weer en ik ving een glimp op van de kwajongensachtige charme waarvoor Scarlett was gevallen. 'Ik heb een zoon.' Hij fronste. 'Wacht eens even. Zei je nou dat ze hem Jimmy heeft genoemd?'

'Dat klopt.'

'Nee, dat is helemaal verkeerd. Jimmy Patel? Wat is dát nou voor een naam?'

Eigenlijk zou het Jimmy Higgins worden. Maar het leek me beter die onthulling voor Scarlett te bewaren. 'Dat was de naam die ze wilde. En omdat jij er niet was toen hij eruit floepte, lijkt me dat je je recht op inspraak hebt verspeeld.'

'Jimmy, verdomme,' zei hij, waarna hij zich afkeerde en zijn sigaret uitdrukte. 'Daar wil ik het nog wel even met haar over hebben. Ik ga nu douchen en dan ga ik naar mijn zoon toe. En hij zal niet lang meer Jimmy heten, daar kun je van op aan.' En weg liep hij, zijn borst opgeheven als een krielhaan.

De koffie smaakte bitter en lag zwaar in mijn mond. Ik was te moe om het goed te proeven. Ik wist dat het gekkenwerk was om naar Hackney terug te rijden, om vervolgens over een paar uur bij Scarlett en Jimmy op bezoek te gaan. Jimmy stond op het punt om weg te gaan. En er was een prima logeerkamer in de gang. De verleiding was onweerstaanbaar.

15

Toen Vivian van Stephanie hoorde hoe Joshu reageerde op het nieuws over de geboorte van zijn zoon, kon ze zich moeilijk aan de indruk onttrekken dat hij de jongen als zijn bezit beschouwde. Een man met zo'n instelling zou de voor de hand liggende verdachte zijn in een zaak als deze. De overgrote meerderheid van ontvoerde kinderen werd gestolen door of in opdracht van de ouder die geen voogdij over het kind had. In een zaak als deze, waarbij de persoon aan wie de zorg voor de jongen was toevertrouwd niet eens familie was, was de vader de voor de hand liggende persoon naar wie de verdenking uitging.

'U zei dat u weet waar Joshu is,' zei Vivian. 'Ik moet u zeggen, het klinkt alsof hij de persoon is die er het meest belang bij heeft dat Jimmy van u wordt afgepakt. Weet u echt zeker dat hij daar is waar u denkt dat hij is, en niet hier in Amerika?'

Stephanie leek de vraag vermakelijk te vinden. 'Hij is zeker niet in Amerika. Hij...'

'Misschien niet. Maar beschikt hij over de middelen om mensen in te huren om Jimmy te ontvoeren en de jongen naar hem toe te brengen?'

'Nee. Als u me gewoon mijn zin had laten afmaken... Behalve wanneer er bij me is ingebroken nadat we naar het vliegveld zijn vertrokken, is Joshu nog precies daar waar ik hem voor het laatst gezien heb. In een urn op mijn schoorsteenmantel. Joshu is dood, agent McKuras. Zijn as en die van Scarlett staan als boekensteunen boven de open haard in mijn huiskamer. Jimmy zegt elke dag goedemorgen en welterusten tegen hen.'

Vivian voelde zich hierdoor overvallen. Het bloed steeg naar haar wangen en ze trommelde met haar vingers op het bureau. Ze wilde wel tegen Stephanie schreeuwen, maar dat was geen optie zolang de vrouw wel eens de enige bron van informatie over de ontvoering kon zijn. 'Wat is er met hem gebeurd?'

'Zoals alles wat met Scarlett en Jimmy te maken heeft, is het een lang verhaal.'

Dit keer was Vivian niet van plan zich te laten verleiden door het verhaal. Stephanie Harker kon geweldig vertellen, zo goed dat Vivian riskeerde het belang van de factor tijd bij het opsporen van een vermist kind uit het oog te verliezen. En misschien, heel misschien, was er een doelbewuste reden waarom Stephanies verhalen zo wijdlopig waren. Wie wist tenslotte beter dan zij dat ze door de beveiliging zou worden aangehouden? Wie was in een betere positie om dit te plannen? Ze had de zorg over het zoontje van een rijke vrouw gekregen, zonder er geld voor te krijgen. Misschien had ze besloten door afpersing wat geld bij dat liefdadigheidsfonds te halen waarover ze het eerder had gehad. 'Die lange verhalen brengen me niet dichter bij een waarschijnlijke verdachte,' zei ze met onvriendelijke stem. 'Vertel me eens, Stephanie, als ze je losgeld voor Jimmy zouden vragen, wie zou er dan betalen?'

Stephanie leek geschrokken. 'Ik... ik weet het niet. Daar heb ik eigenlijk nooit over nagedacht.' Ze spreidde haar handen in een gebaar van openheid. 'Ik kan dat soort bedragen niet betalen.'

'Wat voor bedragen?'

Ze keek haar onzeker aan. 'Nou, wanneer je iets over losgeld hoort, dan gaat het meestal om bedragen van zeven cijfers of meer. Ik ben geen rijke vrouw. Ik verdien aardig, maar ik ben geen miljonair. Ik zou mijn best doen om het geld bij elkaar te krijgen, maar ik heb zelf niet veel.'

'Zou je het liefdadigheidsfonds van zijn moeder niet kunnen benaderen?'

'Vergeet het maar,' zei Stephanie. 'Het is opgericht om aan een weeshuis in een afgelegen deel van Roemenië ten goede te komen. Scarlett was er in 2007 naartoe geweest als onderdeel van *Caring for Kids*, een belangrijke Britse tv-marathon voor goede doelen, en die kinderen hadden grote indruk op haar gemaakt. Velen van hen hebben aids, en dat is ook waaraan haar vader is overleden. Ze vond de omstandigheden daar afschuwelijk. Daarom heeft ze dat fonds opgericht om voor hen te zorgen. Het weeshuis is de enige begunstigde en daar is niet aan te tornen. Ik heb aan een vriendin die trustadvocaat is gevraagd om te kijken of ik iets kon opeisen voor Jimmy's opvoeding of levensonderhoud. Ze zei dat het fonds dichtgetimmerd was. Behalve wanneer we Jimmy in een

Roemeense wees kunnen veranderen, ben ik alles wat hij heeft.'

'En hoe zit het met de bezittingen van zijn vader?'

Stephanie proestte het uit. 'Welke bezittingen? Joshu had een gat in zijn hand. Hij gaf het op het laatst sneller uit dan hij het bij elkaar kon verdienen. Hij was te gek op drugs en snelle auto's en domme vrouwen. Het enige wat hij Jimmy heeft nagelaten was zijn muziek, die allemaal in dozen in een opslagplaats staat. Ik zou er een paar duizend mee kunnen verdienen door het op eBay aan te bieden, maar niet genoeg om losgeld mee te betalen. Nee, als iemand Jimmy vanwege geld heeft meegenomen, dan hebben ze een ernstige beoordelingsfout gemaakt.' Ze haalde een hand door haar haar. 'Maar dan hebben ze er in ieder geval wel geldelijk belang bij om hem in leven te houden. En dat is beter dan het alternatief.'

'Dat betekent dus dat we weer terug bij af zijn.' Vivian kon haar ongeduld niet verbergen. 'Als jij me niet dichter bij een waarschijnlijke verdachte kunt brengen, wie dan wel?'

Stephanie wierp haar een nerveuze blik toe. Niet voor de eerste keer had Vivian het gevoel dat er tussen hen iets verborgen bleef. Iets wat Stephanie niet wilde vertellen. Iets waarover ze niet eens wilde nadenken. Stephanie keek omlaag en bestudeerde haar keurig gemanicuurde nagels. 'Er is iemand met wie het misschien zinvol is om te gaan praten. Hij is rechercheur bij Scotland Yard. Brigadier Nick Nicolaides.'

Vivian was stomverbaasd. Na twee uur ondervraging kwam Stephanie vanuit het niets op de proppen met een politieman die hier nog iets aan toe te voegen had. 'Wie is brigadier Nick Nicolaides dan in hemelsnaam? En wat heeft híj hiermee te maken?'

'Toen Joshu overleed, was hij de agent die alle verhoren afnam. Hij was heel sympathiek, maar hij leek ook heel grondig. Hoe dan ook, toen ik het afgelopen jaar zelf wat problemen had, heb ik hem opgebeld, omdat hij de enige politieman was die ik kende. Dus hij kent Jimmy en hij kent de achtergrond ook.' Ze sloeg haar ogen op en keek recht in Vivians ongelovige, starende blik.

'En waarom hoor ik nu pas over hem?'

'Het spijt me.' De praatgrage Stephanie leek uitgepraat te zijn. Ze wreef in haar ogen en trok een gepijnigd gezicht. 'Dit is allemaal niet gemakkelijk, weet u. Zal ik u dan maar zijn nummer geven?' Ze dreunde het uit haar hoofd op en Vivian toetste het nummer in op haar telefoon.

'Wacht hier,' zei ze streng. 'Ik moet eerst zien wat die Nicolaides-figuur te vertellen heeft.'

16

De geluiddichte ruimte leek met de dag benauwender te worden. Brigadier Nicolaides kende de persoonlijke geur van de vijf anderen die hier werkten zo goed dat hij hen er bij een Osloconfrontatie geblinddoekt zou kunnen uitpikken. Hij kende hun zenuwtrekjes: het tikken van een pen tegen tanden, het zachte getrommel van vingertoppen op het bureaublad, het door voortanden naar binnen zuigen van lucht, het gekrab van vingernagels aan een designerstoppelbaard en het eindeloze gefriemel aan de brug van een leesbril. Hij wist wie welk soort grap zou maken over de inhoud van de e-mails die ze aan het doorspitten waren. Hij wist wie met zijn minnares aan het twitteren was in plaats van te werken, wie met zijn bookmaker aan het sms'en was en wie online boodschappen bij Tesco bestelde. En bovendien wist hij natuurlijk meer over het zakelijke en persoonlijke leven van de journalisten van News International dan iemand eigenlijk zou moeten weten.

Toen hij werd gedetacheerd bij het team dat de beschuldigingen van afluisterpraktijken en omkoping van overheidsfunctionarissen door News International onderzocht, was Nick opgetogen geweest. Het was een zaak die groot in het nieuws kwam en de potentiële onaangename gevolgen voor de media en de hoofdstedelijke politie maakten het spannend. Zij het niet op een goede manier.

Maar het werk had zijn glans al vrij snel verloren. News International had driehonderd miljoen e-mails overgedragen. Driehonderd miljoen. Nick vermoedde dat ze alles wat ze konden vinden bij de onderzoekers hadden gedumpt, in de hoop dat ze door de bomen het bos niet meer zouden kunnen zien. Het was godsonmogelijk om elke e-mail te lezen. Hij herinnerde zich ooit iets te hebben gelezen over een project om elk zonnestelsel in het heelal naar vorm te classificeren. De betrokken astronomen hadden burgers gevraagd om in te loggen op hun website en aan het proces deel te nemen. Dat was de enige manier om de benodigde mankracht te krijgen. En zelfs dan zou het jaren gaan duren. Maar die mogelijkheid hadden ze in hun geval niet, omdat het om een strafrechtelijk onderzoek ging.

En daarom hadden ze een computerprogramma dat zich geleidelijk een weg baande door die driehonderd miljoen e-mailtjes, op basis van steekwoorden en passages die er, in theorie althans, voor zouden moeten zorgen dat alle verdachte e-mails in de digitale postvakken belandden van de mensen die voortploeterden in ruimtes als deze, verspreid over de oude drukkerij in de wijk Wapping. Elk team was een mengeling van toezichthouders van het bedrijf zelf en van politiemensen. *Embedded*, zo noemden ze waar hij hier mee bezig was. En zo voelde het verdomme ook. Tot zijn nek embedded in andermans rotzooi.

En nu zat Nick opgesloten in een bunker naar bewijs te zoeken dat, zelfs als hij het zou vinden, waarschijnlijk nooit de rechtszaal zou halen, in plaats van dat hij met echte zaken bezig was om echte misdadigers op te pakken. Een paar maanden geleden leek er een stijgende lijn in zijn carrière te zitten. Maar dit was de impasse der impasses.

Hij klikte op de volgende e-mail die voor hem klaarstond. Hij was gemarkeerd omdat er het woord 'krediet' in voorkwam. Een van de manieren waarop journalisten hun bronnen smeergeld betaalden, was door bekenden van hen in de boeken op te nemen. Wanneer je inspecteur X wilde betalen voor zijn exclusieve tip, dan boekte je geld over naar zijn vriendin of zijn moeder of zijn beste vriend. Dus telkens wanneer een journalist of een leidinggevende het had over zorgen dat je ergens 'krediet voor kreeg' of over iemand ergens 'krediet voor geven', moest Nick het onbetekenende bericht lezen. Voor alle zekerheid.

Dit bericht kwam van een redactioneel leidinggevende, die erover klaagde dat zijn bedrijfscreditcard 's ochtends bij het tanken werd geweigerd. Nick zuchtte, verplaatste het bericht naar de map met gecontroleerde e-mails en klikte op de volgende. Het overgaan van de telefoon voelde als een uitstel van executie. Hij wierp een blik op het schermpje en zag een onbekend nummer. Maar het was een Amerikaans nummer. En er was een goede reden om vanochtend een telefoontje uit Amerika aan te nemen.

'Hallo?' zei hij, voorzichtig als altijd om niet te veel te onthullen.

'Spreek ik met brigadier Nick Nicolaides?' Een Amerikaanse stem. Helemaal niet wat hij verwacht had. Hij kreeg een angstig, beklemmend gevoel op zijn borst.

'Daar spreekt u mee. En met wie spreek ík?'

'U spreekt met agent Vivian McKuras van de FBI. Ik ben gestationeerd op vliegveld O'Hare.'

'Is er iets met Stephanie gebeurd?' Hij kon er niets aan doen.

'Brigadier, voordat ik verder nog iets kan zeggen, moet ik uw identiteit bevestigen. Kunt u me een vast nummer geven van het politiebureau waar u werkt, zodat ik dat inderdaad kan doen?'

Nu begon hij zich echt zorgen te maken. Waar was Stephanie in hemelsnaam in verwikkeld geraakt? Hij dreunde het nummer op van het team zware misdrijven waartoe hij formeel behoorde. 'U zult me op mijn mobieltje moeten terugbellen, want ik ben momenteel buiten het bureau gestationeerd.' De verbinding werd verbroken.

Nick sprong overeind en haastte zich naar buiten. Er klonk een schreeuw van protest achter hem. Hij hoorde de burgers niet in de steek te laten. Maar hij moest ervandoor. Hij snelde door de gangen, en door de luchtverplaatsing die zijn vaart veroorzaakte werd zijn wilde bos haar uit zijn gezicht geblazen. Eenmaal buiten op de parkeerplaats begon hij te ijsberen, waarbij hij geen acht sloeg op de mistige regen die om hem heen hing. Hij zag er bijna verwilderd uit, met zijn pezige en rusteloze lijf in een zwarte spijkerbroek gehuld en een spijkeroverhemd dat uit zijn broek hing. Zonder een gitaar in zijn handen wist hij niet wat hij met zijn houding aan moest.

Toen de telefoon weer overging, ging hij gehurkt in een hoek van twee muren zitten en boog zich over de telefoon. 'Vertel eens, agent McKuras. Wat is er gebeurd waarvoor u míj nodig heeft?'

'Ik heb begrepen dat u een bekende van Stephanie Harker bent?'

'Dat klopt. Wat zou ze gedaan moeten hebben?'

'Interessant dat u meteen de conclusie trekt dat zij de dader is in plaats van het slachtoffer, brigadier.'

Nick vervloekte zichzelf om zijn onstuimigheid. 'Het heeft niets om het lijf, het was gewoon een onachtzame uitdrukking. Stephanie is geen misdadigster. Kunnen we alstublieft teruggaan naar het begin en kunt u me zeggen wat de aanleiding van uw telefoontje is?' Hij was zoveel beter in een persoonlijk gesprek. Van de charme die hij bezat, leek over de telefoon nooit iets over te blijven.

'Ik bel u in het kader van ons onderzoek naar de ogenschijnlijke ontvoering van Jimmy Higgins...'

'Is Jimmy ontvoerd? Waar? Hoe? Wat is er gebeurd?' Het sloeg nergens op. Niet in Amerika.

'Ze werden in de beveiligingszone gescheiden, zodat mevrouw Harker gefouilleerd kon worden. Jimmy werd door een man benaderd met wie hij vervolgens wegliep. Tegen de tijd dat de autoriteiten doorhadden wat er was gebeurd, waren ze al verdwenen.'

Het klonk bij lange na niet als het hele verhaal. Maar Nick wist wel beter dan op dit moment verder aan te dringen. In het uiterste geval zou hij zorgen dat hij Stephanies versie snel genoeg te horen kreeg. 'Verdwenen? Van een van de zwaarst beveiligde plekken die er zijn? Hoe kon dat nu gebeuren?'

'Het onderzoek loopt nog,' zei ze terughoudend. 'Maar omdat Jimmy en mevrouw Harker allebei Britse ingezetenen zijn, ondervinden we hier wat problemen met het vinden van plausibele verdachten of aanwijzingen. En ze lijkt te denken dat u ons daarmee mogelijk kunt helpen, omdat u de jongen al kent.'

Nicks gedachten buitelden over elkaar heen. Er was één voor de hand liggend antwoord op die vraag. Maar wat hij niet begreep, was waarom Stephanie er zelf niet mee voor de dag was gekomen. De enige reden die hij kon bedenken, was dat ze nog steeds het beste wilde denken van Pete Matthews, zelfs na alles wat ze had doorgemaakt. Hoewel hij er razend van werd dat ze ook maar een greintje positief gevoel voor die klootzak kon hebben, moest hij toegeven dat het voor haar sprak dat ze zo trouw was. Maar evengoed. Ze had zelf over Matthews moeten beginnen en het niet aan hem moeten overlaten. Die klootzak had haar duidelijk meer beschadigd dan Nick zich had gerealiseerd. 'Het is waar dat ik Jimmy's achtergrond ken. U heeft nog niets van de ontvoerders gehoord?'

'Tot nu toe niet. Er is niets wat specifiek op een ontvoering om losgeld wijst. Kunt u iemand bedenken die een motief zou kunnen hebben om het kind te stelen? Ik dacht daarbij aan familie, van beide kanten.'

'Ik zou het niet weten,' zei Nick langzaam. 'De familie van zijn vader heeft Joshu onterfd toen hij met Scarlett trouwde. Voor zover ik weet, hebben ze de jongen nog nooit gezien, laat staan dat ze iets met hem te maken wilden hebben.'

'Hebben ze nog andere kleinkinderen?'

'Ik heb geen idee. Waar wilt u naartoe?' Als ze haar ondervraging inderdaad die kant op wilde sturen, moest zij maar degene zijn die erover begon.

Hij hoorde Vivian zuchten. 'Ik denk daarbij aan culturele verplichtingen,' zei ze langzaam. 'Sommige culturen hechten grote waarde aan overerving via de mannelijke lijn. Als het door omstandigheden zo is dat Jimmy de enige mannelijke erfgenaam is, zou dat hen van gedachten kunnen doen veranderen.'

Nick ademde hard uit. 'Ik zal ernaar kijken, als u denkt dat het de moeite waard is om verder uit te zoeken. Maar ik denk dat we Scarletts familie wel kunnen uitsluiten. Ze hebben het geld en het verstand niet om iets op te zetten wat als een zeer goed georganiseerde operatie klinkt. Zelfs als ze Jimmy zouden willen hebben. En dat is niet zo, of hij moet een zak vol geld met zich meebrengen.'

'Dat is zo'n beetje wat Stephanie ons ook heeft verteld. Genoeg over waar we het niet moeten zoeken. Hoe zit het met waar we wel moeten zoeken?'

'Er was een geobsedeerde fan die Scarlett bleef lastigvallen tijdens de laatste stadia van haar ziekte. Ze was ervan overtuigd dat God haar had gezegd Jimmy's moeder te worden als Scarlett het niet zou overleven. Ik stuitte op haar tijdens het onderzoek naar Joshu's dood. We hebben haar gewaarschuwd uit haar buurt te blijven, maar ze bleef maar opduiken. Uiteindelijk ging ze door het lint in het dagverblijf van het verpleeghuis voor terminale patiënten. Op het laatst werd ze in een psychiatrische instelling opgenomen. Ik betwijfel of ze over de middelen beschikt om zoiets als dit voor elkaar te krijgen, maar ik zal eens rondvragen.'

'Nou, dat klinkt al een stuk veelbelovender. Is dat alles? Ik heb het gevoel dat u me meer te vertellen heeft, brigadier.'

Ze was goed, deze dame. Nick duwde zich overeind en begon weer te ijsberen. 'Stephanie had een vriend die Pete Matthews heet. Hij was zo'n geniepige dwingeland. Het soort dat net doet alsof het allemaal voor je eigen bestwil is, dat ze je alleen maar op je tekortkomingen wijzen, zogenaamd om aan jezelf te werken. U kent het type waarschijnlijk ook wel? In uw professionele leven, bedoel ik?'

'Ik weet over welk type man u het heeft, ja. Ga door, brigadier. Ik vind het zeer interessant.'

'Om een lang verhaal kort te maken, toen Stephanie hem dumpte, begon hij haar te stalken. Ze moest een contactverbod laten uitvaardigen. Ze heeft uiteindelijk haar huis moeten verkopen en een tijdje min of meer ondergedoken moeten leven. Het werkte, in de zin dat ze hem hierdoor leek te hebben afgeschud. Maar vanwege de publiciteit rond Scarletts dood en het feit dat Stephanie de zorg voor Jimmy op zich kreeg, was ze bang dat hij haar mogelijk weer zou kunnen opsporen. De kans is niet groot, maar dit is wel het soort wrede daad dat hij zou kunnen begaan.'

Vivian zuchtte. Nick stelde zich een vrouw voor met boze trekken rond haar mond. 'Enig idee waarom mevrouw Harker deze informatie niet uit eigen beweging aan ons heeft gegeven? En wel meteen? In plaats van me langs de toeristische route te leiden?'

Hij had de neiging onmiddellijk voor Stephanie in de bres te springen, maar de voorzichtigheid die zijn werk hem had aangeleerd, onderdrukte die aandrang. Hij wilde niet dat deze fbi-agente dacht dat zij tweeën op een verkeerde manier twee handen op één buik waren. Dat zou elke kans dat hij kon meehelpen de jongen te vinden van wie Stephanie zoveel hield tenietdoen. En dat zou niet bijdragen aan het opbloeien van hun relatie. 'Dat zou u aan haar moeten vragen. Maar als ik een suggestie zou moeten doen, dan zou ik zeggen dat het iets te maken zou kunnen hebben met de schaamte die vrouwen vaak voelen in relaties waarin van mishandeling sprake is. Als ik haar was, zou ik waarschijnlijk ook niet met Pete Matthews naar buiten willen komen.' Of met Nicks rol ervoor te zorgen dat hij haar met rust liet.

'Weet u waar we die Pete Matthews kunnen vinden?'

'Dat zou niet zo moeilijk moeten zijn. Het lijkt me dat zijn laatst bekende adres wel in de computer zal zitten. Hij is geluidtechnicus en hij heeft een goede professionele reputatie. Over het algemeen heeft hij wel werk. Wilt u dat ik daar ook achteraan ga?' Hij stopte met voor de hoofdingang ijsberen en leunde met zijn voorhoofd tegen het glas. De koelte gaf hem een koortsig gevoel, ondanks de regen die zijn haar doorweekte.

'Dat zou handig zijn.'

'Dan zult u een officieel verzoek bij mijn baas moeten indienen,' zei hij. 'U zult moeten regelen dat ik bij uw onderzoeksteam gedetacheerd word, als u mijn hulp wilt.' Hij besefte dat dat wat nors klonk en voegde er nog aan toe: 'Ik zit momenteel midden in een groot, langlopend onderzoek. Ik kan er even niets naast hebben. Bel het nummer dat ik u heb gegeven en regel het met inspecteur Broadbent.'

'Dat zal ik doen. Nog één ding, en u zult begrijpen dat ik u deze vraag moet stellen, omdat niemand in een betere positie is dan Stephanie om zo'n weloverwogen ontvoering te organiseren: heeft u enige reden om te vermoeden dat zij achter deze ontvoering zou kunnen zitten, wat haar motieven dan ook mogen zijn?'

Voorzichtig nu, zei hij tegen zichzelf. 'Nee,' zei hij. 'Ze kwam op mij altijd over als een fatsoenlijk iemand. Niemand dwong haar de jongen onder haar hoede te nemen. De sociale instellingen hebben haar helemaal doorgelicht. Ook al had Scarlett instructies hierover in haar testament staan, dan nog gaat niemand een kind toewijzen aan iemand die geen familielid is, zonder behoorlijk streng en diepgaand onderzoek. Dus als er iets niet helemaal in de haak was, dan zouden ze het wel hebben opgemerkt.'

'Dat zal dan wel.' Vivian sprak de woorden langzaam uit, alsof ze met tegenzin accepteerde wat hij beweerde.

'Luister, zorg dat Broadbent me van mijn huidige werkzaamheden bevrijdt, en ik maak hier meteen werk van.' Hij zweeg een moment en herinnerde zich hoe moeilijk het voor Jimmy was om nog iemand te vertrouwen, na alles wat hij al verloren had. 'Het is een goed joch,' zei hij. 'Ik moet er niet aan denken dat hij bij vreemden is en in angst zit. En zo. Ik zal alles doen om u te helpen.'

'Oké. Ik zal uw baas bellen.'

'Bedankt. En...' Zijn stem stierf weg. Hij wilde Stephanie laten weten dat hij er voor haar was, maar een FBI-agente als doorgefluik gebruiken was waarschijnlijk niet de beste manier om dat te doen.

'Ja?'

'Gaat u Stephanie op korte termijn vrijlaten?'

'We houden haar formeel gezien niet vast. Ze is een getuige die meewerkt aan het onderzoek, dat is alles. In zaken als deze proberen we zo veel mogelijk achtergrondinformatie te verzamelen. Ik denk dat we nog wel een tijdje in gesprek zijn. Hoezo?'

Dat was een vraag waarop geen eenvoudig antwoord mogelijk was. 'Als ze met iemand wil praten... iemand die Jimmy kent, ik bedoel... Zeg haar dat ze me altijd kan bellen.'

'Zal ik doen. Ik spreek u snel weer, brigadier Nicolaides.'

En de verbinding werd verbroken. Nick liep met grote passen terug naar het kantoor om zijn jasje op te halen. Hij rekende erop dat Broadbent akkoord zou gaan en ging ervan uit dat hij niet meer naar Wapping zou terugkeren zolang hij bezig was met uitzoeken van wat er in Amerika was gebeurd. Hij was in gedachten al een takenlijstje aan het maken.

Het enige probleem was dat hij het belangrijkste op de lijst op dit moment niet kon doen. Met Stephanie praten zou moeten wachten tot agent McKuras klaar was met het graven in haar verleden. Nick kon een spottende glimlach niet onderdrukken.

En gezien de rijkheid van dat verleden, zou dat wel even gaan duren.

17

Vivian was naar haar eigen kantoor gelopen om met inspecteur Broadbent te bellen. Ze wilde wat privacy, een kans om een koffie verkeerd bij Starbucks te halen en toegang tot haar computer, voor het geval de baas van brigadier Nicolaides het verzoek op schrift wilde hebben. Hij bleek opmerkelijk behulpzaam, maar hij wilde inderdaad een e-mail waarin ze haar verzoek bevestigde. Ze nam kleine slokken koffie en tikte krachtig in wat ze van de Engelse politiemensen verlangde. Ze was blij dat Broadbent niet moeilijk had gedaan. Als ze het via haar eigen baas had moeten spelen, dan was niet te zeggen hoe lang dat vandaag geduurd zou hebben. Maar aan de andere kant, zoveel vroeg ze nu ook weer niet. Alleen maar een paar uur tijd van een rechercheur. Het was verbazingwekkend hoe je de hele bureaucratische molen kon omzeilen wanneer het leven van een kind op het spel stond.

Ze leunde achterover in haar stoel en overdacht wat ze te weten was gekomen. Of Stephanie Harker was echt zo fatsoenlijk als Nicolaides dacht, of anders had ze hem gedurende een lange periode compleet voor de gek kunnen houden. Omdat ze de man niet kende, kon ze dat moeilijk inschatten. Voorlopig was ze geneigd Stephanie te geloven. Haar reacties kwamen tot nu toe geloofwaardig over op Vivian. Ze vermoedde dat zijzelf op ongeveer dezelfde manier zou hebben gereageerd. Maar uit haar krijgen wat er onder die reacties schuilde was beduidend minder eenvoudig.

Het tinkelende geluid van een binnenkomende e-mail onderbrak haar gedachten. Broadbent bevestigde zijn akkoord met haar verzoek om hulp. Ze stuurde het bericht voor de volledigheid door naar haar baas bij het bureau in Chicago. Terwijl ze wachtte tot Abbott en Nicolaides een aantal lege bladzijden van het verhaal zouden invullen, zou zij eens kijken wat Stephanie Harker haar nog meer wilde vertellen.

Toen ze in de verhoorkamer terugkwam, keek Stephanie gretig naar haar koffie. 'Zou ik er misschien ook zo eentje kunnen krijgen?' vroeg ze. 'Ik ben al een hele tijd op en mijn accu begint zo'n beetje leeg te raken.' Daar viel moeilijk iets tegen in te brengen. Ze zag er uitgeput en uitgewrongen uit. Dat deden ze altijd wanneer de adrenaline was uitgewerkt.

Vivian graaide in haar zak naar een twintigje en gaf het geld aan Lopez. 'Neem er zelf ook eentje, Lia. Wil je koffie verkeerd, Stephanie?'

'Kan ik een mokkakoffie krijgen? Ik heb niet alleen cafeïne, maar ook suiker nodig. En misschien een muffin of zoiets?'

Vivian knikte naar Lopez. 'Neem het bonnetje voor me mee, alsjeblieft.' Ze nam een slok van haar eigen koffie. 'Vertel me eens over Pete Matthews,' zei ze. 'En ik weet wat je gaat zeggen: het is een lang verhaal. Maar totdat we een aantal plausibele aanwijzingen hebben om mee aan de slag te gaan, kunnen we er net zo goed de tijd voor nemen.'

Ik had het zo druk met een en ander dat het een paar dagen duurde voordat ik weer thuiskwam. Ik had amper de ketel op het vuur gezet, toen Pete voor de deur stond, met een gezicht als een vergiftigde puppy. 'Het werd verdomme ook wel eens tijd dat je terugkwam,' mopperde hij zodra ik de deur opendeed.

'Ik vind het ook heel leuk om jou te zien.' Ik probeerde hem wat milder te stemmen en niet sarcastisch te doen. Maar wanneer hij zo'n bui had, had dat geen enkele zin; je moest je eraan overgeven. 'Ik heb je gisteren wel een sms gestuurd. Heb je die niet ontvangen?'

'Ik zou een sleutel van dit huis moeten hebben,' zei hij, waarna hij door de gang naar de keuken liep. 'Ik maakte me vreselijk zorgen toen ik twee vervloekte dagen lang niets van je hoorde. Ik probeerde je te bellen, ik probeerde je te sms'en, maar ik kreeg geen contact.'

'Zoals ik al zei: mijn accu was leeg en er was geen Nokia-oplader bij Scarlett thuis. Het is me gisteren pas gelukt een andere oplader te kopen.' Ik volgde hem naar de keuken en ging verder met koffiezetten.

'Ik ben naar het huis gegaan om te kijken of je in orde was. Om me ervan te verzekeren dat er niets met je was gebeurd.'

Ik barstte in lachen uit. 'Wat had er dan moeten gebeuren? Ik ben niet gehandicapt, Pete. Ik ben een gezonde vrouw die voor zichzelf kan zorgen.'

'Er had van alles gebeurd kunnen zijn. Je had uitgegleden kunnen zijn in bad en op je hoofd terecht kunnen zijn gekomen. Je had naar beneden gevallen kunnen zijn. Je had door een inbreker aangevallen kunnen zijn.'

Ik schudde mijn hoofd, met mijn rug naar hem toe, terwijl ik de filter van de cafetière omlaag drukte. 'Ik ben zo blij dat je alles altijd van de positieve kant ziet.'

Hij greep opeens mijn bovenarmen vast en draaide me snel om. Vervolgens kneep hij hard met zijn handen in mijn biceps en schudde me door elkaar. 'Stomme trut die je bent. Ik maakte me zorgen om je.' De woede in zijn gezicht was beangstigend. Ik wist wel dat die voortkwam uit angst en bezorgdheid, maar dat maakte het niet minder eng.

'Laat me los, Pete, je doet me pijn,' gilde ik.

Mijn woorden leken zijn woedende roes te doorbreken. Hij liet me ineens los en draaide zijn gezicht af. Toen hij wat zei, klonk hij van zijn stuk gebracht. 'Je hebt geen idee hoe overstuur ik ben geweest,' zei hij.

'En waarover? Over die stomme slet van een Scarlett Higgins.'

'Ze is geen slet,' zei ik, terwijl ik over mijn armen wreef. Dat zouden blauwe plekken worden, ik wist het gewoon zeker. 'Ik was toevallig bij haar toen de weeën begonnen. En er moesten allerlei zaken worden geregeld.'

Hij draaide zich weer om en schonk zichzelf een kop koffie in. 'En waarom is dat jouw verantwoordelijkheid? Je bent verdomme haar ghostwriter, niet haar moeder.'

'Omdat ze niemand anders heeft. Aan Joshu heb je net zoveel als aan een kartonnen hamer, haar meeste vriendinnen zijn alleen geïnteresseerd in kleding, naar de club gaan en met iemand in bed duiken, en met haar familie heeft ze geen enkele band meer.'

'Ze heeft toch een agent? Ik zie nog steeds niet waarom het jouw taak zou zijn?' Hij deed de koelkast open en tuurde bedenkelijk naar de melk.

'Omdat we vriendinnen zijn, Pete.'

Hij snoof en rook aan de melk. 'Die is niet goed meer. Dat is wat er gebeurt wanneer je het zo druk hebt met achter Scarlett Harlot aan rennen. Je zorgt niet goed voor jezelf of voor de mensen die echt om je geven.'

'Noem haar niet zo. Dat is afschuwelijk. En ze is het ook niet. Het spijt me van de melk, maar er staat nog een kartonnetje room dat nog niet open is. Dat zou prima moeten zijn.' Ik kwam naast hem staan, pakte de koffieroom en gaf die aan hem. 'Neem het er een keertje van.' Ik was vastbesloten niet toe te geven aan zijn slechte bui.

'Het is niet hetzelfde,' gromde hij, terwijl hij met een wantrouwig gezicht room in zijn koffie goot.

'En hoe staat het bij jou? Hoe waren de doedelzakspelers uit Northumbrië?'

'Die waren goed,' zei hij iets opgewekter. 'Zeer professioneel. Ze waren keurig op tijd, ze begrepen meteen wat we wilden en ze hebben goed werk geleverd. We hadden ze maar voor één nummer nodig, maar het was een genot om met hen te werken.' Zijn mond ging weer hangen. 'Ik zou willen dat ik over de vervloekte band hetzelfde kon zeggen. Sam verandert vaker van gedachten dan hij zijn sokken verschoont.'

Door hem af te leiden van de zaken rond Scarlett was de sfeer tussen ons veranderd, en we maakten samen avondeten, terwijl we ruzieden met de radio en om elkaars bijdehante opmerkingen lachten. Toen we na het eten aan tafel de wijn zaten op te maken, stelde Pete voor om de avond daarna naar een concert te gaan. Een of andere alternatieve band waarvoor hij een aantal nummers had gemixt speelde verderop in Hoxton, en hij had er een uitnodiging voor gekregen.

'Als het maar niet te vroeg is,' zei ik. 'Ik heb beloofd dat ik morgen tijdens het avondbezoekuur bij Scarlett en Jimmy langsga.'

Pete kreunde. 'Jezus, Stephanie. Zal het in het vervolg zó gaan? Dat je achter Scarlett en haar stomme koter aan rent? Je moet ermee ophouden.'

'Pete, ze heeft een zeer zware bevalling achter de rug. Het zal een tijdje duren voordat ze weer hersteld is, dus ik zal haar de komende weken inderdaad wat helpen. Dat is alles. Als ze eenmaal weer op de been is, dan zal alles weer bij het oude zijn.'

Hij gooide de laatste wijn achterover. 'Er wordt misbruik van je goedheid gemaakt, Steph. En dat bevalt me maar niets.'

'Zo ligt het niet, Pete. Dat probeer ik je steeds te zeggen. We zijn vriendinnen. Maatjes. We kunnen het goed met elkaar vinden.' Ik kneep in zijn hand. 'Jij doet de hele tijd dingen voor je vrienden. En dat is ook goed.'

'Ja, en zij doen ook wat terug voor mij. Het is geen eenrichtingsverkeer zoals bij jou en Scarlett.'

'Dat is niet eerlijk.'

'Nee? Wat heeft ze dan onlangs voor jou gedaan?'

'Vriendschap is geen balansboek, Pete. Het gaat niet om de stand bijhouden. Scarlett is mijn vriendin. Je vraagt wat ze onlangs voor me heeft gedaan? Ze heeft mijn dag vaker opgevrolijkt dan wie dan ook. En ze heeft me gevraagd Jimmy's peetmoeder te zijn.'

Hij proestte van het lachen. 'Denk je dat dat echt een gunst is voor jou? Je vindt kinderen niet eens leuk. Stephanie, het is gewoon weer een manier om haar klauwen dieper in je te zetten.'

Ik vond het triest voor hem dat hij het compliment niet begreep. 'Nee, Pete. Het is een geschenk. Iemand in het leven van je kind toelaten is een geschenk.'

'Ja, en jij zult er de rest van je leven cadeautjes voor moeten teruggeven,' zei hij cynisch. 'Dan zie ik je wel bij het concert. Als je op tijd terug bent.'

'Je zou ook met me kunnen meekomen?' Ik ruimde de borden en glazen van tafel.

'Dat lijkt me niet,' zei hij met onverholen spot.

En zo ging dat verder. Pete verwachtte dat ik beschikbaar was wanneer hij buiten zijn onregelmatige schema vrij had. Hij had altijd gemopperd wanneer ik voor mijn werk weg moest. Als ik niet met de feitelijke gesprekken bezig was, slaagde ik erin wel zo flexibel te zijn dat ik me aan zijn schema kon aanpassen. Maar het was niet altijd eenvoudig om het schema van een jonge moeder en haar baby daarmee te verenigen, en Pete ergerde zich er steeds meer aan wanneer ik het te druk had met Scarlett en Jimmy om me volledig aan hem te wijden. Om eerlijk te zijn begon ik de situatie steeds verstikkender te vinden. Het was alsof hij jaloers was op de tijd die ik met Scarlett en Jimmy doorbracht.

Zoals met alle bullebakken, was zijn constante gevit het effectiefst wanneer het mijn eigen onzekerheden weerspiegelde. Want het was waar dat Scarlett veel hulp nodig had na de geboorte van Jimmy. Toen ze uit het ziekenhuis werd ontslagen, was ze niet in beste doen. Een keizersnee is een zware buikoperatie, en dat betekende dat ze het rustig aan moest doen. De beperking van haar bewegingsvrijheid en haar activiteiten beviel haar maar niets, maar ze had geen andere keuze. Het is al moeilijk genoeg om van een zware operatie te herstellen en het is een nog zwaardere opgave wanneer je leven is veranderd door de komst van een baby. Niets gaat zoals vroeger. Het zou niet zo zwaar zijn geweest als ze een man had gehad die haar steunde en ze familieleden om haar heen had gehad die konden bijspringen en haar een handje konden helpen. Maar Joshu gaf deeltijdouderschap een geheel nieuwe betekenis. Hij kwam gewoonlijk binnenwaaien met bloemen en zachte speeltjes, knuffelde zijn zoon dan een minuut of tien en bestelde vervolgens een maaltijd via de telefoon. Hij bleef lang genoeg om samen met Scarlett te eten, maar dan ging hij er weer vandoor, voor een avond werk of uitgaan in een club. Zijn leven was totaal niet veranderd. Drugs, drank en zijn werk als dj stonden nog steeds centraal in zijn bestaan. En vrouwen ook, vermoedde ik.

Ik ging bijna om de dag bij haar langs, waarbij ik spitsroeden moest lopen door een woud van mediafiguren, die praktisch buiten het hek om haar huis leken te wonen. Ik begon te begrijpen hoe verstikkend hun constante aanwezigheid voor Scarlett was. Ze was zeer zeker niet in de stemming om hun honger te stillen.

En het zorgde ook voor andere problemen. Toen ze vier of vijf dagen thuis was, belde ik George op. 'Je moet een inwonende hulp voor Scarlett regelen,' zei ik. 'Ze redt het niet. Het huis is een zwijnenstal, de vuile was stapelt zich op en iemand moet nodig eens goed boodschappen doen.'

'Kun jij haar niet helpen, Stephanie?'

Bekakte mannen... Ze doen net alsof ze geëmancipeerd zijn, maar in feite hebben ze geen flauw benul. Tot mijn afgrijzen hoorde ik mezelf Petes woorden herhalen. 'Ik ben haar ghostwriter, Georgie, niet haar moeder. Regel het, wil je?'

En dus kwam Marina opdagen. Ze was een mollige brunette van achter in de twintig. Marina kwam uit Roemenië, maar ze sprak beter Engels dan de meeste domme blondjes met wie Scarlett ging stappen wanneer ze haar publieke personage opvoerde. Ze had een sardonisch gevoel voor humor, maar ondanks een figuur als van een Hollywoodsterretje uit de jaren vijftig en een bijpassend gezichtje, was ze een harde werker. Ik mocht haar wel, en belangrijker nog: Scarlett mocht haar ook. En het beste van alles was dat ze compleet immuun was voor Joshu's charmes. Ze liet duidelijk merken dat ze hem een idioot vond, zonder ooit iets te zeggen of iets te doen wat te ver ging.

Ze stelde heel duidelijke grenzen, die Marina. Ze was er om te werken, niet om Scarletts vertrouweling te worden. Telkens wanneer we haar in ons kringetje wilden betrekken, trok ze zich beleefd terug. Ze hield het huis schoon en netjes, ze deed boodschappen en kookte het eten, ze zorgde in de middag twee uur lang voor Jimmy, en dat was dan dat. 's Avonds trok ze zich terug op haar kamer, waar ze een televisie en een goedkope laptop had staan, of anders stapte ze op de fiets om naar het dichtstbijzijnde dorp te fietsen, waar een café was en kennelijk nog een stel Roemeense arbeiders.

Nu de zwaarste periode achter de rug was, vielen Scarlett en ik weer terug op een iets regelmatiger levenspatroon. We werkten gewoonlijk wat aan profielartikelen voor tijdschriften wanneer Marina 's middags op Jimmy lette. We brachten onze avonden vaak door met een fles wijn en een dvd van *The West Wing* of *Footballers' Wives*. Dan praatten we nog wat over boeken die we aan het lezen waren en over de hachelijke staat van het land onder het bewind van New Labour. Ik moest haar uitleggen waarom Margaret Thatcher slecht voor het land was geweest en hoe haar regime een nieuwe onderklasse had gecreëerd en de oude verbonden binnen de arbeidersklasse had verwoest. Het overlijden van Betty Friedan en Linda Smith gaf me de kans om haar een kort historisch overzicht van het feminisme te geven, wat Scarlett intrigerend vond. Ik vergat steeds weer hoeveel ze niet wist. Mijn bedoeling was steeds geweest kennis te delen zonder neerbuigend te zijn. Maar nu ze de bredere wereld van de politiek en de samenleving had ontdekt, zoog ze informatie op als een spons en dacht ze na over wat het voor haar persoonlijke wereld betekende.

Net zoals ik het van Pete te verduren kreeg vanwege de tijd die ik met haar doorbracht, had zij het zwaar te verduren van Joshu. Telkens wanneer onze paden elkaar kruisten, probeerde hij me voor zijn zaak te winnen. Zijn klachten draaiden altijd om twee kernpunten. Hij kreeg te weinig seks en Scarlett wilde nooit meer met hem uit.

Met de seks kon ik hem niet helpen, maar ik probeerde haar wel aan te moedigen om met hem uit te gaan, al was het alleen maar om de lieve vrede te bewaren. Ik bood aan op te passen en om zo nodig te blijven overnachten. Maar ze liep er niet warm voor. 'Het boeit me geen ene moer,' zei ze dan. 'Ik zie er de lol niet van in. Ik wil niet bezopen worden en met een stel leeghoofden en idioten over een dansvloer wankelen. Ik wil niet ergens zijn waar de muziek te hard staat om te kunnen nadenken, laat staan praten. En bovendien ben ik over het algemeen de halve nacht op vanwege Jimmy. Waarom zou ik dan uit vrije wil de halve nacht gaan opblijven? Ik zal je vertellen, Steph, tegenwoordig bestaat mijn idee van een fijne avond uit acht uur ononderbroken slaap.'

Scarletts houding deed Joshu's relatie met zijn zoon ook geen goed. Hij schreef de verandering in Scarletts gedrag toe aan het moederschap en begreep niet dat het moederschap haar excuus was om te verhullen dat ze zich eindelijk gedroeg als de vrouw die ze was, en niet als de vrouw die hij dacht dat ze was. Ik begrijp wel dat het verwarrend voor hem moet zijn geweest, want emotionele intelligentie was niet zijn sterkste punt. Niet dat hij bij de andere vormen van intelligentie hoger scoorde.

En zelfs als hij het verstand had gehad om de waarheid te bevroeden, zou het nog niet zo eenvoudig zijn geweest om het door te krijgen. Want de publieke Scarlett was nog altijd heel zichtbaar. En ik moet erkennen dat ik daar deels verantwoordelijk voor was. Ik was de enige schrijfster die ze kon vertrouwen en daarom was ik degene die alle opdrachten van de sensatiebladen en de boulevardkranten kreeg.

Hoewel George duidelijk had gemaakt dat de enige geautoriseerde interviews door mij zouden worden geschreven en dat de enige foto's zouden worden gemaakt door een fotograaf van zijn agentschap, leek het mediakampement bij de poort nooit kleiner te worden. Er was een harde kern van een vijftal journalisten die er elke dag waren. Scarlett kon niet buiten een eindje gaan wandelen met de baby. De zoomlenzen zouden haar twee sportvelden verderop nog oppikken.

Van pure frustratie, en waarschijnlijk onder druk van een zeurende fotoafdeling, was een van de beruchte paparazzi, een favoriet van de boulevardkranten, zelfs over de muur geklommen om het perceel op te gaan. Scarlett stak haar hoofd omhoog aan het einde van een baantje in het zwembad en zag hem snel een serie foto's door het raam schieten. Ze was zo slim om hem niet te belagen. In plaats daarvan belde ze de politie en niet lang daarna een plaatselijke aannemer, die de week daarop bezig was met het aanbrengen van glasscherven boven op de omheinende muur.

Maggie was in de zevende hemel. Niets verkoopt beter in de kiosk dan een schattige baby en een beroemde moeder, helemaal wanneer er ook nog wat gedoe omheen is. Ik en Scarlett doorliepen het hele gamma van A is van Armani-babykleding tot Z is voor zwangerschapscontrole. De algemeen bekende versie van Scarlett werd continu versterkt door opeenvolgende fotoreportages en ondersteund door mijn image-building. Als ik er nu op terugkijk, ben ik niet trots op mezelf.

Hoezeer ik ook mag willen dat het niet zo is, het valt niet te ontkennen dat, mede door mijn schuld, alles daarna zo verschrikkelijk fout is gegaan.

18

De middag dat Leanne voor de deur stond, was het de bedoeling dat Scarlett en ik aan de slag zouden gaan met een hoofdartikel over weer met lichaamsbeweging beginnen na een keizersnee. Het was vroeg in de zomer en ze had Marina weggestuurd om met Jimmy een eindje in het bos te gaan wandelen. 'Hij heeft frisse lucht nodig,' hield ze vol in weerwil van Marina's opstandige, boze blik. 'Wanneer je een minuut of twintig door het bos loopt, kom je bij een vijver met eenden. Neem wat brood mee en ga de eendjes voeren.'

'Hij is zeven maanden oud,' zei Marina. 'Hij is niet geïnteresseerd in eenden.'

'Natuurlijk wel. Alle baby's vinden eendjes voeren leuk. Kom, ga nou maar.'

Ongeveer tien minuten nadat ze waren vertrokken, begreep ik waarom Scarlett Marina zo graag weg wilde hebben. Ik stond in de keuken thee te zetten, toen ik een taxi voor de poort tot stilstand zag komen. De intercom zoemde en ik nam op. 'Ja?' zei ik, terwijl ik naar het videoscherm keek.

Ik liet de telefoonhoorn bijna vallen. Ik had kunnen zweren dat er een bruinharige versie van Scarlett van achter in de taxi naar de camera tuurde. 'Ben jij dat, Scarlett?' zei ze, met noordelijke klanken die zo plat waren als een geroosterd theebroodje.

'Wie is daar?'

'Zeg tegen haar dat Leanne er is. Haar nicht Leanne. Ze weet dat ik kom.'

'Wacht even.'

Ik legde de hoorn neer en schreeuwde door de gang. 'Scarlett? Er staat iemand voor de poort die zegt dat ze je nicht is.'

Ze kwam met een baldadige grijns op haar gezicht aanrennen. 'Je zult omvallen van het lachen, Steph. Ik zweer het je, omvallen van het lachen.'

Ze pakte de telefoonhoorn en joelde blij. 'Leanne, gek wijf! Kom er snel in.' En ze liet haar binnen.

'Je hebt het nooit over een nicht gehad,' zei ik, terwijl ik Scarlett door de gang naar de voordeur volgde. 'Ik wilde met familieleden praten voor het boek, dat weet je. Je zei dat het allemaal nietsnutten en mislukkelingen waren.'

Ze grijnsde boosaardig naar me. 'Je hebt Chrissie en Jade gezien. Daar valt niets op af te dingen.'

'En wie is die Leanne dan?'

Ze bleef staan en keek me strak aan. 'Misschien wilde ik wel gewoon zelf de regie houden, Steph.' Ze liep weer verder en praatte door over haar schouder. 'Leanne groeide op in dezelfde woonwijk als ik. Onze vaders waren broers, maar haar moeder is Iers. Nadat ze met Leannes vader had gebroken, keerde ze met Leanne terug naar Dublin. Toen we kinderen waren, zei iedereen dat we net zusters waren. Ik wilde zien of dat nog steeds zo is.' Scarlett deed de deur open, terwijl de taxi voorreed. Ze draaide zich om en knipoogde naar me. 'Ik heb toch zo'n gemeen plannetje, Steph.'

Toen ik hen naast elkaar zag terwijl ze in de keuken alle voorbije jaren stonden in te halen, kon ik de verschillen tussen hen wel zien. Leanne had een langer gezicht en haar neus was iets stomper. Haar oren hadden een heel andere vorm, maar als haar haren blond waren geweest en los zouden hangen, zou ze griezelig veel op Scarlett hebben geleken. Ze had ook een andere stem: iets hoger van toon en met iets minder noordelijke stembuigingen. Ik begon een aantal zeer onaangename vermoedens te krijgen.

Nadat ze weer van elkaars roddels op de hoogte waren en Leanne de juiste geluidjes had laten horen bij het bekijken van de nieuwste foto's van Jimmy, nam Scarlett haar mee naar een van de logeerkamers bij het zwembad, zodat ze haar koffer kon uitpakken en een douche kon nemen.

'Je voert iets in je schild,' zei ik zodra Scarlett terugkwam.

Ze grinnikte. 'En hoe. Ik heb op een avond een compleet bizarre oude film gezien, *Dead Ringers* heette die. Het ging over een tweeling...'

'Die heb ik gezien,' zei ik haastig. Een van mijn persoonlijke ergernissen bestaat uit mensen die proberen de plot uit te leggen van iets wat ze gezien of gelezen hebben. Het komt waarschijnlijk omdat ze nooit beknopt of duidelijk zijn, en dat maak ik al genoeg mee in mijn werk.

'Juist. Dus je begrijpt waar ik hiermee naartoe wil?'

'Je gaat je nicht seks laten hebben met Joshu?'

Toen ik de geschokte en gekrenkte uitdrukking op haar gezicht zag, besefte ik dat ik Scarlett weer eens onderschat had. 'Ik maak een grapje,' zei ik haastig, in een poging mezelf in te dekken.

Ze keek me even onzeker aan, maar geloofde me toen. 'Je hebt soms een vreemd gevoel voor humor, Steph. Ik hou van hem, dat weet je. Zelfs al heb je meestal niets aan hem en ziet hij er vaak niet uit. Nee, ik heb bedacht dat Leanne mijn body double zou kunnen zijn. Zoals ze bij de film hebben.' Ze deed de kast open en pakte er een hoge glazen kan uit. 'Weet je nog toen Brad Pitt in die film *Troy* speelde?'

Ik knikte en vroeg me af waar dit naartoe ging. 'Behoorlijk slechte film, trouwens.'

'Vergeet de film. Hij had als een gek getraind om er gespierder voor te worden, maar uiteindelijk bleek alles uit proportie. Geweldige schouders en borstkas en wasbord, maar hij had nog steeds dunne benen. En daarom hebben ze iemand als zijn beendubbel gebruikt.' Scarlett leegde een bak ijsklonten in de kan en voegde er een afschrikwekkende sloot Bacardi aan toe.

'Maak je een grapje?'

'Nee, ik ben bloedserieus. Ik weet het omdat ze een vent hebben gebruikt die aan de universiteit van Leeds studeerde. Hij was Brad Pitts beendubbel. En nu had ik bedacht dat Leanne mijn body double zou kunnen worden voor het uitgaanscircuit. Heb je de pina-coladamix gezien?'

Gelukkig had ze haar hoofd nog in de koelkast, zodat ze mijn gezicht niet kon zien. Ik had er geen woorden voor. Ik staarde alleen maar vol ongeloof voor me uit.

'Denk er maar eens over na, Steph.' Ze kwam weer uit de koelkast tevoorschijn en wuifde met de plastic fles cocktailmix. 'Hebbes. Dit is wat ik heb bedacht. De meeste mensen die me in de clubs zien, kennen me niet. Ze kennen me alleen maar van de televisie. En iedereen weet dat mensen er in het echt toch net even anders uitzien.' Scarlett goot de kant-en-klaarmix over de rum en het ijs en roerde het geheel toen door met een houten lepel. 'En Leanne klinkt meer als ik dan ikzelf. Ze volgt alles wat er in de *Yes!* staat. Ze loopt zoals het hoort en ze praat zoals het hoort. Ze zou de Scarlett voor publieke consumptie kunnen zijn, die de bloemetjes buitenzet en de roddelrubrieken en de kranten alles geeft om ze tevreden te houden. Op die manier heeft Joshu iemand om mee te spelen en om in het uitgaansleven mee te pronken, en dan hoef ik niet uit te gaan.' Ze zette met een klap een glas pina colada voor me neer en keek peinzend. 'En wanneer we niet de hele tijd ruziemaken over het feit dat ik niet wil uitgaan, krijg ik misschien wel meer zin om met hem te vrijen. En dat is het proberen waard, toch?'

Ik nam een grote slok. Ik had het gevoel dat er heel wat pina colada voor nodig zou zijn, wilde dit me als een goed idee in de oren klinken, zelfs al kwam Scarletts mix qua sterkte in de buurt van spiritus. 'En is ze ook bereid om het te doen?'

'Ik heb haar er nog niet echt tot in detail over verteld. Ik wilde niet dat ze er met haar Ierse vriendinnen over zou praten. Alles wat ik heb gezegd, is dat ik misschien een baan voor haar had als lid van mijn persoonlijke staf.' Ze schonk zichzelf ook in, klonk met me en bracht een toost uit. 'Op mijn body double.'

Ik proestte. 'Je staf? Wat heb je haar verteld?'

Scarlett leek beledigd. 'Er is Marina. En dan is er nog Georgie.'

Op de een of andere manier had ik niet het idee dat Georgie zijn rol zo zou omschrijven. Maar ik liet het gaan. 'Denk je echt dat je een body double nodig hebt?'

Ze zuchtte diep en hartgrondig. 'Ik heb in ieder geval íéts nodig. Ik voel me opgejaagd door die klotejakhalzen bij de poort. Overal waar ik naartoe ga, zitten ze me op de hielen. Als je het niet zelf hebt ervaren, heb je geen idee hoeveel stress dat veroorzaakt. Soms word ik misselijk bij de gedachte om door de poort naar buiten te gaan en krijg ik het gevoel dat ik moet overgeven. Ik realiseer me dat mensen vinden dat het onbeleefd is om erover te klagen, omdat ik van diezelfde publiciteit leef. Ik bedoel, ik weet ook wel dat ik de rekeningen kan betalen door het feit dat mijn gezicht in alle kranten staat. Maar dat betekent toch zeker niet dat ik geen recht op een privéleven heb? En Jimmy dan? Heeft hij niet het recht om op te groeien zonder de hele tijd door een of andere journalist te worden achtervolgd? Ik zeg het je, Steph, ik word er depressief van. En ik dacht dat Leanne de druk misschien wat van de ketel zou kunnen halen.'

Ik begreep wel wat ze bedoelde. En ik voelde ook wel met haar mee. Zelfs de mediageilste persoon moest soms de ophaalbrug optrekken. 'Zou Leanne het aankunnen? Heeft ze er wel het lef voor?'

Scarlett knikte. 'Ik denk van wel. Weet je wat het is, Steph? Ik moet me veel en goed laten zien, want ik heb een aanbod voor een televisieprogramma gekregen. Het is maar dagtelevisie, maar het is een kans op iets met wat meer inhoud. Het wordt een soort praatprogramma, een soort "waar zijn ze nu?" Elke week kijken we naar een paar sterren uit realitysoaps om te kijken hoe het hun is vergaan. Sommigen hebben daarna nog iets van zichzelf gemaakt, terwijl anderen slechter terechtgekomen zijn.'

'Een soort "triomf of tragedie",' mompelde ik.

Scarlett, die geen enkel gevoel voor ironie had, haakte daar meteen op in. 'Dat zou geen slechte naam zijn,' zei ze. 'Triomf of tragedie. Ik zal het aan de producer voorstellen.'

'En jij denkt dat Leanne 's avonds Scarlett kan zijn en jij overdag? Weet je zeker dat je erop kunt vertrouwen dat ze je niet laat vallen?'

Scarlett nipte aan haar drankje en dacht hierover na. 'Ze is altijd trouw geweest, onze Leanne. Ze is een jaar jonger dan ik. Ze keek altijd tegen me op. Ik denk niet dat ze me zal verraden, zelfs niet als er iets mee te verdienen zou zijn.'

'Waarmee valt er wat te verdienen?' Leanne kwam de keuken weer binnenlopen. Nu haar haren in een handdoek waren gehuld, was de gelijkenis echt beangstigend. Ze ging aan de ontbijtbar zitten en Scarlett schonk haar een drankje in.

'Gewoon een plannetje dat ik heb.'

Leanne sloeg een stevig gat in haar drankje en smakte met haar lippen. 'O, dat is heerlijk, Scarlett van me. Mooie kamer ook. Ik heb nog nooit een kamer met badkamer en toilet gehad, behalve dan in een bed and breakfast. Hier zou ik aan kunnen wennen.'

'Blij dat te horen. Ik zou eraan kunnen wennen om je hier bij me te hebben.'

'Dus wat is dat baantje waarover je het had? Je weet dat ik niet over de vaardigheden van een secretaresse of zo beschik. Ik heb altijd alleen maar in een nagelstudio gewerkt. En je hoeft me niet helemaal uit Dublin te laten overkomen om te zorgen dat je altijd goed gemanicuurd bent.'

Scarlett wierp me een korte blik toe. 'Weet je nog dat mensen ons vroeger door elkaar haalden toen we nog kinderen waren?'

Leanne giechelde. Het geluid was identiek aan Scarletts irritante gekakel. 'Ha ha, weet je nog dat mevrouw Evans dacht dat ik jou was en dat ze me naar het hoofd van de school sleurde om jouw uitbrander in ontvangst te nemen?'

Scarlett glimlachte zelfgenoegzaam naar me. 'Ik denk dat ons dat nog steeds zou lukken als je je haar zou verven. Wat denk jij?'

Leanne bestudeerde haar kritisch. 'Dan zou ik mijn wenkbrauwen wel iets anders moeten doen. Maar als het niet om naaste familie of geliefden gaat, denk ik dat het me wel zou lukken. Waarom? Ben je met een pornofilm bezig en wil je je litteken niet laten zien?'

'Rot op. Natuurlijk doe ik geen porno. Ik mag dan wel een slet zijn, maar ik heb ook mijn principes, Leanne Higgins.' Scarlett gaf me een por in mijn ribben. 'Vertel jij het maar.'

'Ik? Waarom ik?'

'Omdat jij daar goed in bent, in dingen uitleggen zodat het normaal klinkt.'

Zo kon je mijn werk misschien ook wel omschrijven. En dus legde ik Scarletts idee uit aan Leanne, waarbij ik bij elke stap het belang van geheimhouding over dit project benadrukte. Eerst leek ze sceptisch. Maar terwijl ik uit de doeken deed wat Scarlett wilde, begon ze met steeds meer interesse te luisteren. Toen ik klaar was, zat ze te grijnzen.

'En dat is alles wat ik moet doen? Drie of vier keer per week aan de boemel gaan en doen alsof ik jou ben? Je wil me inhuren om de stoute dingen voor je te doen? Dat is gestoord, helemaal gestoord,' zei Leanne hoofdschuddend en grinnikend.

'Dat is inderdaad alles. Je zou hier logeren. En je kunt hier natuurlijk niet weg als ik op pad ben. Ik kan niet op twee plaatsen tegelijk zijn. Maar het is niet zo dat je hier gevangen zou zitten. Je kunt wel gaan shoppen en zo, wanneer ik thuis ben met Jimmy.'

Leanne dronk haar glas leeg en wuifde ermee naar haar nicht. 'Geef mij er nog maar zo eentje. Als ik ga doen alsof ik jou ben, dan moet ik in training gaan. En hoe zit het met Joshu? Wat vindt hij hier allemaal van?'

'Hij weet het nog niet.'

Nu keek Leanne bezorgd. 'Maar hij gaat het toch wel te horen krijgen, hè? Want er zijn grenzen aan hoever ik bereid ben hierin mee te gaan. En met hem naar bed gaan gaat zonder meer te ver. Ik bedoel, wat jij doet moet jij weten, maar ík zou niet met een Paki het bed induiken.'

'Jezus, Leanne, dat soort dingen kun je dus niet gaan lopen rondbazuinen. Dat is waardoor ik om te beginnen in de problemen ben geraakt.'

Leanne haalde haar schouders op. 'Ik ben het toch niet aan het rondbazuinen? Alleen wij zijn erbij, hier in je keuken. Ik ben niet dom. Ik zou zoiets nooit zeggen op een plek waar anderen me kunnen horen. Maar het is evengoed waar. Ik ga geen seks met hem hebben.'

Scarlett zette geërgerd haar glas met een klap op de bar. 'Natuurlijk ga je niet met hem naar bed. Hij is mijn man. Ik hou van hem. Ik wil niet dat hij van zo iemand als jij iets oploopt.'

Ik dacht dat er oorlog zou uitbreken. Maar ik begreep duidelijk niets van de gedeelde geschiedenis die deze twee vrouwen hadden. In plaats van een meidengevecht te beginnen, barstten ze in lachen uit en stompten ze elkaar speels op de schouders. 'Wat ben je?' vroeg Scarlett.

'Gestoord,' antwoordde Leanne onmiddellijk, alsof het hun eigen persoonlijke komische nummer was in plaats van een letterlijk gejatte sketch uit een *Catherine Tate Show*. 'Wat ben je?'

'Gestoord.'

En dat was dan dat. Binnen ongeveer twintig minuten was het hele gebeuren geregeld. Een slimmere vrouw dan ik zou de hint hebben opgepikt en iets over Scarlett hebben geleerd die middag. Maar ik was traag van begrip en deed er dan ook veel langer over.

19

Maggie had me een nieuw project bezorgd als ghostwriter voor een tienertweeling die de Atlantische Oceaan was overgeroeid, dus ik zag Leanne en Scarlett niet veel in de paar maanden daarna. Nou ja, ik zag ze niet persoonlijk, maar het was moeilijk om een boulevardkrant op te pakken zonder je van 'Scarlett' bewust te zijn. Door alle trailers voor het nieuwe televisieprogramma en de plaatjes van paparazzi waarop ze in de kleine uurtjes uit clubs wankelde, vaak met Joshu, moest George wel continu met een brede glimlach op zijn gezicht rondlopen.

Toen ik eindelijk weer bovenkwam uit de Atlantische Oceaan, had ik een lunchafspraak met Scarlett in de buurt van het productiekantoor van haar nieuwe show, *Real Life TV*. We gingen in een hoekzitje zitten met een fles prosecco en ieder een kom pasta, waarna ze me een stapel foto's gaf. Er was een serie recente foto's van Jimmy, die er elke maand schattiger ging uitzien. Het verraste me hoezeer ik aan hem gehecht was geraakt. Ik had zijn knuffels en gegiechel gemist toen ik met het boek van een ander opgesloten zat. 'Hij begint zich aan de meubels op te trekken,' zei Scarlett liefdevol. 'Hij is overal voor in. Ik zeg het je, Steph, het is echt een bijkomend voordeel dat Leanne bij me inwoont. Ze is echt goed met hem. Nu Jimmy mobiel is, is het geweldig om er een extra paar handen bij te hebben.' Ze hakte haar spaghetti in stukken met de zijkant van haar vork en begon toen met haar lepel pasta naar binnen te scheppen, terwijl ik de foto's bestudeerde.

Naast de kiekjes van Jimmy waren er ook een aantal foto's van een eng veel op Scarlett lijkende Leanne. Ik kon het verschil alleen maar zien omdat ik ernaar op zoek was. 'Raakt hij er niet van in de war? Nu ze zoveel op jou lijkt? Want ik moet je zeggen, Scarlett, de gelijkenis is echt griezelig.'

Ze slikte een mondvol pasta door en schudde haar hoofd. 'Ik merk er niets van. Als we allebei in de kamer zijn, dan komt hij op mij af. Ik heb ergens gelezen dat kleine kinderen net zozeer op geur afkomen als op wat ze zien. En ik ruik natuurlijk anders dan Leanne.' Ze grijnsde. 'Dat zal wel de stinkende Ierse woonwagenbewoonster in haar zijn.' Ze stak haar handen verdedigend omhoog toen ze de uitdrukking op mijn gezicht zag. 'Ik zit je alleen maar te stangen,' zei ze. 'Je bent zó makkelijk op de kast te krijgen, Steph.'

'En jij bent ook zó vilein. Het is geweldig dat Jimmy het goed met Leanne kan vinden. En hoe zit het met Joshu?'

'Hij lijkt het allemaal wel oké te vinden. Het betekent dat hij kan uitgaan met een vrouw aan zijn arm wanneer hij niet echt aan het werk is. En omdat we nu niet meer de hele tijd ruziemaken, gaat het tussen ons ook iets beter. Dus dat betekent dat het in elk opzicht goed uitpakt. Ik hoef er alleen maar voor te zorgen dat niemand het doorkrijgt.'

'Hoe lang ben je van plan hiermee door te gaan?'

Scarlett keek fronsend naar haar eten en speelde ermee met haar lepel, alsof ze verwachtte dat het uit zichzelf naar haar mond zou komen. 'Het is natuurlijk niet voor altijd.'

'Natuurlijk niet. Maar heb je een bepaald tijdpad in gedachten? Is er een meesterplan?'

Ze keek me scherp aan. 'Zit je me nou in de zeik te nemen?'

'Nee, helemaal niet. Als ik íéts over je heb geleerd, is het dat het je telkens weer lukt om me op het verkeerde been te zetten. Je zou verwachten dat je geen idee hebt hoe je dit tot een goed einde moet brengen. Maar ik heb voldoende tijd met je doorgebracht om te weten dat je het balletje niet aan het rollen zou hebben gebracht zonder een behoorlijk goed idee te hebben over waar je het wil laten stoppen. Ik zou niet hebben moeten vragen óf er een meesterplan is, maar wát het meesterplan is.'

Scarlett at weer een mondvol pasta op. En toen nog eentje. 'Min of meer,' zei ze uiteindelijk.

'Wil je het met me delen? Of wordt het weer een van je verdomde verrassingen?'

'Ik wil eerst mijn televisieprogramma goed op de rails hebben. Het wordt tijd om de mensen de waarheid te laten zien. Dat ik meer in mijn mars heb dan ze denken. En wanneer dat hun duidelijk wordt, laat ik Leanne geleidelijk aan minder uitgaan.' Ze wierp me haar vertrouwde piratengrijns toe. 'En dan kun je een heleboel artikelen gaan schrijven over hoe ik een nieuwe vrouw ben, een veranderd mens. Hoe het moederschap me heeft getransformeerd. Ik zal zó saai worden dat de geschreven pers misschien wel besluit om me met rust te laten.'

'En wat gaat er dan met Leanne gebeuren?'

'Ik heb een leuk huis in Spanje voor haar gekocht, ergens in de bergen. Er is daar een grote expatgemeenschap. Op het perceel staat ook een zwembadhuis, waar ze een nagelstudio kan beginnen. Haar eigen kleine zaak. Ze zal natuurlijk wel gewoon weer een brunette moeten worden en het haar misschien wel kort moeten laten knippen.' Ze haalde haar schouders op.

Scarletts plannetjes werden gekenmerkt door een meedogenloosheid die ik bijna bewonderde. Maar niet helemaal. Ik duwde mijn bord van me af. 'En denk je dat ze daar genoegen mee zal nemen?'

'Waarom niet? Knippen en een kleuring? Dat is geen hoge prijs wanneer je er op haar leeftijd al zo warmpjes bij kunt zitten.'

'Ik had het over het opgeven van het feestgebeuren. Van wat ik van Leanne heb gezien, is het haar lust en haar leven. Ze heeft haar roeping gevonden, Scarlett. De straat op gaan in iemand anders naam is haar roeping. Waarom zou ze al die lol vrolijk opgeven voor wat expats ergens in de bergen van Spanje?'

Scarletts gezicht kreeg de bokkige uitdrukking van een tiener. 'Omdat we dat hebben afgesproken. Ze wist dat het alleen maar tijdelijk was toen ze de baan aannam. En dat vindt ze geen probleem.'

'Ik geloof je op je woord,' zei ik zonder het te menen.

Ik bleek inderdaad gelijk te krijgen dat Leanne problemen zou veroorzaken. Alleen waren het niet de problemen die ik had verwacht.

Drie weken later ging ik bij de haciënda langs zonder vooraf te bellen. Ik was in Suffolk geweest, waar ik werd geïnterviewd door een comédienne die op zoek was naar iemand om haar memoires te schrijven over vijftig jaar in het lachbedrijf (haar term, niet de mijne...) en we waren eerder klaar dan ik had verwacht. Vooral omdat ik binnen vijf minuten na onze eerste ontmoeting al een hekel aan de vrouw had, en omdat ik geen zin had om mijn best te doen voor de baan. Scarletts memoires deden het in paperback nog steeds goed op de bestsellerlijsten en het roeiboek zou binnenkort uitkomen, dus aan inkomsten geen gebrek. Bovendien had Maggie me getipt over een retailondernemer die een boek over leiderschap wilde schrijven, en dat klonk een stuk interessanter.

Dus ik was vroeger dan verwacht ontsnapt uit de beklemmende bric-à-brac-hemel die door de comédienne werd bewoond. In plaats van meteen naar huis te rijden, besloot ik Jimmy en zijn harem een bezoek te brengen. Maar ik trof het niet. Marina had hem voor de middag naar een peuterklasje meegenomen en Scarlett moest voor de laatste keer haar kleding voor *Real Life TV* passen. Joshu was ergens naartoe. Leanne had geen idee waar naartoe, ze wist alleen maar dat hij er niet was. Ze was alleen thuis en ik werd verrast door de uitbundigheid van haar begroeting. Begrijp me niet verkeerd, we konden altijd goed met elkaar opschieten, maar vandaag leek ze zowel opgelucht als blij dat ze me voor zich alleen had.

Leanne ging koffiezetten en graaide in de kast naar koekjes. 'Ik ben blij dat je bent langsgekomen,' zei ze. Ze kwam op de proppen met een doos organische volkorenkoekjes in de vorm van peperkoekmannetjes. 'Wil je er eentje? Jimmy is er dol op.' Ze keek bedenkelijk.

'Nee, dank je,' zei ik. 'Hoe is het ermee?'

'Nou, daar gaat het nu juist om,' zei ze, en ze ging zitten als een vrouw die veel te onthullen had en die al generaties van onthullingen achter zich had. 'Zo op het oog is alles kits. Ik kom met mijn gezicht in de krant, Scarlett komt aan haar schoonheidsslaapje toe en niemand vermoedt iets.'

'Maar...? Ik hoor daar ergens een "maar" in.'

Leanne friemelde aan het oor van haar mok. 'Kunnen we naar buiten gaan? Ik hunker naar een sigaret en Scarlett wil niet dat we binnen roken. Voor Jimmy, weet je?'

Ik volgde haar naar de tuin. Vaal zonlicht deed ons er allebei bleekjes uitzien en het licht gaf geen warmte. Maar het was beter dan binnen opgesloten zitten met de sigarettenrook van Leanne. We ging op een stel gekromde houten banken zitten, die uitkeken op een vijver waarin verveelde goudvissen tussen de waterlelies rondscharrelden. Ik vroeg me af of er niet een hek omheen moest nu Jimmy mobiel was.

'Niet dat Joshu dat een donder kan schelen,' vervolgde Leanne. 'Hij rookt wát hij wil wáár hij maar wil. En Scarlett spreekt hem er niet op aan. Ze verwent Joshu meer dan ze Jimmy verwent.'

'Misschien doet ze dat omdat Jimmy nog jong genoeg is om te leren.'

Leanne tuurde naar me door de rook. 'Je hebt het niet zo op Joshu, hè?'

Ik haalde mijn schouders op. 'Ik zou hem niet als levenspartner hebben uitgekozen. Maar Scarlett ziet blijkbaar iets in hem wat ik niet zie.'

Leanne nam lusteloze trekjes van haar sigaret. 'Dat is ook een beetje míjn probleem,' zei ze.

'Heeft hij geprobeerd je te versieren?' Dat was helemaal geen gekke vraag.

'Nee. Hij zou niet durven. Dat heb ik hem van begin af aan heel duidelijk gemaakt. Toen Scarlett het idee opperde, zijn we bij elkaar gaan zitten en hebben we er lang en fel over gediscussieerd. We moeten natuurlijk wel dingen doen als handen vasthouden en elkaar af en toe kussen voor de camera's. Maar ik heb hem gezegd dat hij niet moest proberen om verder dan dat te gaan: geen tong en geen handen op plekken waar ze niet thuishoren, omdat ik anders zijn lul eraf zou snijden. En Scarlett zei dat ze zijn ballen als oorbellen zou gebruiken. Wanneer ze op haar strepen staat, kan ze behoorlijk beangstigend zijn.'

'En, is hij braaf geweest?'

'Met mij wel, ja.' Ze liet haar half opgerookte sigaret vallen en stampte hem uit. 'Het probleem is dat ik niet de enige vrouw ben die er rondloopt, als je begrijpt wat ik bedoel?'

Ik sloot kort mijn ogen. Ik begreep maar al te goed wat ze bedoelde. Maar ik wilde weten hoe erg het was. 'Vertel me wat je weet. En dan proberen we te bedenken wat we het beste kunnen doen,' zei ik.

Leannes gezicht ontspande van opluchting. Ze mocht er dan wel griezelig veel als haar nicht uitzien, maar ze had niet de bikkelharde inborst waardoor Scarlett zich vanuit de ellende in de glamour had gewerkt. Wat ze wilde, was de verantwoordelijkheid voor wat ze wist aan iemand doorgeven, en ik was de gelukkige. 'Wanneer we uit zijn, komen we altijd op de plekken voor vips, oké? Je ziet dus vaak dezelfde gezichten. Veel van hen zijn enorme sletten, die altijd op jacht zijn. Een of twee keer zag ik dat er vrouwen naar Joshu toe liepen, maar toen ze mij zagen, liepen ze weer weg. Ik dacht dat dat kwam doordat ze zagen dat ik bij hem hoorde en omdat ze zich realiseerden dat hij bezet was. Maar toen begon het me te dagen dat ze sowieso moesten weten dat hij bezet was, als je begrijpt wat ik bedoel?'

Ik knikte. Vrouwen zoals zij lezen de boulevardkranten en roddelbladen met net zoveel toewijding als een non haar misboek. Het is hun gids voor wie er in of uit is, wie single is en wie bezet, wie onherstelbaar naar de kloten is en wie nog een poging waard is. Ze zouden dus alles hebben gelezen over de bruiloft en de baby en het net doen alsof ze een gelukkig gezinnetje waren, daar in de haciënda. Ze zouden weten dat Joshu verboden terrein was.

Tenzij ze natuurlijk om de een of andere reden wisten dat het anders lag.

'Dat zal je wel aan het denken hebben gezet.'

'Dat kun je wel zeggen. Vanaf dat moment ben ik hem een stuk beter in de gaten gaan houden. Ik ben iets minder gaan drinken, weet je? Gewoon om wat alerter te blijven en zo. Ik probeerde op de achtergrond te blijven. En ik begon het idee te krijgen dat die sletten een beetje te klef met hem waren, als je begrijpt wat ik bedoel? Te veel geflirt. Te veel aanrakingen. Het is moeilijk uit te leggen. Lastig om er je vinger op te leggen. Maar het is zoals hoe je met iemand omgaat met wie je hebt gevreeën tegenover hoe je met iemand omgaat die je gewoon leuk vindt. Of iemand met wie je vrienden bent. Begrijp je wat ik bedoel?'

'Ik geloof van wel.' Ik heb het soms wel gezien op uitgeversfeestjes. Mensen staan iets te dicht bij elkaar. Ze zien kans om elkaar op onschuldig ogende manieren aan te raken. Alleen doen ze het veel vaker dan vrienden of collega's dat doen. Het is moeilijk iets aan te wijzen waarmee je hen zou kunnen confronteren, maar het is er wel als je erop let. Ik herinner me zelfs dat ik er tijdens het bekijken van een serie van *Masterchef* van overtuigd was dat twee kandidaten iets met elkaar hadden, puur op basis van de manier waarop ze elkaar in het voorbijgaan aanraakten. Misschien verzin ik het wel allemaal, maar ik denk het niet. Ik ben goed in het lezen van mensen. Dat is voor een deel de reden dat ik succesvol ben in mijn werk. 'Ik denk niet dat je je dingen in je hoofd haalt.'

Leanne trok een smalend gezicht. 'Dat weet ik wel zeker. Eerst dacht ik van wel. Maar nu weet ik dat het niet zo is. Een paar avonden geleden had ik wat last van mijn maag. Ik zat ongeveer tien minuten op het toilet. In de bewuste club kom je dus via een gang bij de belangrijkste vipruimte, met daarvoor aan de zijkant nog een soort lobby. En toen was er een griet bij hem die er nog niet was toen ik er wegging. Hoe dan ook, ze zag me niet terugkomen en Joshu ook niet. En ze gingen toch tegen elkaar tekeer, daar in die zijlobby naast de grote vipruimte. Ze zei tegen hem dat hij haar niet gewoon kon oppikken om haar vervolgens weer weg te gooien alsof ze een pakje peuken was. Dat ze er genoeg van had om te horen over andere vrouwen met wie hij het bed was ingedoken, dat ze er genoeg van had om zijn verhaaltjes aan te horen over dat hij zijn vrouw zou verlaten, er genoeg van had dat hij "meneer onbetrouwbaar" was.' Ze hield, zichtbaar van streek door de herinnering, op met praten en stak een tweede sigaret op.

'Wat heb je gedaan?'

'Ik wilde die bitch de haren uitrukken, voor onze Scarlett. Maar ik wist dat dat op een grote scène zou uitlopen en dat het in alle bladen terecht zou komen. En dat verdient onze Scarlett niet. Al er iemand is die het verdient om te worden vernederd, dan is het die kleine klootzak van een Joshu, en niet zij. En daarom sloop ik terug naar de gang en de wc, waarna ik met veel lawaai weer terug kwam lopen. Ik deed net alsof ik iets schreeuwde naar iemand die nog in het toilet was. En toen ik de lobby in liep, waren ze verdwenen. Zij was in de vipruimte, maar ik denk dat Joshu naar het algemene gedeelte van de club was gegaan, want ongeveer twintig minuten later dook hij op achter de draaitafels. Daar deed hij een gastoptreden, waarbij hij kraste en krabbelde en zich weer net zo uitsloofde als de enorme idioot die hij is.'

Leanne zette met een zucht haar ellebogen op haar knieën en staarde mistroostig uit over de vijver. 'Ik kan het niet uitstaan dat hij haar in de maling neemt.'

'Je zult het haar moeten vertellen.'

Ze keek me aan alsof ik gek was en schudde vervolgens driftig haar hoofd. 'Dus niet. Ze zou me niet geloven. Ze zou denken dat ik zelf achter hem aan zat of zoiets stoms.'

'Je moet het haar vertellen, want als er ergens een griet rondloopt die problemen schopt, dan zal het ook in de media terechtkomen. En dan zal het haar compleet verrassen. Alles zal opgeblazen en overdreven worden, en ze zal totaal vernederd worden. Dat zou nog veel erger zijn. Om niet te spreken van het feit dat ze zal beseffen dat jij ervan moet hebben geweten. Ze zal zich daardoor dubbel zo dom en vernederd en bedrogen voelen, door Joshu én door jou. En jij zal er het slechtste van afkomen, want hij is dan misschien wel een kloothommel, maar ze houdt wel van hem.'

'Kut,' mompelde Leanne binnensmonds.

'Ik zie geen ander alternatief. En je kunt het ook maar beter zo snel mogelijk doen. Want die bitch loopt daar los rond en ze zal niet vanzelf weggaan.'

20

Ik heb er echt geprobeerd onderuit te komen om Leannes hand vast te houden terwijl ze Scarlett de smakeloze waarheid over haar echtgenoot vertelde. Maar geleidelijk aan besefte ik dat Leanne het niet zou durven als ik er niet voor haar zou zijn om haar moreel te steunen. Het nieuws dat ze te vertellen had, was van het soort dat niemand wil horen. Toen Marina terugkwam van de peuterspeelgroep, haalde ik wat extra geld voor haar uit mijn portemonnee, zodat ze Jimmy voor de rest van de avond mee kon nemen naar zijn babykamer.

Het was bijna zeven uur toen de auto van de studio Scarlett thuis-bracht. Ze was in een uitgelaten stemming na een middag waarop ze in een hele reeks sexy jurken was vastgepind en vastgenaaid. Mijn aanwezig-heid was een extraatje, zei ze, waarna ze rechtstreeks naar de koelkast liep om een fles prosecco te openen. Ze schonk drie glazen in en gaf me, on-danks mijn tegenwerpingen, na een kus op mijn voorhoofd toch een glas. 'Relax, zuster,' zei ze. 'Je kunt altijd blijven slapen als je wat wil drinken met mij en Leanne. Toch, Lee?'

Het had geen zin om het nog langer uit te stellen. Dit was geen ge-sprek dat er, zoals wijn die lang heeft gelegen, beter op zou worden. 'Je wilt misschien wel geen van ons beiden nog bij je in huis hebben, wan-neer je hoort wat we te vertellen hebben,' zei ik.

Scarlett bleef als aan de grond genageld staan en fronste haar voor-hoofd. 'Dat belooft weinig goeds.' Ze keek eerst mij aan, toen Leanne en toen mij weer. Er verscheen paniek in haar ogen. 'Er is toch niets met Jimmy, hè? Ik bedoel, ik neem aan dat hij lekker ligt te slapen, toch?'

'Nee, met Jimmy is alles prima. Marina is boven met hem in de baby-kamer. We wilden niet dat hij je van streek zou zien.'

'Dan blijft alleen Joshu over.' Ze ging zwaar zitten en haar mond ver-trok tot een harde streep. 'Kom op dan maar. Heeft hij die stomme klo-tewagen tegen een boom gereden?'

'Nee, zoiets is het niet.' Ik keek Leanne aan. 'Alhoewel je dat misschien wel zou willen tegen de tijd dat we klaar zijn.'

'Nou, gooi het er dan eindelijk maar eens uit. Jezus, Steph, het is niets voor jou om er zo omheen te draaien.'

'Oké.' Ik haalde diep adem. Alsof dat ooit iets makkelijker maakte. 'Het lijkt erop dat Joshu wat rondneukt.'

Scarlett vertrok geen spier. Ze zat onbeweeglijk recht voor zich uit te staren en knipperde naar mijn gevoel onmogelijk lang zelfs niet eens met haar ogen. Ik kon me haar pijn alleen maar voorstellen. Ze was categorisch in de steek gelaten door iedere volwassene die haar zorg en liefde was verschuldigd. En toch kon ze het nog altijd opbrengen te houden van mensen. Ik vond het onmogelijk daar geen bewondering voor te hebben.

Uiteindelijk wendde ze haar gezicht af en veegde met haar wijsvinger subtiel de lippenstift van haar mond. Het was een eigenaardig gebaar, alsof ze zelfs zijn smaak wilde verwijderen. 'Vertel me wat je weet,' zei ze met een bijtend accent, dat in en in Yorkshire was.

En dus vertelde Leanne aan Scarlett wat ik van haar had gehoord. Ze werkte zich nerveus en met onderbrekingen door haar verhaal heen. Scarlett onderging het met een stalen gezicht, terwijl ze regelmatige teugen van haar glas nam. Aan het einde van het verhaal vertrok Scarletts gezicht heel even, een kort moment waarop ze de controle verloor. Maar toen was ze er weer helemaal. 'Weet je wie ze is, die slet?'

'Ik geloof dat ik iemand haar Tiffany heb horen noemen. Maar ik zou het niet durven zweren.'

'Ha!' Scarletts uitroep was bijtend. 'Niet Tiffany... Toffany. Stomme, vervloekte, verzonnen naam. Toffany Banks. Ze wilde hem altijd al hebben. Nou, ze mag hem hebben. Kom op meiden, we hebben werk te doen.'

Die avond bevestigde Scarlett wat ik al een tijdje vermoedde: ze was geen vrouw met wie je problemen moest krijgen. Eerst belde ze doodkalm Joshu op. 'Hé, schatje,' zei ze. 'Moet je vanavond werken?'

Toen ze uitgebeld was, zei ze: 'Hij draait vanavond bij Stagga. Daarna gaat hij naar een feest in Fulham. Dus we hebben de hele avond.'

Vervolgens belde ze een plaatselijk vrachtwagenverhuurbedrijf, waar Joshu klant was. 'Hij gebruikt hun vrachtwagens voor festivals en privéoptredens,' legde ze uit. Ze sprak af dat ze een Transit bij de haciënda zouden afleveren, op Joshu's rekening. Daarna gingen we met een rol zwarte vuilniszakken naar boven naar de slaapkamer. Scarlett gooide Joshu's kleren uit de kasten en laden en wij vulden er de zakken mee. Toen de zakken vol waren, gooide ze er een fles eau de toilet of aftershave in leeg of een van de andere dure toiletartikelen die Joshu's helft van de badkamer bevolkten. 'Hij houdt er altijd van om lekker te ruiken,' zei ze met wrede voldoening, terwijl we de stinkende vuilniszakken naar de garage brachten.

Toen het busje was afgeleverd, laadden we alle apparatuur uit zijn studio in, zijn dozen met cd's en platen en de zakken met zijn kleren. We waren er pas na enen 's nachts mee klaar, maar we waren het hele huis door geweest en hadden elk spoor van die overspelige kleine klootzak verwijderd. 'Waar gaan we naartoe?' vroeg ik, terwijl ik het haar uit mijn ogen streek.

'Het is op zijn rekening,' zei Scarlett. 'Ik denk dat we ermee naar Stagga moeten rijden en de sleutels aan een van de jongens voor de deur moeten afgeven. Wat denk jij, Steph?'

'Lijkt me prima. Neem jij het busje maar, dan rij ik erachteraan in jouw auto om je weer naar huis te brengen.'

'Ik rij wel met je mee in het busje,' zei Leanne. 'Om je gezelschap te houden.'

We keken haar allebei vol ongeloof aan. 'Dat lijkt me niet,' zei Scarlett. 'We willen niet dat de portiers denken dat ze dubbelzien.'

Leanne sloeg zich tegen het voorhoofd en barstte in lachen uit. 'Shit, dat was ik vergeten. Wat ben ik?'

'Gestoord,' zei Scarlett giechelend. 'Oké, Steph, laten we maar gaan.'

Het liep gesmeerd. Scarlett parkeerde het busje op de dubbele gele streep voor de club en sprak met de gorilla's bij de deur. 'Joshu vroeg me zijn apparatuur hiernaartoe te brengen,' zei ze. 'Zou je hem de sleutels kunnen geven?' Ze wees naar haar joggingbroek en sporthemd. 'Ik ben er niet op gekleed. Ik wil mijn reputatie niet beschadigen.'

Scarlett zei weinig op de terugweg. 'Ik heb een briefje voor hem achtergelaten op het stuur,' zei ze. 'Ik heb geschreven dat hij naar Toffany kan oprotten als hij een bed voor de nacht wil, en dat hij niet terug hoeft te komen.'

'Je zult het met hem over een omgangsregeling met Jimmy moeten hebben,' zei ik.

'Daar heb je advocaten voor,' zei ze. 'Hij is op geen enkele manier een vader voor Jimmy geweest in de tijd dat we samen onder één dak waren. Hij mag zijn zoon zien, maar hij kan een fiftyfifty-regeling wel vergeten. Het wordt een stuk minder dan dat.'

We passeerden zwijgend een aantal verkeerslichten. 'Hij zal je ook financieel proberen te pakken.'

'Laat hem dat maar proberen. Mijn accountants hebben het grootste gedeelte van mijn vermogen op zo'n manier weggezet dat hij er niet aan kan komen. En bovendien hebben we huwelijkse voorwaarden laten opstellen. Hij houdt wat van hem is en ik zal niet bij hem aankloppen voor een bijdrage in ons onderhoud.' Ze schudde haar hoofd. 'Ik kan niet geloven dat hij me dat heeft aangedaan. Vervloekte Toffany Banks. Dat is echt een belediging, weet je dat? Ze heeft nog minder hersens dan een goudvis. Bij haar vergeleken lijk ik verdomme universiteitsquizmaster Jeremy Paxman wel.' Toen verkrampte haar gezicht en begon ze te huilen. Haar lichaam schokte, terwijl ze met lange uithalen jankte en huiverend jammerde. Het waren afschuwelijke geluiden in de beslotenheid van de auto.

Ik wist niet wat ik moest doen, dus ik reed maar gewoon door. Na een paar minuten begon Scarlett uitgeput te raken. Haar gezicht zat onder de tranen en het snot. Ze wreef met haar vuisten in haar ogen en snoof, waarna ze haar neus met de rug van haar hand afveegde. 'Dat is alles,' zei ze. 'Dat is alles wat die klootzak van me krijgt.'

Het was een enorm overoptimistische aanname, maar ik vermoed dat ze zich er op dat moment iets beter door voelde. In de maanden daarna huilde Scarlett nog vaak genoeg om Joshu. Ze had ondanks alles van hem gehouden, en doordat ze op zo'n lage en vuile manier door hem bedrogen was, was de grond onder haar voeten weggemaaid. Maar die nacht was ze vastbesloten voet bij stuk te houden.

'Wil je een paar dagen bij ons blijven?' vroeg ze. 'Hij zal langskomen, hij zal het niet zomaar pikken. En dan heb je de media nog. Ik zou wel wat back-up kunnen gebruiken.'

Ik kon het haar niet weigeren. Als ik in Scarletts schoenen stond, zou ik ook een van mijn vriendinnen bij me willen hebben. Ik wist niet dat ik door haar te helpen ook precies in die positie terecht zou komen. In haar schoenen.

21

We hoefden niet lang te wachten. Joshu kwam een uur nadat we in de haciënda terug waren schreeuwend en vloekend opdagen. Hij moest wel schreeuwen, omdat Scarlett de toegangscode van de elektrische poort had veranderd en de intercom had uitgezet. We zaten in de keuken thee te drinken en waren te opgewonden om te gaan slapen, toen we het busje voor het huis hoorde stoppen. 'Nou gaan we het beleven,' zei Leanne.

Het geluid van de claxon van het busje blèrde door het ochtendgloren. 'Dat zullen de buren niet leuk vinden,' zei Scarlett. Ze haalde haar neus op. 'Jammer dan, als ze niet tegen een geintje kunnen.'

'Ik vind dat je met hem moet gaan praten,' zei ik. 'Al is het alleen maar om hem te vertellen dat je er klaar mee bent.'

Scarlett staarde met een niets ziende blik door het raam naar buiten naar de tuin. 'Het kan me eigenlijk geen reet schelen,' zei ze. Maar ze liet zich van haar keukenkruk glijden en liep naar de deur toe. Ze draaide zich om en riep ons met een ruk van haar hoofd bij zich. 'Kom op. Ik heb getuigen nodig. Zodat ik niet voor hem zwicht bij het zien van zijn knappe gezichtje.'

Leanne en ik keken elkaar aan. Ze leek er net zoveel trek in te hebben als ik. Je met een ruziënd stel bemoeien was nooit een goed idee. Ik had het gevoel dat dit op een film met Michael Douglas en Kathleen Turner zou gaan lijken, maar dan zonder gelach. En dus liepen we achter haar aan. Leanne deed haar haar automatisch in een paardenstaart en stak die door de opening achter op een baseballcap. Een minimale vermomming, maar hij was wel effectief gebleken.

Op het eerste gezicht had het tafereel wel iets lachwekkends. Degene aan wie Joshu had gevraagd om hem hiernaartoe te rijden had de neus van het busje pal tegen de poort geparkeerd, en Joshu was boven op de schuin oplopende motorkap geklauterd. Hij leunde op het hek, met zijn polsen tussen de metalen punten die de bovenrand sierden. 'Dat werd wel eens tijd ook, bitch,' schreeuwde hij, waarbij hij licht heen en weer slingerde. Hij klonk stoned. Waarschijnlijk omdat hij dat ook was. Zoals van hem te verwachten viel, had hij urenlang gedronken en had hij verscheidene andere middelen tot zich genomen. Het enige positieve aspect van het hele spektakel was dat het midden in de nacht was en dat de jakhalzen met de zoomlenzen allemaal in hun hol lagen te slapen.

'Denk je dat dít de manier is om dit op te lossen?' schreeuwde ze terug naar hem. 'Hier dronken en high naartoe komen om me uit te schelden?'

'Wat is er nou verdomme eigenlijk allemaal aan de hand?' vroeg hij dwingend. Hij was een en al beledigde onschuld.

'Het heeft ermee te maken dat je je lul op plekken parkeert waar hij niet thuishoort. Ik heb er genoeg van. Ik dacht dat je door het feit dat je vader was geworden je leven wel zou beteren, maar dat is niet wat ik heb gehoord. Vuile klootzak, met die koe van een Toffany neuken en dan weer bij mij terugkomen? Nu moet ik me op elke seksueel overdraagbare ziekte laten testen die er bestaat. Je bent echt een ongelooflijke lul.'

Joshu probeerde ook iets te zeggen, maar dat ging niet gebeuren. Scarlett was op dreef en ze gaf hem geen kans om haar van gedachten te doen veranderen. 'Ik heb je spullen ingepakt en nu kun je wel oprotten. Ik wil je niet meer in huis hebben... Ik wil scheiden. Ik wil nooit meer iets met je te maken hebben, hoerenloper.'

'Dat kun je niet maken,' brulde hij uiteindelijk toen ze even zweeg om adem te halen.

'Het is al gebeurd, idioot.'

Ze keken elkaar boos aan. 'Het is gelogen, wat Toffany heeft gezegd,' deed hij een poging.

'Je bent zo'n zielig figuur,' antwoordde ze. 'Denk je nu echt dat ik voor het oudste verhaaltje uit het boek zou vallen? Denk je dat ik achterlijk ben?'

'Je kunt me niet het huis uit zetten. Hoe moet het dan met die jongen? Ik ben zijn vader.'

'Zijn vader? Je kunt jezelf er nauwelijks toe brengen om hem bij zijn naam te noemen, omdat jij die niet hebt uitgekozen. Denk je dat ik niet heb gemerkt dat je hem altijd "mijn jongen" of "het joch" of "junior" noemt? Hij heet Jimmy, lapzwans. En hij zal niet eens merken dat je weg bent. Hij mist Steph wanneer ze een paar dagen niet geweest is. Of Leanne. Maar jou mist hij nooit.'

'O, ja, hij mist Steph.' Hij krulde zijn bovenlip tot een spottend lachje en aapte haar stem na. 'Je vervloekte, lesbische vriendinnetje Steph.'

Mijn mond viel open. Echt. Letterlijk. Verbijsterder had ik niet kunnen zijn.

Scarlett brulde van het lachen. 'Je bent zo'n zielig mannetje en je bent zo voorspelbaar. Jullie zijn allemaal hetzelfde. Dat we niet op een stoere kerel zoals jij vallen, kan alleen maar betekenen dat we een stel grote lesbo's zijn. Dat is wat je jezelf moet wijsmaken, omdat je de waarheid niet aankunt. Nou, hier komt de waarheid, kleine grote man. Ik val niet op je omdat je altijd dronken bent of onder de drugs zit, of omdat je naar zweet en sigaretten stinkt. Het komt omdat je walgelijk bent dat ik niet op je val, niet omdat je een man bent. Het is eigenlijk juist omdat je niet mans genoeg bent.'

Zijn ogen werden groot en hij kreeg een gepijnigde blik. Ze was door zijn benevelde toestand gebroken en had hem recht in zijn gevoel van eigenwaarde getroffen. 'Maar ik hou van je,' zei hij, en zijn stem sloeg over als die van een tiener.

'En ik hou niet van jou,' zei Scarlett met een lage, kwade stem. 'Je hebt het verpest, Joshua. Je hebt het verknald.'

'Dit kun je niet maken, Scarlett.' Hij had nu tranen in zijn ogen. Ik kreeg bijna medelijden met hem, maar toen herinnerde ik me wat een grote hekel ik aan hem had.

'Ik moet wel. Bij jou blijven is één groot recept voor ellende. En dat wil ik Jimmy niet aandoen. Hij is beter af zonder vader dan dat hij met een nietsnut als jij zit opgescheept.'

Hij greep de bovenkant van de poort vast. 'Vuile hoer. Denk je dat je me de wet kunt voorschrijven? Dan zit je er lelijk naast.' Het was opvallend dat Joshu in deze stresssituatie zijn gemaakte straattaaltje had laten vallen en dat hij precies zo klonk als wie hij was: een goed opgeleide jongen uit de middenklasse.

'Mij maak je niet bang, Joshu. Ik ben niet dezelfde vrouw als toen ik verliefd op je werd.'

Nu was het zijn beurt om smalend te lachen. 'Moet je jezelf horen. Je hebt geen idee. Je moet maar eens goed bedenken wie je geheimen kent. Hoe denk je dat je geliefde fans het zullen vinden wanneer ze ontdekken dat je hun het afgelopen jaar een rad voor de ogen hebt gedraaid? Jij en je leeghoofdige nicht. Je zult het nog geen vijf minuten overleven als ik mijn verhaal vertel.'

Ik kon Scarlett van waar ik stond zien verstijven. Even dacht ik dat hij haar overtroefd had. Maar ik had haar wederom fout ingeschat. Ze liep een paar stappen dichter naar de poort toe en hief haar kin iets op, zodat ze Joshu kon aankijken. 'Zou je denken? Het publiek houdt van mij, niet van jou. Ze zullen volkomen begrijpen dat ik een manier moest vinden om met je schandalige gedrag om te gaan. Jij zult degene zijn die geslacht gaat worden als een vies varken. En vergeet niet: jouw handen zijn net zo vies als de mijne. Jij bent degene die overal in de stad met Leanne aan je arm hebt gelopen alsof ze je vrouw was. Je moet dus van het hele gebeuren hebben geweten, en dan ben je net zo verdorven als ik. Of je bent te verdomde stom om door te hebben dat de vrouw met wie je uitgaat niet je vrouw is. Dus waag het niet me ergens mee te dreigen, waardeloze klootzak.'

Hij probeerde zich over het hek naar haar toe te slingeren. Maar het hellende oppervlak van de motorkap van de Transit was te veel voor hem en hij gleed vloekend uit het zicht. Er klonk gekletter en een klap, en vervolgens gegil en meer gevloek. 'Ik ben nog niet klaar met je, bitch,' riep hij vanaf de andere kant van de poort. De deur van het busje ging met een klap dicht, waarna het met loeiende motor en gierende banden keerde en wegreed. Binnen enkele seconden bestond de enige soundtrack weer uit de gebruikelijke vroege ochtendgeluiden van vogelgezang en het verre gezoem van verkeer.

Scarlett trapte woest tegen de poort. 'Klootzak,' spuugde ze uit. Ze draaide zich om en keek ons met een scheve glimlach aan. 'Eerste bloed voor het domme blondje, denk ik.'

Het eerste bloed, maar niet het laatste.

22

Het eerste wat brigadier Nick Nicolaides deed toen hij in zijn auto stapte, was een lijstje maken. Hij hield van lijstjes. Ze deden hem haast geloven dat de wereld naar je hand te zetten was.

- Met Charlie praten
- Pete Matthews opsporen
- Controleren of Megan de Stalker nog steeds achter slot en grendel zit
- Nog een keer controleren of Scarletts moeder en zuster daar zijn waar ze horen te zijn
- Is Leanne nog in Spanje? Steph naar haar relatie met Jimmy vragen
- Joshu's familie natrekken

Het eerste punt op de lijst was het enige wat hij niet vanuit het kantoor wilde doen. Dr. Charlie Flint was psychiater en voormalig opsteller van daderprofielen, en ze was pas onlangs weer in haar functie hersteld, na een controversiële schorsing. Het hele proces had wat de politie betreft een paria van Charlie gemaakt. En dat was de reden dat hij het telefoontje niet wilde plegen waar Broadbent zou kunnen meeluisteren. Maar Nick en Charlie kenden elkaar al heel lang. Toen hij nog psychologie studeerde aan de universiteit en daarnaast een lucratief drugshandeltje runde, had Charlie ingegrepen door hem een strikt ultimatum te stellen: ermee stoppen, of ze zou hem bij de politie aangeven. Haar tussenkomst had Nick gered van zijn puberale arrogantie en hij wist dat hij zijn leven, waarvan hij zo hield, aan haar te danken had. 'Het is niet dat ik je aardig vond,' had ze hem later verteld. 'Ik vond het alleen verschrikkelijk om een goed stel hersens naar de kloten te zien gaan.'

Ze had hem natuurlijk lopen plagen. Want ondanks, of misschien juist vanwege, zijn gecompliceerde verleden waren ze vrienden gewor-

den. Niet dat hij een tekort aan vrienden had. Er zaten weinig politiemensen bij, maar wel veel muzikanten, zowel professionele als amateurs.
Maar Charlie was tegenwoordig de enige persoon in zijn vriendenkring
die wist hoe weinig het had gescheeld of hij zou een totaal ander leven
hebben gehad. Wanneer je het moeilijk had, was het een voordeel om iemand aan je kant te hebben die je volledig vertrouwde. En dit was precies het soort zaak waarover Charlie bruikbare ideeën zou kunnen hebben.

Toen hij haar nummer belde en op verbinding wachtte, moest hij erkennen dat hij Charlie misschien niet zou hebben lastiggevallen als dit
een routinezaak was geweest. Maar het raakte hem extra, omdat het om
Stephanie ging, die in het kantoor van de FBI grote angsten uitstond
over de kleine Jimmy Higgins.

Ze hadden elkaar een paar jaar geleden voor het eerst ontmoet, en hij
had zich meteen tot haar aangetrokken gevoeld. Maar er had zich geen
gelegenheid aangediend om er werk van te maken. Bovendien had hij
zich altijd ongemakkelijk gevoeld bij het idee het zakelijke met het aangename te vermengen. Zijn werk was niet van het soort waarbij eerste
ontmoetingen over het algemeen aangename herinneringen opriepen.
Agenten waren er voor de nare dingen van het leven, en dat maakte een
voorspoedige start van een relatie niet erg waarschijnlijk. Het machts-
evenwicht klopte om te beginnen al helemaal niet. Hij wilde een relatie
die was gebaseerd op gelijkheid, en niet een waarin hij de held was en zij
de kwetsbare dame in nood.

En toen had ze hem ineens opgebeld. Toegegeven, het ging om iets
zakelijks, maar ze kon ook de telefoon hebben opgepakt om haar plaatselijke opsporingsdienst te bellen. Dat ze hem een sympathiek persoon
vond, was zonder meer een opsteker voor zijn ego. En toen een en ander
eenmaal was opgelost, was hij bij haar langsgegaan en had hij voorzichtig duidelijk gemaakt dat hij graag met haar uit wilde, als ze weer aan
een afspraakje toe was. Want hij kon niet om de gevoelens heen die ze
bij hem opriep. Ondanks zijn vaste voornemen om uit de buurt te blijven van vrouwen met een gecompliceerd verleden, kon hij geen weerstand bieden aan Stephanie.

Ze hadden het rustig aan gedaan in het begin. Ze waren gaan lunchen, hadden een film gepakt, waren drie keer uit eten geweest en hadden met Jimmy de Tower of London bezocht. Ze hadden 's avonds laat

telefoongesprekken gevoerd en elkaar berichten gestuurd op Facebook en Twitter. En het had een paar maanden geduurd voordat ze met elkaar gevreeën hadden, wat tegenwoordig ongewoon aandeed. Het had niet aan een gebrek aan seksuele verlangens gelegen, in ieder geval niet wat Nick betreft. Het was lastig om precies onder woorden te brengen wat het was, maar hij dacht dat het iets te maken had met het feit dat het serieus voelde. En het had ook iets met de jongen te maken. Je nam geen risico's wanneer er een kind in het spel was.

Charlie nam de telefoon na twee keer overgaan op. 'Hallo, Nick. Wat een aangename verrassing. Hoe staat het ermee?'

'Kan beter, Charlie. En jij? Bel ik gelegen?'

'Natuurlijk. Maria is met iets sensationeels bezig in de keuken, dus ik heb niets anders te doen dan dit glas wijn vasthouden. Wat zit je dwars?'

'Ik heb je toch verteld over Stephanie?'

'Ja, toen we samen hebben ontbeten in dat gezellige kleine eethuisje in Paddington. Is er iets gebeurd?'

Zelfs over de afstand tussen Manchester en Londen was de bezorgdheid in haar stem niet mis te verstaan. 'Ja, maar niet tussen mij en haar,' zei hij. 'Het is veel erger dan dat, Charlie. En ik heb je hulp nodig.'

'Alles wat ik kan. Dat weet je.'

'Het jongetje is ontvoerd. Jimmy, de zoon van Scarlett Higgins. Stephanie was met hem op vakantie naar Amerika en hij werd meegenomen toen ze daar moesten overstappen.'

Charlie zoog krachtig lucht naar binnen. 'Daar? Is hij daar ontvoerd?'

'Ja. De FBI praat nu met Stephanie. Ze horen haar uit over haar verleden. Ze hebben mij aangetrokken om naar aanwijzingen te helpen zoeken. Maar er is praktisch niets om mee te beginnen, Charlie.'

'En daarom wil je mij natuurlijk spreken,' zei ze spottend. 'En zo hoort het ook, Nick. Praat me eerst maar eens even bij en vertel me alles wat je over die ontvoering weet.'

En dat deed hij. Hij vroeg zich af, en niet voor de eerste keer, wat het aan Charlie was waardoor het feit dat hij haar in vertrouwen nam op zich al als een opluchting kwam. Nick concentreerde zich om zich alles te herinneren wat Vivian McKuras hem had verteld en het zonder er een eigen draai aan te geven aan Charlie door te geven. Toen hij klaar was, bromde ze: 'Interessant.'

'Ja, dat wist ik ook al,' mopperde Nick.

'Ik probeer alleen maar tijd te winnen, Nick. Alleen maar tijd te winnen.'

'Zal ik je terugbellen wanneer je tijd hebt gehad om erover na te denken?'

'Alvast een paar ideeën: op de allereerste plaats moet Jimmy de persoon met wie hij is weggelopen gekend hebben. De ontvoerder had geen tijd om Jimmy over te halen om met hem mee te gaan. Zelfs tegen autoriteitsfiguren zoals politieagenten doen kinderen van die leeftijd vaak terughoudend of weigerachtig. Het moet met aan zekerheid grenzende waarschijnlijkheid wel iemand zijn geweest die hij al kende.'

'Shit,' zei Nick. 'We moeten het dus echt aan deze kant van de Atlantische Oceaan zoeken. En bij mensen die Jimmy en Stephanie hebben gekend.'

Charlie sprak langzaam en woog haar woorden. 'Het is interessant dat Stephanie hem niet herkend heeft. Als het iemand was die ze goed kende, zou ze zijn bouw, zijn manier van lopen of zijn gebaren herkend kunnen hebben, ook al zou ze zijn gezicht niet hebben gezien. Dus misschien is het wel iemand die zij niet kent.'

'Maar ze zouden wel iets over Stephanie moeten weten. Ze zouden op de hoogte moeten zijn van het feit dat haar been altijd de metaaldetectoren laat afgaan. En van hun vakantieplannen.'

'Dat is waar. Maar degene die Jimmy heeft meegenomen, had waarschijnlijk niet zo lang geleden nog vriendschappelijk contact met hem. Die jongen zit toch al op school? Je zou kunnen kijken naar onderwijsassistenten, leraren, conciërges. Iedereen met wie Jimmy een vertrouwensband zou kunnen hebben opgebouwd.'

Nick maakte een aantekening om zich eraan te herinneren dat hij dat moest uitzoeken. 'Maar wanneer het een dergelijk iemand is, waarom dan wachten tot het kind in Amerika is? Waarom het niet hier doen, waar het waarschijnlijk makkelijker zou zijn? Het was een gewaagde ontvoering, Charlie. Er had veel fout kunnen gaan.'

'Ik weet het. Dat was mijn andere punt. Degene die dit heeft gedaan kan goed plannen en heeft veel lef. Maar om terug te komen op wat je zei... waarom Amerika? Dat is een goede vraag.' Ze zuchtte kort en hard. 'Ik weet het antwoord niet, maar misschien is het iets heel simpels. De ontvoerder zou alleen maar in opdracht kunnen werken van de persoon die Jimmy eigenlijk wil hebben. En misschien zit die persoon wel in Amerika.'

Zoals gewoonlijk leverde een gesprek met Charlie allerlei nieuwe mogelijkheden op. 'Dus ik zou moeten beginnen met iedereen die de laatste tijd een vriendschappelijke band met Jimmy zou kunnen hebben opgebouwd?'

'Dat, of iemand die een al lang bestaande relatie met het kind heeft. Familie?'

'Ik denk niet dat er daar verbanden zijn. Niet op basis van wat Stephanie heeft verteld. Allebei de ouders zijn dood. Zijn grootouders van vaders kant willen niets met hem te maken hebben. Alhoewel ik moet controleren of dat nog steeds het geval is, met die culturele gevoeligheden en zo, weet je?'

'Dat kan lastig zijn,' zei Charlie. 'En men is vaak niet erg vatbaar voor rede. En de familie van zijn moeder?'

'Scarlett was er zeer op gebrand om ervoor te zorgen dat ze niets met hem te maken zouden hebben. Oma is een dronkenlap en tante is een junkie. Volgens Stephanie namen ze een advocaat in de arm toen Scarlett overleed, omdat ze dachten dat Jimmy hun geld zou opleveren. Maar zodra ze ontdekten dat Scarlett haar hele vermogen aan een liefdadigheidsinstelling had nagelaten en dat Jimmy in financieel opzicht alleen maar een last was, waren ze nergens meer te bekennen. Ze beschikken niet over het financiële of intellectuele vermogen om zoiets als dit op poten te zetten, zelfs al zouden ze het kind willen hebben. Er is nog een andere tante, Leanne, maar zij woont in Spanje, en Stephanie heeft sinds Scarletts dood nooit meer iets van haar gezien of gehoord. Ze heeft geen pogingen ondernomen om met het kind in contact te blijven.'

'Dus je sluit de familie van de moeder uit. En de familie van de vader is ook niet waarschijnlijk. Hoe zit het met personeel?'

'Wat bedoel je met "personeel"? Stephanie heeft geen personeel. Ze is schrijfster, geen filmster.' Nick moest ondanks de situatie inwendig lachen.

'Ik weet dat het mal klinkt, maar ik weet geen ander woord voor wat ik bedoel. Schoonmaakster. Kinderoppas. Klusjesman. Mensen die bij haar thuiskomen of mensen bij wie Jimmy thuiskomt.'

Nick maakte weer een aantekening. 'Hij heeft geen oppas. Stephanie haalt hem op van school. Ze heeft haar werkuren aangepast aan zijn schema. Ze zegt dat hij zoveel onrust in zijn leven heeft gekend dat hij wel wat stabiliteit verdient. Wanneer ze tegenwoordig interviews afneemt voor een boek, dan is ze daarvoor alleen beschikbaar van tien tot twee.' De liefdevolle herinnering veroorzaakte een glimlach op zijn gezicht. 'Ze zegt dat ze zou willen dat ze het jaren geleden al had bedacht.'

'Oké. En een schoonmaakster?'

Nick trok een gezicht. 'Ik weet dat ze er eentje heeft, maar ik geloof dat ze komt wanneer Jimmy naar school is.'

'Oppas?'

'Emily. Ze is de dochter van Stephanies agente. Ik denk echt niet dat zij iemand is over wie we ons zorgen hoeven te maken.'

'Waarschijnlijk niet. Je zei dat het joch vijf is?'

'Klopt.'

'Was er iemand die zeer regelmatig voor hem zorgde toen Scarlett nog in leven was? Want dan heeft hij waarschijnlijk nog voldoende sterke herinneringen aan die persoon om hem te vertrouwen.'

Nick dacht terug aan het moment dat hij had kennisgemaakt met wat destijds als een chaotisch huishouden op hem overkwam. Hij was er geleidelijk aan achter gekomen dat het dat zeker niet was. 'De persoon die alles bijeenhield was Marina. Ze was huishoudster en kinderverzorgster en ze kookte. Zonder haar zou alles in het honderd zijn gelopen. Maar ze is helemaal uit beeld verdwenen.'

'Waarom zeg je dat?'

'Scarlett heeft al haar geld nagelaten aan een liefdadigheidsinstelling die een weeshuis in Roemenië financiert. Toen Scarlett wist dat ze stervende was, heeft ze volgens Stephanie Marina naar Roemenië teruggestuurd, waar ze vandaan kwam, om de vertegenwoordigster van de instelling bij het weeshuis te worden. In feite om de tent goed te runnen. Scarlett wilde iemand die wist hoe de zaken daar werkten, maar voor haar inkomen niet afhankelijk was van een vriendschappelijke band met de plaatselijke bestuurders.'

'En je weet zeker dat ze daar nog altijd is?' vroeg Charlie.

Nick maakte nog een aantekening. Zijn lijstje begon er akelig lang uit te zien. 'Ik kan het nalopen. Maar waarom zou ze bij zoiets betrokken willen raken?'

'Misschien mist ze Jimmy. Als ze de eerste vier jaar van zijn leven voor hem heeft gezorgd, zal het verschrikkelijk moeilijk zijn geweest om hem te verlaten. Misschien had ze geen hoge pet op van Scarletts vaardigheden op het gebied van de kinderverzorging. Je moet haar nalopen, Nick. Ze is iemand die Jimmy zonder meer zou vertrouwen. Als ze een manier heeft kunnen vinden om de banden aan te halen, zou ze hem kunnen hebben laten kennismaken met de man die hem heeft meegenomen. Het zou voor haar eenvoudig zijn geweest om hem ervoor klaar te stomen.'

'Het lijkt me wel wat vergezocht,' klaagde hij.

'Dit hele scenario is onwaarschijnlijk,' zei Charlie. 'Het is zo openbaar. Er zouden te veel dingen fout kunnen gaan. Het is zeer brutaal.'

'Dat is waarom ik in eerste instantie aan Pete Matthews dacht, voordat ik jou aan de lijn had,' zei Nick. 'Hij is een bullebak, hij is een stalker en hij is een controlfreak. Hij heeft zijn zaakjes op orde en hij is een aannemelijke verdachte.'

'Hoe goed kende hij Jimmy?'

'Dat weet ik niet. Ik denk dat het joch nog behoorlijk jong was toen Stephanie Pete dumpte. Maar die vent is een stalker, dus hij zou een manier kunnen hebben gevonden om hem beter te leren kennen.'

'Dat is waar. Ik zou hem niet uitsluiten. Maar verlies ook de andere mogelijkheden niet uit het oog.'

Nick zuchtte. 'Als je dit al allemaal zo vlotjes uit je mouw schudt, dan weet ik niet zeker of ik een weloverwogener antwoord wel aankan.'

Charlie grinnikte. 'Reken maar nergens op. Misschien komt er niet veel meer.'

'Voordat je neerlegt... Waar denk je dat deze ontvoering om draait? Is het iemand die Jimmy voor zichzelf wil hebben, of gaat het toch op losgeld uitdraaien?'

Het werd stil aan de andere kant. Hij wist dat ze aan het nadenken was en verdroeg wat als een lange pauze aanvoelde. 'Ik denk niet dat het om geld gaat. Want er is helemaal geen geld. Er is hier een intelligent iemand aan het werk, en als heel veel losgeld de reden van de ontvoering was, dan zijn er stukken veelbelovender doelwitten dan Jimmy. En dat is een positief gegeven.'

'Waarom zeg je dat? Als het ze om Jimmy zelf gaat, dan zou hij voorgoed verdwenen kunnen zijn.'

'Dat begrijp ik wel. Maar dan zullen ze hem zeer waarschijnlijk wel in leven houden. En dat is beter dan het alternatief, vind je ook niet?'

23

Niets was aangenaam of gemakkelijk in de omgang met Joshu. Elke ontmoeting met hem of zijn advocaten was slopend en ergerlijk. Ik weet niet hoe Scarlett het zou hebben overleefd zonder Leanne en mij. Wij waren de stootzakken, de klankborden en haar steun en toeverlaat. Marina handelde de praktische zaken af, maar voor al het overige rekende Scarlett op ons tweeën. We waren haar uitlaatklep. Op de dagen waarop ze weg was voor opnames voor het tv-programma, stak ze elk greintje energie in het volhouden van haar imago als de publieke Scarlett. Wanneer ze thuiskwam, wilde ze vaak alleen maar op de bank tegen een duttende Jimmy aan kruipen en met een fles prosecco naar slechte televisie kijken. Maar andere keren wilde ze tekeergaan, en dat vonden we ook best. Af en toe ging Leanne de stad in. 'Dappere Scarlett', was ze tegenwoordig, wat een duidelijke verbetering was ten opzichte van Scarlett Harlot.

'Hij heeft je een plezier gedaan, weet je,' zei ik op een avond. Ik had het gevoel dat ik mijn leven in de waagschaal legde. Ze was nog steeds niet over hem heen, nog lang niet. Maar vroeg of laat moest ik toch een begin maken met te zeggen wat ik echt geloofde.

'O, ja. Mijn hart breken. Dat is echt goed voor me geweest,' mompelde ze. 'Alsof ik echt iets nodig had wat me in de familietraditie van zuipen als een ketter zou meesleuren.'

Ik rechtte mijn schouders en keek haar in de ogen. 'Dat is je eigen keuze. En het is een behoorlijk slappe reactie, als je het mij vraagt. Ik geloof dat je beter bent dan dat. Sterker dan dat. Je bewijst het elke dag weer, wanneer je broodnuchter de set oploopt. Dat drinken dat je thuis doet is niets anders dan genotzucht.'

'Ik dacht dat je mijn vriendin moest voorstellen.' Haar pruillip werd nog groter.

'Wie zal je anders de waarheid zeggen? Joshu heeft je een plezier gedaan. Zo is er het niet onbeduidende gegeven dat hij je in de ogen van de media tot een slachtoffer heeft gemaakt, wat een stuk beter is dan dat ze je als een slecht mens afschilderen.' Ik wachtte tot ze zou erkennen dat ik een goed punt had.

Toen ik besefte dat ik daar tevergeefs op wachtte, ploeterde ik verder. 'Hij behandelde je als een stuk stront, Scarlett. Je verdient beter dan dat. Maar iets beters zou niet langskomen zolang Joshu bij je liep rond te paraderen. Je hebt het zelf talloze keren gezegd: hij was een slechte vader. Nou, de waarheid is dat hij een nog slechtere echtgenoot was. Je hebt het steeds weer tegen me over het grote plan. Over iets van jezelf maken. Laten we wel wezen, Scarlett, dat zou nooit gaan gebeuren met Joshu nog om je heen. Hij zit in een neerwaartse spiraal. Als je verder wilt komen, ben je beter af zonder hem.'

'Dat kun jij makkelijk zeggen.' Haar toon was kribbig, maar ze zette de fles terug in de koelkast zonder haar glas weer te vullen.

'Dat weet ik wel. Maar dat maakt het nog niet minder waar. Je bent beter af zonder hem.'

De vervelende bijkomstigheid van het hele gebeuren was dat hoe meer advies ik Scarlett gaf, hoe minder ik in staat leek om het op mijn eigen leven toe te passen.

Het maakte voor mij in praktisch opzicht weinig uit of ik in de hacienda bleef of thuis werkte. Afgezien van de interviews die deel van mijn werk uitmaken, zou ik overal kunnen werken. Als er maar een deur was die ik kon dichttrekken om de wereld buiten te sluiten. Nu de geluidsapparatuur van Joshu weg was, stond de veredelde schuur in de achtertuin die hij altijd gebruikte leeg. Dus wanneer ik 's morgens wakker werd in Scarletts logeerkamer, ging ik er met mijn laptop naartoe en deed mijn oordopjes in om mijn interviews uit te schrijven. Wanneer Scarlett opnames had, ging ik na de lunch terug naar mijn eigen huis en dan bleef ik daar een dag of twee. Het was allemaal vrij spontaan, en hoezeer het mij dan misschien ook mocht bevallen, ik besefte algauw dat Pete het maar niets vond.

Het begon ermee dat hij alles wat ik deed ging afkraken. De groenten die ik had gekocht hadden hun beste tijd gehad, de kwaliteit van het vlees was niet goed genoeg en de wijn was van een slecht jaar. Het huis was te warm of juist te koud. En toen ging het zich meer richten op mijn persoon. Ik moest blijkbaar naar de kapper of naar de pedicure, of ik had een compleet nieuwe garderobe nodig. In bed was ik te veeleisend, te passief of ik had te veel kritiek op zijn presteren. Het was erger dan op eieren lopen, het was alsof ik er van kop tot teen door omgeven werd. Ik voelde me de hele tijd dat ik met hem was angstig en ongerust. En het is natuurlijk ook moeilijk om de fout niet bij jezelf te zoeken wanneer iemand van wie je houdt constant iets op je aan te merken heeft.

Al ik erop terugkijk, zie ik in dat het allemaal om macht en controle draaide. Pete kon mijn vriendschap met Scarlett alleen maar betrekken op mijn relatie met hem. Elke avond die ik met haar doorbracht, ondermijnde in zijn ogen onze relatie. Waarom zou ik liever tijd willen doorbrengen met iemand die hij verachtte, terwijl ik alleen thuis kon zitten wachten tot hij misschien zou langskomen? Maar in die tijd deed ik alle mogelijke moeite om het van zijn kant te zien. Hij werkte hard, en wanneer hij vrij was, wilde hij die tijd met mij besteden. Dat was een verbetering ten opzichte van veel andere mannen met wie ik in de loop der jaren had geprobeerd een relatie op te bouwen. En hij was nog steeds in staat tot momenten van tederheid en humor, momenten die de onaangenaamheden overstegen en me ervan overtuigden dat het inderdaad allemaal mijn fout was.

Maar toen ik eenmaal een werkroutine had gevonden bij Scarlett thuis, begon Pete agressiever te worden. Als ik er niet was wanneer hij vrij was en hij tijd met me wilde doorbrengen, stuurde hij me geërgerde sms'jes. Ik zei hem dat hij welkom was in de haciënda, maar hij hoonde het voorstel weg. 'Waarom zou ik willen overnachten bij een heksensamenkomst?' was een van zijn antwoorden. 'Jullie heksen hebben je magie op Joshu botgevierd. Ik ga jullie geen kans geven om dat ook bij mij te doen.'

Daar kon ik allemaal wel mee leven. Ik had zelfs medelijden met hem. Er moest een reden zijn waarom iemand die zoveel van iemand kon houden dat het bijna verstikkend werd, ook zo wreed kon zijn. En de enige reden die ik kon bedenken, was emotioneel letsel. En dus vergaf ik het hem, telkens weer. In gedachten verweet ik mezelf dat ik zo weinig mededogen had.

Dat is wat mishandelde vrouwen en kinderen de hele tijd doen. Ze vinden een mechanisme om zichzelf de schuld te geven, deels omdat ze van nature aardig zijn en deels omdat de misbruiker hen ervan doordringt dat dat de gepaste reactie is. Ik gaf mezelf de schuld voor Petes woede.

Maar toen hij bij elke gelegenheid dat ik niet aan zijn onmogelijk hoge standaarden voldeed tegen me begon te schreeuwen, kwam ik tot bezinning. Ik ben een gelukkige vrouw, zie je. Ik ben opgegroeid in een huis waar de volwassenen elkaar respecteerden. En ze hebben mij ook zo opgevoed dat ik mezelf zou respecteren. Daarom wist ik dat Pete een grens overschreden had. Welk verleden hem dan ook parten speelde, hij ging nu echt te ver. Dat probeerde ik hem ook uit te leggen, maar hij wilde niet luisteren. Hij bleef alleen maar schreeuwen. Ik hoorde bij hem en ik moest maar leren hoe ik me moest gedragen. Ik moest ophouden met rondhangen bij die lesbische hoeren. Ik moest in het gareel blijven. Want anders... Het was eng. Ik dacht echt dat hij me zou slaan. Ik had me mijn hele volwassen leven nog nooit zo gevoeld.

Ik liep naar buiten. Ik liep mijn eigen huis uit, stapte in mijn auto en reed weg. Ik ging vanzelfsprekend naar de haciënda. Het was de makkelijkste weg. Ik had al tegen Scarlett en Leanne lopen klagen over het onredelijke gedrag van Pete. Als ik naar een van mijn andere vrienden was gegaan, had ik het hele verhaal moeten uitleggen, en daar had ik de energie niet voor. Eén nacht, dacht ik. Ik blijf er één nacht en ik ga morgenochtend weer terug. Ik wist dat Pete de volgende dag in de studio moest zijn. Zelfs als hij de hele nacht zou blijven, zou hij op zijn laatst tegen tienen weg moeten zijn.

Scarlett was niet verrast me te zien, deprimerend genoeg. 'Dat zag ik aankomen,' zei ze. 'Hij is een bullebak, die vent. En een knorrige klootzak ook nog. Ik weet nog die keer dat ik je thuisbracht en hij bij je op de stoep stond. Met zijn zure gezicht.'

'Ga je het uitmaken met hem?' vroeg Leanne, die water opzette. We deden pogingen om Scarlett en onszelf van de prosecco af te krijgen en ons weer op een dieet van het grote noordelijke wondermiddel, thee uit Yorkshire, te krijgen.

Ik kon tranen voelen opwellen. 'Ik wil het niet, maar ik hou dit niet vol.'

'Het is alsof hij je achter de tralies wil hebben, waar je moet wachten tot hij thuiskomt om je te bevrijden,' zei Scarlett.

'Gevangene van de liefde,' zei Leanne met een commentaarstem. 'Je zou je verhaal aan een tijdschrift kunnen verkopen.'

'Ik wíl helemaal geen verhaal hebben.' Schrijven als spook bevalt me. Onlichamelijk. Transparant. Anoniem.

'Niet zoals ik, dus,' zei Scarlett grinnikend. 'Laat hem de kolere krijgen, Steph. Je bent meer waard dan tien van die mannen. Net zoals je altijd tegen mij zegt. Je zult de ware niet vinden zolang de compleet foute man het licht blokkeert.'

Ik was niet bang om de volgende ochtend terug te gaan. Ik dacht dat Pete wel weer tot bezinning zou zijn gekomen en dat hij gekalmeerd zou zijn. Maar Scarlett maakte zich zorgen. 'Je bent beschermd opgegroeid, jij,' zei ze. 'Waar ik vandaan kom, kwamen schooiers als Pete met dertien in een dozijn voor. Ze denken dat je hun eigendom bent. Idioten als hij laten niet zo makkelijk los. Je moet erop voorbereid zijn dat het eerst erger wordt voordat het beter wordt.'

Ik schonk er niet veel aandacht aan. Ik dacht dat ik het wel het beste zou weten. Maar als het op mannen met slecht gedrag aankwam, had ik geen idee.

24

De eerste schok kwam toen bleek dat Pete er nog was. Zijn auto stond voor mijn huis geparkeerd en de gordijnen van de slaapkamer waren om halfelf nog steeds dicht. 'Dat ziet er niet goed uit,' zei Scarlett. 'Ik dacht dat je zei dat hij vanochtend naar zijn werk moest?'

'Dat zei hij tenminste.' Maar het leek erop dat hij van gedachten veranderd was. Of dat ik dat voor hem had gedaan.

'Wil je dat ik met je mee naar binnen ga?'

Om eerlijk te zijn was ik er niet zeker van of ik überhaupt wel naar binnen wilde. Petes woede had me in de war gebracht en had me bovendien bang gemaakt. Dat hij er nog was, gaf aan dat ik het fout had gehad met mijn veronderstelling dat hij wel over zijn woede-uitbarsting heen zou zijn. Ik wilde die woede niet nog een keer meemaken. Nooit meer. Ik was nog nooit van mijn leven ergens zo zeker van geweest. In mijn hoofd was ik al klaar met hem. Geen enkele hoeveelheid wroeging kon die momenten van losgeslagen woede en de belofte van geweld die erin schuilde ongedaan maken. 'Laten we nog even wachten,' zei ik.

'Oké.' Scarlett klapte de autostoel naar achteren en sloot haar ogen. Sinds Jimmy's geboorte had ze de benijdenswaardige gewoonte ontwikkeld om overal en op elk moment een dutje te kunnen doen. Ik was dan wel op van de zenuwen, maar Scarlett lag binnen enkele minuten te slapen. Ik luisterde naar de radio en haar zachte gesnurk en probeerde mijn eigen ademhaling aan haar langzame ritme aan te passen.

Het was bijna elf uur toen de voordeur openzwaaide en Pete naar buiten kwam. Zelfs van een afstand zag hij er woest en ongeschoren uit. Net zo schokkend als zijn verschijning was het feit dat hij de voordeur wijd open liet staan, waarna hij gehaast over het pad naar zijn auto liep en instapte. Hij scheurde met gierende banden weg, waardoor Scarlett uit haar dutje ontwaakte.

'Gebeurt er?' mompelde ze. 'Wat is er?'

'Klootzak,' zei ik, en ik was al halverwege uit de auto.

Ze haalde me in voor mijn deur. 'Heeft hij de deur opengelaten?'

'Blijkbaar hoopt hij op een langslopende inbreker,' zei ik verbitterd over mijn schouder, en ik liep naar binnen. Vervolgens bleef ik als aan de grond genageld staan. De gang zag eruit alsof er al een inbraak had plaatsgevonden. En dan nog een behoorlijke rancuneuze ook. Foto's waren van de muur getrokken en op de vloer gegooid. Gebroken glas en stukken lijst waren in het tapijt getrapt. Een paar afdrukken waren ook gescheurd, omdat er een voet doorheen was gegaan.

'O, shit,' zei Scarlett achter mijn rug. Ik was sprakeloos.

Ik wilde niet verder naar binnen, omdat ik bang was voor wat ik daar zou aantreffen. Een bedwelmende mengeling van geuren was voldoende aanwijzing voor wat er op me wachtte. Maar onzekerheid was erger dan angst. Ik liep de ruimte in die ooit mijn mooie open leefruimte op de begane grond was geweest en wankelde, omdat mijn knieën de kracht niet meer hadden om me overeind te houden. Scarlett greep me vast en voorkwam dat ik tussen de puinhoop in mijn keuken tegen de grond ging. Nu wist ik wat Pete de hele nacht had gedaan.

Het leek wel alsof hij elk kastje en elke lade had geopend en de inhoud ervan op de vloer had gesmeten. Gebroken serviesgoed, glazen potten en flessen lagen in willekeurige hoopjes, die door stapels en plassen bloem, rijst, jam, pasta, ketchup, olijven, olie, gesmolten ijs en alcohol met elkaar in verbinding stonden. In de woonruimte erachter lagen overal boeken en cd's op de vloer, waarover nog meer kapotte foto's en lijsten lagen verspreid. Ik dacht dat ik zou gaan overgeven.

'Ik vermoord hem, verdomme,' zei Scarlett. 'Ik zweer het je.'

Ze zette een omgegooide stoel rechtop en liet me erop zakken. 'Maar eerst ga ik de politie bellen.'

'Nee,' zei ik. 'Doe dat maar niet. Hij zal zich eruit weten te draaien.'

'Hoe zou hij dat kunnen? We zagen hem weglopen.'

'Ik zag hem weglopen. Jij lag nog te slapen.'

'En? Dat weet hij toch niet. Ik zal tegen de smerissen vertellen dat ik hem zag weglopen en dat hij de voordeur liet openstaan.'

'Hij zal alleen maar liegen over het tijdstip van zijn vertrek. Hij heeft vrienden die voor hem zullen liegen. Dat doen ze, mannen zoals hij. Ze zullen tegen ons samenspannen. En hij zal jou erbij betrekken. Hij zal zijn eigen versie doordrukken. Hysterische mannenhaatsters, dat is wat we zullen zijn.' Ik liet mijn hoofd in mijn handen vallen.

'Je kunt hem hier niet mee laten wegkomen,' protesteerde Scarlett. 'We moeten klootzakken zoals hij het hoofd bieden.'

'Laat iemand anders dat maar doen,' zei ik, bijna in tranen. 'Ik heb er de kracht niet voor, Scarlett. Hij zal winnen en dan zal ik me nog slechter voelen. Als dat al mogelijk is.'

Ze leek opstandig, maar ze bond in. 'Dan ga je met mij mee naar huis,' zei ze gedecideerd. 'Ik ga naar boven om een tas voor je in te pakken. Geen gemaar.'

Ik zat daar maar wat, compleet verdoofd. De puinhoop in mijn huis voelde als een donkere vlek in mijn binnenste, die zich als vieze olie over de vloer van een pakhuis verspreidde en alles op zijn pad besmeurde. Ik hield van dit huis en van wat ik ervan gemaakt had. En hij had het achteloos vernield, alleen maar omdat ik zijn kostbare mannelijke trots had gekrenkt. Hoe kon ik de opgekropte woede die in hem op de loer lag niet hebben opgemerkt? Hoe kon ik van iemand hebben gehouden die zo'n duisternis in zijn hart herbergde?

Uiteindelijk kwam Scarlett terug, en ze zag er geschokt uit. 'Ik heb wat kleren uitgezocht en je laptop en alle papieren op je bureau ingepakt. We gaan.'

Ik volgde haar in verdoofde toestand naar buiten naar de auto en deed zinloos de deur achter me op slot. Ik liet Scarlett rijden. Hoe getraumatiseerd ik ook was, ik wilde nog altijd overleven en ik wist dat het in mijn toestand niet veilig was om te rijden.

Toen we in de haciënda waren aangekomen, gaf ze me een dosis valium met thee en stopte me in bed. Ik sliep met tussenpozen wel een uur of twintig en toen ik weer bij bewustzijn kwam, voelde ik me bijna weer een mens.

Ik trof Leanne en Scarlett aan in de keuken, waar ze met op het aanrecht opengeslagen agenda's hun plannen voor de komende week zaten door te nemen. Scarlett sprong op en sloeg haar armen om me heen. 'Hoe gaat het met je, liefje?'

'Klote. Maar ik overleef het wel,' zei ik. Ik maakte me van haar los en liep naar het koffieapparaat. 'Ik denk dat ik een slotenmaker moet laten komen om er een ander slot op te zetten. Die klootzak had nog geen sleutels van mijn huis, maar hij zou mijn reservesleutels meegenomen kunnen hebben.'

'Dat is niet nodig,' zei Leanne opgewekt. 'Dat is allemaal al geregeld.'

'Hoe bedoel je?'

'Ik heb gisteren meteen toen we hier terug waren al een slotenmaker laten komen,' zei Scarlett. 'En een professionele schoonmaakploeg. Je hoeft de puinhoop die hij van je huis heeft gemaakt niet nog een keer te zien.'

Dat was het moment dat ik eindelijk huilde om wat die klootzak van een Pete had gedaan. Nu ik erop terugkijk, put ik wel wat troost uit het feit dat die reactie werd opgeroepen door vriendelijkheid in plaats van door kwaadaardigheid.

Pete had er alles aan gedaan om me te laten twijfelen aan het ware karakter van Scarletts vriendschap. Als ik al twijfels had gehad, dan waren ze die ochtend verdwenen. Ik wist dat Scarlett en ik het soort band hadden waardoor vrouwen vriendinnen voor het leven worden.

Ik zou alleen willen dat we er langer van hadden kunnen genieten.

25

Vivian hechtte niet echt veel belang aan gezelligheid in huis, maar ze begreep evengoed wel hoezeer Pete Matthews Stephanies leven had geschonden. Het klonk alsof die vent last had van ernstige wraakgevoelens. De enige vraag was of hij vier jaar lang een wrok kon koesteren. 'Ik begrijp wel waarom je misschien dacht dat het zinloos was om naar de politie te gaan. Maar je moet hem toch hebben willen laten boeten voor wat hij je had aangedaan?' zei ze.

Stephanie zuchtte. 'Om eerlijk te zijn wilde ik dat hij uit mijn leven zou verdwijnen. Ik wilde niets doen waardoor mijn connectie met hem nog langer zou voortduren. Het waren de anderen, zij wilden allemaal wraak nemen voor wat hij me had aangedaan. Scarlett, Leanne, Maggie en mijn andere vrienden. Mijn vriend Mike wilde met een stel andere vrienden naar het huis van Pete gaan om zijn huis te vernielen en hem een stevig pak slaag te geven. Maar dat heb ik weten tegen te houden.' Ze schudde haar hoofd. 'Ik zou er me niet beter door hebben gevoeld. Ik was vastbesloten me niet tot zijn niveau te verlagen. Snap je dat?'

Vivian was er niet zo zeker van of een willekeurige wetsdienaar het daarover met Stephanie eens zou zijn. 'Ik streef naar gerechtigheid in mijn werk,' zei ze. 'Ik vind niet dat mensen die slechte dingen doen er zomaar mee weg zouden moeten kunnen komen.'

'Maar zouden de slachtoffers niet iets te zeggen moeten hebben over de uitkomst? Ik wilde een streep zetten onder wat hij me had aangedaan. Ik wilde geen seconde meer dan noodzakelijk aan hem denken. Elk soort connectie met hem zou een slechte zaak voor me zijn geweest. Zo dacht ik er toen over. Maar naar later bleek, was dat waarschijnlijk een verkeerde beslissing. Maar het was op dat moment het besluit dat ik voor mijn eigen welzijn moest nemen.'

'Ik neem aan dat dat niet het laatste was wat je van Pete hebt gehoord?' Nu kon Vivian onderzoeken wat haar interesseerde: of Pete Matthews het soort man was dat zich door de jaren heen zou vastklampen aan het gevoel dat hem onrecht was gedaan.

Stephanie schudde bedroefd haar hoofd. 'Integendeel. Ik dacht dat hij zijn gevoelens eruit had gegooid en dat ik nooit meer iets van hem zou horen. Maar hij was blijkbaar van mening dat we nog onafgedane zaken hadden. Toen ik een aantal dagen bij Scarlett was, begon hij me sms'jes te sturen. Het was alsof er niets was gebeurd. Hij had het over zijn werk, wanneer hij die dag klaar zou zijn en in welk restaurant we uit eten zouden gaan.'

'Dat is wel heel vreemd.'

'Vind je?'

Vivian vroeg zich af of Stephanie wel zo evenwichtig was als ze overkwam. Dat ze de vervolgactie van Pete Matthews niet vreemd zou vinden, leek haar tegennatuurlijk. 'Jij niet dan?'

'Denk er nog eens goed over na: hij wist niet dat ik hem het huis had zien verlaten zonder de deur achter zich te sluiten. Hij wist niet eens of ik al thuis was geweest. Ik nam aan dat hij zat te vissen om te kijken of ik wist dat mijn huis vernield was en als dat zo was, of ik hem daarvoor verantwoordelijk hield. Ik bedoel, hij moest zich op zijn minst een beetje zorgen maken dat ik hem bij de politie zou aangeven.'

Vivian werd voor de tweede keer door haar verrast. Dit is echt een zeer intelligente vrouw, dacht Vivian. Ze is wel wat lang van stof, maar onderweg heeft ze toch heel wat bruikbare opmerkingen gemaakt. 'Dat is inderdaad wel logisch,' erkende ze. 'En hoe reageerde je op die sms'jes?'

'Ik negeerde ze. De meeste heb ik niet gelezen. Eerst verwijderde ik ze, maar Scarlett wees me erop dat ze als bewijs konden dienen dat hij me lastigviel, als ik toch naar de politie moest. En daarom heb ik ze wel bewaard op mijn telefoon, maar ik schonk er geen aandacht aan. Toen begon hij me ook te e-mailen. Gekrenkte, verbaasde e-mails, waarin hij deed alsof hij niet wist waarom ik hem negeerde, terwijl zijn enige misdaad eruit bestond dat hij van me hield.' Ze rolde met haar ogen en kreunde. 'Je hebt dat soort mailtjes vast wel eens gezien.'

Vivian knikte. Ze dacht niet dat het zou helpen om op te merken dat ze ze meestal had bekeken in de nasleep van een gewelddadig sterfgeval. 'Ik weet wat je bedoelt. En heb je de politie gebeld?'

'Ik dacht niet dat het zin had. Er was ogenschijnlijk niets bedreigends aan zijn sms'jes en e-mails. Afgezien van het enorme aantal, waarschijnlijk. Scarlett zei dat ik met de politie moest gaan praten, maar ik dacht dat ze me niet serieus zouden nemen. Omdat er zo op het oog geen gevaar dreigde.'

'Kwam daar verandering in?'

'Nadat hij mijn huis had vernield, bleef ik een dag of vier, vijf bij Scarlett. Om eerlijk te zijn, zag ik ertegen op om naar huis terug te gaan. De herinnering aan wat hij had gedaan was te levendig. Ik zag niet hoe een schoonmaakbedrijf er veel aan kon doen om dat beeld uit te wissen. Maar dat had ik mis. Scarlett had hen niet alleen het huis laten opruimen en schoonmaken. Terwijl ik dacht dat ze in de televisiestudio zat, was ze op een dag op commando-expeditie naar wat luxe warenhuizen geweest. Ze had natuurlijk niet kunnen reproduceren wat ik verloren had, maar het was haar heel goed gelukt om acceptabele vervangingen te vinden. Ken je die theorie van de kwantumfysici over parallelle werelden? Nou, toen ik uiteindelijk door mijn voordeur naar binnen ging, was het alsof ik een parallelle versie van mijn huis binnenliep. Het voelde hetzelfde, maar er waren heel veel subtiele verschillen. Het was heel raar. Pas toen ik naar boven ging, zag ik echt grote verschillen, omdat Scarlett natuurlijk nog nooit boven was geweest. Maar ze had het aardig aangevoeld. Ook al had ze voor iets heel anders gekozen dan hoe het was, ze had wel dingen uitgezocht die ik leuk vond. Ik werd er zo door ontroerd.'

Er viel niets af te dingen op wat Scarlett had gedaan. En Vivian kon zich voorstellen dat het Pete woest gemaakt zou hebben, als hij erachter was gekomen. 'Wist Pete wat ze had gedaan?'

'Ik weet niet of hij besefte dat het Scarletts werk was, maar het was wel duidelijk dat hij het huis in de gaten hield. In zijn e-mails stonden dingen als: "Je kunt proberen mijn sporen uit het huis te verwijderen, maar je kunt me niet uit je hart verbannen. Je weet dat je van me houdt, daar is geen ontkomen aan. Je kunt wel andere schilderijen aan de muur hangen, maar het zal nog steeds mijn gezicht zijn dat je ziet wanneer je 's avonds je ogen sluit." Ze sloot haar ogen even en Vivian zag de spanning in haar gezicht.

'Je kunt daar ook iets ongelooflijks romantisch in lezen,' zei Vivian. 'Maar aan de andere kant is het ook heel erg benauwend en bedreigend. Ik begrijp waarom je het gevoel had dat het lastig zou kunnen zijn om andere mensen ervan te overtuigen je serieus te nemen. Heb je al je moed bijeen kunnen rapen om weer in je huis te gaan wonen?'

Stephanie zat aan de rand van haar kartonnen beker te pulken. 'Ja. En een paar wekenlang ging dat ook prima. Ik kwam niet veel buiten, omdat ik interviews moest uitschrijven. Wanneer ik in die fase zit, ben ik zeer geconcentreerd bezig. Ik heb mijn koptelefoon op en ben me niet bewust van de buitenwereld. Ik laat mijn boodschappen thuisbezorgen, zodat ik de cocon van de stem van de klant niet hoef te verlaten. Ik ben er compleet in verdiept.' Haar gezicht ontspande en ze glimlachte. Vivian ving een glimp op van hoe Stephanie eruit moest zien wanneer haar leven niet door angst en bezorgdheid werd bedorven. 'Daardoor wordt het eenvoudiger om het eigene van hun stem accuraat weer te geven, voor wanneer ik aan het schrijven van het eigenlijke boek begin. In die periode had Pete uren achter elkaar op mijn tuinmuur kunnen zitten, en ik zou me er gelukzalig onbewust van zijn geweest, daarboven in mijn kleine kantoor onder de dakrand.'

'Denk je dat hij er ook echt heeft gezeten?'

De gespannen en bezorgde vrouw was weer terug. 'Waarschijnlijk wel,' zei ze zuchtend. 'Nou ja, misschien niet op de muur, maar hij zal zeker een paar keer per dag zijn langsgereden of op een plek hebben geparkeerd vanwaar hij mijn huis kon zien of door mijn straat heen en weer zijn gelopen. Want dat deed hij allemaal toen ik me weer wat bewuster van mijn omgeving werd, nadat ik klaar was met het uitschrijven. Het leek wel alsof hij er telkens stond wanneer ik uit het raam keek. Of dat zijn auto voor het huis geparkeerd stond. Ik deed erg mijn best om me niet door hem van mijn normale dagelijkse bezigheden te laten afhouden. Maar dat was haast onmogelijk. Wanneer ik naar buiten ging, kwam hij naast me lopen en sprak hij me aan. Ik negeerde hem, maar hij wist niet van ophouden. Als ik de bus of de metro nam, zat hij aan de overkant van het gangpad of hing hij aan een lus verderop in de wagon. Eén keer probeerde hij zelfs bij me in een taxi te stappen. Ik moest de deur bijna dichtslaan met zijn vingers ertussen om ervoor te zorgen dat hij me met rust liet. Maar dat was niet het ergste. Er gebeurde ook nog iets waardoor ik echt helemaal van streek raakte.'

'Wat gebeurde er dan?'

Stephanie huiverde. 'Je zult er meer in lezen dan het in werkelijkheid voorstelde. Hij probeerde míj te pakken en niet Jimmy.'

'Wat is er gebeurd, Stephanie?' Nu klonk Vivian warm en ging ze moeiteloos over op een vrouwen-onder-elkaar-toon om meer informatie uit Stephanie te krijgen.

'Scarlett had Jimmy meegenomen naar de stad. Ze waren naar het natuurhistorisch museum geweest om de dinosauriërs te zien, en daarna hadden we afgesproken in Regent's Park. Jimmy was stoom aan het afblazen in de kinderspeeltuin, en wij zaten op een bankje te kletsen. We hielden Jimmy met een half oog in de gaten, zoals je nu eenmaal doet. En we realiseerden ons allebei op hetzelfde moment dat er een man bij de glijbaan stond, die zich veel te veel met Jimmy bezighield. Ik had die vent wel gezien, maar ik dacht dat hij bij een paar andere jongetjes hoorde, en daarom had ik niet echt op hem gelet. Maar toen hij zich omdraaide, herkende ik Pete. Hij had kortgeknipt haar en zag er heel anders uit, maar het was duidelijk Pete.'

'Dat moet verschrikkelijk zijn geweest. Wat heb je gedaan?'

'We stoven als razende banshees op hem af, ik en Scarlett. Maar hij glimlachte alleen maar en liep weg. Met stevige pas, maar niet met zo'n snelheid dat iemand het verdacht zou vinden. Het was alsof hij zijn middelvinger naar ons had opgestoken, als om te zeggen: "Ik kan jullie vinden waar en wanneer ik maar wil." Ik was er helemaal ondersteboven van.'

'Had Jimmy er last van?'

Ze schudde haar hoofd. 'Helemaal niet. Hij leek even verbaasd toen we door de speeltuin naar hem toe kwamen rennen. Scarlett nam hem in haar armen en we vertrokken in de tegenovergestelde richting. Maar dat was wel de druppel voor mij. Eerst heb ik op internet naar informatie over stalking gezocht om te kijken wat ik eraan zou kunnen doen. Er bestaat een antistalkingwet en het leek erop dat die de oplossing voor mijn probleem zou kunnen zijn. Stalkers kunnen in theorie strafrechtelijk worden vervolgd of anders kun je een civiele zaak tegen hen aanspannen. Dwangbevelen en dat soort zaken. Ik had er een positief gevoel over. Ik maakte een afspraak voor een gesprek bij mijn plaatselijke politiebureau. De politieagente voelde echt met me mee, maar het probleem was dat Pete heel voorzichtig was geweest wat betreft de inhoud van zijn tekstberichten en e-mails. Hij had niets gedaan op straat wat als aanranding of een bedreiging kon worden uitgelegd. Tenminste, niet in termen van het strafrecht. Ze kon niets voor me doen.'

'Niet eens een stevig gesprek met hem?'

Stephanies mond vertrok tot een scheve, spottende glimlach. 'Dat is het ironische. Als de politie zonder een goede, rechtsgeldige reden met Pete ging praten, zouden zij degenen zijn die iemand lastigvielen. Gestoord, hè?'

Niet voor de eerste keer voelde Vivian frustratie opkomen over de strikte eisen rond een juridisch correcte rechtsgang. Maar dit was niet de tijd of de plaats om daar verder op in te gaan. 'Dus er was niets aan te doen?'

'Ze stelde voor dat ik met een advocaat zou gaan praten. De civiele rechtbanken hanteren lagere eisen wat betreft de aard van het bewijs, zie je. En dus maakte ik een afspraak met een advocaat die zich in dit soort zaken specialiseert. Het bleek dat ik, zelfs met lagere eisen aan bewijsmateriaal, niet voldoende bewijs tegen Pete had voor een gerechtelijk bevel. Het zou anders zijn geweest als ik het op mijn huis gebotvierde vandalisme meteen zou hebben aangegeven nadat het had plaatsgevonden. Maar haar advies was om een logboek bij te houden van alles wat hij zei of deed. Dan moest ik haar over drie maanden nog maar eens komen opzoeken voor een tweede, dure afspraak.' Stephanie schudde verwonderd haar hoofd. 'Maar over de kosten had ze het natuurlijk niet. Dat was alleen maar mijn eigen cynische draai eraan. Het kwam er feitelijk op neer dat ik er alleen voor stond. Ik had de wet niet aan mijn kant.'

'Ik neem aan dat hij bleef aandringen?'

'O, ja, dat deed hij zeker.'

26

Scarlett zat in de auto op me te wachten na mijn gesprek met de advocaat. Ik vertelde haar de uitkomst, waarna ze vloekte als een voetbalhooligan en zei: 'Daar klopt gewoon helemaal niets van. Hij kan verdomme doen wat hij wil. Je zo vaak lastigvallen als hij wil. En je kunt er geen ene moer aan doen? Hij moet een lesje krijgen, die gozer. Weet je, Steph, ik ken nog wel een paar gasten in Leeds die met liefde hiernaartoe komen om hem in elkaar te slaan.'

'Nee, dat heb ik je al gezegd. Dat is niet de oplossing. Bovendien, wat gebeurt er als een van je oude vrienden in het geheim jullie gesprek over Pete opneemt en de opname aan de bladen verkoopt? Dan zal al je harde werk van het afgelopen jaar voor niets zijn geweest. Om nog te zwijgen van het feit dat je gearresteerd zou worden vanwege samenzwering om iemand in elkaar te laten slaan.' Ik rolde met mijn ogen. 'We moeten een andere manier vinden om hem te pakken te nemen.'

Scarlett zette een pruillip op. 'Tot dusver heb je nog echt helemaal niets kunnen verzinnen.'

'Ja, nou... Ik heb er eens goed over nagedacht. En ik heb besloten om het huis te verkopen. Geen makelaarsbord en ook niets in hun etalageraam. Alleen maar discreet aanbieden aan hun vaste klanten. Dan zal die klootzak van een Pete op een dag komen opdagen om me naar de bushalte te volgen en zal niet ik, maar iemand anders de voordeur uit lopen.'

Scarlett leek met stomheid geslagen. 'Gaat je dat lukken?'

'Het zal niet eenvoudig zijn, maar ik denk het inderdaad wel. Telkens wanneer er mensen komen kijken, zal ik ervoor zorgen dat ik als lokaas optreed. Ik neem hem mee op een uitje door de halve stad, terwijl de makelaar het perceel aan gegadigden laat zien. De dag voor de verhuizing zorg ik ervoor dat hij me naar de Eurostar volgt, en dan gaan we op ons gemak een paar dagen naar Parijs.'

Scarlett lachte verrukt. 'Jij bent echt geslepen, Steph. En waar ga je dan wonen?'

'Ik dacht dat ik misschien een paar maanden bij jou zou kunnen komen wonen. Wat zou je daarvan vinden?'

Ze maakte al zittend swingende bewegingen met haar schouder en hand. 'Te gek, te gek, helemaal te gek,' zei ze. 'We zullen ontzettende lol hebben.' Ze fronste haar voorhoofd. 'Je hebt hem toch nooit over Leanne verteld, hè?'

Ik schudde mijn hoofd. 'Natuurlijk niet. Dat was ons geheim. Hij weet niets waarmee hij je schade zou kunnen berokkenen, geloof me. Ik ben altijd zeer discreet geweest. Zo bescherm ik mijn investering.' Ik stompte haar vriendelijk tegen haar arm. 'Vind je het oké als ik een tijdje bij je kom inwonen?'

'Blijf maar zolang je wilt. Ik vind het fijn wanneer je er bent.'

'Ik ook. Maar ik zal eerlijk zijn, het grote voordeel van bij jou intrekken in plaats van bij een van mijn andere vriendinnen, is voor mij het feit dat ik hier een echte werkplek heb. Ergens waar ik niet in de weg zit, zodat ik niet het gevoel heb dat ik me opdring,' voegde ik er nog haastig aan toe, voor het geval ze dacht dat een werkplek voor mezelf de enige reden was dat ik liever bij haar in kwam wonen.

'En dan is er nog de hoge muur en de veiligheidspoort,' zei Scarlett. 'Hij kan daar wel dagenlang zitten zonder ooit ook maar een glimp van je op te vangen.'

'Hij weet niet eens waar het is. Alleen maar in welke omgeving het is.'

Ze haalde haar neus op. 'Daar zal hij achter komen. Hij hoeft alleen maar wat rond te vragen in de kroeg. Het kan hem misschien twintig pond kosten, maar er lopen voldoende mensen rond die me wel willen verlinken. Maar hij zal er niet veel aan hebben. Zoals ik al zei: hij zal je vanachter die muren niet kunnen lastigvallen. Niet nu er ook nog dat gebroken glas bovenop zit.' Ze deed net alsof ze huiverde.

'Dank je, Scarlett. Dat stel ik zeer op prijs.'

'En ik meen het: blijf zolang je wilt.' Ze haalde haar schouders op. 'Of blijf voor altijd, als je wilt.'

'Dat is lief van je. En ik wil niet onbeleefd lijken, maar ik heb het liefst een huis voor mezelf. Ik moet alleen nadenken over waar ik wil wonen en daar dan vervolgens een geschikt huis vinden. Als ik bij jou in woon, zal ik meer rust hebben en geen overhaaste beslissingen nemen, waardoor het te eenvoudig voor hem zou worden om me te vinden.'

We reden het middagverkeer in en hoopten dat we Essex zouden bereiken voordat het echt te druk op de weg zou worden. Het was een vriendelijk aanbod van Scarlett, maar als ik eerlijk ben, moest ik er niet aan denken om permanent in het zonnebankbruine nepparadijs te wonen. Om nog te zwijgen van het feit dat ik mijn andere vriendinnen nooit meer zou zien, die zich Essex toch vooral voorstelden als een niemandsland zonder cultuur, fijne kookkunst en een goed gesprek. Ik had nog niet besloten waar ik wilde gaan wonen, ik wist alleen maar dat het buiten Londen zou zijn. En niet in Essex.

'Je moet ook een nieuwe telefoon hebben,' zei Scarlett. 'En een nieuw e-mailadres. Alleen voor je vrienden en voor Maggie. Je wilt niet op iedere dag met zijn gezeik bezig zijn, maar je moet alles wel bijhouden.'

Wat ze zei was verstandig. En ik zou er de volgende ochtend werk van maken. Ik had op een ander resultaat gehoopt die dag. Ik had gehoopt dat het zou eindigen met Pete in een verhoorkamer van de politie of dat er een oproep van de rechtbank onderweg was voor een hoorzitting, met als mogelijke uitkomst een dwangbevel. Maar het was niet het einde van de wereld. Ik was hoe dan ook vastbesloten mijn leven niet te laten bepalen door één gestoorde asociaal.

Het was misschien niet goed dat ik me er beter door voelde, maar het besef dat ik niet de enige was die door een gestoorde asociaal werd gestalkt, hielp wel. Toen ik nog maar enkele dagen mijn kamp bij Scarlett had opgeslagen, kwam Leanne zeer gepikeerd thuis van een avond stappen. Het werd snel duidelijk dat er onder haar woede een veel diepere laag van bezorgdheid schuilde.

Ze zat aan de keukentafel uitdagend te roken en nors in een mok thee te turen. Ze hief haar hoofd niet op toen ik een kop koffie zette en tegenover haar ging zitten.

'Zware avond gehad?' vroeg ik.

'Je hebt geen idee.'

'Wat is er gebeurd? Een paar cocktails te veel?'

'Huh. Was dat maar zo. Nee, ik werd op de huid gezeten door een of andere gestoorde klotestalker van een meid die denkt dat Scarlett haar beste vriendin is, omdat ze een paar gesigneerde dozen Scarlett Smile aan een of andere vervloekte geldinzamelingsactie voor een goed doel heeft gedoneerd. Ik was nog maar amper binnen, toen ze om me heen begon te fladderen en "Weet je niet meer wie ik ben, schatje?" bleef herhalen. Het is altijd een beetje riskant wanneer ze dat doen, want ik heb geen idee of ze Scarlett echt kennen of niet, weet je? En daarom moet ik dus een beetje toneelspelen. Dan doe ik bijvoorbeeld alsof ik een heel slecht geheugen voor gezichten heb. Hoe dan ook, ik dacht dat ik haar voldoende had afgepoeierd. Alleen, dat was niet zo.'

'Dat moet ongemakkelijk zijn geweest.'

'Het was meer dan ongemakkelijk. Het was hartstikke eng. Het was alsof ze aan me vastzat. Het lukte me niet haar af te schudden. En omdat ze deed alsof we boezemvriendinnen waren, kon ik niet gewoon tegen haar zeggen dat ze moest oprotten, niet in het bijzijn van iedereen. Want dat is het soort gebeurtenis dat rechtstreeks in de ochtendkranten en op internet terechtkomt. "Vloekende Scarlett maakt voorvechtster voor liefdadigheid compleet van streek." Je weet hoe ze zijn.'

'Hoe heb je het dan afgehandeld?'

Leanne leek ineens op haar hoede. Ze drukte haar verboden sigaret uit tegen de onderkant van de tafel, een actie die haar de woede van Scarlett op de hals zou hebben gehaald. 'Ik had er genoeg van. Ik kreeg geen minuut rust. Ze ging maar door over dat ze wilde dat ik met haar meeging naar een feest bij haar thuis. Ze wilde van geen weigering horen. En dus ging ik naar de viptoiletten, omdat ik wist dat ze me zou volgen. Maar ik ging niet naar de wc. Ik ging buiten op de brandtrap staan. En ze kwam achter me aan. Ik deed net alsof ik naar buiten was gegaan om een sigaret te roken, en toen ik hem had opgestoken, heb ik hem tegen haar hals uitgedrukt. Daarna heb ik haar de brandtrap afgeschopt.'

Ik was geschokt, en dat moet te zien zijn geweest.

'Ja, wat moest ik dan anders?' bitste Leanne. 'Ze zou me anders niet met rust hebben gelaten. Ik werd gestoord van haar. En ik heb op zo'n manier met haar afgerekend dat het Scarlett niet in verlegenheid zal brengen. Ze zou me dankbaar moeten zijn. Dat is weer één gestoorde stalker minder.'

Ik wist natuurlijk wel dat Scarlett en Leanne zich als straatvechtsters hadden moeten redden. Maar dit was de eerste keer dat ik zo'n overduidelijk bewijs had gezien van hoe onaangenaam het kon worden wanneer je net even te ver ging bij een van de meisjes Higgins. Ik wist hoe beangstigend geobsedeerde fans konden worden, zonder meer.

Maar ik liep niet echt warm voor de manier waarop Leanne daarmee omging.

27

'En werkte je plannetje?' vroeg Vivian, terwijl haar vingers over het toetsenbord van haar computer schoten om een dringend bericht van het bureau in Chicago te openen. 'Is het je gelukt aan Pete Matthews te ontsnappen?'

'Verrassend genoeg wel. Hij is wel een paar keer bij het huis van Scarlett opgedoken, maar we namen de intercom niet op en hij heeft me nooit gezien, voor zover ik weet. Ik werd door verschillende vrienden opgebeld met de boodschap dat hij naar me op zoek was geweest, maar niemand deed zijn mond open. Ik ben al met al ongeveer een halfjaar bij Scarlett gebleven, terwijl mijn huis werd verkocht en ik aan het uitzoeken was waar ik zou willen gaan wonen. Uiteindelijk...'

Vivian stak één vinger omhoog. 'Heb je even een moment? Ik moet dit bericht beantwoorden.'

Het was een e-mail van haar baas.

Vivian:
Ik kreeg een bericht van onze collega's van Buitenlandse Zaken. De ambassade in Londen wordt overspoeld met vragen van de media over dat joch voor wie je een Amber Alert hebt laten uitgaan. Er is hun verteld dat hij het kind van een ster uit een realitysoap is, die vorig jaar is overleden, en ze hebben de laatste informatie nodig. Ik heb hun de omstandigheden van een en ander verteld, maar ik moet van jou horen hoe de zaken er op dit moment voor staan.
Ik begrijp uit je verslag dat de voogd van Jimmy Higgins een schrijfster is? Is het misschien mogelijk dat het allemaal een publiciteitsstunt is? Abbott zegt dat ze het kind toegewezen heeft gekregen, maar geen geld heeft geërfd. Zou ze met een boek bezig kunnen zijn waarvoor ze op deze manier aandacht probeert te genereren?
Ik zou je er niet aan moeten hoeven herinneren dat je dit strak in

de hand moet houden. De timing kon niet slechter zijn vanuit het oogpunt van de organisatie gezien. Ik kan hier niemand missen, dus ik kan niemand naar je toe sturen om je hierbij te helpen. Laten we hier een goed resultaat behalen.

Bondig en ter zake. En het vroeg om het soort antwoorden dat ze eigenlijk niet had. En het verstoorde ook nog haar getuigenverhoor. Eerst het belangrijkste. Hoe kon ze dit scenario zo presenteren dat het leek alsof ze enig idee had wat er met Jimmy Higgins was gebeurd? Ze beet op haar lip en dacht na over de beste manier om helemaal niets te zeggen.

We gebruiken alle middelen om de gangen van Jimmy Higgins en zijn ontvoerder na te gaan, een man die gekleed was in een namaakuniform van de luchthavenbeveiliging en van wie wordt aangenomen dat hij het terrein van het vliegveld heeft verlaten. We werken ook samen met rechercheurs van Scotland Yard om aan beide kanten van de Atlantische Oceaan naar aanwijzingen te zoeken. Jimmy's voogd, Stephanie Harker, verleent haar volledige medewerking aan het onderzoek dat ertoe moet leiden dat Jimmy weer veilig thuiskomt. Iedereen die hierover informatie heeft moet contact... bla, bla, bla.
Dat is eigenlijk alles wat we op dit moment hebben. Dit is geen recht-toe-recht-aan-ontvoering voor losgeld. We hebben nog geen duidelijk idee wat het motief zou kunnen zijn, maar het lijkt waarschijnlijk dat het kind is meegenomen door iemand die een persoonlijke band met hem heeft. Ik laat het u weten als en wanneer ik iets substantieels te melden heb.

Het zag er jammerlijk dunnetjes uit en ze zou er geen hooggeplaatste vrienden mee maken, maar het was beter dan dingen beloven die ze niet kon waarmaken. Ze las het nog een keer door en verwijderde het woord 'namaak', omdat het nodeloos speculatief was.
De tweede alinea bevatte een lastigere vraag, die ze eigenlijk niet kon beantwoorden. Ze kon alleen zeggen dat haar instinct haar zei dat Stephanie Harker geen oplichtster was, en ook niet de aanstichtster van deze crisis. Wanneer mannen op hun instinct afgingen, werd dat serieus genomen. Maar vrouwen waren nog steeds veroordeeld tot 'vrouwelijke

intuïtie', alsof dat op een of andere manier minderwaardig zou zijn. In Vivians ervaring hadden vrouwen het vaker bij het rechte eind dan mannen, al was het alleen maar omdat meisjes veel meer dan jongens geconditioneerd waren om te luisteren en op te letten.

Harkers bezorgdheid en angst om de jongen lijken oprecht. Ze reageerde extreem op zijn ontvoering: niemand wil een tweede stroomstoot van een taser krijgen. Bovendien is Harker geen schrijfster die ooit de publiciteit heeft gezocht. De aard van haar werk als ghostwriter is het tegenovergestelde van op zoek gaan naar publiciteit. Als ze probeerde veel ophef te veroorzaken om een boek te promoten over het erven van de jongen, zou ze er toch meer bij gebaat zijn om juist als een goede moeder over te komen? Degene die de ontvoering weet te verhinderen in plaats van degene die het laat gebeuren? Bovendien heeft ze vrijwillig allerlei informatie met ons gedeeld, waaronder ook een direct contactpersoon bij Scotland Yard, in de persoon van een rechercheur die haar en de jongen persoonlijk kent. Om al deze redenen denk ik niet dat dit een stunt is, of dat zij op enige manier iets met de ontvoering te maken heeft.

Vervolgens verzond ze het bericht, in de hoop dat het haar baas gerust zou stellen. Hij zou het eigenlijk te druk moeten hebben met de bedreigingen jegens de president om zich al te veel zorgen te maken over haar onderzoek. Of om wat haar instinct haar over Stephanie Harker vertelde in twijfel te trekken.

Vivian richtte haar aandacht weer op Stephanie, die er nu echt vermoeid uitzag. 'Jullie media hebben hun klauwen in het verhaal gezet, ben ik bang.'

Stephanie kreunde. 'Mag ik mijn telefoon terug? Er staan waarschijnlijk inmiddels al honderd sms'jes en voicemails op. Niet alleen van de pers, maar ook van mijn vrienden en familie. Ze zullen bang en bezorgd zijn. Ik moet een aantal mensen spreken.'

'Dat begrijp ik. En het is niet mijn bedoeling om je ervan te weerhouden om met iemand te praten. Maar het is nu vooral van belang voor Jimmy om met mij te blijven praten. Ik moet er zeker van zijn dat we er alles aan hebben gedaan wat ons naar de persoon kan leiden die Jimmy vanmiddag heeft meegenomen. Bovendien begint het laat te worden in Engeland. Ik weet zeker dat ze niet verwachten dat je vanavond nog belt. Ze zullen begrijpen wat er aan de hand is.'

Stephanie keek bedenkelijk. 'Het is duidelijk dat je mijn agente nog nooit hebt ontmoet. Om nog maar te zwijgen van mijn moeder. Alsjeblieft, wat voor kwaad kan het om me een paar telefoontjes te laten plegen? Ik wil alleen mijn moeder en mijn literair agente geruststellen. Die bovendien mijn beste vriendin is. De rest kan wachten. Je kunt meeluisteren als je wilt. Ik heb geen geheimen.'

Vivian dacht erover na. Het was nu niet bepaald volgens protocol, maar niets aan deze zaak beantwoordde aan de gebruikelijke kenmerken: geen geweld, geen eis om losgeld, geen duidelijke motieven. En Stephanie was een getuige, geen verdachte. Het viel moeilijk te verdedigen haar in afzondering te houden. En zelfs als ze op de een of andere manier zijdelings bij de ontvoering betrokken zou zijn, leek het niet waarschijnlijk dat haar moeder of haar agente er ook bij betrokken waren. Bovendien was ze ervan overtuigd dat Stephanie haar nog meer relevante zaken te vertellen had. Vivian moest haar aan haar kant houden. Een paar telefoontjes konden geen kwaad. En het was mogelijk dat Stephanie zich door de gesprekken iets zou herinneren dat ze eerder was vergeten. Het laatste argument om haar die telefoontjes toe te staan, was dat ze de zorgen van haar baas omtrent een complot zouden kunnen ontzenuwen. Als dit was bedoeld om boeken te promoten, zou een gesprek met haar agente toch wel een aanwijzing opleveren? Dit waren tenslotte geen beroepscriminelen.

Vivian bekeek de telefoon die op haar bureau lag. Ja, hij kon op de luidspreker. Ze keek Stephanie lang en doordringend aan. 'Eigenlijk mag ik geen enkele vorm van persoonlijke communicatie mogelijk maken. Niet midden in een onderzoek van deze ernst. Maar ik ben bereid om je de twee telefoontjes te laten plegen waarom je hebt gevraagd. Ik zal je op de luidspreker zetten, zodat ik het gesprek kan volgen. En wanneer je ergens over begint dat ik ongepast vind, kom ik tussenbeide. Is dat duidelijk?'

Stephanie leek opgelucht. 'Je bedoelt dat je me de mond zult snoeren wanneer ik Randy Parton een autoritaire zak noem?'

Vivian kon een glimlach niet onderdrukken. 'Meer als je iets zegt als: "Dit is waar de FBI mee bezig is." Wie wil je als eerste bellen?'

'Mijn ouders. Nu het nieuws naar buiten is gekomen, zal mijn moeder in alle staten zijn.'

'Je moet eerst een negen kiezen om een buitenlijn te krijgen.' Vivian schoof de telefoon naar haar toe en keek toe hoe ze het nummer intoetste. Ze luisterden allebei naar het overgaan van de telefoon. Hij ging één keer, twee keer over, en toen hoorden ze de blikkerige leegte van een trans-Atlantische verbinding over de luidspreker. 'Hallo?' Het was de stem van een oudere vrouw, aarzelend, zwak en ijl.

'Hallo, mam. Met Stephanie.'

'Godzijdank! Robert, het is Stephanie. We hebben ons zo'n zorgen gemaakt. We zagen op het tienuurjournaal dat Jimmy is ontvoerd. We konden het niet geloven. Je verwacht niet dat dat soort dingen bekenden van je overkomt.' Ze klonk gekrenkt, alsof de ontvoering een persoonlijke belediging was.

'Het was allemaal nogal heftig,' zei Stephanie.

'Nou, wij waren er ook door geschokt. Je moet in alle staten zijn. Hoe is het gebeurd? Je houdt ze eventjes niet in de gaten...'

'Ik zat in een hokje te wachten om gefouilleerd te worden. De metaaldetector ging af. Door mijn been, weet je wel? En toen liep een man met hem weg.'

'Wel heb ik ooit. Dat is weer typisch Amerika. Zoiets zou hier nou nooit gebeuren, toch?'

Stephanie trok een verontschuldigend gezicht naar Vivian, die glimlachte en haar schouders ophaalde. 'Het zou overal kunnen hebben gebeuren, mam.'

'En hoe is het met jou, arme schat? Gaat het een beetje?'

'Met mij is alles in orde. Ik help de FBI een beeld van ons leven samen te stellen.'

'De FBI? O, Robert, ze is bij de FBI. Ik had nooit gedacht dat een kind van mij in handen van de FBI zou eindigen. O, Stephanie, je moet doodongerust zijn. Je hoort allerlei...'

'Maak je geen zorgen om me, mam. Met mij gaat het goed. Je zou je om Jimmy zorgen moeten maken.'

Een minachtend, snuivend geluid overbrugde de afstand van zo'n zesduizend kilometer. 'Ik wist wel dat het alleen maar problemen zou opleveren, dat jij de zorg voor die jongen op je hebt genomen.'

Stephanie kneep met haar duim en wijsvinger in de brug van haar neus. Dit was het laatste wat ze kon gebruiken. 'Laten we daar nu niet weer over beginnen. Waar het om gaat, is dat iemand Jimmy heeft ontvoerd, en natuurlijk ben ik doodongerust om hem. Hij is nog maar vijf, mam. Probeer je eens te herinneren hoe dat is. Ik moet nu ophangen. Ik wilde je alleen laten weten dat jullie je geen zorgen over me hoeven te maken. Ik bel je wel weer als ik nieuws heb.'

Zonder een antwoord af te wachten, drukte Stephanie op het knopje om de verbinding te verbreken. Ze blies haar adem uit en staarde naar de tafel. 'Mijn moeder denkt dat ik Jimmy aan de sociale instellingen had moeten overdragen,' zei ze met een zware en matte stem. 'Ze heeft een behoorlijk bekrompen leven geleid.'

Vivian had vaak gewenst dat haar moeder een iets bekrompener leven had gehad. Ze was majoor bij de inlichtingendienst van het leger geweest en maakte er geen geheim van dat ze vond dat de FBI maar een slap aftreksel van haar eigen wereld was. Misschien had Vivian niet zo'n drang gevoeld om zich constant te bewijzen, als haar moeder op mevrouw Harker had geleken. 'Moeders,' zei ze. 'We zijn nooit de dochters waarop ze gehoopt hadden.'

Stephanie hief verrast haar hoofd op en beantwoordde haar opmerking met een knikje. 'Mijn agente?'

Vivian stak haar hand uit. 'Ga je gang.'

Deze keer was er geen aarzeling hoorbaar in de stem die opnam. 'Maggie Silver,' klonk haar zelfverzekerde begroeting.

'Maggie,' zei Stephanie. 'Ik dacht dat ik je maar beter even kon bellen.'

'Liéfje,' zei Maggie lijzig, maar onmiskenbaar opgewonden. 'Ik ben toch zó blij om je liéve stem te horen. Ik heb onmiddellijk je voicemail ingesproken toen ik het nieuws hoorde. Ik kon het niet geléven. Wat verschrikkelijk érg voor je. En die árme, lieve jongen. Iédereen heeft het erover op Twitter, weet je. Om nog te zwijgen van de doorlopende nieuwsuitzendingen. Zeg me alsjebliéft dat ze hem veilig en wel hebben gevónden.'

'Ik zou willen dat ik dat kon. Maar er is nog geen enkel spoor van hem.' Stephanie leek in tranen te zullen uitbarsten. 'Het is echt eng, Maggie. Het ene moment was hij er nog en het volgende moment was hij verdwenen.'

'Ik begrijp gewoon niet hoe dit heeft kunnen gebéúren. Létte er dan niemand op Jimmy, terwijl je ergens ánders werd gefouilleerd?'

'Blijkbaar niet.'

'Wat vréselijk allemaal. Maar de schúldvraag doet er op dit moment niet toe. Het belangrijkste is dat we Jimmy weer veilig terugkrijgen. Willen ze géld? Of is het een van die gestóórde politieke groeperingen die publicitéít zoeken?'

'Dat weten we niet. We hebben niets gehoord. Ik ben in gesprek met de FBI om hun alles te vertellen wat ik over Jimmy's geschiedenis weet. En over de mijne.'

'Dan zit je daar de hele nácht nog wel, schatje,' zei Maggie sarcastisch. 'Ik hoop dat je een leuke, sexy profielschetser hebt, zoals William Petersen in *Manhunter*.' De vrouwen keken elkaar aan en glimlachten allebei. 'Luister, de kranten zullen er bóvenop zitten.' Maggies toon werd zakelijk. 'Je moet me materiaal bezorgen, zodra je ervoor kunt gaan zitten en je weer een beetje tot jezelf gekomen bent. Het is te laat voor de kranten van morgen, maar ik weet zeker dat ik je een mooi hóófdartikel kan bezorgen in de *Mail* of de *Mirror*. Hoe snel kun je een "ik-artikel" voor me klaar hebben?'

'Ik heb geen idee. Het is het laatste waar ik nu mee bezig ben, eerlijk gezegd.'

'Liefje, het zal je goed doen om je gedachten op een rijtje te zetten in plaats van te zitten piékeren. Geloof me, Maggie weet het het beste. Bel me morgenochtend maar op, dan hebben we het er nog wel over. En lét een beetje op jezelf, schat. Probeer wat te slapen, oké?'

'Ik zal het proberen. Ik spreek je morgenochtend.'

En dat was dan dat. Het leed geen twijfel dat Maggie Silver de verdwijning van Jimmy Higgins als een potentiële bron van inkomsten zag. Maar ze leek er net zo door geschokt te zijn als Stephanie zelf was geweest.

Alsof Stephanie haar gedachten kon lezen, zei ze: 'Dus nu heb je een indruk van de lieftallige Maggie. Je moet toegeven, als dit als publiciteitsstunt was bedoeld, dan is zij de agente die je bij je in het team wilt hebben. Laat me je geruststellen. Ik zal morgen niets gaan schrijven voor de *Daily Mail*. Of op welke willekeurige dag dan ook, als het aan mij ligt. Ik wil alleen maar Jimmy weer in mijn armen sluiten. In vergelijking daarmee wordt al het andere onbelangrijk.'

Vivian knikte en geloofde haar. 'Natuurlijk. Kunnen we het nu weer over Pete Matthews hebben? Ik moet het je vragen: denk je dat hij in staat is om al die jaren een wrok tegen je te blijven koesteren? Denk je dat hij Jimmy zou ontvoeren, alleen maar om jou terug te pakken?'

Stephanie keek fronsend. 'Dat is veel te rechtlijnig. Als Pete dit heeft gedaan, zou hij een andere beweegreden hebben. Hij zou zichzelf er op de een of andere manier van overtuigd hebben dat dit de manier was: niet om me terug te pakken, maar om me terug te krijgen.'

28

Wanneer ik het met mijn vriendinnen over Pete had, was het soms moeilijk om tot hen door te laten dringen hoe beangstigend hij was geworden. Wanneer ik over de onophoudelijke stroom tekstberichten en e-mails vertelde, over de bloemen die hij voor me naar Maggies kantoor stuurde of over de manier waarop hij me op straat volgde, was een enkeling vol ongeloof. 'En je blijft hem maar van je afslaan?' zei een van hen. 'Ik zou dolgraag een man hebben die zo toegewijd aan me is.'

Omdat hij me nooit openlijk bedreigde, was het niet eenvoudig om uit te leggen hoe bedreigend ik zijn gedrag vond. Maar Scarlett snapte het helemaal. Vanwege haar eigen ervaringen met de media begreep ze mijn angst om te veranderen in wat Leanne gekscherend een 'gevangene van de liefde' had genoemd. Het deed haar huiveren van afgrijzen, en het was een van de vele redenen waarom in de haciënda gaan wonen zo voor de hand lag.

Maar ik kon daar niet eeuwig blijven. Na lang nadenken besloot ik naar Brighton te verhuizen. Ik was altijd al gek op de kust geweest, ondanks somber stemmende vakanties uit mijn jeugd in Cleethorpes en Skegness, waar de stormen uit het oosten je pal in je gezicht waaiden. Bepaalde gedeelten van Brighton deden me aan de stukjes Lincoln denken die me lief waren: de smalle, kronkelende straten van de Lanes, de minder voorname rijtjeshuizen en de groene gebieden in het hart van de stad. De stad had een eigen cultureel leven en een goede verbinding met Londen. Maar misschien wel het belangrijkste van alles: ik had het nog nooit met Pete over Brighton gehad. Ik had zelfs nooit als we er eens langs reden terloops iets gezegd als: 'Ik heb wel zin in een dagje Brighton,' of 'Een van mijn favoriete schrijvers komt op het Brighton Festival, laten we ernaartoe gaan en er een weekendje van maken.' Er was geen enkele reden waarom hij me daar zou gaan zoeken.

Uiteindelijk vond ik een leuk, klein victoriaans rijtjeshuis, op tien minuten afstand van de zee. Er waren plaatselijke winkels, een paar drukbezochte kroegen waar je makkelijk mensen kon leren kennen en een mooi, klein park, waar ik een luchtje kon scheppen wanneer ik even moest pauzeren om na te denken. Het huis was hoog en smal, met een verbouwde zolderkamer die uitstekend als kantoor dienst kon doen. Vanuit de grootste slaapkamer was tussen de huizen aan de overkant een smalle strook zee te zien, en de vorige eigenaars hadden een ruime serre aangebouwd, waar 's ochtends zonlicht kwam. Het was perfect, weggestopt in een rustige straat met uitsluitend parkeerplekken voor bewoners. Ik voelde me er veilig.

Ik zag Scarlett niet veel in de periode dat ik mijn nieuwe huis inrichtte. Ik was bezig met het sauzen van de wanden en het uitkiezen van de stof voor de gordijnen, met het opnieuw laten bekleden van banken en het afspeuren van de Lanes om de spullen te vervangen die Pete tijdens zijn kwaadaardige woedeaanval kapot had gemaakt. Ze kwam wel een paar keer langs met Jimmy, die dol op het strand was. Hij kon eindeloos lang tussen de dikke kiezelstenen naar zijn favoriete soorten zoeken, waarvan hij kleine stapels rond zijn mollige beentjes maakte. Maar er gebeurde zoveel in Scarletts andere leven dat ze niet veel vrije tijd had.

De heruitvinding van haar persoon verliep voorspoedig. Haar programma over sterren uit realitysoaps had een cultstatus bereikt. Het was een favoriet programma onder studenten geworden, die er blijkbaar op een postmoderne, ironische manier van genoten. Het had ook een publiek gevonden onder oudere kijkers, de grootste groep vaste kijkers van dagtelevisie. Met die twee groepen bij elkaar had het programma hoge kijkcijfers verworven. Adverteerders waren er dol op en de vaste kijkers waren dol op Scarlett. Nu was ze in gesprek met een populaire digitale zender om als hoofdpresentatrice van een praatprogramma op de late avond te beginnen. Zo nu en dan kwam ik een artikel in een van de kwaliteitskranten tegen, waarin haar ogenschijnlijk onstuitbare opkomst op licht verbijsterde toon werd besproken. Maar ze was de harde kern van haar schare fans niet vergeten. Er stonden nog steeds hoofdartikelen in de *Yes!* en Leanne kwam af en toe ook nog wel voorbij in de roddelrubrieken. Scarlett was zelfs gastpresentatrice van een speciale celebrityversie van het metamorfoseprogramma *Van Loeder tot Lady*. Ze begon zo langzamerhand een cultuuricoon te worden.

Maar haar succes had ook een keerzijde. Ik kreeg de zeldzame kans dat met eigen ogen te aanschouwen, toen ze me had weten over te halen om naar een signeersessie in een warenhuis in Oxford Street te komen. De persoon die *Jimmy's Testament* eigenlijk had geschreven zou daar natuurlijk niet signeren, maar dat vond ik geen probleem. Ik heb nooit echt naar de schijnwerpers gehunkerd.

We werden via de leveranciersingang naar binnen gesmokkeld om de menigte te vermijden die ik had gezien toen we in een Mercedes met donkergekleurde ramen Oxford Street kruisten. Er stond een rij vanaf de door messing omlijste dubbele deuren, die tot om de hoek doorliep. 'Goede opkomst,' zei ik toen we voorbijreden.

'Ja, ze zorgen hier altijd voor een passende ontvangst.' Scarlett stond zichzelf een beetje zelfvoldaanheid toe en glimlachte toen brutaal naar me. 'De mensen zijn gek op het boek, Steph. Je hebt fantastisch werk verricht door me te helpen met het bijschaven van het verhaal.'

Het was altijd fijn een greintje waardering te krijgen. En veel meer dan een greintje kreeg ik natuurlijk ook in de regel niet van mijn klanten. Scarlett was guller dan de meesten, maar het voelde evengoed als een karige erkenning van mijn werk.

Maar goed, de champagne en de canapés die op ons wachtten, waren een welkome blijk van erkenning. De signeersessie was een gezamenlijke actie van onze uitgever en de parfumeur die Scarlett Smile had gecreëerd. Ze hadden voor speciale pennen gezorgd, waarmee je op de hoogglanslaag van de parfumverpakking kon schrijven. De winkel had zelfs een manager geregeld die ervoor zou zorgen dat Scarlett steeds het juiste schrijfgereedschap bij de hand had. Ik zou gemopperd hebben over de minachting die daarvan uitging, maar zij leek het niet erg te vinden om als een idioot behandeld te worden.

Toen men haar had laten zien hoe ze boeken en parfumdozen moest signeren, werden we naar het evenementenplein geleid, een gedeelte van de cosmetica-afdeling waaruit men voor de gelegenheid de producteilanden had weggehaald. Het stond er helemaal vol met fans, over het algemeen jonge vrouwen, die kreten en gejuich en gegil van verrukking uitbrachten toen ze haar in het oog kregen. De winkel had geprobeerd hen tot een rij bijeen te drijven met behulp van metalen paaltjes met geweven banden ertussen, maar dat systeem werkte binnen enkele minuten al niet meer.

Terwijl camera's flitsten en fans schreeuwden, duwden lichamen naar voren tegen de tafel die Scarlett van de horden scheidde. Ik vond het zowel beangstigend als onveilig, alsof Scarlett alleen al vanwege het grote aantal mensen dat er stond elk moment onder de voet gelopen kon worden. Het constante lawaai sloeg in woeste golven tegen mijn trommelvliezen. Ik wilde wegvluchten. Het is moeilijk voor te stellen hoe het voor haar was.

Net toen de hysterie een omslagpunt bereikte, kwam het beveiligingspersoneel eindelijk in actie. Ze zorgden er op strenge maar vriendelijke manier voor dat de eerste rij mensen een paar centimeter naar achteren gingen, zodat er wat ruimte tussen Scarlett en haar publiek ontstond. Nu leek er tenminste nog enige sprake van orde vooraan in de menigte. En Scarlett kon met signeren beginnen.

Na een uur leek het alsof ze nauwelijks handtekeningen had uitgedeeld, zoveel mensen stonden er nog. Maar toen ik haar lijfwachten achterliet en in een boog om de menigte liep, kon ik zien dat het rustiger begon te worden. Langs de buitenrand van de massa zag ik drie fans met camera's staan, die onophoudelijk foto's van Scarlett namen. Het waren duidelijk geen paparazzi: hun camera's en hun kleren waren niet duur genoeg. Maar ze gingen niet weg. Tegen het einde van de signeersessie, toen er nog maar enkele klanten over waren, liepen ze alle drie, een vrouw en twee mannen, naar de tafel waar Scarlett zat. In plaats van boeken haalden ze mappen vol van internet gedownloade glossy foto's tevoorschijn, die ze Scarlett wilden laten signeren. Geen van hen zag er gezond uit. Ik zag hen voor me in hun troosteloze zit-slaapkamers, waar ze hun foto's zaten te printen en op zoek waren naar die ene foto die hun het gevoel zou geven dat ze Scarlett eindelijk echt goed hadden vastgelegd.

Ik vermoedde dat ze haar helemaal wilden bezitten. Ik kreeg de kriebels bij de gedachte dat die zonderlinge, geobsedeerde lui haar door het hele land volgden en zichzelf wijsmaakten dat ze haar vrienden waren. Maar wat echt eng was, was dat Scarlett hen kende. Ze wierp hun haar glimlach toe. Ook al zag ik dadelijk dat het maar een zwakke versie was, op de oprechtheid van de lach viel niets aan te merken.

Scarletts carrière was in zekere zin door haarzelf nauwkeurig gechoreografeerd. Maar het werkte alleen omdat er geen enkel cynisme schuilde in wat ze deed. De echte Scarlett was degene die ze geleidelijk aan in het wild losliet, en de persoon die ze onthulde was in wezen een goedhartig mens. Ze was zich heel goed bewust van hoever ze was gekomen en hoeveel geluk ze had gehad dat ze aan alles had kunnen ontvluchten. En anders dan zovele anderen die die reis hebben afgelegd, was ze wel bereid om de helpende hand te bieden aan anderen die haar vastbeslotenheid deelden om hun toekomst te veranderen.

Het was die bereidwilligheid, die de deur openzette naar haar grootste daad van gulheid. Toen Jimmy bijna drie was, werd ze uitgenodigd om deel te nemen aan de televisiemarathon *Caring for Kids*. Het aanvankelijke idee was een optimistisch reisverslag. Daarbij zou Scarlett Roemenië bezoeken om te laten zien hoezeer de weeshuizen die de wereld na de val van het regime van Ceaușescu hadden geschokt, veranderd waren. En er schuilde veel waarheid in die versie van de gebeurtenissen. In Groot-Brittannië ingezameld geld had bijgedragen aan verandering in het leven van duizenden kinderen en gehandicapten, tot levensomstandigheden veroordeeld die de meesten van ons nachtmerries bezorgden als we er te veel over nadachten. Het nieuws uit Roemenië was dat de helse instellingen iets uit het verleden waren, en het was de bedoeling dat Scarlett ernaartoe zou gaan om dat feit luister bij te zetten. Om de kijkers te laten zien wat hun donaties aan de basis voor effect hadden.

Maar toen kwam een onderzoeksjournalist van de BBC ter ore dat de situatie niet zo rooskleurig was als de Roemeense autoriteiten ons wilden doen geloven. Hij ging undercover en ontdekte dat de meeste van de ergste instellingen inderdaad gesloten waren. Er waren echter nog altijd geïsoleerde streken in het land waar de omstandigheden zodanig waren dat de directeuren voor misdaden tegen de menselijkheid zouden moeten terechtstaan, als de weeshuizen in oorlogsgebied hadden gestaan.

Voordat zijn verslag werd uitgezonden werd Scarlett uitgenodigd om de documentaire te komen bekijken. Ze vertelde me later dat de film het afgrijselijkste was wat ze ooit had gezien. 'Op een kamer lagen wel zo'n twintig uitgemergelde, gehandicapte tieners op veldbedden vastgesnoerd, in hun eigen pis en stront. Mijn maag draaide ervan om, Steph. En dan de kleine kinderen, die met stenen en stokken in de sneeuw speelden, omdat ze geen eigen speelgoed hadden. Ze droegen tot op de draad versleten kleding, waren vreselijk smerig en sommigen van hen hadden open wonden. En ze zijn allemaal door hun ouders in de steek gelaten. Velen van hen hebben aids.' Ze schoot vol terwijl ze erover vertelde.

'En toen moest ik aan mijn vader denken en hoe ik een van die kindjes had kunnen zijn die met aids worden geboren. Maar in plaats daarvan leid ik een geweldig leven: ik heb Jimmy, ik heb een mooi huis en een carrière en ik heb nog geld op de bank ook. En toen dacht ik, verdomme, ik moet hier iets aan doen, weet je, Steph?'

En daarom wilde ze niet langer alleen een rooskleurig beeld schetsen over hoe er een succesvolle transformatie had plaatsgevonden in de levens van duizenden mensen. Ze stond erop met die journalist terug te gaan om de afschuwelijke omstandigheden waarin honderden mensen nog altijd leefden onder ogen te zien. Er mocht dan wel van alles zijn bereikt, maar Scarlett wilde de boodschap erin rammen dat er nog veel meer werk te doen was. Iemand anders mocht die juichende boodschap overbrengen. Zij ging recht op de plek af waar de toestand het schrijnendst was.

Het was een verbijsterende actie. De vrouw die als hersenloos en bekrompen was weggezet, had de ultieme make-over ondergaan. Haar meelevendheid bleef niet beperkt tot woorden. Ze was bereid haar nek hiervoor uit te steken. En dus vertrok ze naar het Timonescu-weeshuis in de Transsylvanische bergen om de verschrikkingen frontaal tegemoet te treden. Ze sprak de kijkers toe terwijl de tranen over haar gezicht liepen en zwoer dat ze er alles aan zou doen om hier iets aan te veranderen. 'Ik wil dat mijn zoon later trots op zijn moeder kan zijn. Niet omdat ze regelmatig op de tv komt, maar omdat ze heeft bijgedragen aan het verbeteren van het leven van deze kinderen,' zei ze met stokkende stem.

Toen het werd uitgezonden als onderdeel van de televisiemarathon *Caring for Kids*, zorgde het voor grote opschudding. Het schokeffect vanwege het feit dat dit onderdeel door iemand als Scarlett werd gepresenteerd was bijna even groot als dat van het beeldmateriaal zelf. Ik was die avond in de haciënda met haar en Leanne, en ze was zó trots op zichzelf. 'Ik ga een liefdadigheidsinstelling oprichten om Timonescu te steunen,' zei ze. 'Ik heb het er met George over gehad en hij regelt al het papierwerk. Ik ga een tiende van mijn totale inkomen doneren en ik ga er iemand bij halen om inzamelingsacties te organiseren. Al die vrouwen die lekker bezig zijn met hun fitnesslessen ga ik overhalen de kosten van een week sportschool te doneren om het verschil te maken in het leven van een of ander kind.'

Zelfs ik was stomverbaasd, en ik wist dus al dat Scarlett heel anders in elkaar zat dan de persoon die de wereld dacht te kennen. Maar de media waren pas echt geschokt. Scarletts ster had nog nooit zo hoog gestaan. Overal werd op haar persoon en leven ingegaan, en haar getroebleerde verleden werd als een reeks jeugdzonden afgedaan. En verbazingwekkend genoeg, gezien de neiging van de Britse media er genoegen in te scheppen iedereen neer te sabelen die zijn hoofd boven het maaiveld waagt uit te steken, stond er in geen van de boulevardkranten een negatief roddelverhaal.

Dat zei ik ook nog tegen George, toen we champagne stonden te drinken en aan canapés stonden te knabbelen op het lanceerfeest van TOMORROW, de liefdadigheidsinstelling die Scarlett had opgericht om het Timonescu-weeshuis te steunen. 'Niet dat ze het niet geprobeerd hebben,' zei hij. 'Maar Scarlett heeft zich zo grondig losgemaakt van haar verleden dat haar moeder en zuster eigenlijk niets opzienbarends over haar te vertellen hebben. Het gedeelte van haar jeugd dat ze wel kennen is in jouw uitstekende boek al helemaal besproken.' Hij tikte met zijn glas tegen het mijne. 'Je hebt de wereld net voldoende sappige details gegeven om het interessant te maken en tegelijkertijd Scarletts familie van hun klauwen te ontdoen. De roddelbladen kunnen geen verhalen schrijven over dat ze eigenlijk een harteloos kreng is, omdat ze een heel aardig huis voor hen heeft gekocht. En ze betaalt nog altijd de gemeentebelasting en de energiekosten voor hen. Ze heeft zich op een zeer slimme manier ingedekt.'

'Joshu is er ook altijd nog,' zei ik. 'Maak je je om hem geen zorgen?'

George snoof. 'Met zijn drugsverslaving? Het lijkt me toch dat Scarlett voldoende achter de hand heeft om Joshu zijn mond te laten houden.'

Dat hoopte ik dan maar. Alleen een wreed persoon zou Scarlett kwaad wensen nu ze vanwege iets heel positiefs op het hoogtepunt van haar succes was. Maar het bleek dat ik het onheil vanuit een totaal verkeerde hoek verwachtte.

29

Nick had al vroeg in zijn politiecarrière ontdekt dat niemand het op prijs stelde wanneer er laat op de avond een smeris bij je aan de deur kwam, behalve wanneer het echt om een zaak van leven en dood ging. Bij de ouders van Joshu zou hij in elk geval nooit welkom zijn. Ze hadden geen enkele verplichting om met hem te praten, en hij vermoedde dat ze van die vrijheid gebruik zouden maken. Zijn gezicht zouden ze immers met het onderzoek naar de dood van hun enige zoon in verband brengen.

Maar er waren nog andere bronnen van informatie over de omstandigheden binnen de familie Patel. Tijdens het onderzoek naar Joshu's dood had Nick ook met beide zussen van de dode man gesproken. In tegenstelling tot hun broer hadden Asmita en Ambar de ambities van hun ouders wel waargemaakt. Asmita was accountant bij een internationaal adviesbureau en Ambar stond destijds op het punt haar diploma voor in belastingzaken gespecialiseerd pleitend advocaat te halen. Ambar was aangedaan, maar niet verrast door de dood van haar broer. Ze sprak over hem met een levensmoeheid die deprimerend klonk uit de mond van zo'n jong persoon, wat suggereerde dat Joshu altijd al een tragedie in de maak was geweest. 'We hebben onze handen jaren geleden van hem afgetrokken,' zei ze. 'Hij maakte heel duidelijk dat hij ons allemaal verachtte, en eerlijk gezegd had ik er toen wel genoeg van. Toen hij iets met die afschuwelijke vrouw kreeg, was dat de druppel. Ik heb mijn vrienden zelfs nooit verteld dat we familie waren.' Het was een deprimerend grafschrift voor een jonge man die in Nicks ogen in feite ongevaarlijk was. Ruimteverspilling wellicht, maar geen slechte vent. Niet vergeleken bij wat Nick normaal gesproken tegenkwam.

Asmita was meer van streek geweest. 'Ik moet de hele tijd denken aan wat een grappig jongetje hij vroeger was,' zei ze. 'Mijn kleine, lieve broertje. Ik zou willen dat mijn ouders hem niet van onze levens hadden afgesloten. We hadden er voor hem moeten zijn.' Ze werd verteerd door spijt, zoveel was wel duidelijk geweest. Wat Nick nog droever stemde, was dat deze volwassen vrouw niet in staat was geweest de moed te verzamelen om tegen haar ouders in te gaan en contact te houden met de broer om wie ze overduidelijk nog altijd gaf. Hij was niet sentimenteel: hij geloofde niet dat Asmita Joshu had kunnen redden van zijn vurige drang naar zelfvernietiging. Maar hij vond niet dat Joshu het had verdiend zo totaal uit de gratie te raken, en hij dacht dat hij dat ook wel aan Asmita had laten merken. Als iemand van de familie Patel met hem zou willen praten, dan zou zij het zijn.

Het tijdstip op de avond was niet ideaal, maar wanneer het om de ontvoering van een kind ging, golden er andere regels. Hij hoopte dat Asmita daar begrip voor zou hebben. Volgens de gegevens van de gemeentebelasting woonde ze nog steeds op hetzelfde adres. Toen hij haar huis naderde, met de autospeakers dreunend op vol volume, kwam Nick het interieur van Asmita's appartement langzaam weer voor ogen. Het gebouw waarin ze woonde was vroeger een lagere school geweest. Het was in het jaar van het diamanten jubileum van koningin Victoria gebouwd, wat waarschijnlijk de verklaring was voor de extravagante architectuur. Het zag er eerder uit als een kerk met aspiraties om een kathedraal te zijn dan als een onderwijsfabriek voor de kinderen van de armste inwoners van Londen. Nick reed het parkeerterrein op, waarop de schoolmeisjes nog hadden rondgerend, en vond een lege bezoekersplek in de verste hoek.

Asmita's appartement bevond zich in de vroegere kleuterafdeling, die op de bovenste verdieping huisde van wat het schip zou zijn geweest als het gebouw echt een kerk was. Hij herinnerde zich hoge boogramen, een geribd houten plafond als van een omgekantelde boot en veel hout overal: geschaafde vloeren, lambrisering tegen de wanden en meubels in vriendelijke tinten. Hij drukte op de knop van de intercom en wachtte. De stem die opnam klonk vastberaden en licht geïrriteerd. 'Ja? Wie is daar?'

'Mevrouw Patel? Brigadier Nicolaides van de hoofdstedelijke politie. Ik heb destijds met u gesproken na de dood van uw broer. Het spijt me dat ik u zo laat op de avond nog stoor, maar ik moet echt met u praten.'

'Kan het niet wachten tot morgen? Weet u wel hoe laat het is?'

Nick deed zijn best tegelijkertijd verontschuldigend en vasthoudend te klinken. 'Ik ben bang dat het dringend is. Ik zou niet zo laat op de avond bij u aanbellen als dat niet zo was.'

Het enige antwoord bestond uit de luide zoemtoon van het deurslot. Het kwam zo plotseling dat hij bijna te laat was om de deur open te trekken. De verlichting in het trappenhuis ging aan toen hij de trap opliep die naar de binnendeur van haar appartement leidde. De wanden waren geschilderd in een breed streeppatroon van warme aardekleuren, een uiting van verwelkoming en goede smaak.

Asmita stond in de deuropening op hem te wachten. Ze droeg een lange kaftan met een capuchon. Nick had Arabische mannen iets soortgelijks zien dragen, maar hij wist niet hoe het kledingstuk heette. Het materiaal was een mengeling van kleuren: saffraangeel, kaneelbruin en chocoladekleur, doorstikt met gouddraad, dat het licht weerkaatste wanneer ze bewoog. Haar haar zat in een wrong boven op haar hoofd, waardoor de gelijkenis met haar overleden broer duidelijker was dan wanneer ze het los droeg. Haar ogen leken vermoeid en haar huid afgetobd. Ze had de make-up van haar gezicht verwijderd en was klaar om naar bed te gaan. 'Kom binnen,' zei ze. Het klonk meer als 'rot op'.

Hij volgde haar naar de woonkamer. Zachte banken stonden zo opgesteld dat ze naar een gigantische plasmatelevisie gericht waren. Erachter stond een lange tafel tegen de muur, die duidelijk dienstdeed als bureau. Nette stapels papieren lagen naast een ultradunne laptop. Er stonden twee kleine luidsprekers op het bureau, waaruit minimalistische pianomuziek klonk. Het soort geluidsbehang dat Nick met heel zijn muzikale ziel verachtte.

Asmita stond met getuite lippen en één hand in haar zij naast de banken. Het zag er niet naar uit dat ze hem zou uitnodigen om te gaan zitten. Misschien had hij het er de vorige keer toch niet zo goed afgebracht als hij dacht. 'Wat komt u hier doen?' vroeg ze.

'Ik ben bezig met een onderzoek dat...' Hij haalde zijn schouders op en spreidde zijn armen. 'Dit is een ongelooflijke gok, maar we hebben maar weinig aanknopingspunten, dus daarom kom ik bij u aankloppen.' Nick probeerde zijn beste puppy-gezicht op te zetten, uit betrouwbare bron wist hij dat die harten kon laten smelten.

Asmita was niet onder de indruk. 'Ik begrijp het niet.'

'Ik zal er niet langer omheen draaien,' zei Nick. 'Uw neefje is ontvoerd.'

Haar ogen verwijdden zich en haar mond viel open. 'Rabinder?' Haar handen vlogen naar haar gezicht, waarna ze ze tegen haar wangen drukte. 'O, mijn god, wat is er met Rabinder gebeurd?'

Nick was in verwarring. 'Wie is Rabinder?'

'Hoe bedoelt u, wie is Rabinder? Dat is mijn neefje.' Ze fronste verbijsterd haar voorhoofd. 'U zei dat hij ontvoerd was. Hoe kunt u dan zijn naam niet kennen?'

'Het gaat niet om Rabinder,' zei Nick haastig. 'Kunnen we gewoon even overnieuw beginnen? We praten langs elkaar heen. Ik heb het over Jimmy. Joshu's zoon. Ik weet niet wie Rabinder is.'

De paniek verdween uit Asmita's gezicht en er bleef alleen woede over. 'U heeft me echt de stuipen op het lijf gejaagd. Ik kan niet geloven dat u dat heeft gedaan.'

'Het spijt me,' zei Nick. 'Ik had er echt geen idee van dat u nog een ander neefje heeft. Heeft Ambar een baby gekregen?'

Asmita wendde hoofdschuddend haar gezicht af. 'Wie leidt jullie eigenlijk op? U komt op dit uur van de avond mijn huis binnenlopen en jaagt me de stuipen op het lijf, omdat u niet de moeite heeft genomen uzelf goed te informeren, en vervolgens begint u gezellig te kletsen alsof u gewoon op visite bent. Voor sociale vaardigheden scoort u minder dan een nul.'

'Zoals ik al zei, het spijt me.'

Ze keek hem weer aan en had zichzelf weer compleet onder controle. 'Ambar is ongeveer een halfjaar na Jishnu's dood getrouwd.' Nick moest even nadenken wie ze bedoelde, maar toen herinnerde hij zich dat Joshu niet altijd Joshu had geheten. Voor zijn familie zou hij altijd Jishnu zijn. 'Rabinder werd ongeveer een jaar daarna geboren. Hij is nu zeven maanden.' Asmita kon een glimlach niet onderdrukken. 'We zijn allemaal dol op hem. Daarom raakte ik ook zo in paniek. Hij is de enige persoon die ik als mijn neefje beschouw.'

'Maar dat is Jimmy ook, of u het nu leuk vindt of niet.'

'Maar ik ken hem niet. Hij heeft nooit deel uitgemaakt van mijn leven. En dat spijt me wel, maar ik moet de wensen van mijn ouders respecteren. En zij wilden niets met hem te maken hebben. Mijn moeder houdt vol dat Jimmy niet eens een kind van Jishnu is.' Dit keer glimlachte ze verontschuldigend. 'Ze heeft een zeer lage dunk van Scarlett Higgins en haar persoonlijke moraal.'

'Dus u zegt dat uw familie Jimmy niet echt als een van hen beschouwt?' Asmita sloeg haar armen over elkaar. 'Biologisch gezien zou hij dat best kunnen zijn. Maar hij maakt op geen enkele betekenisvolle manier deel uit van onze familie. Hij behoort niet tot onze cultuur of tot onze familietradities. Hij hoort er niet thuis.'

'Hij ziet eruit als een van jullie,' zei Nick. 'Hij ziet er eerder uit als een Patel dan als een Higgins.'

'Misschien wel. Maar uiterlijk is slechts vertoon.' Ze schraapte haar keel. 'U zei dat hij ontvoerd is? Hoe is dat gebeurd?'

'Zijn voogd nam hem mee op vakantie naar Amerika. Terwijl ze zat te wachten om door de beveiliging te worden gefouilleerd, liep een man weg met Jimmy. Het was zeer goed georganiseerd. Tegen de tijd dat iedereen doorkreeg wat er aan de hand was, waren ze verdwenen.'

Er volgde een lange stilte. Asmita liep naar een van de hoge ramen, die uitzicht boden op de glinsterende wolkenkrabbers van de City. 'Wat heeft dat met mij en mijn familie te maken?'

Die vraag kon niet eenvoudig beantwoord worden zonder aan culturele gevoeligheden te raken. 'Zoals ik al zei: het is een grote gok. En u heeft mijn vraag al min of meer beantwoord toen u me over Rabinder vertelde.'

Ze draaide zich razendsnel om en keek hem boos aan. 'Ik snap het al.' Ze schudde vol ongeloof haar hoofd. 'U denkt dat we een of andere primitieve bergstam zijn die een mannelijke erfgenaam nodig heeft om de familielijn in stand te houden. Heeft u enig idee hoe beledigend dat is?'

'Het was niet als een belediging bedoeld. Integendeel,' zei Nick. 'Ik probeerde rekening te houden met iets wat belangrijk zou kunnen zijn in de ogen van iemand met een ander cultureel perspectief. Ik ben geen expert in dit soort nuances, ik ben een rechercheur die zijn werk probeert te doen. En dat werk draait momenteel allemaal om een poging een kleine jongen te redden die is weggekaapt bij de persoon van wie hij houdt en is weggerukt uit het leven dat hij kent. Het spijt me als ik u beledigd heb. Maar dat heeft op dit moment niet de hoogste prioriteit voor mij.' Hij ging op weg naar de deur.

'Wacht,' zei Asmita. 'Volgens mij zijn we allebei slecht van start gegaan. Het spijt me dat over Jimmy te horen, maar alleen op een manier zoals wanneer een kind van een willekeurige vreemde ontvoerd zou zijn. Ik kan niet net doen alsof ik een emotionele band voel die niet bestaat.'

'Ik begrijp het,' zei Nick. Hij had het idee dat ze een heel andere toon zou aanslaan als ze ook maar een middagje in het gezelschap van Jimmy had doorgebracht.

'Maar u heeft gelijk met uw idee dat het hebben van een mannelijke erfgenaam belangrijk voor mijn vader is. Hoewel hij het niet kon toegeven, was hij kapot van Jishnu's dood. En de geboorte van Rabinder kwam duidelijk als een grote opluchting voor hem. Het verzachtte de pijn van zijn verlies en het gaf hem hoop. Maar zelfs vóór die tijd zag hij in Jimmy niet de oplossing. U moet me wat dat betreft geloven.'

Het klonk als de waarheid. En Nick had geen enkele reden om haar niet te geloven. Het speet hem niet dat zijn idee niets had opgeleverd. Het versterkte alleen maar zijn geloof dat Pete Matthews de meest geloofwaardige verdachte was. Nu moest hij die klootzak alleen nog zien te vinden.

30

Het is vreselijk ironisch, maar het was dankzij haar beroemdheid dat Scarletts borstkanker zo snel gediagnosticeerd werd. Een van de lifestyleprogramma's op de dagtelevisie vroeg haar een item voor jongere vrouwen te presenteren over bekendheid met borstkanker. We hadden de gewoonte ontwikkeld om eens per maand 's middags thee met elkaar te drinken in een van de chique Londense hotels, en ze had me opgewonden verteld over haar nieuwste opdracht. 'Het lijkt erop dat ze me echt serieus beginnen te nemen,' zei ze. 'Ik geef niet alleen maar schoonheidstips en tips over hoe je als alleenstaande moeder een vent aan de haak kunt slaan. Dit is echt presenteren.' Ze was trots op zichzelf en niemand met enig gevoel in zijn lijf zou haar feestje hebben verpest door erop te wijzen dat de keuze misschien wel op haar was gevallen vanwege haar perfect gevormde en geheel natuurlijke boezem.

Scarletts taak als presentatrice hield in dat ze jonge vrouwen erop wees dat ze ook vatbaar voor borstkanker waren, ook al kwam het relatief weinig voor. Ze zou samenwerken met een specialist, die haar zou laten zien hoe ze haar borsten moest onderzoeken. Ze zouden het hebben over waarop je moest letten: niet alleen op knobbeltjes, maar ook op een verandering in textuur of in gewicht. En vervolgens zouden ze de onderzoeken doorlopen die een vrouw bij wie iets abnormaals wordt ontdekt ook zou moeten ondergaan. Scarlett had zich goed ingelezen over het onderwerp, en de verrukkelijke sandwiches en scones werden begeleid door een gedetailleerde beschrijving van mammografie, echoscopie en biopsie. Volgens haar had ze zich op alles voorbereid.

Op alles behalve wat er echt toe deed, zo bleek. Ze waren nog maar net met opnames in een of andere privékliniek begonnen, toen het mis begon te gaan. De gespecialiseerde verpleegkundige die Scarlett liet zien hoe ze haar borsten moest onderzoeken hield daar plotseling midden in een zin mee op en kreeg een verslagen uitdrukking op haar gezicht. Eerst dacht Scarlett nog dat men haar op de kast wilde jagen, dat de verpleegkundige onder één hoedje speelde met de filmploeg en dat ze haar een poets wilden bakken. Het is het soort zwarte humor dat schering en inslag is bij informatieve programma's, zo is mij althans verteld.

Scarlett giechelde. Natuurlijk giechelde ze, dat was haar standaardre-actie op zaken die ze niet helemaal begreep. En ze dacht echt dat het een grap was. Maar midden in een giechellach begon het haar te dagen dat ze de enige was die lachte. De verpleegkundige leek geschokt, de film-ploeg was alleen maar stil en in verwarring. Alleen de regisseur sprak. 'Wat is het probleem?' zei hij, terwijl hij zich langs de camera werkte om te kijken wat er aan de hand was.

De verpleegkundige keek verward om zich heen, alsof ze niet wist wat het protocol voor deze situatie was. Maar toen vermande ze zich en zei: 'Zou iedereen de kamer willen verlaten, alstublieft?'

De regisseur kreeg het wat later door dan de rest van de filmploeg, die gehoorzaam naar buiten begon te schuifelen. 'We zijn druk bezig met filmen... Wat er ook is, het kan toch zeker wel wachten tot we deze op-names klaar hebben?'

De verpleegkundige was onverzettelijker dan hij. En dat was volgens Scarlett ook niet zo moeilijk. 'U ook, alstublieft,' zei ze vastberaden, waarna ze naar hem toe liep.

'We hebben dit allemaal geregeld,' protesteerde hij. 'We hebben deze kamer de hele ochtend.' Ze bleef naar hem toe lopen. Hij had geen an-dere keuze dan achteruit naar de deur te lopen. 'Ik ga verhaal halen bij de directeur van de kliniek,' bulderde hij onderweg naar buiten. 'Jullie zouden ons jullie medewerking moeten verlenen.'

Ondertussen deed Scarlett haar best om niet in paniek te raken. 'Zo-dra ik besefte dat het geen geintje was, wist ik dat het goed mis was,' vertelde ze me later. 'Zoals de verpleegkundige keek en de manier waar-op ze de rest van hen de kamer uitwerkte, dat was niet bedoeld om een handtekening van me te krijgen.'

Zodra de deur achter de regisseur dichtging, kwam de verpleegkun-dige weer naast Scarlett staan. Ze was nu volledig geconcentreerd. 'Ik wilde u niet aan het schrikken maken,' zei ze. 'Maar ik voel hier iets wat niet in orde is.' Ze betastte voorzichtig de onderkant van Scarletts lin-kerborst. 'De huidtextuur voelt niet goed aan en wanneer ik iets harder druk, voel ik een reeks kleine harde knobbels.'

'Heb ik kanker?' Scarlett draaide nooit ergens omheen.

'Dat kan ik niet zeggen. Maar we moeten wel meer onderzoek doen.' De verpleegkundige klopte Scarlett zachtjes op haar schouder. 'Nu blijkt dat deze tv-show het beste is wat u had kunnen doen.'

Omdat Scarlett al op het juiste adres was, werd ze onmiddellijk onderworpen aan een complete batterij onderzoeken. Mammografie, echoscopie, MRI-scan, naaldbiopsie... de hele mikmak. Het ergste was dat ze in zo'n geschokte toestand verkeerde dat ze toestemming gaf om het hele vervloekte gebeuren te filmen. Ze stuurden haar, hoewel het haar nog altijd duizelde, naar huis in een auto van de studio. Ik hoorde er voor het eerst van toen Leanne me woedend opbelde.

Twee uur later had ik het gevoel dat ik een reis terug in de tijd had gemaakt. Net zoals in de ergste periode van Scarletts beruchtheid stond het mediacircus aan de poort te roepen. Busjes voor satelliettelevisie, fotografen met enorme lenzen, verslaggevers met uitgestoken microfoons... Ze waren er allemaal en verdrongen zich rond de ingang. Niets gaat sneller rond in de eenentwintigste eeuw dan slecht nieuws.

Ik dacht dat ik echt een paar van hen omver zou moeten rijden om door de poort naar binnen te kunnen gaan, maar ze weken op het laatste moment uiteen. Hoewel de meesten van hen geen idee hadden wie ik was, namen ze mij en mijn auto en mijn gesnauw evengoed maar op de foto, voor het geval ik een belangrijk iemand zou blijken te zijn.

Ik vond de meiden boven in de kinderkamer. Scarlett speelde piraatje met Jimmy, die zijn piratenschip over de oceaan van het vloerkleed naar de haven van de inloopkast stuurde, waar hij zijn Vikingkasteel met alle kracht van zijn longen tegen haar troepen verdedigde. Leanne lag op haar buik op bed en hing over de rand om hen allebei met plastic kanonskogels te bestoken. Toen ik de kamer binnenliep, wierp Scarlett me een intens gepijnigde blik toe, maar ze slaagde er op de een of andere manier in om haar aanval op het kasteel voort te zetten. Toen ze met haar schip tegen de kasteelmuren ramde, deed ze net alsof ze aan de grond liep en begon te kapzeisen. 'Nu ben ik er geweest, Jimmy. Jij wint.' Ze kroop op handen en voeten zijwaarts over de vloer en tilde hem op, waarna ze hem onder kussen bedolf terwijl hij zich in allerlei bochten wrong en giechelde. 'Het is tijd voor je bad, mijn lieve schat.'

'Nee,' riep hij dwars. 'Nog één keer. Nu wil ik de piraat zijn.'

Ze kietelde zijn buik en droeg hem naar de badkamer. 'Je kunt in bad een piraat zijn, meneertje.'

Hij giechelde, kronkelde en schreeuwde met rood aangelopen gezicht: 'Dodemanskist, dodemanskist.'

'Ik kom zo naar beneden,' zei Scarlett over haar schouder.

Ik liep achter Leanne aan naar de keuken. Dit was geen proseccoavond. We gingen meteen aan de cognac. 'Wat hebben ze precies tegen haar gezegd?' vroeg ik.

'Ze willen niets definitiefs zeggen voordat ze de onderzoeksresultaten binnen hebben. Maar afgaande op hoe bloedserieus ze het allemaal namen, ziet het er niet best uit.'

'Je denkt niet dat ze het een beetje overdreven hebben omdat het gefilmd werd?'

'Volgens Scarlett niet.'

We liepen de patio op, zodat Leanne kon roken. Scarlett voegde zich even later bij ons, toen we in het schemerdonker over onze drankjes gebogen zaten. Ze nam zelf ook een sigaret en kwam op haar hurken bij ons zitten.

'Je rookt niet,' zei ik mild.

'Vroeger wel.'

'Als een schoorsteen,' voegde Leanne er behulpzaam aan toe.

'Ik ben gestopt voordat ik auditie deed voor *Goldfish Bowl*. Ik wist dat het moeilijk genoeg zou worden zonder dat ik de hele tijd naar een sigaret zou zitten te snakken.' Ze inhaleerde met de zwier van de zware roker die het nooit had afgeleerd. 'Als ik toch al kanker heb, kan ik net zo goed een vervloekte sigaret opsteken.'

'Dat is niet de aanbevolen manier om het te bestrijden,' zei ik.

'Dat weet ik ook wel,' snauwde ze. 'Ben je soms vergeten dat ik niet oliedom ben?' Ze sloot haar ogen en ademde zwaar door haar neus. 'Het spijt me. Ik ben niet van plan weer te beginnen.' Ze wierp me een scheve glimlach toe. 'Behalve wanneer de diagnose terminale kanker is. Dan ben ik van plan mezelf over te geven aan alles wat slecht voor me is.' Ze nam nog een diepe haal. 'Ik wil vanavond gewoon roken. Zit me niet op mijn nek, Steph. Niet vanavond.'

Ze leunde tegen me aan en legde haar hoofd op mijn schouder. Ik streek haar haar uit haar gezicht en voelde het vocht van haar tranen op haar wang. 'Wat moeten we doen, Scarlett?' vroeg ik.

'Wat jij doet weet ik niet, Steph, maar ik ga verdomme tot het bittere eind doorvechten.'

En vechten deed ze dan ook. De diagnose was verschrikkelijk: invasieve, lobulaire borstkanker. Iets waarvan ik nog nooit had gehoord. Ik kwam er al snel meer over te weten dan ik ooit over willekeurig welke ziekte zou willen weten, omdat er natuurlijk een boek in Scarletts 'strijd om te overleven' zou zitten. Men veronderstelde natuurlijk wel dat ze die strijd zou gaan winnen, maar ik wist dat de uitkomst wat de uitgever betreft niet het belangrijkste was. Het ging hen om de tranentrekkende kwaliteiten van het verhaal. En het zou natuurlijk opgeschreven worden in de vorm van een tweede epistel aan Jimmy.

Ik moest vanzelfsprekend het hele proces samen met haar doorlopen. Ik mag graag denken dat ze dat sowieso had gewild, maar ik weet niet zeker of ik er wel voor zou hebben gekozen om zo dicht bij het proces van haar behandeling te staan.

Mijn toer begon met haar eerste afspraak bij de specialist die haar overal bij zou begeleiden. Simon Graham was het tegenbeeld van de stereotiepe medisch specialist. Geen pakken van Savile Row, geen dure eau de toilette en geen golftas in de kofferbak. Die bewuste dag droeg hij een zwarte spijkerbroek en een overhemd met roze en witte strepen zonder das. Aan zijn voeten droeg hij prachtig bewerkte, zwarte, leren cowboylaarzen. Je kon Simon altijd al van zeer ver horen aankomen.

Hij zag er ook niet oud genoeg uit om medisch specialist te zijn. Hij had dat eeuwig jongensachtige uiterlijk dat sommige mannen ogenschijnlijk tientallen jaren lang ergens in de twintig doet lijken. Mannen bij wie je dicht in de buurt moet komen voordat je de fijne lijntjes en het grijs aan de slapen kunt zien, die onthullen dat ze niet helemaal zijn wat ze lijken. Simon had dik, donker haar, dat blijkbaar was gemodelleerd naar het kapsel dat de Beatles in hun begintijd hadden, toen het nog redelijk kort was en licht in de war zat. Hij had ernstige blauwe ogen achter het soort bril met stalen montuur dat natuurwetenschapdocenten in Amerikaanse films uit de jaren vijftig dragen. Zijn mond leek altijd op het punt van glimlachen te staan. Wanneer hij daaraan toegaf, verscheen er alleen in zijn linkerwang een kuiltje. Hij was een arts die was gemaakt voor realitysoaps. Ik vroeg me af of hij was uitgekozen om Scarletts geval te begeleiden toen er nog sprake was van een eventuele tv-documentaire.

O, jawel. George had Scarlett inderdaad geprobeerd over te halen om een filmploeg een ooggetuigenfilm over haar behandeling te laten maken. Nu zou je kunnen zeggen dat het ethische argument voor mij niet zwaar zou wegen, omdat er veel geld te verdienen zou zijn aan het vertellen van Scarletts verhaal, maar zelfs ik maakte hier bezwaar tegen. Ik legde aan Scarlett uit dat het verschil schuilde in het feit dat ze, bij het schrijven van het boek, controle zou hebben over wat er uiteindelijk in zou komen. Terwijl ze volledig was overgeleverd aan de televisiemaatschappij wanneer het erom ging wat er op televisie zou worden uitgezonden.

Ik was veel te tactvol om erop te wijzen dat ik, en niet zij, degene zou zijn die zou bepalen wat er in het boek kwam als ze het niet zou redden. Maar ze was slim genoeg om dat zelf door te krijgen, als ze er even rustig over nadacht.

George probeerde Scarlett ervan te overtuigen dat de documentaire ook weer een manier zou kunnen zijn om fondsen te werven voor TOmorrow, maar ze wilde er niets van weten. 'Ik wil die behandeling niet ondergaan terwijl ik me afvraag wat de mensen van me zullen denken. Als ik er behoefte aan heb om te vloeken of te janken als een verdomde weerwolf, dan wil ik me kunnen laten gaan. Ik ga me niet door een of andere arme stakker op drie verschillende manieren slecht nieuws laten brengen, omdat de filmploeg het er de eerste keer niet goed op had staan. Dus niet. Ik wil controle hebben over wat er gebeurt en hoe het gebeurt, en niet de regisseur. Die denkt toch meer aan kijkcijfers dan aan mijn gezondheid.'

Ik hoopte echt dat ze niet voor Simon hadden gekozen omdat hij fotogeniek was. Ik hoopte dat ze hem hadden uitgekozen omdat hij de allerbeste in zijn vakgebied was. Dat verdiende Scarlett.

Die ochtend vroeg hij ons plaats te nemen in zijn sober ingerichte spreekkamer en stelde hij zichzelf voor. 'Het eerste wat ik vandaag wil doen, is uitleg geven over de diagnose die we hebben gesteld en over wat dat voor jou betekent. Het zal allemaal niet gemakkelijk zijn, en ik wil dat je weet dat mijn team zich tot taak heeft gesteld je te helpen weer volledig te herstellen. Wanneer je maar iets van ons wilt, kun je met een van ons spreken, op welk uur van de dag of de nacht dan ook.' Hij schoof een kaartje naar haar toe over de lage salontafel. 'Er staat een speciaal mobiel nummer op. Er zit altijd iemand van het team achter de telefoon. En mijn persoonlijke, directe nummer staat er ook op.'

Scarlett pakte het kaartje op en stopte het zonder ernaar te kijken in haar zak. 'Daar betalen we tenslotte voor, hè? Vijfsterrenbehandeling?'

Simon kreeg kraaienpootjes naast zijn ooghoeken wanneer hij glimlachte, alsof hij zijn ogen toekneep tegen de zon. 'Dat beloof ik. We zullen echt alles voor je doen.'

Hij was erg goed. Ik voelde me zonder meer gerustgesteld. Maar ik zat niet in de hoek waar de klappen vielen.

'Goed,' zei Scarlett. 'Dat is dan afgesproken. Dus wat is er nu eigenlijk met me aan de hand?'

'Ik zal er niet omheen draaien, Scarlett. Onze onderzoeken wijzen uit dat je invasieve, lobulaire borstkanker hebt.'

'En wat is dat in gewonemensentaal?' Scarlett sloeg haar benen over elkaar en legde haar handen op de bovenste knie. Het was alsof ze zich strakker samenbalde om door haar lichaamshouding te voorkomen dat ze zou instorten.

'Je hebt klieren in je borsten die melk produceren.' Hij glimlachte. 'Je herinnert je waarschijnlijk nog wel dat je na de geboorte van je zoon borsten vol melk kreeg, die behoorlijk klonterig aanvoelden?'

Ze knikte. 'Ik vond ze altijd als zakken pastasalade aanvoelen.'

'Eigenlijk is dat een heel goede manier om het te beschrijven,' zei Simon, die erin slaagde niet neerbuigend te doen. 'Deze kanker vormt zich in die klieren en zorgt ervoor dat de structuur van de borst op sommige plaatsen opzwelt. Ook de huidtextuur kan er een beetje vreemd door gaan aanvoelen. Wat je net zei over pasta? De meeste borstkankergezwellen hebben de vorm van een knobbel. Ze lijken op gehaktballetjes tussen de pasta, en je kunt ze heel gemakkelijk voelen. Maar deze vorm van kanker is als een lepel bolognesesaus die door de pasta is geroerd. De klontjes zijn klein en moeilijk te vinden. Scarlett, als je hier vandaag niet was geweest om een item te maken over borstonderzoek, zou je misschien niet hebben ontdekt dat er iets mis was voordat het nog veel ernstiger zou zijn geworden.' Hij leunde ernstig kijkend naar voren, zette zijn ellebogen op zijn knieën en vouwde zijn handen ineen. 'Dit is een ongebruikelijke kankersoort, zeker bij iemand van zo'n jonge leeftijd als jij. Slechts vijf procent van alle gevallen van borstkanker neemt deze vorm aan. Ik ben het maar een paar keer tegengekomen, en in al die gevallen was de ziekte in een veel gevorderder stadium. Naar mijn mening heb je een uitstekende kans om volledig te herstellen, omdat we de diagnose zo vroeg hebben kunnen stellen.'

'Wat betekent dat? "Een uitstekende kans om volledig te herstellen"?'
Ze klonk agressief, maar ik wist dat het kwam omdat ze bang was. Ik hoopte dat hij voldoende ervaring had om dat ook te begrijpen.

'Oké. Ik zal je de cijfers geven. Vijf jaar na de diagnose is vijfentachtig procent van de vrouwen met deze vorm van kanker nog in leven.' Hij stopte even om op haar reactie te wachten.

Scarlett leek nu niet bepaald verheugd door dat nieuws. 'Dat betekent dat vijftien procent van hen is overleden,' zei ze.

'Klopt. Maar jij hebt wat bekendstaat als een kanker in het tweede stadium. Daarmee kom je ergens in het midden van het spectrum terecht wat betreft de ernst van de ziekte.'

'Wat gaan jullie met me doen?'

Simon boog over de tafel heen en bedekte haar ineengevouwen handen met de zijne. 'We gaan een behandelingsstrategie uitstippelen waarmee je de grootst mogelijke kans hebt om je zoon te zien opgroeien.'

Dat was het moment waarop we allebei begonnen te huilen, Scarlett en ik.

31

Hij werd gestoord van het joch. Geduld was niet Pete Matthews' sterkste kant, en hij had al zeer snel nadat hij het jong had opgepikt genoeg van hem gekregen. In de auto was hij een grote klier geweest: hij had vals meegezongen met Petes favoriete muziek voor onderweg, hij had zitten zeuren dat hij moest plassen en zitten klagen dat hij honger had. Hij had gehuild omdat hij dorst had. Hoeveel eisen kon één kind hebben?

Hij was nog nooit zo blij geweest om weer terug te zijn in het rijtjeshuis in Corktown. Hij had de jongen opgesloten op de zolderslaapkamer, had hem een dubbele boterham en een fles water gegeven en had de tv aangezet om hem zoet te houden. Met enig geluk zou hij zijn snater houden en gaan slapen. Pete haatte de manier waarop de jongen naar hem keek: met een mengeling van adoratie en angst. Hij voelde zich er ongemakkelijk door.

Pete was een man die gewend was zijn zin te krijgen. Op het werk had hij allerlei subtiele mechanismen ontwikkeld om ervoor te zorgen dat de uiteindelijke geluidmix zo uitviel als hij dacht dat het zou moeten. Over het algemeen dachten de artiesten met wie hij werkte dat de beste ideeën van henzelf kwamen. Híj wist echter dat een belangrijk element van de productie waarvan de luisteraars genoten door zíjn inbreng en zíjn persoonlijke mix van vakbekwaamheid, ervaring en verbeelding was ontstaan. Hier in Detroit werkte hij veel met ervaren studiomuzikanten, die al in de muziek zaten voordat de artiesten met wie ze werkten waren geboren. Die muzikanten wisten dat ze in handen van een echte professional waren en verwelkomden Pete enthousiast. Hij had nooit problemen met hen.

Juist de jonge gasten dachten dat ze het allemaal beter wisten, en soms duurde het even voordat Pete hen van zijn manier van denken kon overtuigen. Wanneer ze het niet met hem eens waren, zette hij toch gewoon zijn eigen zin door en deed dan net alsof hij had gedaan wat ze hadden gevraagd. De meesten van hen hadden toch te weinig verstand van de fijne kneepjes van het produceren om beter te weten. Het kostte hem alleen tijd en doorzettingsvermogen.

Hij pakte een biertje uit de koelkast en maakte een boterham. Hij was gek op Amerikaans eten. Flinterdunne ham, eiersalade en smeerkaas op geroosterd roggebrood. Heerlijk. Voordat hij aan tafel ging zitten om te eten, liep hij de hal in en luisterde. Hij kon vaag het geluid van de tv horen, maar dat was alles. Het joch huilde niet, en dat was wat telde. Het laatste wat hij wilde, was dat de buren de politie gingen bellen om hun beklag te doen over een gillend kind.

Hij keerde weer terug naar zijn bier en zijn boterham en overdacht zijn mogelijkheden. Hij had nog een week werk hier in Detroit, maar dan moest hij nodig naar Groot-Brittannië terug. Hij had nog een appeltje te schillen met Stephanie en hij wilde dat het liefst zo snel mogelijk geregeld hebben.

Pete had zich een tijdlang geen raad geweten vanwege Stephanie. Hij kon niet begrijpen waarom ze niet bij hem was teruggekomen. Ze hoorde bij hem. Hij was stapelgek op haar. Niemand kon meer van haar houden dan hij. Hij had haar alles gegeven wat een vrouw zich maar kon wensen, en nog steeds weigerde ze dat te onderkennen. Maar nu die jongen erbij was gekomen, wist hij zeker dat ze de zaken anders zou zien. Je had twee mensen nodig om goed voor een kind te kunnen zorgen. Dat zou ze zich nu toch wel realiseren.

Oké, hij had een hekel aan Jimmy gehad toen hij net was geboren, maar dat kwam omdat Stephanie zoveel tijd en energie besteedde aan die slet van een Scarlett en haar bastaardje. Tijd die ze in hem en in hun relatie had moeten steken. Al zijn maten waren het daarmee eens. Haar plaats was in haar eigen huis en niet in dat vervloekte plastic paleis ergens diep in Essex, waar ze een handje hielp met de zorg voor een kind, wiens eigen vader het te druk had met zijn parasiterende dj-carrière om zich met zijn verantwoordelijkheden bezig te houden. In het begin was hij er wel eens naartoe gereden om er een kijkje te nemen. Gewoon uit nieuwsgierigheid. Het was niet moeilijk te vinden en het was net zo lelijk als hij had verwacht. Hij kon niet bevatten hoe een vrouw met zoveel smaak als Stephanie het kon verdragen om daar te wonen.

Maar nu lagen de zaken anders. Oké, het zou niet hetzelfde zijn als met een zoon van hemzelf. Dat zou later wel komen, wanneer ze eenmaal hun draai hadden gevonden als kant-en-klaargezinnetje. Maar hij kon Jimmy wel de juiste opvoeding geven. Hij kon hem laten zien wat het betekende een man te zijn. Het joch was vanaf zijn geboorte verwend. Hij was geknuffeld en getroost in plaats van gestraft. En wat was het resultaat? Hij was een verwende huilebalk geworden. Maar daar zou Pete snel verandering in brengen. Hij zou hem leren een kleine man te zijn. Sterk en taai. Stephanie zou trots op hem zijn wanneer ze zag dat hij de verantwoordelijkheid op zich kon nemen om een jongen wat mannelijke begeleiding te geven. Hij zag hen al voor zich over een aantal jaren: de jongen zou zijn plaats kennen en laten zien dat hij wist hoe hij zich moest gedragen.

Hij had de eerste stap gezet door een band met Jimmy op te bouwen, die was gebaseerd op discipline en op doen wat hem gezegd werd. Toen Scarlett Harlot nog in leven was, had Pete zich opgegeven als vrijwilliger bij de peuterschool van het kind. Ze waren dolgelukkig met deze charmante man, die één keer per week met verschillende muzikanten langskwam om zich met de kinderen bezig te houden. De kinderen maakten lawaai op een verscheidenheid aan instrumenten. Pete nam dat vervolgens nauwgezet op en bewerkte het daarna tot iets wat op muziek leek. Hij plaatste het eindresultaat op YouTube, zodat liefhebbende ouders in de waan konden zwelgen dat kleine Orlando en Keira hard op weg waren de jonge muzikant van het jaar te worden.

En het lievelingetje was kleine Jimmy Higgins. Hij leek er trouwens wel iets meer van te snappen dan de meeste kinderen. Waarschijnlijk omdat hij dankzij zijn hopeloze mislukkeling van een vader al op jonge leeftijd aan harde, ritmische muziek werd blootgesteld. Pete stimuleerde die jonge spruit en zorgde ervoor dat Jimmy beter zijn best deed. Het had hem genoegen gedaan te zien dat het joch over beloning en straf leerde. Misschien kon hij iets van de jongen maken als muzikant, wanneer hij Stephanie een lesje had geleerd.

Zijn gefantaseer werd onderbroken door een zacht, ijl gejammer vanboven. Pete sloeg hard met zijn handpalm op tafel en liep toen de trap op. Zijn hand jeukte om een harde klap uit te delen. Het joch moest het tenslotte toch leren.

32

Het begon met de operatie. Wat Simon een 'brede lokale excisie' noemde. Het was bedoeld om zo veel mogelijk borstweefsel van Scarlett te behouden. Omdat ze er zo snel bij waren, had hij er vertrouwen in dat ze het door kanker aangetaste weefsel en een niet aangetaste rand eromheen konden wegsnijden, zodat de ziekte geen voet aan de grond zou krijgen in de rest van haar lichaam. Naast het kankergezwel haalden ze ook de lymfklier die het dichtst bij dat gedeelte van de borst zat weg. 'We noemen dat een schildwachtklierbiopsie, omdat het een soort buitenpost van je immuunsysteem is. Als die schoon is, dan is de kans groot dat de rest van je lichaam dat ook is,' legde hij uit.

Scarlett doorstond de operatie goed. Haar uitstekende lichamelijke conditie droeg daar ook aan bij. Zelfs na Jimmy's geboorte was ze elke dag blijven zwemmen. Ze had ook een crosstrainer gekocht en liep drie of vier keer per week vijf kilometer hard. Simon zei dat ze afgezien van de kanker een geweldige conditie had en hij moedigde haar aan om de draad weer zo snel mogelijk op te pakken.

Maar dat was niet genoeg om de pijn en de angst tot staan te brengen. Ze lag niet lang aan de morfine, en ik kon zien dat ze pijn had. 'Je hoeft geen pijn te lijden,' zei ik. 'Ze zullen je iets geven om de pijn te verzachten. Van pijn lijden word je niet beter.'

Ze trok een gezicht. 'Van die pijnstillers word ik hartstikke high. Ik hou niet van medicijnen of drugs. Ik voel me er niet lekker bij. Heb ik altijd gehad. Het is draaglijk, Steph, geloof me. Omdat ik weet dat ik beter ga worden, kan ik het verdragen. Het zal niet lang duren.' Ze blies haar adem uit. 'En Simon zei dat de operatie goed is verlopen. Nu moet ik alleen nog maar de chemokuren ondergaan en toekijken hoe mijn haar uitvalt.'

En dat deed het ook, met handenvol tegelijk. Na de eerste chemokuur, een akelige dag waarop Scarlett een intraveneus infuus met giftige medicijnen kreeg te verduren en zich met het uur slechter ging voelen, begon haar haar dunner te worden. Toen ze drie sessies achter de rug had, waren er hele plukken weg. Het leek alsof ze betrokken was geweest bij een zeer agressief meidengevecht.

Toen we 's avonds weer terug waren in de haciënda, nam ze het dappere besluit om haar hoofd kaal te scheren. Maar eerst moest ze een hoed vinden. Ze had niets geschikts in de kast liggen en stuurde daarom Leanne over de A13 op pad naar het Lakeside-winkelcentrum, waar tot laat in de avond gewinkeld kon worden.

Tegen de tijd dat Leanne met uitpuilende draagtassen thuiskwam, hadden we Scarletts haar tot korte stekeltjes geknipt. Ze hield de zware bos haar in haar hand en de tranen stonden in haar ogen. 'Wat denk jij, Steph? Zal ik het bewaren? Het met een haarband samenbinden als herinnering aan wat ik heb verloren?'

'Dat moet je zelf weten. Maar het groeit wel weer aan, weet je. Bij sommige mensen komt er zelfs een dikkere bos haar voor terug.'

Ze trok een gezicht. 'Je hebt gelijk.' Ze liep door de keuken naar de afvalbak, maar vlak voordat ze het haar erin gooide, hield ze in. 'Waar ben ik in godsnaam mee bezig?' zei ze. 'Je moet hier een foto van maken. Hier zit een artikel in voor de vrouwenpagina van een van de bladen. Scarlett schudde vol ongeloof haar hoofd. 'Allemachtig, Steph, het gaat wel achteruit met ons. Ga de camera halen.'

En dus deed ik wat me was opgedragen. Ik fotografeerde haar stoppelige hoofd van alle kanten, maakte een foto van hoe ze bedroefd naar de afgeknipte haarstaart in haar handen stond te kijken, van haar glimmende hoofd nadat we dat met het elektrische scheerapparaat kaalgeschoren hadden, en als laatste nam ik een foto van haar terwijl ze de hoedencollectie uitprobeerde die Leanne had meegenomen.

'Deze vind ik het leukst,' meldde Scarlett, terwijl ze haar hoofd heen en weer bewoog voor de spiegel in haar kleedkamer. Het was een saliegroene clochehoed met een opstaande rand, gemaakt van licht fleecemateriaal. Hij stond haar goed, zeker wanneer ze glimlachte.

'Goede keuze,' zei Leanne. 'Ze hebben ze in drie of vier verschillende stoffen en in een kleur of tien. Ik kan morgen naar de winkel teruggaan om hun voorraad compleet te plunderen. Je zult hoeden hebben voor elk weertype en passend bij al je verschillende kleren.'

Scarlett keek me aan. 'Er zal een hele nieuwe ik komen,' zei ze, waarbij het haar niet helemaal lukte om haar verdriet te verbergen. 'Ik zal zoals de koningin zijn en nooit zonder hoed de deur uit gaan.'

'Je zult een stijlicoon worden,' zei ik in een poging haar gerust te stellen.

'Wie weet. Maar nu moet dit stijlicoon nodig naar bed.' Ze trok gapend de hoed van haar hoofd. 'Die arme Jimmy zal zich morgenochtend rot schrikken wanneer hij me ziet.'

Maar dat deed hij niet. Hij merkte de verandering amper op. Ik was stomverbaasd. Ik had net zoals Scarlett verwacht dat hij bang of overstuur zou zijn, of toch op zijn minst in de war. Ik vroeg er Simon naar, toen ik hem bij de volgende chemo-afspraak weer zag. 'Je zult versteld staan,' zei hij. 'Kinderen reageren op de persoon, niet op het uiterlijk. Ik heb gevallen meegemaakt waarbij de ouders bang waren om het kind de patiënt te laten zien, omdat ze dachten dat die ervaring het nachtmerries zou bezorgen. Maar zo werkt het niet. Zelfs wanneer de kanker of de behandeling behoorlijk ernstige misvormingen heeft veroorzaakt, lijken de kinderen van de patiënt niet bang te zijn of hem afstotelijk te vinden. Het is een interessante uiting van hun vermogen om te begrijpen dat wat ons maakt wie we zijn vanbinnen zit en niet vanbuiten.' Hij glimlachte treurig. 'Een van de eigenschappen waarvan ik zou willen dat we die ook naar ons volwassen leven meenamen.'

Scarlett had Simons opmerking duidelijk goed in haar oren geknoopt. Toen we naar Essex terugreden, begon ze er weer over. 'Ik ben blij dat Jimmy niet bang is vanwege mijn nieuwe look,' zei ze.

'Hij weet wie je bent. En hij weet dat hij van je houdt.'

'Hij weet altijd wie ik ben. In tegenstelling tot de fans, die al die jaren door Leanne voor de gek zijn gehouden.'

'De mensen zien wat ze verwachten te zien,' zei ik. 'Dat is de reden dat ooggetuigenverklaringen bij de rechterlijke macht als zeer onbetrouwbaar bekendstaan. Onze ogen vangen een glimp van iets op en onze hersens vullen de rest aan op basis van wat we ons herinneren en van wat we weten. Fans in een club of bij een modeshow of achter de schermen bij een concert verwachten Scarlett te zien, en dus is dat wat hun brein aan hen doorgeeft. Je zou tegen problemen kunnen zijn aangelopen als Joshu zijn mond voorbij zou hebben gepraat en mensen op zoek zouden zijn gegaan naar dingen die niet klopten. Want dan zouden ze die ook gevonden hebben. Maar gelukkig is dat nooit gebeurd.'

'Maar nu hoeft Joshu zijn mond niet eens voorbij te praten. Kijk eens naar me. Ik ben aangekomen, mijn gezicht ziet eruit als de volle maan en ik heb geen haar. Ik kan Leanne toch niet als mijn vroegere ik laten rondlopen?'

Ik had daar op de een of andere manier helemaal niet bij stilgestaan, totdat Scarlett erover begon. 'Je bedoelt dat het tijd wordt dat ze weer brunette wordt?'

Scarlett zuchtte. 'Om te beginnen, ja. Ze moet ook een ander kapsel krijgen. Kortgeknipt, iets waardoor de vorm van haar gezicht er anders uitziet. Maar dan zijn we er nog niet. Ik denk dat het langzaam tijd wordt dat ze naar Spanje oprot.'

Ik schrok van de terloopse manier waarop ze dat zei. Leanne woonde inmiddels al een paar jaar bij haar in. Ze had de wrakstukken van Scarletts stukgelopen huwelijk opgeruimd. Ze had een cruciale rol gespeeld bij het grootbrengen van Jimmy. Ze had haar gesteund toen er kanker bij haar werd geconstateerd, om nog te zwijgen van de periode van uitputting en depressiviteit die het gevolg van de chemokuren was. En nu had Scarlett het erover om haar nicht te verbannen, met net zoveel emotie als ze had getoond toen ze vorig jaar van glazenwasser veranderde.

'Denk je niet dat je haar hulp nodig hebt tijdens de rest van de behandeling? Ze is echt een steun en toeverlaat voor je geweest.'

Scarlett haalde een flesje water uit haar tas tevoorschijn. Ze dronk er lang uit en smakte vervolgens voldaan met haar lippen. 'Het was niet zo erg als ik dacht dat het zou zijn,' zei ze. 'Ik voel me wel klote na zo'n sessie, maar ik kan het wel aan. Ik heb Marina om de was te doen, om voor Jimmy te zorgen en om de schoonmakers aan te sturen.' Ze strekte haar arm uit en klopte me op mijn dijbeen. 'En jij was geweldig. Ik had dit zonder jou niet aangekund, Steph. Maar het laatste wat ik op dit moment nodig heb is dat iemand Leanne ergens in de Tesco-supermarkt ziet rondlopen, terwijl ze er als een gezonde versie van mij uitziet. Er hoeft maar één vrolijke kiekjesmaker een foto op Twitter te plaatsen of een paar seconden video op YouTube te zetten, en de boulevardbladen zullen opeens ongemakkelijke vragen gaan stellen.' Ze trok haar hoed af en krabde op haar hoofd. 'Dat ga ik niet trekken,' zei ze. 'Echt niet.'

Ze had wel een punt. En het was nu ook weer niet zo dat Leanne reden tot klagen had. Ze had gedaan wat er van haar verlangd werd, dat zonder meer. Zelfs wanneer ze gedronken had, zelfs in de kleine uurtjes wanneer de freelancers deden alsof ze haar vriend waren en zelfs in het damestoilet in de vipruimte wanneer haar Colombiaans marcheerpoeder werd aangeboden, had ze haar mond gehouden en had ze er nog niet eens op gezinspeeld dat er sprake was van een duister geheim.

Maar aan de andere kant had ze een leven kunnen leiden waarvan ze alleen maar had kunnen dromen toen ze de eindjes aan elkaar moest knopen in een armzalige woonwijk in een satellietstad van Dublin. Ze had kost en inwoning genoten en ze had geld op zak voor kleren en schoonheidsbehandelingen. Ze was naar elk cool feest en elke hippe club geweest waar ze maar naartoe wilde, en anders dan de meeste domme blondjes in het circuit, hoefde ze met niemand naar bed om de toegang daartoe te verdienen. De positieve kant van de kinderzorg die ze had gegeven, was dat ze de kans had gehad tijd met Jimmy door te brengen, een kind bij wie het dankbaarder toeven was dan bij de meeste peuters.

En het was ook niet zo dat Scarlett haar zonder een cent de woestijn in stuurde. Leanne had al een bezoek gebracht aan de villa in de Spaanse bergen die Scarlett voor had gekocht. Scarlett had geregeld dat het zwembadhuis tot een nagelstudio werd verbouwd, waar ze manicures, pedicures en voetzoolmassage kon aanbieden. Leanne zou haar eigen huis binnenlopen en een kant-en-klaar bedrijfje letterlijk binnen handbereik hebben. Ze had eigenlijk geen enkele reden tot klagen.

Maar toch. Maar toch... Toch had ik het gevoel dat het niet van een leien dakje zou gaan. Maar Scarlett deelde mijn twijfels duidelijk niet.

'Ja,' zei ze. 'Ik denk dat ik het nog een paar weken op zijn beloop laat en haar dan vertel dat het tijd wordt dat ze reisplannen gaat maken.'

Er kan veel gebeuren in een paar weken. Tegen de tijd dat Scarletts theoretische deadline eraan zat te komen, was van Leanne afkomen wel het laatste waarmee ze bezig was.

33

Stephanie onderbrak haar verhaal om een slok uit haar flesje water te nemen. Vivian wierp een blik op haar horloge. Ze had nog niet geluncht en het zag ernaar uit dat het avondeten er ook bij zou inschieten. 'Je hebt niet gelogen toen je zei dat het een lang verhaal was.'

'Het spijt me. Maar je zei dat je alles wilde weten wat mogelijk verband zou kunnen houden met Jimmy's verdwijning.'

'Zo te horen heeft hij zonder meer een buitengewone reeks ervaringen gehad.' En hij zal het grootste gedeelte van zijn volwassen leven in therapie zitten, dacht ze. 'Ik denk dat we moeten...' Haar poging om voor te stellen even een eetpauze te nemen werd verijdeld door een klop op de deur. Vivian knikte naar Lia Lopez, die de deur opendeed, zodat een boos uitziende Abbott in beeld kwam.

'Sorry voor de onderbreking,' zei hij. 'Maar ik moet agent McKuras spreken.'

Vivian stond al voordat hij zijn zin had kunnen afmaken. Ze nam hem bij de arm en trok hem met zich mee de gang in. 'Sorry, maar ik moet iets eten,' zei ze, terwijl ze hem voorging naar de gang die naar de centrale hal leidde. 'Ik kan me nog geen vijf minuten langer concentreren als ik niet wat voedsel binnenkrijg.'

'Oké,' zei Abbott, die in haar kielzog volgde. Hij was een getrouwd man en wist dus wel beter dan in discussie te gaan met een vrouw die alle symptomen van een lage bloedsuikerspiegel vertoonde. Vivian liep met grote passen tussen de menigte passagiers door en liep recht op de Burger King in het voedselgedeelte af. Toen ze twee cheeseburgers en een grote beker koffie voor zich had, besloot hij dat het veilig was om iets te zeggen.

'We hebben de jongen en zijn ontvoerder kunnen volgen vanaf de beveiligingszone. Ze hebben de eerste de beste uitgang gepakt en kwamen op de promenade in het openbare gedeelte van de luchthaven weer tevoorschijn. Ze zijn niet in de buurt van de bagageafhandeling geweest. In plaats daarvan zijn ze rechtstreeks naar de parkeergarage tegenover de aankomsthal gelopen. Interessant genoeg is die vent niet bij de betaalautomaten geweest. Blijkbaar had hij geen parkeerbonnetje waarmee hij iets moest. Hij is gewoon zo met de jongen naar binnen gelopen, waarna ze in een lift zijn gestapt. En dan wordt het echt interessant: ze komen helemaal niet voor op de filmbeelden van de liftuitgangen.'

Vivian fronste haar voorhoofd, maar ze kon niets zeggen, omdat ze haar mond vol had.

'Vraag me eens hoe dat nu mogelijk is. Ik weet dat je daar vreselijk nieuwsgierig naar bent,' zei Abbott.

Vivian slikte door en gaf hem zijn zin. 'Hoe is dat nu mogelijk?' Hij deed tenslotte alle rotklussen voor deze zaak, dus dat genoegen gunde ze hem wel.

'Om twaalf uur zevenenvijftig heeft iemand zwarte verf op de lens van de camera gespoten die de liften op niveau dertien in de gaten houdt. Er stonden daarboven niet veel voertuigen, dus er was niemand die getuige is geweest van wat er is gebeurd. Of als er wel iemand was, dan kon het ze geen moer schelen dat iemand een camera van het gesloten videosysteem buiten werking stelde.'

'Wat voor beelden hebben we van voor twaalf uur zevenenvijftig?'

'Niet veel. Je ziet niemand naar de camera toe lopen, dus dat betekent dat ze de camera waarschijnlijk van achteren hebben benaderd en hem op de een of andere manier van onderen en van boven hebben bespoten. De controlekamer merkte ongeveer veertig minuten daarna dat de camera buiten werking was, waarna ze hem hebben aangemeld voor routineonderhoud. Pas toen ik er vragen over begon te stellen zijn ze ernaar gaan kijken en zijn ze erachter gekomen dat hij niet gewoon defect was, maar dat hij was vernield.'

'Om te voorkomen dat we hen uit de lift zouden zien komen,' zei Vivian. 'En aan je gezicht te zien gaan we nu niet over naar het goede nieuws.'

'Er is geen goed nieuws. Momenteel nog niet. We weten niet wat er is gebeurd nadat ze de lift zijn uit gekomen. Je zou denken dat ze in een voertuig zijn gestapt. Maar welk voertuig? We hebben geen idee wanneer ze de parkeergarage hebben verlaten. Ze zouden verdomme net zo goed eerst een halfuur achter in een busje zonder zijramen kunnen hebben gezeten. Daar is niet achter te komen.'

'En hoe zit het met de beelden van de uitgang? In wat voor voertuig ze dan ook zaten, ze moesten toch op zeker moment naar buiten.'

'Dat is tijdverspilling, Vivian. We weten niet hoe die vent eruitziet. Het begint erop te lijken dat hij een handlanger heeft, maar we hebben geen idee of het om een man of een vrouw gaat. We staan compleet tegen de wind in te pissen.'

Vivian had ineens geen trek meer. Met elk aanknopingspunt dat nergens toe leidde, werd de kans dat ze Jimmy levend zouden vinden kleiner. Het was nu meer dan vijf uur geleden dat hij was verdwenen. De steeds kleinere kans dat ze hem zouden terugkrijgen liet een bittere smaak in haar mond achter, die geen enkele hoeveelheid fastfood zou kunnen wegnemen. Ze duwde haar tweede burger van zich af, maar bedacht zich toen en pakte hem op. Als zijzelf zo'n honger had gehad, dan moest Stephanie ook honger hebben. 'Bedankt, Don. Erg fijn dat je dit allemaal voor me uitzoekt.' Ze stond op. 'Ik moet weer terug naar de getuige.'

'Natuurlijk. De controlekamer heeft een heleboel mensen ingezet om de beelden vanuit de centrale hal van eerder op de dag terug te kijken, in een poging vast te stellen waar hij vandaan is gekomen. Zodra ik iets heb gevonden, laat ik je het weten. Geen van de niet opgedaagde passagiers voldeed trouwens aan het profiel van onze man: een bejaarde chassidische Jood, een zwarte vrouw van middelbare leeftijd en een studente uit het noordwesten. Dus je getuige had het bij het rechte eind met haar suggestie.' Hij liep achter haar aan door de centrale hal. Toen ze de verhoorkamer naderden, legde hij zijn hand op haar arm. 'Trek het je niet te persoonlijk aan, Vivian.'

'Wanneer je net zo lang als ik naar die vrouw hebt zitten luisteren, zou je het je ook persoonlijk aantrekken, Don. Soms is dat de enige aanvaardbare koers die je kunt aanhouden.' Ze schudde zijn hand van zich af. 'Ik weet dat je je te pletter werkt voor deze zaak,' voegde ze er nog aan toe. Nu sloeg ze een mildere toon aan, niet omdat ze zich zorgen maakte dat ze hem op zijn tenen zou trappen, maar omdat ze bereid was al het nodige te doen om Jimmy's overlevingskansen niet in gevaar te brengen. 'En ik heb er het volste vertrouwen in dat je elke videopixel grondig zult onderzoeken.' Ze wierp hem haar beste glimlach toe, maar in gedachten was ze alweer bij Stephanie en was ze klaar voor de volgende aflevering.

34

Na ons gesprek over Leanne zag ik Scarlett bijna een week niet. Ik had gesprekken met een tv-presentatrice voor haar nieuwe motiverende handleiding om je leven weer op te pakken na een scheiding. Omdat haar huwelijk zo publiekelijk op de klippen was gelopen, lagen er meer dan genoeg commerciële kansen voor haar herstelproject. Ik mocht de vrouw niet echt, vooral niet omdat ze zo'n persoon was die nooit zou erkennen dat ze zelf enige verantwoordelijkheid droeg voor wat er was misgelopen in haar leven. Een beetje zoals mannen die hun vrouw slaan en vervolgens klagen dat hun vrouw hen had geprovoceerd door de gore moed te hebben om wat mondiger te zijn. Maar goed, ze had een vlotte babbel en ze was goed in het verzinnen van pakkende zinnen voor het einde van de hoofdstukken.

Toen ik Scarlett daarna weer zag, leek ze veel opgewekter. Het bleek dat Simon haar tijdens mijn afwezigheid gezelschap had gehouden, toen ze in de laatste fase van haar chemokuur zat. Zijn gesprekken met haar hadden haar een positievere instelling gegeven. 'Hij zegt de juiste dingen,' zei ze. 'Ik weet niet hoe hij het klaarspeelt, maar hij heeft er een instinct voor om zijn vinger op zaken te leggen die me bang maken of waar ik me zorgen over maak. En vervolgens komt hij dan met een of ander verhaal of met statistische gegevens, of met iets anders waardoor ik me gewoon beter voel.'

Ik was opgelucht dat er iemand bij haar was gebleven die haar goede moed kon geven. Ik voelde me schuldig dat ik een behandeling had moeten missen, maar Scarlett had erop gestaan dat ik mijn carrière niet zou verzaken vanwege haar toestand. 'Ik ben blij dat je in goed gezelschap was,' zei ik.

'En het was maar goed ook dat hij er was,' zei ze, 'want je raadt nooit wie er in de kliniek kwam opdagen.' Haar lip krulde vol walging om. Ik kon maar één persoon bedenken die zo'n reactie in haar opriep.

'Toch niet Joshu?'

Ze knikte. 'In één keer goed. Vervloekte Joshu.'

Ik kreeg een akelig gevoel. Joshu was het ultieme zwarte schaap. Telkens wanneer hij zijn neus liet zien, waren de problemen niet ver weg. Hij was nog steeds in staat Scarlett zodanig te provoceren dat het sneller op ruzie uitliep dan ik kon geloven. Al haar zelfbeheersing ging in rook op wanneer hij een van zijn riedeltjes afstak over haar oneerlijkheid, haar slechte ouderschap en haar egoïsme wat betreft de contactregeling. En het feit dat hij steeds meer verslaafd was geraakt aan drugs sinds hun breuk maakte het alleen maar erger. Dat was nog iets waarvoor hij de schuld bij haar zou leggen. Van alles wat er fout was aan zijn leven kon hij Scarlett de schuld geven. Ik werd al misselijk bij de gedachte dat hij tijdens haar kuur was komen opdagen. 'Hoe wist hij waar je was? En wanneer je behandeld zou worden?'

Ze haalde haar schouders op. 'Dat is nu niet bepaald een staatsgeheim. De kliniek is in de kranten bij naam genoemd. En je weet hoe goed Joshu erin is om vrouwen informatie te ontfutselen. Hij zal wel een babbeltje hebben gemaakt met een of andere verpleegster of secretaresse en op die manier hebben uitgevist wanneer ik werd verwacht.'

'Hoe erg was hij?'

Ze leek ingenomener met zichzelf dan ik had verwacht. 'Hij stormde de kamer binnen en begon een verhaal over dat ik een testament moest laten opstellen waarin Jimmy aan hem zou worden toegewezen, omdat ik elk moment het loodje zou leggen.'

'Wat is het toch een ongelooflijke klootzak. Hoe durft hij zomaar de kamer te komen binnenstormen, terwijl jij voor je leven ligt te vechten? Begrijpt hij dan niet wat er voor jou op het spel staat?' Ik was razend, maar Scarlett deelde die emotie niet.

'Weet je, hij was compleet van de wereld. Hij stond als een kip met zijn handen te fladderen. Het zou beangstigend geweest moeten zijn, maar dat was het niet. Het was grappig. Ik hield mijn lach in, omdat ik wist dat dat hem alleen maar woester zou maken. Maar voor ik het wist, was Simon opgestaan om Joshu de deur uit te werken. Letterlijk. Hij hield hem bij zijn capuchon vast en duwde hem voor zich uit van het terrein af.' Ze giechelde. 'Mijn held.'

'Godallemachtig,' zei ik. 'We hadden Simon erbij moeten hebben toen je Joshu had gedumpt en hij maar bleef proberen om de poort bestormen.'

'Precies. Hij leek wel een hond met zijn nekharen overeind. Hij was woest dat een kloothommel als Joshu problemen kwam maken in zijn dierbare kliniek en zijn patiënten stoorde.'

'Hij heeft wel een punt,' wees ik haar erop. 'Niemand komt voor zijn lol naar die kliniek. Ze hebben daar wel wat anders aan hun hoofd dan het egocentrische getier van een verwend joch als Joshu.'

'Nou, Simon heeft grondig en zeer rap met hem afgerekend.'

'Maar het is wel een nieuwe kijk op de situatie: "ik moet Jimmy krijgen, omdat je aan het sterven bent."'

Scarlett werd serieus. 'Dat is een afschuwelijke kijk op de situatie. Wanneer je alle aanstellerij van Joshu even vergeet, is het nog steeds geen fijn idee. Wat als Simon het mis heeft en ik het niet haal? Joshu is tenslotte Jimmy's vader. Het is niet zo dat hij vervreemd is geraakt van de jongen. Ze hebben wel een band. Ze houden van elkaar, dat heb ik hem nooit ontzegd en ik heb er nooit een einde aan geprobeerd te maken. Maar Joshu is een onverantwoordelijke klootzak die niet voor zichzelf kan zorgen, laat staan dat hij ook nog voor een kind zou moeten zorgen. Simon zegt dat ik me geen zorgen hoef te maken en dat het nooit gaat gebeuren. En daaraan probeer ik me nu maar vast te klampen.' Ze wierp me een van haar oude Scarlett-glimlachjes toe, met dat simpele, ongekunstelde stralen dat haar gezicht zo vaak opfleurde voordat de kanker dat moeilijk maakte.

'Maar nu Joshu het zaadje heeft geplant, moet je er wel steeds aan denken.' Ik had het vooral tegen mezelf, maar Scarlett reageerde onmiddellijk op wat ik had gezegd.

'Het zal niet gebeuren,' zei ze. 'Jij bent Jimmy's peetmoeder en als het zover komt, ben jij degene die voor hem zou moeten gaan zorgen. Hij heeft net zo'n hechte band met jou als met zijn vader, en jij zou wel goed voor hem zorgen.'

Ik was zo verbijsterd dat ik niet wist wat ik moest zeggen. Het was nooit bij me opgekomen dat ik voor Jimmy zou zorgen als Scarlett iets zou gebeuren. Ik had me waarschijnlijk voorgesteld dat Joshu's ouders hun verantwoordelijkheid zouden nemen wanneer ze geconfronteerd werden met een kind van hun eigen vlees en bloed, dat een ouder had verloren. Of dat Leanne de verantwoordelijkheid voor een jongen op zich zou nemen die tenslotte haar neefje was. Het was niet bij me opgekomen dat Scarlett zou verwachten dat ik in het geval van haar overlijden Jimmy's surrogaatmoeder zou worden.

'Je zou het kunnen, weet je. Je zou er beter in zijn dan je denkt,' zei ze vol overtuiging.

'Ik? Maar ik heb geen ervaring, geen moederlijke instincten. Jezus, Scarlett, Joshu zou nog een betere optie zijn.'

Ze lachte. 'Je zou je gezicht eens moeten zien. Je kijkt alsof je tiet in een wringer is vast komen te zitten. Het is oké, Steph. Ik ga nu nog niet dood. Simon zegt dat ik het zal redden, en hij zou het moeten weten.'

Dat was een schrale troost. Er was een reden dat ik kinderloos was, en dat was niet alleen mijn onvermogen om een langdurige relatie te onderhouden. Ik was bewust kinderloos. Ik heb nooit mama willen zijn, heb nooit het tikken van de biologische klok gehoord en heb mijn leven nooit als onvervuld gezien omdat ik geen kind had. Ik was inderdaad goed met Jimmy. Maar dat betekende nog niet dat ik zijn mama wilde zijn.

Maar ik wilde ook niet dat Joshu Jimmy's vangnet zou worden als Scarlett iets zou overkomen. 'Hij zou beter af zijn met Leanne,' sputterde ik tegen. 'Ze is geweldig met hem. En ze is familie.'

Scarlett schudde haar hoofd. 'Ze zal binnenkort naar Spanje vertrekken. Ik laat mijn jongen niet opgroeien tussen een zooitje buitenlanders, niet als hij hier kan blijven waar hij thuishoort.'

'Ze kan altijd uit Spanje terugkomen als het nodig is. Ze houdt van hem, Scarlett.'

'Het gaat niet alleen om liefde,' zei ze, zo onwrikbaar als graniet. 'Het gaat om ambitie. En aspiraties. En wil. Ik heb mezelf ondanks een slechte start bij een klotefamilie, die me ook nog eens met hen mee in de stront wilde trekken, tot deze hoogten opgewerkt. En hoewel Leanne een prima meid is, staat ze nog wel steeds zo in het leven. Ze zal altijd kiezen voor de makkelijkste weg en niet haar best doen om het hoogste te bereiken. Ze is wel een vechter, maar ze begrijpt niet welke doelen het waard zijn om voor te vechten. Wat ik wil voor Jimmy, waarvan ik droom voor mijn zoon, is dat hij verbazingwekkend wordt. Dat hij verbazingwekkende dingen gaat doen. En dat zal hij nooit doen wanneer Leanne over zijn leven beslist. Dan zal hij leren genoegen te nemen met dingen. Om het minste te doen waarmee hij kan wegkomen. Maar jij? Jij bent een heel ander verhaal, Steph. En bovendien zul je hem nooit laten vergeten wat ik heb weten te bereiken. Van hoever ik gekomen ben.'

Ik kreeg een onrustig en ongemakkelijk gevoel van haar woorden. Ik wist dat Joshu alleen van het idee al woedend zou worden. Leanne zou zich beledigd en gekwetst voelen. En Joost mocht weten wat Jimmy ervan zou maken als het ooit aan de orde zou komen.

Maar Simon had gezegd dat ik van Scarletts wilde plannen gevrijwaard zou blijven. Helaas was Simon geen helderziende. En tegen het einde van de week was Scarletts noodvoorzieningsplan al een stukje dichterbij gekomen.

35

Joshu was overleden. Ik hoorde het op de radio. Het was een schokkend begin van de dag. Ik had al vanaf onze eerste ontmoeting van zijn druggebruik geweten, maar het was nooit bij me opgekomen dat het zijn dood zou worden. Maar daar was het dan toch, in het ochtendjournaal. Dj Joshu, de ster van het Londense clubcircuit, ex-man van televisiester Scarlett Higgins, was vermoedelijk aan een overdosis overleden.

En ja, om eerlijk te zijn werd ik wel wat uit mijn humeur gebracht door het feit dat ik dit specifieke stukje nieuws op hetzelfde moment te horen kreeg als de rest van de wereld. Scarlett belde me bijna dagelijks. Ze belde over allerlei triviale zaken, maar nu er iets echt belangrijks was gebeurd, moest ik dat in het vroege ochtendjournaal horen. Ik weet dat mijn gedachten in de eerste plaats naar Scarlett hadden moeten uitgaan, maar ik bleef nog een paar minuten chagrijnig voordat ik mijn eigen ego terzijde schoof en overdacht welk effect dit nieuws op mijn vriendin zou hebben gehad.

Het leven waarvoor hij had gekozen had de man voor wie Scarlett aanvankelijk was gevallen veranderd. Te veel drugs, te veel ophemeling, te veel lange nachten en al te grote mateloosheid hadden hem van zijn betere eigenschappen beroofd. Hij was steeds prikkelbaarder, intoleranter en kwetsender geworden. De laatste tijd was hij iemand geworden om wie ik de politie zou hebben gebeld als hij bij me voor de deur zou staan. Maar niets van dat alles kon hun gedeelde geschiedenis wegvagen. Scarlett had lange tijd echt van hem gehouden. Hij was de vader van haar kind en ze had hem nooit het recht op een rol in Jimmy's leven ontzegd. Dit nieuws moest een enorme klap zijn geweest. Hoe meer ik erover nadacht, hoe meer ik besefte dat het zó hard moest zijn aangekomen dat de pijn haar drang om de telefoon te pakken en het nieuws met iemand te delen had overheerst.

En daarom ging ik de weg op en reed naar het noorden. Zodra ik op de hoofdweg zat, belde ik Scarletts mobiele nummer. Leanne nam op.

'Hoi, Steph. Heb je het nieuws gehoord?'

'Op de radio,' zei ik. 'Hoe is het met haar?'

'Ze is er kapot van,' zei Leanne. 'Ze staat nu onder de douche.'

'Wanneer hoorden jullie het?'

'De politie kwam een paar uur geleden langs om het slechte nieuws te brengen. Ik vond dat erg goed van hen. Ik bedoel, technisch gezien is ze geen naaste familie meer. Maar ze wisten natuurlijk wel wie hij was.'

'Iemand met kijk op public relations wilde vast niet dat de *Daily Mail* morgen zou uitpakken met: "Harteloze politie laat me er op ochtendtelevisie achter komen dat Joshu overleden is." Cynisch van me, ik weet het, maar waarschijnlijk niet ver van de waarheid.

'Zal wel. Het belangrijkste is dat ze haar er niet via geruchten en roddels hebben laten achter komen.'

'Hoe reageerde ze?'

'Het leek alsof ze een klap in haar gezicht kreeg. Ze bleven hier niet zo lang. Ik heb een beker thee voor haar gezet en heb haar een cognacje laten drinken. Ze zei niet veel. Ze huilde ook niet. Ik denk dat ze nog steeds in shocktoestand is. Het was zo rond de tijd dat Jimmy moest opstaan, dus ik heb haar gezegd een douche te nemen, terwijl ik dan wel voor hem zou zorgen. Hij zit voor de televisie zijn cornflakes te eten, en ze is nog steeds niet uit de badkamer gekomen. Ik ben blij dat je belt, Steph. Ik wilde je net bellen. Jij kunt beter met haar omgaan wanneer ze overstuur is dan ik.'

'Ik ben al onderweg. Zorg voor haar, Leanne. Laat Marina een dagje met Jimmy op pad gaan. En zeg haar dat ze ervoor moet zorgen dat ze niet wordt gevolgd door de pers. Het laatste wat we kunnen gebruiken zijn koppen in de boulevardkranten in de trant van: "Tragische zoon van Joshu speelt zonder ergens van te weten." En neem ook contact op met George.' Er zouden ongetwijfeld deals te sluiten zijn wanneer men over de eerste schok heen was. Ik verheugde me niet op het schrijven van die stukken, maar ik wist dat Scarlett in een 'alleen-Steph-mag-het-doen-bui' zou zijn.

Het gebruikelijke paparazzikamp stond weer opgesteld voor de poort van de haciënda, en verslaggevers en fotografen omsingelden me en schreeuwden als krankzinnigen naar me. Ik weigerde hun blikken te beantwoorden en concentreerde me op het in de plooi houden van mijn

244

gezicht totdat ik binnen was. Tot mijn verbazing was ik niet de enige die net was aangekomen. Toen ik de keuken binnenliep, zat dr. Simon Graham met een kop koffie aan de ontbijtbar. Hij zag er verfomfaaider uit dan gewoonlijk: zijn haar zat in de war en hij had baardstoppels op zijn wangen en kin. Zijn overhemd zag er ook niet echt uit alsof het vanmorgen vers uit de kast was gekomen. Even koesterde ik een slechte gedachte, maar toen begroette hij me met: 'Toen de politie met me klaar was, ben ik meteen hiernaartoe gekomen.'

'De politie? Wat moest de politie van je?' Ik liep naar het koffieapparaat. Ik was al twee uur op zonder een dosis cafeïne te hebben gehad, en dat moest ik rechtzetten voordat ik Scarlett onder ogen zou komen.

Hij zuchtte. 'Het ziet ernaar uit dat de drugs waarvan Joshu een overdosis heeft genomen uit mijn kliniek zijn gestolen.'

Ik bleef als aan de grond genageld staan. 'Uit jouw kliniek? Hoe is dat gebeurd?'

'Hij dook vorige week op toen Scarlett met haar chemo bezig was. Ik moest hem eruit gooien.'

'Dat heb ik gehoord. Goede actie.' Ik drukte een capsule in de machine en zette een kopje onder het apparaat.

'Ik was bang dat hij het nog een keer zou doen. En ik zal eerlijk tegen je zijn: ik was bezorgd en vroeg me af of een van de medewerkers van de kliniek hem misschien gedetailleerde informatie had gegeven over haar behandeling. En daarom plande ik haar resterende afspraken anders in, maar ik veranderde het niet in de algemene agenda van de kliniek.'

Ik pakte mijn koffie. 'Je hebt eerder met sterren te maken gehad, hè?' zei ik, al moe bij de gedachte aan alle bochten waarin keurige mensen zoals Simon zich moesten wringen om hun patiënten te beschermen.

'En met de mensen die hen lastigvallen,' zei hij, en zijn gezicht betrok bij de herinnering. 'Hoe dan ook, zoals ik al vreesde, kwam Joshu gisteren opdagen rond de tijd dat Scarlett oorspronkelijk in de kliniek had moeten zijn. Hij stormde een behandelkamer binnen waar ik met een patiënt bezig was. Hij was zeer verbolgen dat Scarlett er niet was. Hij deed er niet moeilijk over om uit de kamer weg te gaan, maar hij wilde de kliniek niet verlaten. Hij stormde mijn kantoor binnen en wilde er niet meer weg.' Simon zuchtte en haalde een hand door zijn warrige haar. 'Ik weet dat ik iets stoms heb gedaan. Ik heb hem achtergelaten in mijn kantoor en ben de beveiligingsmensen gaan halen. Ik had hen vanuit mijn kantoor moeten opbellen. Maar ik wilde niet dat hij zich nog meer zou opwinden. Ik dacht dat ik hem door met de beveiliging te bellen over het randje zou duwen. Hij maakte echt een wanhopige en gewelddadige indruk.'

'Hij kon inderdaad heel verontrustend zijn,' zei ik, terwijl ik aan onze eerste ontmoeting en aan het namaakpistool dacht.

'Verontrustend, ja.' Simon klampte zich aan het woord vast alsof het het kerstcadeau was dat hij altijd al had willen hebben. 'Dus ik heb hem alleen gelaten terwijl ik de beveiligingsmensen ging halen.'

'Stribbelde hij erg tegen?'

Simon fronste verbaasd zijn voorhoofd. 'Nee. Dat was het vreemde. Toen de twee bewakers eraan kwamen, ging hij meteen zo mak als een lammetje met hen mee. Ik dacht op dat moment dat hij waarschijnlijk zo'n type was van veel geschreeuw en weinig wol.' Hij keek omlaag en staarde naar zijn koffie. 'Ik bleek het mis te hebben. Joshu had geen weerstand geboden, omdat hij mijn aktetas had opengebroken en al de morfine die ik voor noodgevallen bij me heb in zijn zak had gestoken.'

Ik vermoedde dat de term 'noodgevallen' betrekking had op een verscheidenheid aan onvoorziene gebeurtenissen, waaronder ook het op weg helpen van mensen wier kwaliteit van leven het verdwijnpunt had genaderd. 'Aha,' zei ik. 'Dan begrijp ik wel waarom hij zo rustig meeging. Wanneer besefte je wat hij gedaan had?'

'Toen de politie me om halfvier vanochtend uit bed liet komen. Ze waren opgebeld door de manager van de club waar hij overleed, en toen vonden ze daar een leeg doosje met mijn naam erop.'

'Dat moet een akelig moment voor je zijn geweest.' Ik dronk mijn koffie op en gooide nog een capsule in het apparaat. De eerste had me goed gedaan, maar had me er ook aan herinnerd dat ik nog steeds een cafeïnetekort had.

Hij trok een gezicht. 'Ik kon wel zien dat ze me eerst niet geloofden toen ik zei dat ik geen idee had hoe Joshu aan de drugs was gekomen. Maar toen we mijn aktetas onderzochten, was overduidelijk zichtbaar dat de sloten geforceerd waren. Ik had het gewoon eerder niet opgemerkt. Ik ben aan het einde van de dag altijd zo hondsmoe dat ik het niet meteen zou controleren.' Hij zuchtte. 'Ik denk dat ik hen ervan heb kunnen overtuigen dat ik het slachtoffer was, en niet de drugsdealer.'

'Maar het is evengoed geen geweldige manier om de dag te beginnen.' Ik nam een slokje van mijn tweede kop koffie en genoot dit keer ook meer van de smaak.

'Nee. Maar voor Scarlett is het nog veel erger.'

'Waar is ze, trouwens?'

'Leanne zei dat ze aan het zwemmen was.' Hij leek hier zeer verbaasd over. Maar het verbaasde me niets. Ik zag de aantrekkingskracht wel in van iets lichamelijks doen. Ze wilde het moment zo lang mogelijk uitstellen voordat ze het feit onder ogen moest zien dat Joshu dood was, terwijl ze formeel geen rol speelde in wat er daarna zou gebeuren. 'Ze zou vandaag chemo moeten krijgen. Ik dacht dat ik haar ernaartoe zou kunnen rijden. Maar misschien moeten we het uitstellen.'

'Nee, neem haar maar mee. Hoe meer afleiding ze heeft, hoe beter.'

Terwijl ik dat zei, kwam Scarlett binnenlopen. Er hing een chloorlucht om haar heen. Ik zag een holle leegte in haar ogen die ik nooit eerder had gezien. Ze sloeg haar armen om me heen en klampte zich aan me vast zoals Jimmy tegenwoordig doet wanneer hij me de hele dag niet gezien heeft. Ik kon haar ademhaling voelen haperen in haar borst. 'Steph,' zei ze met stokkende stem. 'Hij is weg. Mijn mooie jongen. Hij is er niet meer.'

Ik klopte haar op haar rug en hield haar dicht tegen me aan. Ik wist dat er niets te zeggen viel. Ik moest gewoon wachten tot ze me zou loslaten. Uiteindelijk rukte ze zich trillend en zuchtend van me los. 'Leanne zei al dat je er was, Simon,' zei ze. 'Ik had je niet verwacht.'

Hij stond op en liep naar haar toe, waarna hij haar beide handen in de zijne nam. 'Het spijt me zo voor je, Scarlett. Dit is een vreselijke schok voor je geweest.'

Ze stootte een korte, bittere lach uit. 'Ik heb altijd gedacht dat het slecht met hem zou aflopen. Maar niet op deze manier. Ik dacht dat hij door zijn grote mond in de problemen zou komen, door een of andere gewapende gangster af te zeiken. Of door zijn pik. Door met de verkeerde hoer een nummertje te maken. Ik had nooit gedacht dat de drugs hem de das zouden omdoen.' Ze liet Simons handen los en liet zich in een stoel vallen. 'Je bent zeker langsgekomen om ervoor te zorgen dat ik kom opdagen voor mijn chemokuur, hè, Simon? Maak je je soms zorgen dat het bergafwaarts met me gaat en dat ik het ga opgeven vanwege Joshu?'

Hij glimlachte. 'Ik ken je wel beter dan dat, Scarlett. Ik weet dat je iemand bent die niet opgeeft. En ja, ik ga je inderdaad naar je afspraak voor je chemokuur brengen zodra je klaar bent. Maar eerst moet ik je iets vertellen waarvan ik niet wilde dat je het uit de tweede hand zou horen.'

Ze trok haar wenkbrauwen op. 'Ik geloof niet dat ik vandaag nog meer slecht nieuws kan verdragen, Simon.'

Maar hij vertelde het haar toch. Haar gezicht leek te verslappen toen zijn woorden tot haar doordrongen. Toen hij klaar was, hing er even een akelige stilte, voordat ze uiteindelijk iets zei. 'Die kleine, stomme klootzak,' zei ze hoofdschuddend. 'Hij dacht het altijd beter te weten.' Ik legde een hand op haar schouder en ze bracht haar arm omhoog om mijn hand stevig vast te pakken. 'Wat moet ik Jimmy in hemelsnaam vertellen?' Ze keek me aan met een blik waarin een onverbloemde smeekbede te lezen stond.

'Ik zal bij je blijven,' zei ik. 'We zullen het hem samen vertellen.'

'Zou je dat willen doen? Ach, Steph, wat zou ik toch zonder je moeten?' Ze knipperde een traan uit haar ogen en duwde zich overeind. Ze zag er dodelijk vermoeid uit. 'Kom op dan maar, Simon. We moesten maar eens opschieten.'

'Wil je dat ik met je meega?' vroeg ik.

Ze blies haar wangen bol en dacht erover na. 'Zou je hier kunnen blijven om op de winkel te passen? George zal je ook wel willen spreken. Want we moeten hier toch een reactie op geven, en ik heb geen zin om met vreemden te praten. Wanneer ik dan terug ben, kunnen we het aan Jimmy vertellen.'

'Je zult er geen zin in hebben om het aan Jimmy te vertellen wanneer je net een chemokuur achter de rug hebt,' zei ik. Het leek me een verstandige opmerking.

'Dat weet ik ook wel,' snauwde ze me toe. Haar stress kreeg even de overhand. Ze kneep haar ogen stijf dicht en schudde haar hoofd. 'Het spijt me, Steph. Ik zal me inderdaad klote voelen. Maar ik kan het niet gaan uitstellen totdat ik het gevoel heb dat ik het aankan. We moeten het hem vertellen. Afgezien van al het andere is hij ook nog eens een gevoelig mannetje. Het zal hem opvallen dat we hier allemaal rondlopen als een verregende woensdag in Wetherby. Hij moet weten dat daar een goede reden voor is.'

En ik geloofde ook dat ze ertoe in staat zou zijn. Ze was al zo ver gekomen op basis van haar lef en haar sterke ruggengraat. Er was geen enkele reden waarom die haar nu in de steek zouden laten. Behalve dan dat geen van de oude zekerheden nog overeind leken te staan.

36

Zodra Scarlett en Simon wegreden in zijn glimmende Audi TT-cabriolet belde ik Maggie op. De auto kreeg de meeste paparazzi achter zich aan, zodat wij eindelijk wat rust kregen. Maggie wist wat ik van Joshu vond, dus ze sloeg de condoleances maar over. 'Liéfje,' zei ze, 'ik heb Georgie al gespróken. De *Mail* wil zevenhonderdvijftig éxclusieve woorden voor halfvier vanmiddag en *Yes!* heeft voor dónderdag vijfhonderd woorden nodig. Ik ben nog aan het onderhándelen over de exclusieve rechten voor de begráfenis, maar dit gaat ons héél wat geld opbrengen. En het houdt de interesse voor het kánkerboek natuurlijk ook lekker op péíl.' Maggie maakte zich alleen druk om tact en diplomatiek optreden wanneer er vreemden bij waren. Tegen mij kon ze zo bot zijn als ze maar wilde.

Tegenwoordig kende ik Scarlett goed genoeg om een hoofdartikel voor de *Daily Mail* over haar verdriet bij elkaar te schrijven zonder haar te hoeven spreken. Ik kon een gevoelige snaar raken zonder door te schieten naar mierzoete zoetsappigheid, ik kon de tragedie overbrengen van een liefde die was gedoofd en het verdriet over het feit dat er nu geen verzoeningspoging meer mogelijk was. Ik werd zelf bijna geroerd door de woorden die ik Scarlett in de mond legde.

Ik had de eerste versie af en had die aan Leanne gegeven, zodat ze het kon doorlezen, toen mijn mobieltje overging. Ik herkende het nummer niet, maar nam toch op. 'Hallo?'

'Spreek ik met Stephanie Harker?'

Ik herkende de stem niet, maar hij beviel me wel. Noordelijk, zwaar en warm. 'Ja. Met wie spreek ik?'

'Met brigadier Nick Nicolaides van de hoofdstedelijke politie. Ik zou het graag met u over de dood van Jishnu Patel hebben.'

Ik had Joshu's echte naam sinds de bruiloft niet meer gehoord, en ik schrok ervan. 'Joshu? Met mij? Waarom met mij? Ik weet er helemaal niets van.'

'George Lyall heeft me uw naam doorgegeven,' zei hij. Vervloekte Grandioze George. Waar was hij mee bezig? 'Ik sta nu voor het huis van mevrouw Higgins,' vervolgde hij. 'Jullie intercom lijkt niet te werken.'

'Hij doet het prima. Maar ze zetten hem uit wanneer de media hen niet met rust laten,' zei ik vinnig. 'Op dagen als deze.'

'Kunt u me binnenlaten? Nu ik hier toch ben? En ik met u wil spreken?'

Ik wilde niet met hem praten, maar ik dacht dat ik niet echt een andere keuze had. Ik hing op en deed de poort open.

'Wie was dat?' Leanne keek op van het beeldscherm.

'Een smeris. Hij wil me spreken over Joshu.'

Ze trok een verbaasd gezicht. 'Waarom jij?'

'Daar zullen we gauw achter komen. Is dat stuk oké?'

'Het is geweldig. Ze zullen er in de straten van Beeston om snotteren,' zei ze cynisch. 'Dan zal ik maar maken dat ik wegkom.' Ze griste haar sigaretten weg en rende zowat de kamer uit. Leanne had zich nooit op haar gemak leren voelen in de buurt van overheidspersonen. Ik denk dat ze er altijd rekening mee hield dat ze het deksel op haar neus zou krijgen.

Ik deed de achterdeur open en zag dat een slungelachtige man in een zwarte spijkerbroek en een leren jack tot op zijn dijbenen zich uit de bestuurdersstoel van een afgereden uitziende Vauxhall werkte. Hij had wild, donker haar en een smal en mager gezicht, met diepliggende ogen en een neus als een smal mes. Ik keek hem in zijn ogen en vond daar een sprankje gevaar. Ik weet dat het een cliché is, maar ik heb Nick Nicolaides altijd een knappe piraat gevonden. Een piraat van het Johnny Depp-soort, niet eentje die onschuldige pleziervaarders op de Indische Oceaan ontvoert. Eerlijk gezegd had ik op dat moment op bijna alles wat hij me gevraagd zou hebben antwoord gegeven.

Ik bracht hem naar de keuken en liet hem aan de ontbijtbar zitten. Ik bood hem koffie aan. Hij vroeg om espresso en zat toen zwijgend te wachten terwijl ik het voor hem klaarmaakte. Soms denk ik dat espresso het eenentwintigste-eeuwse equivalent is van een Indiase *vindaloo*. Je bent geen echte man als je het niet op volle sterkte tot je kunt nemen.

Ik zette het kopje voor hem neer en zag dat de nagels van zijn rechterhand lang en welgevormd waren, en dat er een glans van acryllak op lag, terwijl de nagels van zijn linkerhand keurig kortgeknipt waren. Hij zag dat ik het opmerkte en verborg zijn rechterhand.

'U bent gitarist,' zei ik.

Hij leek niet op zijn gemak. 'Ik speel zo nu en dan,' zei hij. 'Het is een goede manier om te ontspannen.'

'Wat voor muziek speelt u?'

'Akoestisch. Vingerplukken. Een beetje jazz.' Hij ging verzitten. 'Hoort dat er nu eenmaal bij, dat vragen stellen?'

'U bedoelt omdat ik ghostwriter ben?'

Hij knikte. 'Daar kunt u verder niets aan doen.'

Er zijn zoveel dingen in ons leven die we ons nooit afvragen. Ik moest even nadenken voordat ik een antwoord kon formuleren dat geen gladde dooddoener was. Op de een of andere manier wilde ik hem niet met zoiets afschepen. 'Het is een beetje een kip-en-ei-vraag,' zei ik. 'Ik weet niet of ik de gewoonte om vragen te stellen heb ontwikkeld omdat ik vastbesloten ben mijn werk zo goed mogelijk te doen of dat ik in dit beroep terechtgekomen ben omdat ik het leuk vind om mensen antwoorden te ontlokken.' Ik glimlachte. 'Ik denk gewoon dat ik ervan hou om goed op de hoogte te zijn. Degene die anderen een stap voor is.'

Nick knikte en leek zelfvoldaan. 'Dat is ook wat George Lyall zei. "Stephanie merkt dingen op. En ze weet hoe ze vragen moet stellen waarop ze antwoord krijgt."'

'Ik begrijp nog steeds niet waarom u met mij wilt praten. Ik weet niets over wat er met Joshu is gebeurd.'

'Volgens meneer Lyall kent u alle mensen die nauw bij deze tragedie betrokken zijn. U kende Joshu. U bent waarschijnlijk Scarletts beste vriendin. U kent dr. Graham en u bent met Scarlett naar de kliniek geweest tijdens haar lopende behandeling. Ik probeer een beeld te krijgen van wat er hier is gebeurd. En ik vind het vaak nuttig om met iemand als u te praten. Iemand die niet direct betrokken is bij wat er is gebeurd, maar die wel goed inzicht heeft in de personen en hun onderlinge relatie.' Zijn glimlach was vreselijk sexy. Ik weet dat het uitermate ongepast was om dat soort dingen te denken terwijl Joshu nog maar net overleden was, maar ik kon er niets aan doen. Sinds het debacle met Pete was ik nog geen man tegengekomen die ook maar iets in me losmaakte.

'U klinkt niet erg als een politieman,' zei ik.

'Misschien zijn uw opvattingen over agenten wel verouderd?'

Ik geloof dat ik bloosde. 'Goed, stel uw vragen maar, en dan zullen we het wel zien.'

'Was u verbaasd te horen dat Joshu aan een overdosis was overleden?'

Meteen ter zake. Geen gepraat over koetjes en kalfjes om me in de stemming te brengen. Ik doorzag de openingszet. Ik had de hinderlaagtechniek zelf meer dan eens toegepast. 'Hij gebruikte al drugs zolang ik hem kende. En dat is meer dan drie jaar. Dus in die zin, nee, het was geen verrassing. Maar ik was toch behoorlijk geschokt, omdat hij altijd op me overkwam als iemand die wist wat hij deed.' Ik zuchtte. 'Het is moeilijk uit te leggen, maar ik geloofde nooit helemaal dat Joshu zozeer de controle kwijt was als hij mensen wilde doen geloven. Ik heb altijd gedacht dat er iets heel berekenends was aan zijn gedrag. Ik heb hem nooit als een kandidaat voor een overdosis gezien. Maar dat is het verneukeratieve met drugs. Mensen denken dat ze hun misbruik de baas zijn, terwijl dat in werkelijkheid helemaal niet zo is. Joshu mag misschien wel hebben geloofd dat hij zijn drugsgebruik onder controle had, maar intussen had hij geen idee waarmee hij bezig was.'

Nick keek me scherpzinnig aan. 'Tegen die analyse kan ik niets inbrengen.' Pas veel later ontdekte ik waarom hij dat met zoveel gevoel had gezegd. 'Leek hij altijd geld zat te hebben?'

'Hij zag er altijd poenerig uit. Hij verdiende veel, dat weet ik wel. Maar uit wat Scarlett me vertelde toen ze in scheiding lagen, kon ik opmaken dat hij het net zo snel uitgaf als hij het verdiende.' Dit keer was mijn glimlach bitter. 'Scarlett zei dat hij er door schade en schande was achter gekomen hoe duur goedkope vrouwen waren. Ik denk dat hij zijn hoofd wel boven water kon houden, maar ik weet niet of hij wel zoveel bezittingen had. Hij had bijvoorbeeld geen huis. Hij had een opslagruimte voor al zijn apparatuur, maar hij bleef gewoonlijk slapen bij vrienden of hokte met degene met wie hij toevallig uit was.'

'En hij had voor zover u weet geen geldzorgen?'

Ik schudde mijn hoofd. 'Hij kon altijd goed geld verdienen. Wanneer hij langskwam om Jimmy op te halen, zag hij er altijd tiptop uit.'

'Maar waarom zou hij dan drugs stelen? Als ik u zo hoor, was het niet zo dat hij een of andere junkie op zwart zaad was.'

'Ik denk dat je de verkeerde vraag stelt.' Ik realiseerde me dat ik tegen Nick praatte zoals ik tegen iemand zou doen die ik kende. Iemand die ik vertrouwde. Maar het voelde natuurlijk, dus ik hield me niet in. 'Het gaat er niet om waaróm hij drugs zou stelen, maar om van wíé hij de drugs heeft gestolen. Joshu was jaloers op iedereen die aandacht van Scarlett kreeg. Hij was verdomme zelfs jaloers op zijn eigen zoon. In zijn ogen was Simon Graham niets anders dan de zoveelste mededinger om Scarletts aandacht. In feite deed hij als een hond die tegen een lantaarnpaal plast. Ik denk dat Joshu zijn territorium wilde afbakenen. Dat hij Simon wilde laten zien wie de baas was. Het is eigenlijk hartverscheurend. Een beetje machogedrag vertonen, en dan loopt het zo af.' Mijn maag rommelde opeens als autobanden op een wildrooster. Dat kreeg je ervan als je de hele dag niet at. Ik duwde mijn haar naar achteren en stond op. 'Wil je iets eten? Ik realiseer me net dat ik verga van de honger. Ik ga een boterham maken... Wil je ook?'

Hij krabde verrast in zijn haar. 'Ja, waarom niet?'

Ik doorzocht de koelkast, terwijl ik ondertussen ogenschijnlijk zinloze vragen over Joshu en Scarlett beantwoordde. Uiteindelijk vond ik twee wraps met kipsalade en caesardressing, die ik op borden legde en met een klap voor ons neerzette. 'Niet erg spannend, ben ik bang. Dit is nu niet bepaald het mekka van de haute cuisine.'

Hij grinnikte. 'Dat zal wel niet.'

'Maar we hebben wel een zeer uitgelezen verzameling menu's voor thuisbezorgde maaltijden.'

'Had je het idee dat Joshu en Scarlett ooit weer bij elkaar zouden komen?' vroeg hij met zijn mond vol.

'Geen schijn van kans,' zei ik. 'Ze hield van hem, maar ze wist dat ze beter af was zonder hem. Dat ze kanker kreeg heeft voor haar de tellers weer op nul gezet. Ze heeft haar prioriteiten herzien, en slechte relaties onderhouden stond nummer één op de lijst van dingen die ze niet meer zou doen. Ze heeft sinds de scheiding zelfs nog geen afspraakje met iemand gehad, laat staan sinds haar diagnose.'

Hij trok zijn wenkbrauwen op als beleefde uiting van zijn twijfel. 'De roddelbladen vertellen een ander verhaal,' zei hij.

De schrik sloeg me om het hart. Ik had even niet opgelet en had iets heel, heel stoms gezegd. Het was natuurlijk Scarlett niet geweest in de bladen, maar Leanne, die een showtje opvoerde. Was ik zó'n zielig figuur dat een aardige en aantrekkelijke man mijn zorgvuldig opgeworpen barricades kon ontmantelen alsof ze van papier waren gemaakt? 'Niet alles in de roddelbladen berust op waarheid,' zei ik haastig. 'Het hoort bij haar werk om haar naam in de roddelbladen te houden.'

Zijn antwoord klonk licht smalend. 'Dat zal dan wel.'

Ik deed mijn best mijn opluchting over het feit dat ik er ogenschijnlijk mee weggekomen was niet te laten blijken. En het leek erop dat Nick verder geen vragen meer had. Dus ik greep mijn kans. 'Hoe ben je bij de politie terechtgekomen?'

'Ik heb psychologie gestudeerd. En ik had geen zin in de dingen die men gewoonlijk met een afgeronde psychologiestudie gaat doen. Het idee om rechercheur te zijn trok me wel, maar ik wist niet of het me zou lukken om dat te bereiken. Ik heb me opgegeven zonder echt te weten of ik de juiste kwaliteiten in huis had.' Hij grijnsde en haalde zijn schouders op. 'Tot nu toe is alles nog goed gegaan.' Hij werkte het laatste stukje van de wrap weg en stond op. 'Bedankt voor het voederen. En bedankt voor de achtergrondinformatie.'

'Het was toch een ongeluk, hè? Je denkt toch niet dat het opzet was?'

'Dat is niet aan mij. Ik geef de informatie alleen maar door aan mijn baas.'

'Zelfs geen hint?'

Zijn ogen schoten heen en weer. 'Zelfs geen hint. Het spijt me. Ik hoop dat de jongen in orde is. Het is zwaar om zo jong een ouder te verliezen.'

Ik werd geroerd door zijn bezorgdheid. Maar toen hij wegreed, betrapte ik mezelf erop dat ik zou willen dat Joshu's dood niet zo'n uitgemaakte zaak was. Ik weet dat het een vreselijke gedachte was, maar ik zou maar wat graag hebben gewild dat ik een excuus had om Nick Nicolaides nog een keer te ontmoeten.

37

Nick bleef nog even hangen bij Asmita Patels flat en leunde tegen zijn auto in de frisse avondlucht. Het windje voerde een zweem currykruiden mee vanuit een nabijgelegen restaurant en op de achtergrond klonk het constante gezoem van het Londense verkeer. Hij overwoog iets te eten te gaan halen, maar hij was te ongedurig om te eten. Hij zou naar huis kunnen gaan, zijn gitaar kunnen pakken en spelen tot zijn vingers er pijn van deden. Maar dat zou Stephanie of Jimmy niet helpen. Misschien kon hij maar beter naar het bureau teruggaan om te kijken of hij daar iets nuttigs kon doen.

De plafondverlichting in de teamkamer was uit, maar enkele lichtplekken gaven aan waar collega's van hem zaten over te werken. Toen Nick naar zijn bureau liep, riep een eenzame stem: 'Hé, mazzelpik, hoe ben je deze vervloekte bunker uit gekomen?' Davy 'de vetzak' Brown was gelijktijdig met Nick toegevoegd aan het team dat afluisterpraktijken en politiecorruptie onderzocht, en hij was zelfs nog minder geschikt dan Nick om met een stel mannen in pak binnen opgesloten te zitten.

'Ik heb een nog kloterigere klus gevonden,' zei Nick, waarna hij zich in zijn stoel liet vallen en zijn computer uit de slaapstand wekte. 'Als loopjongen voor de FBI. Zo aanlokkelijk als Dagenham op een zondagochtend.'

Davy sjokte naar Nicks bureau. 'Heb je een bekertje?' Hij haalde een fles whiskey tevoorschijn waarin nog enkele centimeters vloeistof zat.

'Bewaar het maar voor jezelf,' zei Nick. 'Ik ben al zo verschrikkelijk moe. Als ik een borrel neem, val ik om.'

Davy slofte mopperend weg. 'Ik dacht dat jullie gasten uit Manchester wel van een feestje hielden?'

'Dat is waar, Davy. Maar je hebt niet het juiste soort tafels om op te kunnen dansen.' Hij klikte op de reeks ongeopende e-mails die voor hem klaarstonden. Hij liep de lijst met binnengekomen berichten langs

en negeerde alles wat met de taak te maken had die hem voorlopig bespaard bleef. Er bleven drie berichten over die mogelijk relevant waren
voor de zaak die hem nader aan het hart lag. Het eerste bericht was van
de politie van Cambridgeshire. De vrouw die Nick de bijnaam Megan
de Stalker had gegeven, was in een beveiligd psychiatrisch ziekenhuis
terechtgekomen, dat onder hun jurisdictie viel. Daarom waren zij degenen bij wie hij het eerst had aangeklopt. Het was een kort en bondig bericht. Megan Owen werd krachtens de geestelijke gezondheidswet opgenomen in een psychiatrische instelling, maar ze was zes weken eerder
vrijgelaten. Momenteel woonde ze in een tehuis met begeleiding, waar
ze zich keurig aan de voorwaarden voor haar vrijlating hield. Om acht
uur die avond had ze in de gemeenschappelijke zitkamer met drie andere inwoners naar een televisiesoap gekeken. Ze was dus zeker niet in
Chicago om Jimmy Higgins te ontvoeren.

Dat was een opluchting. Het was nooit goed nieuws wanneer gestoorde mensen kleine kinderen in handen kregen. Eén afgehandeld en
nog een paar te gaan. Volgens de politie van West-Yorkshire waren zowel Chrissie als Jade Higgins thuis in het huis dat Scarlett voor hen had
gekocht. Geen van de vrouwen leek zich echt te bekommeren om het
nieuws over Jimmy's ontvoering.

Het andere belangwekkende bericht kwam van het plaatselijke politiebureau in Peckham, dat hij had verzocht om te kijken waar Pete Matthews was. Ook in dit bericht werden geen woorden verspild. Pete Matthews was niet thuis. Volgens een buurman had hij een klus in het
buitenland en zou hij ongeveer zes weken weg zijn. De buurman had
geen idee waar hij was, maar hij zei wel dat hij wist dat Matthews de afgelopen jaren in Amerika, het Caraïbische gebied en Zuid-Afrika had
gewerkt.

Nick voelde hoe zijn nekharen overeind gingen staan. Er waren in de
regel drie motieven voor kinderontvoering: een ouder die het gevoel
had dat hun kind hem ten onrechte was afgenomen, losgeld, of een
meer verknipte reden. Pete Matthews had zeker een mogelijk en uiterst
verknipt motief: hij wilde Stephanie pijn doen en haar laten zien wie de
baas was. Hij had haar al gestalkt, wat erop wees dat zijn opvattingen
over wat aanvaardbaar gedrag was behoorlijk verwrongen waren. En
Nick wist niet waar hij vanavond was.

Hij dacht terug aan zijn eerste confrontatie met Pete Matthews. Ook toen had hij moeite gehad om hem op te sporen, vooral omdat de man op onregelmatige uren werkte en geen vaste werkplek had. Uiteindelijk had hij een lijst van alle opnamestudio's opgesteld, waarna hij die geduldig had afgewerkt totdat hij de studio had gevonden waar Matthews op dat moment werkte. Als hij terug zou bladeren in zijn notitieboekjes zou hij misschien een goed beginpunt vinden.

Nick liep naar zijn kastje toe waar hij zijn volgeschreven notitieboekjes bewaarde. Ze vormden de neerslag van zijn dagelijkse werk en wat hij daarmee had bereikt, en ze zouden als geheugensteuntje dienen wanneer zaken voor de rechter kwamen. Hij vond het betreffende boekje en ging meteen zitten om het door te bladeren, zonder te letten op de bedompte geuren van muffe lichamen en van onafgewerkte afvoerbuizen. De aantekeningen over Matthews stonden achter in het boekje, maar ze waren overduidelijk. Toen Nick hem had aangesproken over het stalken van Stephanie, was hij bezig geweest met het mixen van een triphopalbum in een tent die Phat Phi D heette en in de wijk Archway zat. Waar Pete vanavond ook was, daar was het niet. Maar ze zouden misschien wel weten waar hij uithing.

Hij legde zijn notitieboekje terug en ging weer op weg naar zijn auto. Hij had een onzinnig opgewekt gevoel. Hij wist van zijn eigen incidentele studiowerk dat opnamestudio's geen kantooruren aanhielden. Hij schatte dat hij meer dan vijftig procent kans had dat er zo tegen middernacht nog iemand aan het werk was in Phat Phi D.

Het was prettig om gelijk te krijgen. Een percussionist en een toetsenist waren bezig met een achtergrondtrack voor een of andere vrouwelijke singer-songwriter, en de producer en de geluidstechnicus lieten Nick maar wat graag binnen, zodat hij een paar vragen kon stellen om hun verveling te doorbreken. De studio was klein en broeierig, maar de apparatuur zag er professioneel uit. 'Die jonkies hebben zoveel takes nodig dat ik het hier zowat afleg,' jammerde de producer. 'U zei dat u op zoek was naar Pete Matthews?'

'Ja,' zei Nick, die tegen de achtermuur leunde, terwijl de muzikanten overnieuw begonnen.

'Heb jij Pete onlangs nog gezien?' vroeg de producer aan de geluidstechnicus.

'De afgelopen maanden niet. Het laatste wat ik heb gehoord, is dat hij naar Detroit ging om met de Style Boys te werken.'

Nicks hart maakte een sprongetje. Zijn aardrijkskundige kennis van Amerika was niet al te groot, maar hij was er vrijwel zeker van dat Detroit op dat reusachtige continent relatief tamelijk dicht bij Chicago lag. Hij deed zijn best om zijn opwinding te maskeren in het schemerduister van de cabine.

'De Style Boys? Die groep die de *X-Factor* niet heeft gewonnen?'

'Ja, die. Ze klinken alsof ze Motown uit de jaren zestig spelen. Temptations, Isley Brothers, zo'n sound hebben ze.'

'Hebben ze dan geld om in Detroit op te nemen?' vroeg de producer vol ongeloof.

'Het is belachelijk, ik weet het. Maar een of andere dombo die denkt dat hij de volgende Simon Cowell zal worden vond dat ze een lekkere sound hadden en besloot hen te financieren. Meer geld dan gezond verstand, als je het mij vraagt.'

'En hij heeft Pete uitgekozen? Om een album van een band met een geluid als uit de jaren zestig te mixen?'

De geluidstechnicus lachte. 'Dat bewijst alleen maar wat voor een dombo die vent is.' Hij keek Nick aan. 'Begrijp me niet verkeerd. Pete is een prima geluidstechnicus. Maar hier heeft hij totaal geen ervaring mee.'

De producer drukte de knop van de intercom in. 'Nog een keer, mannen. Travis, je moet precies op de beat zitten, in de middelste maten zweef je nog wat.' Hij rolde met zijn ogen naar Nick.

'Hoe kan ik erachter komen waar Pete in Detroit aan het werk is?'

De producer haalde zijn schouders op. 'Weet ik veel.'

De geluidstechnicus haalde zijn mobieltje tevoorschijn. 'Als u dat wilt weten, moet u het aan een geluidstechnicus vragen.' Zijn duim danste over het beeldschermpje. 'Paul Owen op het Bowes Festival zal het wel weten, want de Style Boys is daar een van de hoofdacts.'

Ze leunden achterover in hun stoel en luisterden naar de zoveelste vertolking, die zoals Nick kon horen nog steeds een beetje rammelde. 'Ik maak mezelf verdomme van kant,' zei de producer. 'Heeft u in uw werk ook van die dagen?'

'Altijd.'

'Waarom bent u op zoek naar Pete? Ik heb nooit een crimineel in hem gezien,' zei de technicus. 'Redelijk normale vent, die Pete. Nou ja, wat in dit vak voor normaal doorgaat.'

'Ik moet hem een paar vragen stellen. Er is iets gebeurd in zijn wijk waarvan hij misschien getuige is geweest. Maar als hij de afgelopen maanden weg was, dan is er een grote kans dat hij er helemaal niets van weet.'

De telefoon van de geluidstechnicus danste over de mengpanelen, ten teken dat er een tekstbericht was binnengekomen. Hij pakte hem op en wierp er een blik op, voordat hij hem aan Nick liet zien. 'Alsjeblieft, man.'

'Style Boys @ South Detroit Sounds tot einde van de week. De eerste mix klinkt beter dan verwacht,' las hij. Nick glimlachte. 'Bedankt, mannen. Ik hoop dat de drummer zijn ritme vindt.'

De FBI was met al zijn middelen op zoek naar Jimmy Higgins. Maar zoals het er nu uitzag, kwam het allemaal aan op een enkele Londense politieman met kijk op het muziekwereldje. Nick glimlachte. Als hij Jimmy Higgins thuis zou kunnen krijgen, zou hij een gelukkig man zijn.

En nog veel belangrijker: Stephanie zou een zeer gelukkige vrouw zijn.

38

Toen Scarlett thuiskwam van haar chemosessie was ze gesloopt. De medicijnen hadden de energie uit haar lichaam gezogen en een bleke huls achtergelaten. Maar het was niet de chemokuur of haar verlies zelf dat haar had gebroken. Volgens Simon, die haar thuis had gebracht, had ze onderweg naar huis een sms'je van Joshu's zuster Ambar ontvangen. Ambar had nadrukkelijk duidelijk gemaakt dat Scarlett en Jimmy niet welkom waren op de begrafenis van haar broer. 'Als je ook maar enig respect voor mijn familie hebt, blijf dan alsjeblieft weg. Jullie horen niet thuis op een Hindoestaanse begrafenis.'

'Vuile trut,' zei Scarlett zwakjes, toen we haar eenmaal in bed hadden gekregen. 'Vieze, vuile trut.' Ze greep mijn hand zo hard vast dat ik de blauwe plekken bijna kon voelen opkomen. Ze sprak in halve, afgebroken zinnen. 'Ik zal haar leren. Morgen, Steph. Dan gaan we aan de slag. We gaan. Een herdenkingsdienst organiseren. Voor alle mensen. Die de echte Joshu kenden. Niet zijn nepversie. De perfecte zoon die zijn familie probeert neer te zetten.'

'Dat is een fantastisch idee,' zei ik. 'We zullen op gepaste manier afscheid van hem nemen. Je hebt gelijk, zijn vrienden zouden de kans moeten hebben om vaarwel te zeggen. Maar nu moet je eerst rusten.'

Ze liet mijn hand los. Ik kon zien hoe de vechtlust uit haar wegvloeide. 'Nu slapen,' zei ze. 'Alles doet pijn, Steph. Mijn lichaam en mijn hart. Alles.'

Ik bleef bij haar totdat ze in slaap viel, wat minder dan vijf minuten duurde. Ze zag er zo breekbaar uit, zo bleek, en de donkere ringen onder haar ogen waren een nieuwe toevoeging sinds het begin van de chemokuren. Ze leek dichter bij de dood dan Joshu ooit had geleken.

Toen ik bij Scarlett wegging, droeg Leanne Jimmy naar beneden. Hij jengelde zachtjes en bleef maar met een lage, monotone stem 'Ik wil mijn mama' zeggen.

'We gaan nog even lekker zwemmen voordat je naar bed moet,' zei ze. Ook zij zag er doodmoe uit. 'Wil je ook mee?' Ze klonk haast wanhopig.

We zouden Jimmy die avond natuurlijk nog niets vertellen. Maar hij voelde heel goed aan dat er iets ergs aan de hand was. Ik had niet echt zin om te zwemmen, maar ik besefte dat de mogelijkheden tot ontspanning de komende dagen schaars zouden zijn. En de jongen had een beetje liefde en aandacht nodig. Ondanks mijn zwaarmoedigheid genoot ik ervan om met Jimmy in het water te spartelen, die opvrolijkte zodra we allemaal begonnen te spelen. Toen Leanne hem uiteindelijk naar bed bracht, te moe om zijn moeder te missen, bleef ik in het water en zwom trage baantjes terwijl ik aan Nick Nicolaides dacht en me afvroeg of ik hem ooit nog zou weerzien.

De paar dagen daarna verliepen chaotisch. Het slechte nieuws aan Jimmy vertellen was aangrijpender voor Scarlett dan voor haar zoon, die te jong was om de strekking te bevatten van wat ze hem vertelde. Hij huilde omdat zij huilde, maar we wisten allemaal dat de werkelijkheid van het feit dat zijn vader niet zou terugkomen niet tot hem was doorgedrongen. 'Hij zal naar Joshu blijven vragen, en ik zal het hem telkens weer moeten uitleggen,' zei Scarlett later. 'En dan zal het op een dag echt tot hem doordringen en zal zijn kleine hart gebroken zijn.'

Waar geen van ons aan wilde denken, was hoe het voor Jimmy zou zijn wanneer hij op een dag zou begrijpen op welke manier zijn eigen vader was gestorven. Met enig geluk zou hij zeker en gelukkig genoeg in zijn vel zitten om door die informatie niet compleet de weg kwijt te raken. Maar het zou moeilijk te verwerken zijn, hoe goed aangepast hij ook mocht worden.

Maar het aan Jimmy vertellen was maar een klein onderdeel van waar we ons de dagen na Joshu's dood doorheen moesten slaan. Scarlett wilde per se dat de herdenkingsdienst voor Joshu zo snel mogelijk gehouden zou worden. Ik denk dat ze dat als een domper zag voor zijn ouders, en wat ze gepland hadden. 'Ze gaven geen moer om hem toen hij nog leefde. Ze hebben niet het recht om zich hem toe te eigenen nu hij dood is,' zei ze. De ochtend nadat we het nieuws hadden gehoord, sleepte ze zich ondanks onze tegenwerpingen uit bed naar de keuken. 'Ik heb een takenlijstje,' zei ze. 'En dan ga ik weer naar bed.'

Ik had eigenlijk geen tijd om Joshu's herdenkingsdienst te organiseren. Ik had mijn eigen werk en deadlines waaraan ik me moest houden. Maar in mijn beleving ging vriendschap boven werk. 'Geef mij dat lijstje maar,' zei ik. 'Dat regelen wij wel, toch, Leanne?'

Leanne leek niet echt enthousiast, maar ze knikte instemmend. Ze gebaarde naar de lage tafel en de stoel waarop Jimmy in zichzelf zat te zingen en zijn cornflakes zat te eten, samen met zijn beweegbare figuurtjes van de Power Rangers. 'Ik zal Jimmy naar de opvang brengen, en dan kom ik je helpen.'

'Nee,' zei Scarlett, met een opstandige blik. 'Ik hield van hem. Dit is het laatste wat ik voor hem kan doen en daarom wil ik het zelf doen.'

Het was goed bedoeld, maar het was praktisch niet haalbaar. 'Dat weet ik wel, en het pleit zeer voor je dat je er nog zo over denkt, ondanks de manier waarop hij je heeft behandeld. Maar het belangrijkste wat je nu voor hem kan doen, is fier rechtop staan bij zijn herdenkingsdienst. Je moet sterk zijn voor Jimmy, maar ook voor jezelf. Laat het praktische gebeuren maar aan ons over. Jij moet helemaal niets doen. Je moet verbazingwekkend zijn op zijn afscheid. Je moet de wereld laten zien dat je je persoonlijke strijd aan het winnen bent.' Ik trok haar dicht tegen me aan en omhelsde haar.

'Ja, je bent Kate Winslet in *Titanic*,' zei Leanne. 'Je moet ze een poepje laten ruiken, Scarlett. Joshu is er niet meer, maar jij gaat door.'

Ik slikte een beschaamde proest van het lachen in vanwege het beeld dat Leanne had opgeroepen. 'Laat aan de wereld zien dat je een overlever bent, Scarlett. En in de jaren die komen gaan, zal Jimmy daar kracht uit putten. Een verbazingwekkende herdenkingsdienst voor zijn vader, met jou in het hart ervan.'

Eerlijk gezegd hoefden we niet lang aan te dringen om haar weer in bed te krijgen. Ze hurkte neer naast Jimmy en speelde een paar minuten Power Rangers, waarna ze hem stevig tegen zich aan drukte. Ze liepen hand in hand de kastenkamer in, waar ze zijn jas dichtritste en hem aan Leanne overdroeg. Daarna strompelde ze door de hal de trap op, waarbij ze weigerde me een arm te geven en binnensmonds mompelde.

Het organiseren van de herdenkingsdienst was niet de makkelijkste taak die ik ooit op me heb genomen. Het kon vanzelfsprekend niet op een locatie met formele religieuze associaties plaatsvinden. Scarlett hing geen specifieke christelijke overtuiging aan en een grotere afvallige dan Joshu was er niet, ondanks de vastbeslotenheid van zijn ouders om hem een echte Hindoestaanse begrafenis te geven. Leanne en ik zaten ons aan de ontbijtbar achter de oren te krabben in een poging te bedenken wat we moesten doen. In de openlucht was te riskant: je kon het Britse weer nooit vertrouwen. Het laatste wat Scarlett kon gebruiken, was dat de hemel zich zou openen en dat de herdenkingsdienst in een modderige farce zou veranderen.

Het was Leanne die een club voorstelde. Dat was tenslotte waar Joshu zijn werkende leven had doorgebracht. Mijn eerste reactie was om het idee te verwerpen: clubs zijn donkere, onderaardse grotten, die er goedkoop en slonzig uitzien wanneer de verlichting aangaat. Leanne, die door haar leven als Scarlett bijna net zo'n expert op het gebied van de dancewereld en dj's was geworden als Joshu, kon geen enkele club bedenken die in wezen geen armoedige tent was.

Maar geen van ons beiden kon een alternatief bedenken. Ik ging wanhopig bij Google ten rade. Ik vond een aantal toptienlijsten van Londense clubs en bekeek die eens goed. 'Gevonden,' riep ik uit, en ik draaide de laptop om, zodat Leanne het ook kon zien. 'Paramount. De dertigste verdieping van Centre Point. Ramen rondom, dus het moet er ook in daglicht goed uitzien. Er staat hier dat je prachtig uitzicht hebt op Oxford Street en over het centrum van Londen. Er is een dansruimte waar we de eigenlijke herdenkingsdienst kunnen houden. Ze serveren ook eten. Het is perfect, Leanne.'

Ze keek bedenkelijk. 'Ik geloof niet dat hij daar ooit heeft opgetreden. Ik ben er nooit met hem geweest.'

'Dat maakt niet uit. Het is toch een club. En daarmee wordt het een eerbetoon aan zijn werkende leven.'

'Het gaat wel een bom duiten kosten. Kijk maar, in de recensie staat dat de drankjes echt heel duur zijn.'

Ik lachte. 'Denk je nu echt dat Scarlett hiervoor gaat betalen? Tegen de tijd dat Georgie de rechten aan *Yes!* en een of andere kloterige televisiezender heeft verkocht, zullen we juist winst hebben gemaakt. Geloof me, Leanne, dit is de oplossing.'

Gelukkig waren zowel George als Scarlett het met me eens. We hadden een week om de herdenkingsdienst te organiseren, en al zeg ik het zelf: we hadden fantastisch werk gedaan. De gastenlijst was een natte droom voor elke showbizz-redacteur. Iedereen die als belangrijk gezien wilde worden was aanwezig, samen met een volledig arsenaal aan paparazzi en columnisten van boulevardbladen. Scarlett had onze woorden ter harte genomen en bracht die week grotendeels rustend in haar kamer door. Op de dag zelf was de visagiste de eerste die bij het huis aankwam. Dankzij haar subtiele werk lukte het Scarlett de perfecte combinatie van breekbaarheid en schittering uit te stralen, toen ze met opgeheven hoofd en hand in hand met Jimmy door de menigte naar het podium liep. Hij zag er hartverscheurend en compleet verbouwereerd uit in zijn kleinere versie van een Nehru-jasje en zijn zwarte broek.

Een aantal van Joshu's meer welbespraakte en respectabele vrienden sprak over zijn professionele leven, waarna Scarlett de aanwezigen tot tranen roerde met haar persoonlijke lofrede. 'Joshu was de enige man die ik ooit heb gekend die mijn adem kon doen stokken. De eerste keer dat ik hem zag, zat hij achter de draaitafels onder de bogen van station Waterloo. De manier waarop hij bewoog, zijn glimlach, de glinstering in zijn ogen... Het was alsof hij een vonk in zich meedroeg die niemand anders had. Ik wist onmiddellijk dat hij de mijne zou worden.'

Het maakte niet uit dat die glinstering en die vonk waarschijnlijk het gevolg van cocaïne waren; geen van de aanwezigen kon eraan hebben getwijfeld dat ze echt van hem hield.

'Maar er hing een prijskaartje aan Joshu liefhebben. Hij had een hoofd vol dromen, en het was alsof één leven nooit voldoende voor hem zou zijn. Dj zijn was niet genoeg. Hij wilde daarboven uitstijgen: hij wilde platen produceren, films maken en de mensen een andere blik op de wereld geven. Jammer genoeg voor mij en Jimmy zou gewoon huisvader zijn ook nooit voldoende voor hem zijn. Joshu had een groot hart en hij had behoefte aan meer dan een eenvoudig leven te bieden had. Ik kon hem niet tegenhouden. Ik moest hem zijn vleugels laten uitslaan, ook al brak het mijn hart in duizend stukjes.' Scarlett ademde huiverend en bijna in tranen in en trok vervolgens de jongen tegen zich aan. Jimmy klampte zich vast aan haar jurk en tuurde met opengesperde, verdrietige ogen naar de menigte.

'Het enige waar Joshu genoeg aan had, was vader zijn. Ondanks al zijn fouten en al zijn frustraties hield hij van zijn kleine jongen. Hij zou een kogel voor Jimmy hebben opgevangen. Als er iemand was van wie Joshu zonder voorbehoud hield, iemand die hij nooit de rug toegekeerd zou hebben, dan was het wel zijn zoon. En daarom weet ik dat wat er met Joshu is gebeurd een ongeluk was, en geen zelfmoord, zoals sommige slecht geïnformeerde journalisten hebben geprobeerd te suggereren. Joshu zou zichzelf nooit ofte nimmer van Jimmy hebben weggenomen. Misschien had hij genoeg van mij. Misschien had hij genoeg van jullie. Maar hij zou nooit van zijn leven genoeg hebben gekregen van Jimmy. Laten we dus het glas heffen op mijn mooie Joshu. Laten we ons al die momenten herinneren dat hij ons blij maakte dat we leefden. Op Joshu!'

Het was onweerstaanbaar. Volgens mij kon niemand in de ruimte ongeroerd blijven door Scarletts woorden. Vanaf mijn plek naast het podium keek ik de ruimte rond, terwijl mijn eigen blik troebel werd door de opkomende tranen.

En toen stokte mijn adem om totaal verkeerde redenen in mijn keel. Daar, achter in de zaal, stond de man tegen de muur geleund aan wie ik zoveel tijd, geld en energie had besteed om aan te ontsnappen. Met een triomfantelijke, ironische glimlach op zijn gezicht tikte Pete Matthews zijn voorhoofd aan bij wijze van spottende groet.

Hoe heeft Faulkner het ook alweer gezegd? 'Het verleden is nooit dood. Het is niet eens voorbij.' Ooit had ik moeite dat te begrijpen. Maar nu wist ik precies wat het betekende.

39

De rest van de herdenkingsdienst ging in een waas aan me voorbij. Toen het formele gedeelte van de middag achter de rug was, wilde ik meteen proberen weg te komen, zonder dat Pete me zou zien. Maar ik kon voelen dat hij me met zijn blik door de ruimte volgde. Hoewel dit niet mijn publiek was, kende ik voldoende van de aanwezige mediamensen om te proberen hen als springplanken te gebruiken om me naar de overkant van de zaal te bewegen, waar ik hoopte via een uitgang weg te kunnen komen. Maar telkens wanneer ik opkeek, was hij nog ergens aan de rand van de menigte. Vandaar volgde hij me zoals hij zo efficiënt had gedaan nadat ik een einde aan onze relatie had gemaakt.

Toen zag ik de man die me mogelijk zou kunnen redden. Brigadier Nick Nicolaides stond met zijn rug naar het indrukwekkende uitzicht over de Londense binnenstad bij het buffet en gebruikte zijn lengte om de ruimte af te speuren. Ik wist niet wat hij hier kwam doen, maar ik wist zeker dat ik op de een of andere manier mijn voordeel kon doen met zijn aanwezigheid.

Ik slalomde door het gedrang van lichamen en wierp onderweg een aantal van Scarletts televisiecollega's luchtzoenen toe. Nick leek lichtelijk geamuseerd toen ik eindelijk naast hem kwam staan. 'Ben je naar me toe gekomen om me een uitbrander te geven, omdat ik hier ongenood ben komen opdagen?' vroeg hij.

Ik schudde verwonderd mijn hoofd. 'Waarom zou je dat denken?'

'Omdat ik heb begrepen dat jij de organisatie in handen hebt van dit alles...' hij maakte een weids gebaar naar de zaal, waar het lawaai van gebabbel gestaag groeide, net zoals het volume van een van Joshu's draaisessies, '... en ik niet op de gastenlijst stond.'

'Ik heb de gastenlijst niet gedaan,' zei ik. 'Dat waren Scarlett en haar agent. Ik ken bijna niemand hier.' Behalve die klootzak aan de overkant van de ruimte, die zijn wenkbrauwen in een donkere frons heeft samengetrokken nu ik met jou sta te praten, dacht ik.

'Verdomme, ik heb mezelf verraden.' Hij tuitte in een uitdrukking van zelfspot zijn mond.

'Waarom ben je hier?' Ik bedacht ineens dat het wel wat merkwaardig was dat hij hier kwam opdagen.

Hij speelde wat met de steel van zijn wijnglas en haalde zijn schouders op. 'Laten we het nieuwsgierigheid noemen. Ik krijg niet vaak de kans om een kijkje te nemen in dit wereldje. Ik laat niet graag een kans lopen.'

'Als dit een aflevering van *Poirot* was, zou je hier zijn omdat je niet gelooft dat Joshu's dood een ongeluk was.' Ik plaagde hem, maar hij liet geen enkele reactie zien. Geen sprankje humor of oplaaiende ernst. Gewoon helemaal niets.

'Maar het is geen aflevering van *Poirot*,' zei hij. 'En ik ben een nieuwsgierige smeris die niets beters te doen had op zijn vrije middag. Hoe ondergaat de niet-helemaal-echte-weduwe het?'

'Het komt harder aan dan ik had verwacht. Ze deed dan wel net alsof ze helemaal over hem heen was, maar het blijkt in werkelijkheid anders te zijn. Geloof me, er is niets gespeeld aan haar verdriet. Ze is er echt kapot van. Gedeeltelijk vanwege Jimmy. Maar ze had nog altijd gevoelens voor Joshu.'

Nick knikte. 'Ze boft maar dat ze jou heeft om zoiets belangrijks als dit te regelen.'

'Ik heb alleen maar de zweep laten knallen. Andere mensen voerden het uit.' Er begon zich een idee in mijn achterhoofd te vormen. 'Ik ben vrij goed in het aansturen van mensen.' Ik probeerde een geslaagde combinatie van standvastig en sexy over te brengen.

'Dat wil ik best geloven,' zei Nick, die me niet helemaal aankeek.

'Bijvoorbeeld...' Ik ging zo staan dat ik met mijn rug naar het raam stond. Als hij oogcontact met me wilde houden, zou hij zich moeten omdraaien, zodat hij Pete duidelijk in beeld kreeg. 'Je had het erover dat je een ongenode gast was. Maar dat is niet echt zo. Als je had gevraagd of je mocht komen, hadden we je met liefde een uitnodiging gestuurd. In jouw geval is het een technisch detail. Maar er zijn mensen hier die echt niet welkom zijn. En iemand als jij zou Scarlett een enorm plezier doen als je hen uit het gebouw zou willen verwijderen. Om maar iets te noemen.'

Hij draaide zich om, zodat hij het gedeelte van de ruimte kon zien waar ik net naar had staan kijken. 'Had je iemand in gedachten?'

'Niet staren, maar er staat een man achter de bar tegen de muur te leunen. Hij draagt een zwart jasje en een zwart overhemd, met een zilverkleurige stropdas.'

Nick boog iets voorover, alsof hij zich bukte om me ondanks het achtergrondrumoer te kunnen verstaan. 'Donker haar? Broodmager gezicht? Rechte, zwarte wenkbrauwen?'

'Dat is hem. Hij heet Pete Matthews.'

'En hij is niet welkom?'

'Zeer zeker niet.'

'Ik neem aan dat er een goede reden is dat je hem zelf niet wilt wegsturen?' Nick streek zijn warrige haar uit zijn gezicht. Onder de sterke verlichting kon ik een paar zilveren haren tussen de verschillende kleuren bruin zien, zoals de vleugels van een merelvrouwtje. Hij leek er volwassener door. Volwassener dan ik, in ieder geval.

'Ja.' Ik wil niets liever dan hier wegvluchten en ik wil dat jij hem afleidt, zodat ik een voorsprongetje kan opbouwen, dacht ik.

'Maar daar heb je het liever niet over,' zei Nick. Ik geloof niet dat ik me de teleurstelling in zijn stem inbeeldde. 'En tegen de tijd dat ik het probleem heb opgelost, zul je verdwenen zijn, hè?'

Niet alleen betoverend en sexy, maar nog slim ook. Ik hoopte echt dat Nick een of andere vage reden kon verzinnen om nog een keer met ons over Joshu te komen praten. Maar ik zou er nu ook weer niet op gaan rekenen. 'Zoiets, ja. Mijn werk hier is klaar.'

'Hi, ho, Silver, ervandoor.' Hij grinnikte weer. Wat voelde je verdomme toch een verbondenheid met iemand die je culturele associaties doorheeft. 'Ik zal je ongenode gast wel wegjagen, Stephanie. Ik beschouw het als de toegangsprijs.'

'Bedankt. En bedankt voor het komen.'

'Ik ben blij dat ik dat heb gedaan.' Nick gaf een knikje en manoeuvreerde vervolgens tussen de menigte door. Zodra hij zich tussen mij en Pete bevond, liep ik snel langs de rand van de zaal, vanwaar ik via een deur de bedrijvige keukenruimte binnenging. Zodra ze me in de gaten kreeg riep een vrouw met een rood aangelopen gezicht in witte kokskleding me toe: 'Hé! U mag hier niet komen.'

'Ik moet de achteruitgang controleren voor het geval Scarlett stilletjes moet verdwijnen,' zei ik op mijn meest autoritaire toon. 'Weet u, door de kankertherapie kan ze niet altijd voorspellen hoeveel energie ze nog heeft. En ze wil er geen ophef over maken.'

'O, ik begrijp het al. U bent zoals de sas, u stelt haar vluchtroute veilig.'

Ik probeerde niet met mijn ogen te rollen. 'Zoiets, ja.'

Drie minuten later liep ik een dienstlift uit aan de achterkant van het gebouw. Ik had mijn auto niet bij me. Die stond nog bij Scarlett thuis, omdat ik naar de herdenkingsdienst was gebracht in een van de grote zwarte Daimlers die George had besteld om ons in stijl uit Essex op te halen. Dat maakte niet uit. De auto kon daar blijven staan totdat ik hem nodig had. Ik kon vanavond niet terug naar Essex. Dat zou precies de plaats zijn waar Pete me zou zoeken als Nick hem het hele idee om mij te achtervolgen niet uit zijn hoofd had kunnen praten. Op de een of andere manier geloofde ik niet dat een praatje met Nick als een toverstaf zou werken en een eind aan mijn vervolging zou maken.

En aangenomen dat Nick erin slaagde me een paar minuten voorsprong te bezorgen, wist ik dat ik de onmiddellijke omgeving moest ontvluchten, voordat Pete de Centre Point-toren zou hebben verlaten. Het enige wat in mijn voordeel werkte, was het feit dat hij blijkbaar nog steeds niet wist waar ik woonde. Daarom was hij vandaag ook gekomen. Een evenement waarvan hij wist dat ik er aanwezig zou zijn, op een drukbezochte locatie, zodat hij zeker wist dat ik er geen rel zou willen schoppen. Daar zou hij mijn spoor weer kunnen oppikken om me naar mijn schuilplaats te volgen. Zijn fout was dat hij zich had laten zien. Als hij niet zo vreselijk zeker van zichzelf zou zijn geweest, had hij de zaken van beneden op straat in de gaten kunnen houden en had hij me eenvoudigweg kunnen volgen wanneer ik naar buiten kwam, en dat zonder dat ik ook maar iets zou vermoeden. Goddank was er zoiets als arrogantie.

Ik keek om me heen om te kijken waar ik me precies bevond en liep vervolgens met ferme pas naar metrostation Tottenham Court Road. Eerst Northern Line naar Waterloo en dan Jubilee Line naar London Bridge, en daarna met de trein naar Brighton. Ik zou in minder dan twee uur veilig en wel achter mijn eigen voordeur zijn. Alleen van het idee al kreeg ik een lichtere tred. Ik had de man die mijn gemoedsrust bedreigde weten te dwarsbomen.

Het was een geweldig gevoel. Jammer dat het niet lang duurde.

40

Het had een tijdje geduurd om er te komen, maar Vivian McKuras dacht dat ze nu eindelijk bij de kern van de zaak kwamen. Pete Matthews begon steeds meer naar voren te komen als een man die wrok jegens Stephanie Harker koesterde en als iemand die niet van opgeven wist. 'Was dat de eerste aanwijzing dat hij je nog altijd probeerde op te sporen?' vroeg ze.

Stephanie knikte vermoeid. Naarmate de dag vorderde had haar gezicht steeds oudere trekken gekregen, en de tekenen van de ouderdom overschaduwden de jeugdige elementen van haar verschijning. Vivian had dat wel vaker gezien bij mensen die na een misdaad achterbleven. De schade werd al snel zichtbaar. Haar stem was ook veranderd. Die was opvallend minder levendig geworden naarmate haar verhaal vorderde. 'Ja.' Ze zuchtte. 'Ik dacht echt dat hij het had opgegeven. Maar dat was dus duidelijk niet zo. Nu is het zo dat ik geen heel erg openbaar leven leid. Andere schrijvers gaan naar literaire festivals of houden lezingen in bibliotheken. Ghostwriters doen dat niet. Als je niet weet waar ik woon, dan zou het nog lastig worden om te gaan posten bij plekken die ik regelmatig bezoek. Ik ga zelden naar het kantoor van mijn agente. Als we elkaar al zien, gaan we meestal lunchen en spreken we af in het restaurant. Of wanneer ik auditie voor een boek doe, dan zien we elkaar op locatie. En ik ga zelden naar presentaties van boeken die ik heb geschreven. Het is in alle opzichten het eenvoudigste als ik buiten beeld blijf.'

'Kon hij je niet opsporen via eigendomsrecht of via de vermogensbelasting, of zoiets? Of is dat in jullie land niet mogelijk?'

'Ik heb het huis in Brighton niet op mijn eigen naam gekocht. Ik heb een naamloze vennootschap opgericht en heb dat gebruikt om het perceel te kopen. Ik betaal huur aan het bedrijf, en met de huur worden de hypotheeklasten betaald. Op die manier is mijn naam niet opgenomen in het kadaster. Mijn naam komt niet voor in het openbare register van de gemeentebelasting, en gas, water en elektriciteit staan ook op naam van het bedrijf. Mijn bankafschriften en afrekeningen van mijn creditcard gaan allemaal naar het adres van mijn agente. Ik heb er alles aan gedaan om mijn sporen uit te wissen.'

'Dus je zag hem als een vasthoudend persoon? Een man die niet zou opgeven of het erbij zou laten zitten?'

Stephanie leek het zat. 'Ja, natuurlijk. Gezien de manier waarop hij me begon te stalken. En omdat ik wist hoe fanatiek hij was. Hier was een obsessieve perfectionist aan het werk. Maar ik was net zo vastbesloten om het hem niet gemakkelijk te maken dat hij zich zomaar met geweld een weg terug naar mijn leven kon verschaffen. Ik dacht dat hij het zou opgeven als hij geen vooruitgang zou boeken.' Ze schudde haar hoofd. 'Ik had het mis.'

Vivian trok haar laptop weer naar zich toe en riep de beelden van de beveiligingszone op. Ze zette de opname stil vanaf het moment vlak voordat de ontvoerder verscheen. 'Ik wil dat je hier heel goed naar kijkt en me vertelt of je denkt dat deze man Pete Matthews zou kunnen zijn.' Ze draaide het scherm naar Stephanie toe, zodat ze het kon zien.

Stephanies eerste reactie bestond uit het stokken van haar adem toen ze Jimmy zag. Haar hand vloog naar haar mond en ze ademde abrupt in. Haar andere hand bewoog zich naar het beeldscherm. 'Jimmy,' mompelde ze. Een enkele traan vloeide uit haar ooghoek weg en haar gezicht vertrok van verdriet.

Vivian gaf haar een moment om tot zichzelf te komen. Of deze vrouw was een voortreffelijke toneelspeelster of ze was compleet onschuldig aan enige betrokkenheid bij de verdwijning van de jongen. Vivian zou willen dat ze er eerder aan had gedacht om haar met de beelden van het gesloten videosysteem te confronteren, al was het maar om die kwestie de wereld uit te hebben.

Stephanie snoof hard en wreef krachtig met de rug van haar hand in haar ogen. 'Het gaat wel,' zei ze met krakende stem, terwijl ze knikte en met haar ogen knipperde. Vivian klikte de afspeelknop aan. De beelden kwamen met een schok in beweging. De man kwam in beeld, maar door zijn petje was zijn gezicht niet te zien. Hij had lange benen in vergelijking met zijn lijf, dat er vreemd dikkig uitzag, in tegenstelling tot zijn ogenschijnlijk dunne ledematen. Hij boog iets voorover om Jimmy aan te spreken, pakte de hand van de jongen vast, nam toen zijn rugzak en zijn paspoort mee en liep vervolgens vlotjes weg. Stephanie had de hele tijd haar adem ingehouden. Toen ze uit het zicht verdwenen, ademde ze met een zachte kreun uit.

'Is hij het?' vroeg Vivian.

Stephanie fronste haar voorhoofd. 'Ik weet het echt niet. Ik geloof niet dat hij het is, maar... Ik weet het niet, er is iets aan de manier waarop hij beweegt wat me bekend voorkomt.' Ze keek de FBI-agente verward aan. 'Ik denk niet dat het Pete is, maar ik zou het niet durven zweren.'

'En zijn bouw dan? Zijn lengte en zijn gewicht? Bekijk de beelden nog een keer, Stephanie.' Vivian speelde het korte fragment nogmaals af.

Stephanie leek nog steeds te twijfelen. 'Het is moeilijk de lengte echt goed in te schatten. En hij heeft dat buikje, en dat had Pete zeker niet toen ik hem voor het laatst heb gezien. Maar los daarvan heeft hij dezelfde bouw.'

Dat was voldoende voor Vivian. Ze wist alles van de tegenzin waarmee getuigen iemand die ze meenden te kennen identificeerden wanneer dat indruiste tegen wat ze steeds over die mensen wilden geloven. Stephanie had er lang over gedaan om met Pete Matthews als mogelijke dader op de proppen te komen. En daarom zou ze niet ineens vol overtuiging met een beschuldigende vinger gaan wijzen. Een mogelijke identificatie was wat Vivian betreft een heel aardig uitgangspunt. Als brigadier Nicolaides niet met zekerheid kon vaststellen of Matthews in Groot-Brittannië was, zou ze hem met liefde naar de toppositie op haar lijst van verdachten promoveren. Wees eens eerlijk tegen jezelf, Viv, dacht ze, hij is op dit moment je énige verdachte. Ze draaide de computer om, zodat ze zelf weer naar het beeldscherm keek. Tijd om het over een andere boeg te gooien.

'Wat gebeurde er toen brigadier Nicolaides Pete te kennen gaf dat hij de herdenkingsdienst moest verlaten?'

'Daar ben ik pas veel later achter gekomen,' zei Stephanie. 'Het enige wat me bezighield was het feit dat Pete niet in Brighton opdook. En hij stond me ook niet bij Scarlett thuis op te wachten toen ik daar mijn auto ging ophalen. Ik geloofde echt dat de boodschap eindelijk echt goed tot hem doorgedrongen was. Eerlijk gezegd dacht ik nauwelijks nog aan hem.' Haar gezicht werd weer somber. 'Er gebeurden andere dingen die ik veel belangrijker vond dan wat er zich in het hoofd van Pete afspeelde.'

41

Na de herdenkingsdienst voor Joshu richtten we onze aandacht allemaal weer op Scarlett en haar behandeling. De chemokuren waren bijna voorbij, waarna nog een korte reeks radiotherapeutische behandelingen volgde. En daarna kwam als een wonder het allesveiligteken. Simon vertelde haar dat de behandeling geslaagd was en dat er een grote kans was dat ze nu vrij was van kanker, hoewel ze de komende vijf jaar nog wel haar medicijnen moest blijven slikken.

We vierden het met een banket op de haciënda. Het was een klein feestje: Scarlett, Leanne, George en zijn partner, Marina, Simon en ik. We huurden een paar koks in van het plaatselijke Chinese restaurant. Die zetten ons een verrukkelijke reeks onweerstaanbare gerechten voor, waaraan we ons te buiten gingen. We spoelden het allemaal weg met liters prosecco, waarbij we bij elk nieuw gerecht op Scarlett toostten. 'En op mijn nieuwe boek,' zei ze bij de derde of vierde toost. 'Nu ik het allesveiligteken heb gekregen, kunnen we tot publicatie overgaan, toch, George?'

'Zonder meer,' zei hij. 'Ik weet dat Stephanie helemaal klaar is met de getypte kopij. En het is een zeer ontroerend boek geworden, meisjes. Jullie hebben jezelf overtroffen met dit boek.'

Leanne, die wat meer glazen achterovergeslagen had dan de andere aanwezigen, gaf haar nicht een natte zoen op haar wang. 'En voor de eerste keer in zijn miserabele leven was de timing van Joshu perfect. Hè, Scarlett?'

Er hing even een akelige stilte, waarin we elkaar allemaal geschokt aankeken, waarna Scarlett zei: 'Verdomme, Leanne, niet waar Jimmy bij is.'

Leanne opende haar mond om iets te zeggen, maar Simon was haar voor. 'We zijn hier om de toekomst te verwelkomen en niet om over het verleden te tobben, Leanne. Laten we het glas heffen op onze gulle gastvrouw en haar zoon. Op Scarlett en Jimmy!'

Dat was de perfecte afleiding, en we grepen de kans allemaal dankbaar aan. Het was het enige onaangename moment op een voor de rest fijne, feestelijke avond. Jimmy werd al snel moe, en voordat hij dwars zou worden, nam Marina hem mee en kreeg hem vervolgens op wonderbaarlijke wijze in slaap. Ze was altijd geweldig met Jimmy, veel beter dan wij met hem waren, zelfs beter dan zijn moeder. Als ik haar had kunnen verleiden naar Engeland terug te komen om me te helpen met de zorg voor Jimmy, zou ik dat meteen gedaan hebben.

Maar Simon had gelijk gehad toen hij een toost uitbracht. Het was tijd om ons op de toekomst te richten. Ik was blij dat mijn vriendin de tijd en de gezondheid gegund waren. Maar uit eigenbelang verlangde ik er ook naar om meer tijd voor mezelf te hebben. Ik had geen enkele spijt van de tijd die ik in Scarlett had gestoken tijdens het trauma van haar diagnose en haar behandelingen. Maar ik moest verder met mijn werk en wilde een nieuw leven opbouwen in Brighton. Ze zou altijd deel van mijn wereld blijven uitmaken, zoals elke goede vriendin. Maar ik ging langzamerhand nieuwe contacten aan: een leesclub, een quizteam van de kroeg, en ik wilde dat dat deel van mijn leven ook zou groeien.

Het bleek dat ik niet de enige was die aan verandering toe was. Ik zag Scarlett ongeveer een dag of tien later pas weer, en dit keer was ze naar Brighton afgezakt. 'Het is niet eerlijk dat je altijd maar naar mij moet rijden,' zei ze. 'Het is lekker om een dagje aan de kust te zijn, en nu Jimmy de hele dag in de opvang zit, heb ik meer tijd voor mezelf.'

We struinden wat door de Lanes, op zoek naar koopjes die we niet vonden. Ze kocht uiteindelijk nog wel een Navajo-kleed voor de woonkamer, maar betaalde er ongeveer twee keer zoveel voor als ik gedaan zou hebben, zelfs als ik haar geld zou hebben gehad. En ze verdiende inmiddels goed. Ze had de televisieprogramma's, de merchandise, haar betaalde goedkeuring voor allerlei zaken op het gebied van kinderkleding tot vitaminesupplementen. Wat ze met de boeken verdiende was de kers op een hoog oprijzende lagentaart. Ze kwam haar beloften na en sluisde een tiende van haar inkomsten door naar het liefdadigheidsfonds dat ze had opgericht voor het Roemeense weeshuis, en ze was van plan er later dat jaar weer naartoe te gaan om te kijken wat er in de praktijk met het door haar bij elkaar gebrachte geld was gedaan. 'Ik ga een gesponsorde nachtelijke zwemmarathon organiseren,' zei ze. 'Zoiets als de Moonwalk voor lopers is, maar dan in zwembaden. Van middernacht tot zes uur 's morgens. Vrouwen kunnen in teamverband meedoen of alleen.'

'Dat is een fantastisch idee.' Ik meende het. 'Ga je zelf ook meedoen?'

'Natuurlijk. Ik ga een team samenstellen met de meiden van de tv. Het wordt hartstikke leuk.' Ze glimlachte spottend naar me. 'Er zullen er zat zijn die me graag op mijn bek zien gaan. Maar ze weten niet dat ik elke vervloekte dag zwem, hè?'

'Zet ze maar op hun nummer,' zei ik. 'En het is bovendien voor een goed doel. Als ze je proberen te vernederen, zullen ze vooral zelf afgaan.'

'Dat is waar. O, en nog iets over Roemenië: wanneer Jimmy naar school gaat, stuur ik Marina terug naar Roemenië om mijn ogen en oren te zijn, daar in Timonescu.'

Ik moet toegeven dat ik dat niet had zien aankomen. 'Wil ze dan wel terug naar Roemenië?'

Scarlett knikte. 'Ze had het al over naar huis terugkeren voordat ik mijn diagnose kreeg.' Zo deelde Scarlett tegenwoordig haar leven in: in 'voor mijn diagnose' en 'na mijn diagnose'. Ze had het met betrekking tot zichzelf nooit over kanker. 'Ze mist haar familie en ze heeft heimwee,' ging ze verder. 'Ik heb haar weten over te halen om hier te blijven door te beloven dat ze met een vaste baan kon terugkeren wanneer Jimmy eenmaal met school was begonnen. Ze zal aan de zijde van het hoofd van het weeshuis werken en onze fondsen beheren. Ze zal goed betaald krijgen en ze zal een baan hebben die de moeite waard is. Ik bedoel, wees eerlijk, Steph, met haar vaardigheden en talenten kan ze zoveel meer dan wat ze nu voor mij doet.'

Ik kon mijn lachen niet inhouden. 'Je meent het. Ze zou verdomme het hele land wel kunnen leiden. Ik hoop dat je weet wat je Roemenië aandoet door haar te laten terugkeren.'

Scarlett moest nu ook lachen. 'Ze zal geweldig werk doen voor die kinderen.'

'Maar red je het dan wel zonder haar?'

'Natuurlijk niet. Dat zou één grote nachtmerrie worden. Mijn huishoudelijke vaardigheden zijn zo goed als nihil. Maar Marina heeft me beloofd een vervangster te sturen. De dochter van een van haar nichten, blijkbaar. Marina zegt dat ze een soort miniversie van haarzelf is. Dus ik zit goed en zij zit goed en Jimmy zal iemand hebben die weet hoe je zijn favoriete Roemeense gehaktballetjes volgens het traditionele recept van Marina's grootmoeder maakt.'

We giechelden allebei. Ik had vaak genoeg bij Ikea bevroren Zweedse gehaktballetjes meegenomen om haar grap te begrijpen.

We regelden dat de winkel het vloerkleed later op de dag bij me thuis zou afleveren en liepen naar de pier. Ze kocht voor ons allebei een ijsje, en we liepen verder terwijl we aan onze ijshoorntjes likten. 'Ik ben gek op de zeekust,' zei Scarlett. 'We gingen nooit op vakantie toen ik klein was, maar iemand nam ons altijd wel een dagje mee naar zee. Scarborough. Brid. Whitby, als we geluk hadden. Je hier opzoeken voelt als een reis terug in de tijd naar een van de weinige fijne dingen uit mijn jeugd. Ik ben dol op de geur van vis met patat en van suikerspin. Ik ben gek op de neonverlichting en de ouderwetse uithangborden voor de attracties en de bingo. Ik hou van de fruitmachines en de kloterige grijpautomaten waarmee je nooit een cadeautje te pakken krijgt. En ik hou ervan dat er zelfs wanneer het regent nog steeds mensen over de promenade lopen, omdat ze er toch het beste van willen maken. Dat is heel erg Brits, hè?'

'Ik vraag me af of de volgende generatie kinderen er hetzelfde over zal denken. Groot geworden met Benidorm en Disneyland. Zullen ze hiervan houden...' ik maakte een weids gebaar '... of zullen ze dit beschouwen als spotgoedkope zelfopslag voor gepensioneerden?'

'Jezus, wat een deprimerend idee,' zei Scarlett. 'Dat soort gedachten laat ik niet meer toe. Van nu of aan ben ik de positiviteit zelve. Zoveel van wat ik over kanker heb gelezen ging over mentale instelling en de zogenaamde kankerpersoonlijkheid. Bijvoorbeeld dat opgekropte bitterheid in je hart op de een of andere manier in je lichaam in kanker verandert.' Ze hield een hand omhoog om me de mond te snoeren. 'Ik weet het, het is waarschijnlijk allemaal gelul, maar het geeft me een excuus om mezelf positief te laten denken en alle negativiteit te laten varen.'

'Oké,' zei ik. 'Ik ben er helemaal voor om de bitterheid uit je leven te bannen.' We leunden op de reling en keken uit over het glinsterende groen en grijs van het Kanaal.

'Nu we het daar toch over hebben,' zei ze, 'Leanne is naar Spanje vertrokken.'

Dat was de tweede complete verrassing. Eerst Marina en nu Leanne.

Het was een en al verandering in de haciënda. 'Dat komt als een verrassing,' zei ik.

'Hoezo? Ik heb het er al tijden geleden met je over gehad. Voordat ik mijn diagnose kreeg.'

'Dat klopt. Maar ze is zo'n steun voor je geweest tijdens je behandelingen. En ze heeft zich een kort kapsel laten aanmeten, waarna ze algemeen werd geaccepteerd als je nicht. Ik dacht dat je van gedachten was veranderd.'

Ze keek me raar aan. Droevig. Haast medelijdend. 'Je hebt Leanne altijd alleen maar van haar goede kant gezien, hè?'

'Ik weet niet wat je bedoelt.' En dat was ook zo. Ik wist het echt niet.

'Leanne heeft je alleen maar haar vrolijke, hulpvaardige, goede kant laten zien. Zelfs toen ze Joshu verraadde, deed ze net alsof ze er kapot van was, dat ze het niet voor zich kon houden, omdat ze het niet kon verdragen dat hij me belazerde. Heb ik gelijk of niet?'

'Ja. Ze was overstuur vanwege jou.' Ik dacht terug aan die gedenkwaardige avond. Ik kon me geen enkele reden herinneren waarom ik zou twijfelen aan de zaken zoals Leanne die aan me had voorgesteld. 'Ze wist niet zeker wat ze ermee aan moest, maar ze dacht dat ze het je verschuldigd was om het je te vertellen.'

Scarlett zuchtte en staarde voor zich uit over zee. 'Ze wilde het me dolgraag vertellen,' zei ze. 'Begrijp me niet verkeerd. Ik denk niet dat ze iets heeft gezegd wat niet waar is. Ze heeft niet gelogen over Joshu, hoewel ik haar zonder meer in staat acht om grote onzin over hem te verkopen, wanneer er niet daadwerkelijk iets gebeurd zou zijn. Maar ze genoot van elke minuut pijn en vernedering die ik ervan ondervond.'

Ik was diep geschokt door Scarletts woorden. 'Echt? Daar heb ik helemaal niets van gezien. In mijn ogen was ze overstuur en bezorgd. Bang en nerveus om het je te vertellen.'

'Je hebt gezien wat ze je wilde laten zien.' Scarlett nam nog een laatste lik van haar ijsje en gooide het toen in het water, waarna ze toekeek hoe de meeuwen ruzieden over het uit elkaar vallende ijshoorntje. 'Ze wist wat ze deed, Steph. Ik heb me over Joshu nooit illusies gemaakt. Ik heb altijd geweten dat hij zou pakken wat hij te pakken zou kunnen krijgen, als hij dacht dat hij ermee kon wegkomen. En hoewel we het er nooit met zoveel woorden over hebben gehad, wisten we allebei dat dat de afspraak was. Zolang hij het maar niet onder mijn neus deed en me nooit zou vernederen, zou ik hem er niet over aanspreken. Omdat ik wist dat hij diep vanbinnen van me hield. Leanne komt uit hetzelfde milieu als ik. Ze wist hoe het werkte.'

Ik begon me een beeld te vormen van iets lelijks waarvan ik het bestaan niet had vermoed. Ik weet niet wat me nijdiger maakte, de waarheid achter het spelletje dat er met mij als pion was gespeeld of het feit dat juist ik, die er prat op gaat mensen goed te kunnen lezen, zo volkomen in de luren was gelegd. 'Leanne wist dat je het niet zou kunnen negeren wanneer ze het vertelde terwijl ik er ook deelgenoot van was. Dat je Joshu er dan wel mee moest confronteren.'

Scarlett knikte. 'Je slaat de spijker op de kop, Steph. Ik denk niet dat ze had gedacht dat ik het zo ver zou doorvoeren, maar ik wist niet hoe ik er anders op moest reageren. Wanneer hij eenmaal zou weten dat ik ervan wist, zou het niet langer nodig zijn om zijn harem verborgen te houden. Ik zou continu worden vernederd. Ik moest hem er wel uit gooien.' Ze liet haar grote zonnebril van haar hoed omlaag glijden en bedekte haar ogen ermee. 'Leanne en ik, het is altijd een beetje een haat-liefdeverhouding geweest. Strijden om de aandacht van de jongens, toen we nog jonge meiden waren. En dat won ik dan meestal, omdat ik ouder en slimmer was. Ze weet genoeg van me om me zwart te maken, als ze rancuneus zou willen zijn. Dat is de echte reden dat ik haar buiten het eerste boek wilde houden. Ik wist dat ik een risico nam door haar tot mijn leven toe te laten. Maar ik dacht dat het wel zou kunnen. En het ging ook prima, een tijdlang.' Ze zuchtte. 'Maar toen ze Joshu verraadde, wist ik dat daar een boodschap in schuilde.'

'Welke boodschap?'

'Ze herinnerde me eraan dat ze een geheim van me kende. Niet met zoveel woorden, vanzelfsprekend. Maar die boodschap was er wel. Op dat moment wist ik dat het tijd werd dat ze naar Spanje vertrok. We wisten allebei wat de regels van het spel waren. Als ze zich koest houdt, kan ze genieten van de levensstijl waarnaar ze altijd heeft verlangd.'

'M-A-D,' zei ik. Scarlett keek me vragend en beledigd aan. '*Mutually Assured Destruction*, of gegarandeerde wederzijdse vernietiging,' legde ik uit. 'Dat zeiden ze tijdens de Koude Oorlog over Amerika en Rusland. Door de omvang van hun nucleaire wapenarsenaal zouden ze allebei vernietigd worden als een van hen het eerste schot zou lossen.' Ik klopte zachtjes op haar arm. 'Ik wilde niet suggereren dat je gestoord was.'

Scarlett leek opgelucht en giechelde toen. Ik realiseerde me dat ze absoluut geen reden wilde hebben om mot met me te krijgen. Nu Leanne weg was en Marina ook ging vertrekken, zou ze buiten mij nog maar weinig mensen hebben die ze kon vertrouwen. 'Daar heb ik nog nooit van gehoord. Ik dacht dat je wilde beweren dat ik gek was. Zie je wel, ik moet nog steeds veel leren voordat ik met mensen zoals jij kan converseren, Steph.' Ze gaf me een schouderduw van opzij.

'Je doet het heel aardig.' Ik likte het laatste ijs van het hoorntje en gooide het in de lucht, waarna ik hem trage rondjes zag beschrijven, totdat de wind hem onder de pier rukte.

'Maar goed, door wat ze toen tijdens ons feestelijke diner zei, besefte ik dat het tijd werd dat ze ervandoor ging.'

Ik hoefde niet herinnerd te worden aan Leannes smakeloze opmerking. 'Ze was dronken.'

'Dat was ze ook. En ze wordt met grote regelmaat dronken. Zoals de meeste waardeloze vrouwen in onze familie. En ik wil die flapuit nu niet om me heen hebben. Zoals ik al zei, ik heb gekozen voor een positieve kijk op het leven. Ik wil niet dat zij me deprimeert. En nu Jimmy wat ouder wordt, neemt hij alles in zich op als een spons. Ik wil niet dat hij dat soort akelige opmerkingen over zijn vader hoort. Bovendien, je weet het nooit. Misschien vind ik op een gegeven moment wel weer een vent. En het laatste wat ik kan gebruiken is dat Leanne op de loer ligt om haar schadelijke invloed te laten gelden.'

Daar kon ik niets tegen inbrengen. 'Dus ze is naar Spanje om andermans nagels te doen?'

'Precies.'

'Hoe reageerde ze toen je haar vertelde dat het zover was?'

Scarlett haalde haar schouders op en draaide de reling haar rug toe. 'Laten we gaan bingoën.' Ik volgde haar terug over de pier naar een bingostalletje. 'Ze wist toch al dat ze in geleende tijd leefde. Na mijn diagnose liep haar werk als publieke versie van mij ten einde. Ik had haar al verteld dat ik het over een andere boeg zou gooien als ik de behandeling goed zou doorstaan, en dat ik mijn levensstijl zou veranderen om gezond te blijven. Dus dat was voor haar al een hint.' We gingen zitten op de van vinylkussens voorziene stoelen, en de stalhoudster herkende Scarlett onmiddellijk. Er volgde de gebruikelijke drukte van handtekeningen en kiekjes met de camera van de mobiele telefoon, voordat we met een spelletje bingo konden beginnen.

'Ging Leanne uiteindelijk zonder problemen weg?' vroeg ik, toen we weer alleen waren.

'Ja, ze wist dat ze een grens overschreden had. En ik denk dat ze wel van lekker weer houdt, eerlijk gezegd. En waar zij zit is het lekker. Het is niet zoals in Benidorm. Het is in de bergen. Veel expats en voldoende nachtleven aan zee, zodat ze niet meer hoeft te verlangen naar die vreselijke, kloterige clubs. Ik heb haar gezegd dat ik Jimmy een keertje meeneem op vakantie, als ze eenmaal haar draai heeft gevonden.' Ze glimlachte. 'Ze houdt van die kleine rakker.'

'Allerlei grote veranderingen, dus.'

Tijdens het praten streepten we de omgeroepen getallen af. Ik reageerde telkens ietwat laat, maar Scarlett was zo scherp als de snavel van een zeemeeuw en kleurde de getallen in op haar kaart zodra ze werden omgeroepen.

'Ja,' zei ze zonder met spelen te stoppen. 'Het enige wat niet verandert, is dat de paparazzi me altijd op de huid zitten. Ik had gedacht dat mijn geheel vernieuwde persoonlijkheid te saai voor hen zou zijn. Maar ze kunnen niet wachten tot ik een keer op mijn bek ga. Je zou denken dat ik prinses Diana was, zoals ze me achternazitten. Het loopt compleet uit de hand.'

'Ik zou er niet tegen kunnen,' gaf ik toe.

Scarlett grijnsde. 'Ja, maar jij bent dan ook een spook.' Toen werd ze weer ernstig. 'Ik had die Madison Owen laatst te gast in mijn televisieprogramma. Je weet wel, dat kind uit Wales dat op West End mocht beginnen door het programma *Who Wants to Be a Thoroughly Modern Millie*. Ze denkt dat iemand haar telefoonberichten heeft gehackt.'

Ik snoof vol ongeloof. 'Je maakt zeker een grapje? Hoe zou iemand dat kunnen doen? En waarom zou je dat doen? Ze is toch helemaal geen grote ster, of zo?'

Scarlett liet haar zonnebril van haar neus glijden en keek me veelbetekenend aan over de rand van haar bril. 'Dat is ze ook niet. Maar de vent met wie ze een verhouding heeft wel.'

'Echt? Wie is het dan?'

Ze duwde haar bril weer omhoog en liet haar mondhoeken zakken.

'Dat wilde ze me niet vertellen. Alleen maar dat iedereen hem kent en dat hij bakken met geld verdient door de perfecte huisvader te zijn. Hoe dan ook, ze zegt dat ze niemand heeft verteld wie hij is. Zelfs niet haar beste vriendin. En haar vriendje heeft natuurlijk ook niets gezegd. Ze zouden afgelopen weekend samen doorbrengen. Hij had van een vriend van hem een cottage in de Cotswolds gehuurd. Ze verheugde zich erop hem daar te ontmoeten. Maar toen ze aankwam, stond er een auto in de laan geparkeerd. En ze herkende de vent op de passagiersplek, omdat ze hem een interview had zien houden met een van de juryleden van die vervloekte, achterlijke talentenjacht op televisie die ze heeft gewonnen. Ze gaf stevig gas en schoot er voorbij. Maar toen ze de bocht omreed, zag ze een andere vent op een akker staan, die een grote telelens op de cottage gericht hield. Dus ze moest 'm smeren en haar vriendje sms'en dat ze betrapt waren.'

'Misschien volgden ze haar vriendje? Of misschien hadden ze een tip gekregen?'

'Ze zegt dat hij niet werd gevolgd. Daar is hij zeker van. Hij is paranoïde vanwege zijn vrouw en zijn reputatie. Maddie zegt dat de enige manier waarop iemand van hun afspraakje te weten kon komen het afluisteren van haar voicemailberichten was.'

Het klonk mij allemaal te veel in de oren als een broodje-aapverhaal. Weer een voorbeeld van een derderangs ster die haar eigen belangrijkheid overschatte. Met mijn professionele pet op was ik veel te weten gekomen over de vuile trucjes van de media, zoals met een scanner mobiele telefoongesprekken afluisteren, maar dit was nieuw voor me. Het was op zijn zachtst gezegd een bedenkelijk verhaal. En niet alleen omdat het illegaal zou zijn. Ik kon vooral niet geloven dat het iemand ook maar ene moer zou interesseren om de voicemail van mensen zoals Madison Owen te hacken, in de hoop daarbij iets te vinden dat betekenisvoller was dan: 'Hallo, ik ben het, bel me terug wanneer je even tijd hebt.'

'Ik wil wedden dat er een andere verklaring voor is,' zei ik. 'Dit klinkt allemaal wat te vergezocht.'

'Bingo!' Scarlett zwaaide met haar hand in de lucht. Alle gedachten aan schending van de privacy waren verdwenen nu ze had gewonnen.

De stalhoudster kwam haastig aanlopen en was zichtbaar opgetogen dat ze een ster als winnaar had. 'Eigenlijk mag u alleen iets van de onderste plank uitkiezen,' zei ze op vertrouwelijke toon, nadat ze Scarletts bingokaart had gecontroleerd. 'Maar omdat jij het bent, mag je iets uit de hele stal uitkiezen. Je verdient wel wat extra's na alles wat je hebt meegemaakt.'

Scarlett wierp haar haar stralendste glimlach toe. 'Daar pieker ik niet over,' zei ze. 'U moet ook een boterham verdienen. Ik neem wel een van die dolfijnen van de onderste plank. Voor mijn kleine jongen,' voegde ze eraan toe toen de stalhoudster haar een kleine, witte en koningsblauwe knuffel gaf. 'Hij is dol op dolfijnen. Hij heeft afgelopen jaar met ze gezwommen, op de Bahama's.'

We lieten ons van onze stoelen glijden en liepen weer terug de stad in. 'Ik heb me uitstekend vermaakt,' zei ze toen we mijn straat in liepen. 'Volgende keer neem ik Jimmy weer mee. Wanneer ben je weer in Londen?'

Ik had de week daarna een vergadering met een uitgever, dus we spraken af dat we na afloop samen uit eten zouden gaan. Ik was blij dat onze vriendschap in wat rustiger vaarwater leek te komen, en toen de dag van ons etentje eraan kwam, zorgde ik ervoor dat de vergadering niet uitliep. Ik bedankte voor een borrel waarvan ik wist dat die tot in de vroege avond zou duren en nam de metro naar Hyde Park Corner, waarna ik Park Lane inging en naar het Dorchester Hotel liep. Toen Scarlett eenmaal had ontdekt dat er ook chique Chinese restaurants bestonden, was ze niet meer te houden geweest. Vanavond hadden we gereserveerd in China Tang in het Dorchester, waar eten werd geserveerd waarvan het water me nu al in de mond liep. Anders dan gewoonlijk was alles volgens schema verlopen, zodat ik een halfuur te vroeg was voor onze afspraak. Dus ik haalde diep adem, bedacht even wat er op mijn bankrekening stond en liep toen de cocktailbar binnen. Er is een afgeschermd gedeelte in de bar voor privéfeestjes, en ik wierp er een blik naar binnen toen ik de trap afliep.

Ik verstapte me bijna en kon een vernederende duikeling aan de voeten van de cocktailober nog net voorkomen. Scarlett bracht haar glas bubbels naar haar lippen en glimlachte tegen de persoon tegenover haar. Niemand minder dan dr. Simon Graham, die eenzelfde glas vasthield en haar op een extreem niet-medische manier in de ogen keek.

Ik liep helemaal door naar de bar en ging toen rechtstreeks de voordeur uit, tot grote verbazing van de ober. Ik had een borrel nodig, maar zeer zeker niet in de cocktailbar van het Dorchester. Ik stak het voorplein over en liep de hoek om naar het hoge, uit rode bakstenen opgetrokken gebouw waarin de University Women's Club zat. Het is de enige club in het land waarvan uitsluitend vrouwen lid kunnen worden, en het was mijn toevluchtsoord in centraal Londen. Ik was lid geworden toen ik hier kwam wonen en een plek nodig had om met mensen af te spreken in plaats van in mijn vreselijke appartement in Stepney. Maggie had het me aanbevolen, maar ik was wat huiverig bij de gedachte aan chique vrouwen met gedragen stemmen, die in nog grotere mate op me neerkeken. Maar ik had er niet verder naast kunnen zitten. Het beviel me meteen toen ik er de eerste keer binnenliep en het is sindsdien mijn tweede thuis in Londen geworden.

Zodra ik er binnenkwam, voelde ik mijn schouders van opluchting iets zakken. Ik vond een rustig hoekje en zonk met een glas Pimm's lekker weg in een comfortabele oorfauteuil. De eerste welkome slok slaagde erin me te kalmeren. Allemachtig! Had ik inderdaad gezien wat ik dacht gezien te hebben? Was er werkelijk sprake van een romantisch afspraakje? Dat kon toch niet? Hoe kon Simon zo stom zijn om iets met een patiënt te beginnen? En als er inderdaad tussen hen iets gaande was, hoe krankzinnig was het dan niet om elkaar in een openbare gelegenheid op die manier te zitten aankijken? Zelfs op zo'n discrete plek als het privégedeelte van de bar van het Dorchester? En helemaal na alles wat ze had gezegd over de media die haar continu in de gaten hielden.

Dus dat moest wel betekenen dat ik het mis had, wat ik ook dacht gezien te hebben. Het was niets anders dan twee vrienden die rustig iets zaten te drinken en van elkaars gezelschap genoten. Ze had tenslotte een dinerafspraak met mij. Het was niet zo dat ze een avondje uitgingen. Wat haalde ik me in mijn hoofd? Was ik soms jaloers dat Scarlett ook nog andere vrienden had? Hoe oud was ik in hemelsnaam eigenlijk?

Ik nam de tijd voor mijn drankje en liep toen terug naar het hotel, waarna ik precies op tijd het restaurant binnenliep. Scarlett zat al aan onze tafel en zwaaide naar me toen ik eraan kwam lopen. Ze stond op en omhelsde me in een wolk van Scarlett Smile. 'Fijn je te zien, je ziet er fantastisch uit. Is dat een nieuwe jurk?' Het kwam er gehaast uit, en we barstten allebei in lachen uit. 'Je zou zeggen dat we elkaar maanden niet gezien hebben,' zei ze terwijl ze weer ging zitten. 'Over mensen gesproken die je lang niet gezien hebt, wie denk je wie ik daarnet tegenkwam?'

Ik schudde mijn hoofd en voelde me absurd opgelucht. 'Geen idee. Die aantrekkelijke politieman?'

'Nick de Griek? Je bloost ervan, Stephanie. Je moet er nodig werk van maken, meisje. Bel hem toch eens op.'

'Dat lijkt me niet. Nou, kom op dan maar, vertel me wie je bent tegengekomen.'

'Simon. Simon Graham. Hij wilde naar buiten toen ik naar binnen ging, en we hebben elkaar een paar rondjes achternagezeten in de draaideuren. De portiers leken tot op het bot beledigd. Zo van: dat soort dingen doen we hier niet.' Ze giechelde. 'Hoe dan ook, hij had wel tijd om even iets te drinken. Ik heb hem geprobeerd over te halen om met ons te eten, maar hij had met vrienden afgesproken.'

'Kleine wereld.'

'Ja. *Six Degrees of Kevin Bacon*. Het was leuk om hem te zien. Als Simon zegt dat je er goed uitziet, dan betekent het ook echt iets. Begrijp je wat ik bedoel?' Haar gezicht werd zachter, en ik zag een glimp van de angst die ze na haar diagnose altijd met zich meedroeg.

Maar het moment ging voorbij, net zoals mijn misplaatste jaloezie op Simon. Het was een fijne avond, de eerste van vele in de paar maanden daarna. We spraken af in het centrum of ik ging naar de haciënda en bleef daar slapen. Ze nam Jimmy een paar keer mee naar Brighton, waar we een typisch Engels dagje aan zee doorbrachten. Ze vertelde over haar collega's van haar televisieprogramma, over de mensen met wie ze haar merchandise deed, over Georgie en zijn team, over Leanne in Spanje en natuurlijk over Jimmy. Een school voor hem uitkiezen stond hoog op haar prioriteitenlijstje, en ik weet niet hoeveel prospectussen en websites we wel niet bekeken hebben. Maar over Simon hebben we het nooit meer gehad.

De enige keer dat ik hem daarna nog ben tegengekomen, was op Scarletts verjaardagsfeest. Hoewel ze het clubcircuit wel zo'n beetje had opgegeven, en ondanks haar regelmatige tirades tegen de walgelijke roddelpers, begreep ze wel dat ze zich nog altijd regelmatig moest laten zien in de boulevardbladen. En dus vond haar verjaardagsfeest plaats in een nieuwe, twee verdiepingen tellende bar op de South Bank, waar je vanaf het dakterras fantastisch uitzicht op de rivier had. Zoals meestal op Scarletts feestjes, kende ik bijna niemand behalve de journalisten, en ik was die avond niet in de stemming voor hen. George leunde op de balustrade en keek uit over de rivier en naar de menigte die naar het South Bank-complex en de London Eye op weg was. De muziek klonk overal om ons heen, zachter dan het op de dansvloer beneden was, maar je kon er niet omheen. 'Prachtige avond voor een feestje,' zei George.

'En een perfecte locatie,' zei ik instemmend.

We stonden een tijdje in vriendschappelijke stilte naast elkaar, waarna hij zei: 'Je bent ontzettend goed voor haar geweest, Stephanie. Ze is een veel beter stukje handelswaar geworden sinds je haar onder handen hebt.'

'Je bent vreselijk, Georgie.'

'Het is de waarheid, liefje. Kijk om je heen. Zeker de helft van de aanwezigen bestaat gewoon uit respectabele mensen. De meesten van ons hebben nooit in een realitysoap gezeten. Ons lelijke eendje is in een zwaan veranderd, krijg ik de indruk.'

'Ze heeft het allemaal zelf gedaan.'

Voordat Georgie weer iets kon zeggen, kwam Simon Graham naast me staan. 'Mag ik erbij komen?' vroeg hij. Hij hield met beide handen de steel van zijn glas vast, in een gretige pose. Hij wierp ons een kort, zenuwachtig glimlachje toe. 'Ik ken hier verder niemand,' voegde hij eraan toe, waarmee hij een beroep op ons mededogen deed.

'Wij ook niet,' zei George.

'Leugenaar, de helft van hen is cliënt bij je,' zei ik.

'Dat betekent nog niet dat ik op sociaal vlak met hen te maken wil hebben, Stephanie. Ik vrees dat ik niet langer deel uitmaak van de sprankelende jonge kliek.'

'Dat heb ik nooit gedaan, Georgie.' Ik glimlachte naar Simon. 'Je mag best bij de saaie, ouwe knakkers komen staan, ook al ben je duidelijk niet een van ons.' En hij leek ook echt meer op zijn plaats tussen de andere gasten dan wij, met zijn laaghangende spijkerbroek en zijn strak zittende, zwarte satijnen overhemd.

Maar hij bleef, en we hadden ongeveer een kwartiertje gezellig over van alles staan kletsen, toen Simons telefoon overging. Hij stak twee lange vingers in zijn nauwe broekzak en trok zijn mobieltje eruit, waarna hij zijn voorhoofd fronste. 'Het spijt me, ik moet ervandoor. Werk, ben ik bang.'

'Dat is jammer,' zei George beleefd.

Hij haalde zijn schouders ietwat op. 'Dat hoort erbij. Leuk om jullie allebei weer eens gezien te hebben.' En weg was hij, waarna hij zich een weg baande door de dansers en de drinkers en de praters.

'Hij lijkt me een aardige vent,' zei ik.

'Misschien wel wat saai.'

'Er zijn ergere dingen dan saai.'

'Inderdaad, Stephanie. En ik vermoed dat we allebei onze portie wel hebben gehad als het om het andere uiterste gaat. Persoonlijk vind ik saaiheid best wel een goede eigenschap voor een arts. Het suggereert een toewijding aan zijn werk die altijd vertrouwen inboezemt.'

'Dat heeft duidelijk gewerkt voor Scarlett,' zei ik.

George trok zijn wenkbrauwen op tot een serieuze uitdrukking. 'Hoe bedoel je?'

'Alleen maar dat ze hem op haar feest heeft uitgenodigd.'

George grinnikte. 'Ik geloof dat ze de complete inhoud van haar telefooncontactenlijst op haar feest heeft uitgenodigd.' Hij keek op zijn horloge. 'Blijf je vannacht in de stad?'

'Ik heb een kamer in mijn club.'

Nu was zijn glimlach wel gemeend. 'Uitstekend. De University Women's, neem ik aan? Wil je dat ik je afzet op mijn weg terug naar Chelsea?'

Dat wilde ik wel. Misschien zou ik hebben overwogen tot zonsopgang te dansen als er een zekere knappe politieagent aanwezig was geweest. Maar ik had wat dat betreft geen geluk. Zijn nummer had het blijkbaar niet tot Scarletts telefoongeheugen geschopt. We liepen om de menigte heen op zoek naar Scarlett en worstelden ons door het gedrang van lichamen en het toenemende volume van de muziek heen.

We vonden haar boven aan de trap die naar de dansvloer leidde, waar ze vaag stond rond te draaien met een stel modellen. 'We gaan ervandoor,' zei ik. 'Geweldig feest.'

'Echt?'

'Echt. Heb je lol?'

'Ik vermaak me kostelijk,' zei ze, waarna ze bij de modellen wegliep en ons naar de lift begeleidde die ons naar de uitgang op de begane grond zou brengen. Ik zag dat ze bij het omdraaien ineenkromp.

'Gaat het?' vroeg ik, toen we vanuit de menigte op de overloop terechtkwamen. Ik maakte een gebaar naar haar ontblote middenrif. 'Je trok een gezicht.'

'Het is niets. Ik denk dat ik me heb vertild met het oppakken van Jimmy. Ik heb er al een paar dagen last van. Ik heb een afspraak met de orthopeed gemaakt. Die kleine rakker begint te zwaar te worden.' Ze nam me in haar armen en kuste me op mijn mond. 'Je bent een echte moederkloek, Steph. Je moet een beetje relaxen,' berispte ze me.

'Wees blij dat iemand een ruk om je geeft, liefje,' zei George toen de lift eraan kwam.

We moesten allemaal lachen. En ik ging weg zonder verder nog aan Scarletts rugpijn te denken. Ik had beter moeten weten.

42

Ik koop de boulevardbladen alleen als er een professionele reden voor is. Maar ik werp wel altijd een blik op de koppen wanneer iemand in de trein of in een café zich achter zijn krantje verschuilt. Ik ben tenslotte ook maar een mens. En op die manier kwam ik erachter dat mijn vriendin stervende was.

Eerlijk is eerlijk, Scarlett had niets voor me achtergehouden. Ze had het nieuws pas de avond ervoor bevestigd gekregen. Ze was er nog niet klaar voor om het met iemand te delen. Ze was er zeker niet klaar voor om de hele verdomde wereld te laten weten dat er terminale kanker bij haar was vastgesteld.

De koppen schreeuwden het uit. SCARLETTS DOODSVONNIS. TV-STER HEEFT NOG MAAR WEKEN TE LEVEN. Ik was alleen maar de Costa Coffee binnengelopen om even een koffie verkeerd te drinken, maar in plaats daarvan kreeg ik het slechtst mogelijke nieuws.

Ik wilde het exemplaar van de *Daily Herald* dat een met pleisterkalk bestoven werkman zat te lezen wel uit zijn handen rukken. Maar gezond verstand overwon, en ik rende de coffeeshop uit naar de dichtstbijzijnde kiosk in de straat. Ik griste een exemplaar van de plank en gooide zonder op wisselgeld te wachten een pond op de balie.

Ik stond daar op straat, terwijl de zon scheen alsof hij iets te vieren had, en las het afschuwelijke nieuws.

Bij tv-presentatrice Scarlett Higgins is terminale kanker vastgesteld. De voormalige ster uit *Goldfish Bowl* heeft te horen gekregen dat ze nog maar enkele weken te leven heeft.
Vorig jaar werd Scarlett behandeld voor borstkanker. Na een chirurgische ingreep en chemokuren kreeg ze het allesveiligteken.
Maar artsen hebben ontdekt dat haar lichaam vol secundaire kankergezwellen zit, die ook haar vitale organen en haar ruggengraat hebben aangetast. De kanker is inoperabel.

Een lid van haar medische team zei: 'Ik ben bang dat het nieuws niet veel slechter had kunnen zijn. De onderzoeken hebben onze grootste angst bevestigd.'

Scarlett was gisteravond niet bereikbaar voor commentaar. Haar agent, George Lyall, zei: 'Dit is verschrikkelijk nieuws. Ik wil u vragen Scarletts privacy te respecteren en haar de tijd te geven om het te verwerken.'

Vorig jaar nog overleed Scarletts tragische ex-man, dj Joshu, aan een overdosis drugs. Zie p. 3-4.

De rest van het artikel was een samenvatting van Scarletts achtergrond en carrière, rijkelijk voorzien van foto's van Scarlett met Joshu, Scarlett met Jimmy, Scarlett (of mogelijk Leanne) die uit een limousine valt, en Scarlett in badpak en met kaalgeschoren hoofd om haar zwemmarathon voor Timonescu te promoten. Mijn ogen liepen de tekst langs, maar niets drong echt tot me door. Ik was geschokt, verdoofd en kapot van het nieuws.

Ik vouwde de krant dicht en liep de korte afstand naar huis. Het was alsof ik het lopen verleerd was. Ik moest me op elke stap concentreren, net zoals toen ik na het ongeluk weer goed moest leren lopen.

Ik weet niet hoe ik thuis ben gekomen, maar ik stond ineens voor mijn deur wat met de sleutel in het slot te morrelen. Toen ik eenmaal binnen was, wist ik niet wat ik moest doen. Mijn eerste instinct was om Scarlett te bellen, maar ik wist niet of dat in mijn huidige toestand wel een goed idee was. Ik voelde me versuft, ontzet en niet in staat om de juiste verbindingen te leggen in mijn hoofd. In plaats daarvan belde ik George. Hij wist altijd het juiste te zeggen.

Ik werd een paar minuten in de wacht gezet. Ik had het amper in de gaten. En toen klonk zijn volle chocoladestem door de telefoon. Ik had nooit eerder opgemerkt hoe vertroostend zijn stem was. Maar ik had zijn troost dan ook niet eerder nodig gehad. 'Stephanie, liefje. Je hebt het vreselijke nieuws waarschijnlijk wel gehoord?'

'Is het waar?'

'Treurig genoeg wel, ben ik bang. Het spijt me zo erg, Stephanie. Ik weet hoe gek je op haar bent. En zij op jou. We hebben geen idee hoe de media erachter zijn gekomen. Iemand in de kliniek moet zijn mond voorbij hebben gepraat.'

'Een of andere inhalige, egoïstische hufter,' zei ik. 'Wat is er gebeurd?'

'Ze had last van haar rug...'

'Dat weet ik nog, op haar verjaardagsfeest vorige maand. Ze klaagde er toen ook over.'

'Klopt. Haar orthopeed kon niets vinden, maar hij was bezorgd genoeg om Scarlett aan te raden een arts te raadplegen. De enige arts die ze zo goed kent dat ze hem vertrouwt, is Simon Graham, dus ze heeft hem ernaar laten kijken. En omdat Simon altijd eerst aan kanker denkt, heeft hij haar een MRI afgenomen. En toen werd de schokkende waarheid zichtbaar.'

'Jezus,' zei ik. 'En wanneer was dat?'

'Een paar dagen geleden. Simon werkt zeer grondig en stond erop dat ze niet in paniek zou raken voordat hij verder onderzoek had gedaan. De resultaten kwamen gistermiddag binnen, waarna hij heeft geprobeerd haar te bellen. Maar ze nam haar telefoon niet op, omdat ze op de set stond. En daarom heeft hij een voicemail achtergelaten om te bevestigen dat hun angsten bewaarheid waren.'

'Dat klinkt verdacht veel als het citaat in de krant.'

'Dat zei Scarlett ook al. Ze is ervan overtuigd dat iemand haar voicemail heeft gehackt. Maar volgens mij is het waarschijnlijker dat een verpleegkundige of een laborant Simon de boodschap heeft horen inspreken, waarna die persoon de telefoon heeft gepakt om een journalist van de *Herald* in te lichten. Ik word kotsmisselijk van dat soort mensen,' zei hij. Zijn intense walging was hoorbaar. 'Ze hebben geen boodschap aan goede smaak en beleefdheid. Die vrouw heeft verdomme een kind.'

Zijn woede maskeerde zijn verdriet. Dat is de enige manier waarop mannen zoals George hun pijn kunnen uitdrukken. Ik was er redelijk zeker van dat George net zo overstuur was als ik. Hoeveel erger moest het niet voor Scarlett zijn geweest? Ze had zoveel overwonnen, maar dit was een strijd die ze niet kon winnen. 'Hoe is het met haar? Of is dat een stomme vraag?'

'Nog steeds verdoofd, denk ik. Zie je kans om naar haar toe te gaan? Ik denk echt dat ze iemand bij zich moet hebben die om haar geeft. Ik zit hier vast om op de toko te letten. Maar als jij zou kunnen...'

'Dat was ook míjn eerste gedachte. Maar ik wilde het met jou overleggen. Ik vroeg me af of ze misschien wat tijd alleen met Jimmy wilde hebben.'

George maakte een vreemd, verstikt geluid, zoals een man die zich goed probeerde te houden nu hij de tranen voelde opkomen. 'Stephanie, als ik moest proberen te leven met wat Scarlett momenteel allemaal te verwerken heeft gekregen, zou ik mijn beste vriend aan mijn zijde willen hebben. Je weet dat ze er zelf niet om zal vragen. Maar het zou beter voor haar zijn wanneer je bij haar was. Alsjeblieft, als je kunt, ga dan naar haar toe.'

Dat hoefde hij me geen tweede keer te zeggen. Ik wist niet zeker of ik wel tot autorijden in staat was, want ik barstte telkens in tranen uit en moest dan op de vluchtstrook stoppen. Maar goed, zelf rijden zou veel sneller gaan dan treinen en taxi's. En het zou minder de nieuwsgierigheid opwekken. Niets trekt zo de aandacht als zitten huilen in het openbaar vervoer. Ik had nu echt geen zin in de troost van vreemden. Maar ik moest één verkeersagent er evengoed van overtuigen dat ik geen zenuwinzinking had, of zoiets.

Toen ik bij de haciënda aankwam, was er natuurlijk een nog groter mediacircus aanwezig dan toen Joshu was overleden. Scarlett genoot een veel grotere nationale bekendheid dan haar ex-man, en ze wilden allemaal een stukje van haar tragedie. Er was iets in en in walgelijks aan hun druktemakerij. De gretigheid, het gebrek aan mededogen, het schaamteloze parasitisme van hun verlangen om zich aan Scarletts lijden te goed te doen: met dat alles voelde ik me besmet door mijn eigen zijdelingse connectie met hun wereld. Het enige echte verschil tussen ons was dat ik mijn werk op verzoek deed. Ik trok de grens bij zaken die mijn onderwerpen privé wilden houden. Maar we verdienden allemaal ons geld met het bevredigen van een lust die zijn oorsprong vond in fascinatie. Terwijl ik stapvoets door het gedrang van de pers naar voren reed, vroeg ik me af of ik misschien opnieuw moest nadenken over hoe ik mijn brood verdiende.

Even leek het alsof ze me daadwerkelijk naar de binnenplaats zouden proberen te volgen, maar hun gezonde verstand overwon en ze stroomden niet achter me aan naar binnen. Toen ik uit de auto stapte, kon ik hen nog steeds hun vragen horen schreeuwen in mijn kielzog. Vreselijk.

Er was niemand in de keuken, en het huis voelde aan alsof er niemand thuis was. Op dit uur van de dag zou Jimmy in de opvang zijn, maar Marina zou ergens moeten uithangen, bezig met huishoudelijke zaken. 'Hallo?' riep ik. Mijn stem weergalmde alleen maar. Geen teken van leven in de zitkamer of in de logeerkamers. Ik liep door naar wat ik altijd als de sport- en recreatieclub heb beschouwd, en vroeg me af of ik Scarlett in het zwembad zou aantreffen, stijf haar baantjes door zwemmend ondanks de pijn. Maar daar was ze ook niet.

De fitnessruimte was ook leeg. Maar toen ik door het raam van de saunadeur tuurde, zat ze daar, naakt en ineengedoken op de bovenste bank, met haar hoofd in haar handen. Ik deed een stap naar achteren voordat ze zou kunnen merken dat ik er was en liep door naar de kleedruimte. Ik kleedde me snel uit. Mijn hand was al onderweg naar een badpak, toen ik dacht: wat maakt het ook uit. Ga nu eens een keer op gelijke voet met haar om.

Scarlett keek amper op toen ik binnenkwam. Toen ze zag dat ik naakt was, wierp ze me een vermoeid glimlachje toe en zei: 'Godsamme, het moet wel erg met me gesteld zijn als je me zo laat zien dat je er voor me bent.' Haar ogen waren rood en opgezwollen, en het leek alsof ze was afgevallen.

Ik ging bovenin naast haar zitten en sloeg mijn arm om haar heen. Godzijdank was het er eens een keer niet te heet. Ik vond het vreemd om naakt in het gezelschap van een andere vrouw te zijn, maar alleen omdat ik een beetje verlegen ben over mijn lichaam, zeker wanneer ik het vergelijk met een indrukwekkend exemplaar als dat van Scarlett. 'Het spijt me zo erg,' zei ik, me ervan bewust hoe ontoereikend die woorden waren. 'Ik zou de kogel voor je opvangen als ik kon.'

'En ik zou het je nog laten doen ook.' Ze kreunde. 'Ik heb zo met Jimmy te doen. Eerst verliest hij zijn vader en nu gaat hij zijn moeder ook nog verliezen.'

'Maar het is toch zeker nog geen uitgemaakte zaak? Er moet toch nog een of andere behandeling zijn die ze kunnen proberen?'

'Simon kwam meteen langs,' zei ze. 'Hij zou hier gisteravond al zijn geweest in plaats van op een voicemail te vertrouwen, maar een van zijn patiënten lag op sterven, en daar moest hij bij zijn.' Ze zuchtte. 'Het is inoperabel. Ik zit er vol mee, Steph. Het zit in mijn lever, mijn alvleesklier, mijn karteldarm, mijn ruggengraat en in mijn longen. Ik ben verdomme een wandelend kankergezwel. Ze kunnen me wel chemokuren geven, maar dat zal me niet meer dan een paar maanden extra opleveren, en het zullen bovendien een paar maanden worden waarin ik me klote zal voelen. Je weet nog wel hoe het hiervoor was.'

'Wat is het alternatief?'

'Geen chemokuur. Alleen maar pijnstillers. Op die manier heb ik tenminste nog wat tijd met Jimmy. Tijd waarin ik niet loop over te geven of me te moe zal voelen om me om hem te bekommeren. En ik hoef dan ook niet naar het ziekenhuis. Ik kan tot het einde hier in mijn eigen huis blijven. Dat heeft Simon me beloofd. Ik zal wel een paar keer voor controle naar de kliniek moeten, maar dat is alles.' Ze deed het net zo onbetekenend klinken als een uitstapje naar de supermarkt. Haar kalmte verbaasde me.

'Als dat is wat je wilt,' zei ik.

Ze boog haar hoofd achterover en kneep haar ogen dicht. 'Ik wil niets van dit alles,' schreeuwde ze. 'Ik wil een leven. Ik wil mijn kleine jongen groot zien worden. Ik wil niet dood.' Haar stem sloeg over en haar zelfbeheersing begaf het ook. Tranen dropen uit haar stijf gesloten oogleden en haar lippen krulden omhoog in een grimas van smart. Ik legde mijn hand op haar hoofd en trok haar tegen me aan. Ik voelde hoe ik zelf ook een brok in de keel kreeg, en even later huilde ik zachtjes met haar mee.

We bleven een tijdje in de sauna, waar we snikten en zweetten en met name huilerig en verdrietig waren. Met goede reden, moet gezegd worden. 'Waar is Marina?' vroeg ik uiteindelijk.

'Ik heb haar gezegd een paar dagen met Jimmy op pad te gaan. Naar Euro Disney, of zoiets. Alleen maar tot de drukte een beetje afneemt. Ik moet eerst tot mezelf komen. Ik wil niet dat hij me zo aan de grond ziet zitten. Of dat die klootzakken daarbuiten hem telkens wanneer hij de poort uit gaat op de foto zetten.' Ze schudde haar hoofd. 'Hoe zijn ze er in godsnaam zo snel achter gekomen? Ze moeten mijn voicemail hebben gehackt, dat is de enige manier die ik kan bedenken.'

'Denk je? Is het dan niet veel waarschijnlijker dat iemand van de kliniek zijn mond voorbij heeft gepraat?'

'Maar dan zouden ze veel meer hebben geweten,' zei Scarlett. Daar had ze wel een goed punt, iets waaraan ik niet had gedacht. 'Ik haat het dat ik zelfs geen controle heb over mijn eigen vervloekte terminale ziekte. Ik wilde dit hele gebeuren met een beetje waardigheid brengen. Niet dit verdomde circus. Ik denk soms dat die klootzakken de stress hebben veroorzaakt waardoor ik überhaupt ziek ben geworden. Aasgieren. Ze kunnen niet wachten om er een slaatje uit te slaan.' Ze bracht zich ertoe me nog een vermoeide glimlach toe te werpen. 'Als er iemand iets gaat verdienen aan het feit dat ik doodga, dan zou ik die persoon moeten zijn, en niet een of andere vervloekte journalist of een of andere judas die voor Simon werkt.'

Het klinkt misschien vreemd dat Scarlett nadacht over de financiële implicaties van haar aankondiging. Maar op dat moment dacht ik wel te begrijpen waarom ze dat deed. Scarletts werkkapitaal was haar beroemdheid. En die had nu een zeer beperkte houdbaarheid gekregen. De zwemmarathon zou haar mogelijk kunnen overleven. Maar haar geurlijn en haar aanbevelingen zouden waarschijnlijk samen met haar een stille dood sterven. Anders dan bij schrijvers of muzikanten, wier werk na hun dood nog steeds geld opbrengt, sterft het verdienmodel van een ster met hem. En Scarlett had een kind voor wie ze moest zorgen, en bovendien een liefdadigheidsinstelling waarvan ze waarschijnlijk wilde dat die haar werk zou voortzetten. Natuurlijk hield ze haar saldo met een half oog in de gaten.

Ze leunde tegen me aan. 'Heb je zin in nog een boek? Mijn wilsbeschikking en testament? Het dagboek van een waardige dood? Het zou wat meer klasse hebben dan het zoveelste boek vol sterrenonzin. Iedereen heeft het over naar Zwitserland gaan, naar die Dignitas-instelling, en of we zouden moeten kunnen kiezen hoe we willen sterven. We zouden een boek kunnen maken over hoe ik dat ga doen.' Haar enthousiasme zou op buitenstaanders bizar kunnen overkomen. Maar voor ons was het volkomen logisch.

'Waarom niet? Als Biba het wil, dan zullen we het haar geven.'

Toen we de hitte niet langer konden verdragen, verhuisden we naar het zwembad. Scarlett liet zich behoedzaam in het water zakken. Ik kon nu al een verandering waarnemen in de manier waarop ze bewoog. Normaal gesproken lanceerde ze zichzelf met een rennende duik in het water en kwam ze weer boven met een krachtige, bovenarmse slag. Maar vandaag was een langzame schoolslag alles wat ze kon opbrengen. Ze leek voor mijn ogen ouder te worden.

En dat was nog maar het begin. Haar verval was schrikbarend. De kilo's leken van haar af te vallen. Toen Jimmy en Marina een paar dagen later terugkwamen, denk ik dat ze al een kilo of drie kwijt was. Ze had geen zin om te eten. 'Het smaakt allemaal nergens naar,' zei ze. En wanneer ze zichzelf ertoe kon zetten om toch te eten, dan kon ze het niet lang binnenhouden.

Een dag nadat het nieuws bekend werd, kwam Leanne opdagen. Ik keek met andere ogen naar haar dankzij Scarletts onthullingen, maar er leek niets gemaakts aan haar verdriet. Toen Scarlett die eerste avond naar bed was gegaan, bleven we tot laat in de nacht in de keuken zitten, waar we cognac dronken en tekeergingen tegen de onrechtvaardigheid van het hele gebeuren. Toen we uitgetierd waren, vroeg ik haar hoe het haar in Spanje verging. 'Het bevalt me wel,' zei ze. 'Het is er lekker weer en de mensen zijn vriendelijk. Het is best wel fijn om ergens naartoe te gaan waar niemand al een mening over je heeft gevormd voordat je er aankomt. Het is zoiets als met een schone lei beginnen.'

'Ik denk dat we dat zo nu en dan allemaal wel zouden willen. Het verleden achter je laten en helemaal overnieuw beginnen.'

'Wat? Zelfs jij, Steph? Met je fijne leventje?'

Ik stak mijn tong naar haar uit. 'Zelfs ik. En het is niet allemaal even fijn. Herinner je je dat gedoe met Pete nog?'

'Ja, maar dat is nu voorbij.'

Ik moest aan Joshu's begrafenis denken. 'Ik denk van wel. Dat hoop ik tenminste. En de zaken? Hoe loopt het daarmee?'

Haar glimlach was zo oprecht dat ik niet kon geloven dat ze iets anders dan de hele waarheid vertelde. 'Best goed, eigenlijk. Ik begin een leuke kleine clientèle op te bouwen. Maar er was ook geen echte concurrentie. Voordat ik daar begon, moest je naar Fuengirola of Benalmadena om je nagels door een Engelse te laten doen. En laten we eerlijk zijn: ze willen allemaal liever iemand uit Engeland. Zootje racisten, de meesten van hen. Ze doen alsof de Spanjaarden gedresseerde apen zijn.' Ze grinnikte. 'Maar veel Spanjaarden spelen dat spelletje mee. Ze hebben een perfecte Manuel-act in huis.'

Ik was blij Leanne weer in de haciënda te zien. Ze zag overal de lol wel van in en ze zorgde voor een luchtigere sfeer. En als ik eerlijk ben, was ik blij om Scarletts laatste reis samen met iemand te kunnen afleggen. Het zou een zware last zijn geweest om alleen te moeten dragen.

Leanne was niet de enige die een deel van de last droeg. De enige arts die Scarlett bij zich wilde toelaten, was Simon Graham. Ze vertrouwde hem, zei ze. En ze had een medisch iemand nodig die ze kon vertrouwen nu het einde naderde. Ze stond erop dat hij onbetaald verlof nam van de kliniek, en hij gaf min of meer gehoor aan haar eisen. Hij ging meestal twee of drie keer per week aan het einde van de ochtend een paar uur naar de kliniek. Maar de rest van de tijd was hij in de haciënda. Hij verplaatste een eenpersoonsbed naar haar kleedkamer en bleef daar overnachten, voor het geval ze hulp nodig had. Ze wilde ook geen vreemde als verpleegster. En dus voegde Marina ook nog verpleging aan haar lijst met huishoudelijke taken toe, telkens wanneer Simon hulp nodig had.

Simon en Marina werden lid van de nachtelijke keukenclub. Het was een vreemd groepje, dat door de verdrietigste omstandigheden bijeen was gebracht. We begonnen te pokeren om de tijd te doden en speelden vaak urenlange potjes in een poging de stervende vrouw en het slapende kind boven onze hoofden even te vergeten. Simon kocht een stel echte pokerfiches, waarmee we om de tafel zaten terwijl we elkaar probeerden te lezen. Ik had pokeren geleerd van Pete en zijn muzikantenvrienden, en ik vond het een interessante manier om inzicht te krijgen in de persoonlijkheid van mensen. Simon nam altijd de tijd om zijn kansen in te schatten, althans dat beweerde hij, voordat hij uiteindelijk behoudend inzette. Hij nam van ons vieren de beste beslissingen als het om passen ging. Een man die zijn verlies altijd op tijd zou nemen en op quitte zou spelen.

Leanne was roekelozer en speelde vaak met kansloze kaarten door tot het bittere einde, omdat ze het niet kon uitstaan om te ver van de actie verwijderd te zijn. Ik kon meestal zien wanneer ze iets had wat de moeite waard was, omdat ze dan haar mond hield en volgde wat er werd ingezet. Wanneer ze afwijkend inzette, wist ik dat ze helemaal niets in haar handen had.

Marina was het moeilijkste te doorgronden. Er viel niets aan haar af te lezen wanneer ze haar kaarten bekeek. Ze hield zich in de eerste ronde altijd rustig, maar daarna viel er geen patroon te ontdekken in hoe ze inzette. En daardoor slaagde ze er over het algemeen in om de rest van ons weg te bluffen. Als we om geld in plaats van om keramische fiches hadden gespeeld, had ze ons allemaal uitgekleed.

En ik, ik zet in op basis van mijn hand. Ik zet altijd in op basis van wat ik zelf heb, en ik vermoed dat ik daardoor ook makkelijk te lezen ben. Ik geloof niet dat mijn gezicht iets verraadt, maar het is mijn onvermogen anders in te zetten dan de kaarten voor mijn ogen en op tafel me vertellen. Ik ben niet goed in bluffen... of in liegen, geloof ik.

Meestal bracht ik 's ochtends een uur of twee in Scarletts slaapkamer door, die naar Scarlett Smile en ontsmettingsmiddel rook. Dat waren de tederste interviews die ik ooit heb afgenomen. Ik stelde een bepaalde richting voor en vervolgens praatte ze zolang ze er de kracht voor had. We hadden het over allerlei zaken: het moederschap van beide kanten bezien, omgaan met het verlies van een ouder, het dubbele verdriet van het einde van haar huwelijk en Joshu's dood kort daarna, en over orde op zaken stellen voor haar eigen dood. Ze ging voor niets uit de weg en vertelde openlijk over haar fouten, over zaken waar ze spijt van had en over gemiste kansen. Ze werd wel snel moe, maar ze viel niet meer zo vreselijk snel af, en ze verzekerde me dat Simon ervoor zorgde dat ze geen pijn zou hebben. 'Dat deel ervan is verdomde fijn,' zei ze. 'Morfine doet me zweven. Het enige verdovende middel dat me ooit goed is bevallen.'

Toen ik me het op een morgen gemakkelijk maakte in de stoel en mijn spraakrecorder en notitieboek neerlegde, wees ze naar het apparaatje. 'Laat die nog maar even uit,' zei ze. 'Ik moet van vrouw tot vrouw met je praten. Niet voor publicatie bestemd.'

Ik knikte en vroeg me af wat er zou komen. 'Geen probleem. Wat is er aan de hand?'

Ze kwam meteen ter zake. Nu ze wist dat ze stervende was, verspilde ze geen tijd meer aan koetjes en kalfjes. 'Ik weet dat je niet echt stond te springen om Jimmy's peetmoeder te worden.'

Ik kreeg een koud, wee gevoel in mijn maag. Ik wist wat er zou komen en ik wist niet hoe ik het zou kunnen weigeren. 'Je weet dat ik nooit kinderen heb gewild,' bracht ik haar in herinnering. Ik had het vreselijke gevoel dat mijn woorden verspilde moeite waren.

'Dat weet ik. Maar je hebt het geweldig gedaan. Je hebt hem leren kennen, je hebt met hem gespeeld, je hebt hem voorgelezen en je hebt hem wel eens een dagje mee uit genomen. Je hebt attente cadeautjes voor hem meegenomen en je verwent hem niet. Ik had me geen betere peetmoeder kunnen wensen.'

'Dank je.' Ik haalde mijn schouders iets op. 'Ik probeerde te doen wat het beste voor hem was.'

'Precies. Toen we het hier eerder over hadden, geloofde geen van ons dat het zover zou komen. Ik was er diep vanbinnen van overtuigd dat we deze kloteziekte zouden overwinnen. En ik denk jij ook. Dus wat we toen hebben afgesproken, was niet echt.'

Even dacht ik vol opluchting dat ik respijt zou krijgen. Dat Scarlett eindelijk tot haar zinnen was gekomen en de zorg voor Jimmy aan Leanne zou overdragen. Dat het een familieaangelegenheid zou blijven. Maar dat geluk had ik niet. 'Deze keer is het echt,' zei ze. 'We weten allebei dat ik stervende ben. Dus ik ga nog een keer zeggen wat ik de vorige keer heb gezegd. Jij bent de persoon aan wie ik de zorg voor Jimmy wil overdragen. Het staat in mijn wilsbeschikking.' Ze liet met moeite een zweem van een glimlach zien. 'Je kunt er niet onderuit, Steph. Ik moet weten dat hij in veilige handen is, en dat is bij jou.'

'Leanne zou...'

'Een ramp worden,' zei ze, terwijl ze zachtjes met haar hand op het dekbed sloeg om haar punt duidelijk te maken. 'Dat weet jij ook. Ik heb er de kracht niet voor om met je in discussie te gaan, Steph. Ik moet weten dat mijn kleine jongen onder de pannen is. Beloof me dat je voor hem zult zorgen.'

Wat kon ik anders zeggen? 'Dat beloof ik. Ik zal voor hem zorgen alsof hij mijn eigen zoon is.'

En dat was dan dat. Mijn leven compleet veranderd binnen een kwartier tijd. Ik nam vanzelfsprekend aan dat Jimmy een erfenis zou krijgen. Niet dat het me om het geld ging. Ik dacht daarbij vreemd genoeg aan Jimmy. En ik vond ook dat hij recht had op zo min mogelijk veranderingen, zodat ik mijn huis in Brighton zou moeten verkopen of verhuren om in de haciënda te gaan wonen. Jimmy mocht dan wel de mensen verloren hebben van wie hij het meeste hield, maar hij zou in ieder geval in een vertrouwde omgeving zijn. Dat moest toch beter voor hem zijn. Hopelijk was er wat geld dat voor ons voldoende zou zijn om hier te blijven wonen. En misschien was er dan ook nog voldoende over om iets aan die rampzalige inrichting te doen. Het kwam niet bij me op dat ze haar geliefde zoontje geen cent zou nalaten.

43

Na drie weken in de belegerde haciënda te hebben gewoond, moest ik een paar dagen terug naar Brighton. Ik vertelde tegen ons keukenpoker-schooltje dat ik mijn post moest ophalen en wat rekeningen moest beta-len. In werkelijkheid snakte ik ernaar een paar uur alleen te zijn, in mijn eigen omgeving. Ik kon een toekomst tegemoetzien waarin daar bar wei-nig mogelijkheid toe zou zijn, met de zorg voor een kind erbij. Ik vond dat ik recht had op een laatste beetje tijd voor mezelf.

Ik genoot van elk moment van die drie dagen. Twee nachten in mijn eigen bed. Troosten in mijn eigen keuken. Wandelingen over de pro-menade in de vroege ochtend. Een quizavond in de kroeg. Het geluid van mijn eigen muziek uit de luidsprekers in plaats van door de koptele-foon. Begrijp me niet verkeerd, ik misgunde Scarlett mijn tijd en ener-gie niet. Ik moest gewoon de batterij weer even opladen. *Reculer pour mieux sauter*, zoals ze aan de overkant van de kolkende, grijze golven waar ik langsliep zeiden.

Toen ik weer terugkwam, was het plaatje compleet veranderd. Simon zat alleen in de keuken een vakblad te lezen. Geen Marina, geen Lean-ne. Hij gooide zijn tijdschrift op tafel en sprong op om me met lucht-zoenen op beide wangen te begroeten. Hij had een sjofel replica-T-shirt van de Boston Red Sox aan en een zwarte cargobroek, die zijn slanke, welgevormde kuiten goed deed uitkomen. Hij had een beter stel benen dan ik, moest ik ietwat bitter vaststellen. Ik liet hem ook een gin-tonic voor mij maken. 'Waar is iedereen?' vroeg ik.

Hij duwde het haar van zijn voorhoofd naar achteren en wierp me een gepijnigde, jongensachtige glimlach toe. 'Marina zit bij Scarlett. Ze kijken naar een of andere romantische komedie. Ik heb bedankt van-wege het feit dat mijn genitaliën aan de buitenkant van mijn lichaam zitten. En Leanne is in Spanje, geloof ik.'

'In Spanje? Waarom? Wat is er gebeurd?'

'Ze hebben grote bonje gehad. Leanne had besloten dat ze Scarlett tot de orde moest roepen toen ze praatten over het belang van familie als het ging om het grootbrengen van Jimmy. Scarlett vertelde haar dat het al geregeld was en dat jij voor de jongen zou zorgen. Na wat over-en-weergepraat beschuldigde Leanne je ervan een geldgeil wijf te zijn. Dat je altijd alleen maar geïnteresseerd bent geweest in wat je aan Scarlett kon verdienen en dat je alleen maar had ingestemd met de zorg voor haar kind vanwege zijn erfenis.'

'Au. Brutaal kreng. Ik hoop dat Scarlett daar niet intrapte.' Ik was echt verontwaardigd.

Simon glimlachte en klopte zachtjes op mijn hand. 'Nog geen moment. Ze zei tegen Leanne dat ze anderen niet moest afrekenen op basis van haar eigen verdorven motieven. Dat ze wist dat Leanne nergens voor terug zou deinzen om te krijgen wat ze wilde en dat zij, Scarlett, er heel goed voor had gezorgd dat ze Jimmy niet in haar klauwen zou kunnen krijgen. En dat als iemand Jimmy als inkomstenbron zag, het Leanne wel was. En waarom Leanne eigenlijk niet gewoon naar Spanje oprotte in plaats van als een vervloekte aasgier te blijven rondhangen?'

'Aha. Niet als vriendinnen uit elkaar gegaan, dus?'

'Allesbehalve. Leanne stoof naar buiten en ging onmiddellijk het internet op. Ik heb haar gisterochtend naar Stansted gebracht. Ze zat nog steeds te mokken. Ze gaf me er stevig van langs omdat ik haar niet had gesteund.' Hij zag er bedroefd uit. 'Toen ik haar vertelde dat Scarlett volgens mij de juiste beslissing had genomen, leek het alsof ze me wilde neersteken. Ze had mij ook nog wel het een en ander te zeggen. Ik probeerde uit te leggen dat het mijn carrière nu niet bepaald goed deed om onbetaald verlof te nemen om voor Scarlett te zorgen. Maar ze bleef maar volhouden dat ik de arts van de sterren wilde worden.'

Ik lachte verbitterd. 'Ze heeft echt geen idee hoe de wereld in elkaar zit.'

'Totaal niet. Ik zou er juist geld voor overhebben om geen sterrendokter te worden. Scarlett vormt de uitzondering. Meestal zijn het egocentrische monsters. Hoe dan ook, Leanne heeft haar ware aard laten zien. Dus de pokerschool heeft nu nog maar drie leerlingen.'

Dat beviel me best, nu ik wist hoe Leanne echt over me dacht. En dus was de wereld gekrompen tot vier mensen die als satellieten om Scarlett rondcirkelden. Jimmy was het meest in verwarring en begreep niet echt waarom mama het grootste gedeelte van de tijd in bed lag. Scarlett probeerde elke dag energie voor hem over te hebben, maar hoe dichter ze de dood naderde, hoe moeilijker dat werd. De laatste paar dagen kon ze het nog maar net opbrengen om hem dicht tegen zich aan te trekken wanneer hij bij haar in bed naar tekenfilms lag te kijken.

Wanneer hij niet in de opvang zat, paste een van ons op hem. We speelden met hem in het zwembad, trapten een balletje in de tuin, keken naar video's of maakten uitdijende bouwwerken van lego op de vloer van zijn slaapkamer. Ik zat vaak met hem op het zitje in het vensterkozijn, waar we zijn verzameling prentenboeken doorwerkten. Ik geloof dat hij me wel geruststellend gezelschap vond. Wanneer ik terugkijk op die paar weken, doe ik dat met een mengeling van verdriet en voldoening. Ik denk dat ik hem wel een beetje goed heb gedaan en dat ik een brug naar onze toekomst heb kunnen slaan.

De enige verstoring van onze dagelijkse routine kwam in de vorm van een team van de Yes!, dat langskwam om een laatste fotoreportage te maken, compleet met stylist en visagist. Ik weet dat er mensen waren die dat behoorlijk morbide vonden, maar Scarlett wilde de wereld laten zien hoe een vrouw die aan kanker doodgaat eruitzag. 'We stoppen zieke mensen weg, zodat we het feit dat we allemaal dood zullen gaan niet onder ogen hoeven zien,' zei ze. 'Ik wil hun laten zien dat ik nog steeds een mens ben, nog steeds de vrouw die ik altijd was.' Dat werd gevolgd door haar pijnlijk droevige glimlach. 'En het levert ook nog wat extra centen op,' voegde ze er nog aan toe.

Toen het einde kwam, verliep het allemaal erg vredig. We waren allemaal bij haar in de kamer toen Simon haar de laatste dosis zoutoplossing gaf en het morfinepompje nog een keer vulde. Jimmy gaf Scarlett een zoen en knuffelde haar nog een laatste keer. Ik hield haar voor de laatste keer in mijn armen, terwijl de tranen onophoudelijk over mijn gezicht stroomden. Haar moed, nu ze met haar aanstaande dood werd geconfronteerd, was opmerkelijk geweest. De laatste daad van een opmerkelijke vrouw. Ik ging met Jimmy de kamer uit en bracht hem naar bed.

Ik zat nog in zijn kamer en keek toe hoe hij lag te slapen, toen Simon eraan kwam om me te vertellen dat het allemaal voorbij was. Ik stond op en sloeg mijn armen om hem heen, terwijl zijn lichaam schokte van het huilen. 'Het spijt me,' bleef hij maar zeggen. 'Had ik haar maar kunnen redden... Het spijt me.'

'Je hebt je best gedaan. Niemand zou haar betere zorg hebben kunnen bieden.'

'Zij was bijzonder,' zei hij naar adem snakkend. Hij trok zich van me los en sloeg zijn armen over elkaar, waarbij hij zijn handen op zijn schokkende schouders legde. Op de een of andere manier wist hij zich te vermannen. 'Ik moet de begrafenisondernemer bellen,' zei hij. 'Ze zullen haar komen ophalen om haar klaar te maken. En ik moet de overlijdensakte tekenen.' Hij beet op zijn lip. 'Ik heb heel wat patiënten verloren, Stephanie,' zei hij, 'maar ik geloof niet dat ik het me ooit zo erg heb aangetrokken.'

44

De begrafenis was een circus. Een perfect georganiseerd circus, maar evengoed een circus. Scarlett had gedetailleerde instructies achtergelaten, en het was aan George en mij om die uit te voeren. En dat deden we dan ook, ook al was het grotendeels knarsetandend.

De media waren gefrustreerd door het gebrek aan een rouwende nabestaande. We wisten dat ze ons overal zouden volgen, totdat ze iets te pakken hadden voor op de voorpagina. Daarom hadden we het zo geregeld dat ze één gemeenschappelijke fotograaf een serie foto's van Jimmy mochten laten maken, terwijl hij met een boeket bloemen de rouwkamer binnenliep waar zijn moeder lag opgebaard. In zijn tweede zwarte pak van het jaar liep hij daar met gebogen hoofd, nog net geen vijf jaar oud en zich ogenschijnlijk nu al bewust van zijn eigen publieke imago.

Toen de media de foto's hadden die ze wilden, braken ze hun kamp bij de haciënda op. Er viel tenslotte niets meer te zien nu Scarlett er niet meer was. Hun plaats langs de kant van de landweg werd al snel ingenomen door de eerbetuigingen die de schare fans van Scarlett daar had achtergelaten. De bermen waren al snel bezaaid met bossen bloemen, kaarten en knuffelbeesten, en we hoopten allemaal vurig dat er geen regen zou komen. Stapels doorweekte eerbetuigingen zouden de andere mensen die aan de landweg woonden een doorn in het oog zijn en tot klachten bij de gemeenteraad kunnen leiden. Men had toch altijd al afkeurend tegenover Scarlett gestaan, of tegenover wat er in haar kielzog volgde. Dat zou een gedoe opleveren waar we nu echt niet op zaten te wachten.

De volwassenen wierpen nog een laatste blik op Scarlett voordat ze de kist sloten. Ik keek amper naar haar. Ik heb de behoefte om met de dode in het zicht te rouwen nooit zo goed begrepen. Ze hadden zo te zien goed werk aan haar verricht. Ze zag er minder uitgemergeld uit dan ik had verwacht, en Marina had een van haar kenmerkende hoeden uitgekozen om haar kaalheid te bedekken. De donkere watermeloentint van de hoed was een welkom beetje kleur naast het binnenwerk van de gevlochten, wilgenhouten kist. 'Het lijkt wel alsof we haar in een enorme picknickmand gaan begraven,' zei George.

'Dit is wat ze wilde,' zei Simon. 'Ze gaf om de planeet. Zelfs al zou ze er zelf niet bij zijn, Jimmy moet nog wel op deze aarde opgroeien.'

George zuchtte. 'Ik weet het, ik weet het. Het ziet er gewoon... raar uit, dat is alles. Ik ben aan een traditionelere vorm gewend.'

George had geregeld dat Scarletts moeder en zus op de dag van de begrafenis door een chauffeur van King's Cross Station zouden worden opgehaald. Tot haar laatste dagen aan toe was Scarlett vastbesloten geweest dat ze Chrissie en Jade niet aan haar bed wilde zien. Ze wilde zelfs niet dat ze ook maar een voet in haar huis zouden zetten. De instructies waren dat we een hotel voor hen moesten regelen wanneer ze zouden moeten blijven overnachten. George had een kamer voor hen gereserveerd in een aardig hotel vlak bij King's Cross. Hij had een hotel zonder bar of restaurant voor hen uitgezocht, een daad die Scarlett zou hebben doen lachen.

Marina, Jimmy en ik werden in een zwarte Rolls-Royce uit de jaren veertig van de haciënda naar de nabijgelegen rouwkamer gebracht. Ik kon het gevoel niet van me afschudden dat Leanne er eigenlijk ook bij had moeten zijn, maar ze was niet komen opdagen. Simon zei dat hij haar de dag na Scarletts overlijden had opgebeld om te proberen haar over te halen de breuk achter zich te laten en Scarlett samen met de rest van ons de laatste eer te bewijzen. Maar Leanne hield vol dat Scarlett haar er niet bij wilde hebben en dat ze daarom zou wegblijven. Ze had geen zin om schijnheilig te lopen doen. Ik vond het een triest einde aan een van de weinige belangrijke relaties in Scarletts leven.

Er reden nog twee klassieke Rolls-Royces mee in de rouwstoet. In de ene zaten Simon en George, met twee assistenten van het bureau dat het nauwst met Scarlett had samengewerkt. En in de derde zat het televisieteam van Scarletts praatprogramma: haar medepresentator, de producer, haar stylist en een paar anderen die ik nog niet eerder had ontmoet. Chrissie en Jade reden achter in de stoet in een zwarte BMW.

De lijkwagen zelf was een paardenkoets, voortgetrokken door vier vossen met zwarte pluimen op hun hoofdband. Ze werden voorgegaan door twee professionele rouwdragers, met hun door een zwart lint omzoomde zijden hoge hoeden en hun zwarte Crombie-jassen, die hun forse gestalte perfect omsloten. Je kon de kist door de vele bloemrijke eerbetuigingen amper nog zien. MAMA van Jimmy, natuurlijk. SCARLETT op een van de zijkanten uit naam van de televisiezender en SMILE in de stijl van het logo van het parfumbedrijf. Ik had, sinds een collega-ghostwriter me had overgehaald om met hem mee te gaan naar een begrafenis van een van de leden van de Kray-familie, niet meer zo'n overdreven rouwstoet gezien.

Er moeten duizenden fans langs de bijna een kilometer lange route van de rouwkamer naar het crematorium hebben gestaan. Ze huilden, ze juichten. Ze gooiden bloemen en bizar genoeg ook confetti naar de lijkkoets. Toen we hen voorbij waren, verlieten ze de trottoirs en begonnen achter de rouwstoet aan te lopen. De politie, die aanwezig was om de openbare orde te bewaren, was met veel te weinig mensen. Ze leken compleet verbaasd en geschrokken door deze uitbarsting van openbare rouw om een underdog uit de noordelijke onderklasse, die op de een of andere manier het hart van de mensen had veroverd.

Zelfs de premier had geprobeerd erop mee te liften. Het plaatselijke parlementslid was in het Lagerhuis opgestaan om de premier te vragen of hij plannen had om de controles op borstkanker uit te breiden, in het licht van Scarletts tragische dood. De premier had zijn serieuze gezicht opgezet en zei: 'Het deed mij verdriet om te horen dat Scarlett Higgins was overleden, een dappere jonge vrouw die heeft laten zien dat het in het Engeland van vandaag mogelijk is om tegenslag te overwinnen en een succesvolle carrière op te bouwen. Ze heeft ons allemaal vreugde gebracht en ze zal zeer gemist worden. Ik zal de minister van Volksgezondheid verzoeken de vraag van het geachte parlementslid schriftelijk te beantwoorden.' Ik hoopte dat hij het live-verslag van de nieuwszenders op de satellietkanalen volgde, zodat hij kon zien hoe populariteit eruitzag.

Toen we bij het crematorium aankwamen, kwam de begrafenisondernemer naar buiten met een grote tenen mand. Terwijl de dragers de kist vanuit de koets op hun schouders lieten glijden, deed hij de mand open en liet een tiental witte duiven los, die in een wirwar van veren de blauwe lucht in vlogen. De hele toekijkende menigte hield zijn adem in. Een puur theatermoment. In gedachten maakte ik continu aantekeningen: dit zou tenslotte het laatste hoofdstuk van het laatste Scarlettboek worden.

Buiten het crematorium stonden gigantische beeldschermen waarop de dienst te zien was, zodat de fans mee konden rouwen. Binnen volgden we de kist over het middenpad. Jimmy had mijn hand zo stevig vast dat ik wist dat zijn vingernagels als kleine, halvemaanvormige blauwe plekken in mijn handpalm zouden komen te staan.

Hij was nu mijn verantwoordelijkheid en dat drukte zwaar op me. Ik wenste wederom dat Leanne er was om de last met me te delen. Hoe goed Marina ook was, ze was geen familie. En ze zou bovendien spoedig naar Roemenië vertrekken om met de baan te beginnen die Scarlett haar beloofd had. Ik kon me de nicht die ze Scarlett had aangeboden niet veroorloven en ik had bovendien geen plek voor een inwonende hulp in mijn kleine huis. Ik zou eraan moeten wennen om dit in mijn eentje te doen.

Binnen stond het ook helemaal vol met bloemen en de geur van Scarlett Smile hing er in de lucht. Ik had al bijna het punt bereikt waarop ik dat vervloekte parfum nooit meer wilde ruiken. Het crematorium was tot de nok toe gevuld met gezichten uit de boulevardkranten en de roddelbladen. Het was een derderangs *collezione* van paparazzi. Ik hoopte dat Maggie niet ging lopen netwerken tijdens de wake. Ik had genoeg sterrenbiografieën geschreven voor een heel leven. De laatste paar weken was ik tot een resoluut besluit over mijn toekomst gekomen. Geen boeken meer over mensen die beroemd waren om hun beroemdheid. Van nu af aan zou iemand echt iets moeten presteren om mijn interesse te wekken.

De dienst had meer waardigheid dan ik had verwacht. Liam Burke, wiens vette Ierse accent de officiële mededelingen van Big Fish aan de kandidaten van *Goldfish Bowl* verzorgde, las iets van Christina Rossetti voor. De producer van *Real Life TV* sprak ontroerende woorden over het werken met Scarlett, over haar creativiteit, haar gevoel voor wat de kijkers wilden, haar bereidheid om hard te werken en over haar gevoel voor humor. George sprak over hoe ze haar eenvoudige afkomst was ontstegen en over het plezier dat ze iedereen die haar kende had bezorgd (een overdrijving die niemand die dag zou aanvechten). En de leadzanger van een jongensband die ze in haar eerste uitzending had geïnterviewd, zong 'I'll Be Seeing You'. En, ja, ik heb gehuild.

Jimmy klampte zich de hele dienst lang aan me vast, en zijn kleine lichaam trilde van een overdosis aan emotie. Uiteindelijk heb ik hem op schoot genomen en sloeg hij zijn armen om mijn nek alsof hij me nooit meer zou loslaten. Ik wreef over zijn rug en maakte sussende geluiden. Iets anders wist ik niet te verzinnen.

Toen de dienst voorbij was, bracht George ons snel naar de klaarstaande auto's. 'We slaan die vervloekte mogelijkheid tot condoleren over,' zei hij stellig. 'Als we daarvoor op een rijtje gaan staan, zullen we Jade en Chrissie er ook bij moeten halen, en daar wil ik niets van weten.'

Van een afstandje zagen ze er niet zo slecht uit. Dat zei ik ook nog tegen George. 'Ik heb een van mijn meiden naar Leeds gestuurd om hen in de kleren te steken en met hen mee te reizen. En daarom zijn ze ook vrij nuchter en vrij van drugs. Maar ik heb er geen vertrouwen in dat hun huidige toestand de dienst zal overleven. We moeten de vervloekte media bij hen uit de buurt houden, voor het geval het allemaal akelig wordt.'

'En Jimmy dan? Moet hij ze ontmoeten?'

We waren inmiddels bij de auto's aangekomen. George keek om zich heen en maakte een ongebruikelijk besluiteloze indruk. 'Ik rij wel met jou mee,' zei hij, waarna hij naast Marina en mij ging zitten. Jimmy zat nog altijd aan me vast als een babyaapje. 'Ik hou hem liever bij hen uit de buurt, als dat kan. Mijn medewerkster zegt dat ze hen heeft horen praten over het opeisen van Jimmy.' Zijn mond krulde omhoog alsof hij een nare geur rook. 'Ze zien hem vanzelfsprekend als inkomstenbron.'

'Ik zal hem mee naar huis nemen,' zei Marina. 'Dat feestje hoeft voor mij niet zo nodig.' Ze haalde één schouder op. 'Ik ken er niemand en ik vind het niet nodig om me Scarlett op zo'n manier te herinneren. Jimmy en ik gaan terug naar huis, trekken onze begrafeniskleren uit en gaan wat lol maken.'

'Weet je zeker dat je het niet erg vindt?' vroeg George.

'Ik ben naar Joshu's herdenkingsdienst geweest en ik vond het vreselijk,' zei Marina. 'Ik geef er niet om. En het is beter voor Jimmy om naar huis te gaan, waar hij niet hoeft rond te paraderen als een prijsvarken.'

Zo zou ik het niet helemaal hebben verwoord, maar ik begreep wat ze bedoelde. En ik moet toegeven dat het een opluchting was. Het laatste wat ik wilde was publiekelijke touwtrekkerij om Scarletts zoon. En het bleek al snel dat we geen beter besluit hadden kunnen nemen. Ik stond nog maar in de deuropening van de balzaal in het hotel waar de wake zou worden gehouden, toen Chrissie en Jade Higgins naar me toe kwamen stappen, allebei met een drankje in de hand. Er ontstond als door toverkunst ruimte om ons heen. Sterren beschikken over de unieke gave om een ophanden zijnde ruzie vanaf een afstand van vijftig passen te voelen aankomen en ze geven de strijdende partijen altijd graag voldoende ruimte om zichzelf te kijk te zetten.

'Waar is mijn kleinzoon?' Chrissie was niet van plan zich te bekommeren om details zoals zich eerst even voorstellen. Van dichtbij kon ik de schade zien die door de afstand werd gemaskeerd. Haar huid was ruw, met gebarsten haarvaten die niet volledig door haar foundation waren weggewerkt. Te veel mascara en oogschaduw konden de gelige tint van haar oogwit of de hangende wallen onder haar ogen niet verbloemen. Haar tanden waren geel en afgebroken, en naarmate ze dichterbij kwam werd ik steeds misselijker van haar smerige adem. Haar armen en benen waren mager, maar haar bovenlijf was rond en hard, net als een klein vat. Als je op zoek zou zijn naar Scarletts moeder, zou je haar niet uit een rijtje mogelijke kandidaten hebben uitgekozen.

'U moet mevrouw Higgins zijn,' zei ik. 'Het spijt me dat we elkaar onder zulke trieste omstandigheden ontmoeten.'

Ze leek van haar stuk gebracht door mijn beleefdheid, zoals een buldog die met een bellenblazend kind wordt geconfronteerd. Maar Jade, die ergens naast de schouder van haar moeder rondhing, niet. Ze was zo mager als een lat en had een bleke huid: junkiechic van kop tot teen. Zo iemand die er altijd groezelig zal uitzien, zelfs wanneer ze net de douche uit komt lopen. 'Hou die dure woorden maar voor je, bekakte trut,' snauwde ze me toe. 'Waar is ons mannetje? Wat heb je met onze Jimmy gedaan?'

Gelukkig voor mij stond George naast me, de perfecte mengeling van hoffelijkheid en hardheid. 'Jimmy is op geen enkele manier van u,' zei hij. 'Scarlett heeft daarover zeer duidelijke instructies achtergelaten. Als u daar ongelukkig mee bent, raad ik u aan een advocaat in de arm te nemen.'

'Een stomme advocaat? Denk je dat ik een kloteadvocaat nodig heb om me te vertellen wie mijn eigen familie is? Die jongen is mijn kleinzoon.' Chrissie wees theatraal naar me. Ik kon overal om me heen camera's horen klikken. 'Zij kan geen aanspraak op hem doen. Ze is alleen maar op Scarletts geld uit.'

'Inhalige hoer,' viel Jade haar bij.

Ik wist dat ik het zou verliezen als ik ertegenin zou gaan. Ik zou me tot hun niveau moeten verlagen en eerlijk gezegd hadden zij ook meer ervaring met de gemenere kanten van het ruziemaken. Maar het was wel verleidelijk. Alsof hij dat aanvoelde, legde George een hand op mijn arm. 'Ik betwijfel of u me zelfs ook maar kunt vertellen wanneer de jongen jarig is,' zei hij geringschattend.

'Hou je muil, klootzak.' Dat kwam van Jade. 'We hebben het niet tegen jou. Het is die achterbakse hoer hier. Zij heeft verantwoording aan Jimmy's familie af te leggen.'

George schudde zijn hoofd. 'U verdoet uw tijd. En als u probeert een verhaal aan een boulevardkrant te verkopen over hoe bekaaid u er afgekomen bent, laat me dan luid en duidelijk zeggen dat Scarlett ervoor gezorgd heeft dat u een dak boven uw hoofd heeft en dat ze de afgelopen zes jaar al uw rekeningen voor u heeft betaald. Als tegenprestatie wilde ze alleen maar dat u uit haar buurt zou blijven. Die jongen heeft niets met u beiden te maken. En nu gaat u zich als beschaafde mensen gedragen, anders laat ik u eruit gooien.'

Chrissie vloog hem met zwaaiende vuisten aan. Voordat ze hem kon raken, pakte Simon haar van achteren beet. Met een gemak dat voortkomt uit ervaring, klemde hij haar armen vast tegen haar lichaam. 'Tijd om op te geven, Chrissie,' zei hij, terwijl hij haar achterwaarts van George wegvoerde. 'Kom op, laten we iets drinken en wat over Scarlett praten.'

Ze gaf met tegenzin op. Maar toen Simon haar van ons wegdraaide, hoestte ze een fluim rokersslijm op en spuugde die met volle kracht naar George. Hij deinsde terug en stapte net op tijd achteruit, zodat de fluim centimeters van zijn glimmende zwarte veterschoenen verwijderd op de houten planken uiteenspatte. Hij keek naar de walgelijke homp en staarde toen naar de zich terugtrekkende Chrissie en Jade. 'Uitstekend,' zei hij zachtjes tegen me. 'Spugen doet het niet goed in de roddelbladen. Die schat van een Chrissie heeft de kans verspeeld om een van hen aan haar kant te krijgen. Ze weten dat het incident voor bedtijd al overal op YouTube te zien zal zijn.'

'Denk je dat ze zullen proberen voogdij over Jimmy te krijgen?'

'Ze hebben geen poot om op te staan, en dat zal elke advocaat die maar een knip voor zijn neus waard is hun ook vertellen.' Hij zuchtte. 'Jezus, ik heb een borrel nodig. Dit lijkt wel een beetje op Dantes kringen van de hel.'

Ik was het helemaal met hem eens. Ik zag het nut van onze aanwezigheid ook niet zo erg in. Ik sloot me aan bij Marina: ik had dit niet nodig om te rouwen om Scarlett. Het was een beproeving die moest worden doorstaan. En terwijl ik de ruimte afspeurde en met mensen die ik amper kende over Scarlett babbelde, huisde in mijn achterhoofd bovendien altijd de angst dat Pete deze gelegenheid op dezelfde manier zou aangrijpen als hij Joshu's herdenkingsdienst had gebruikt: om me weer in zijn greep te krijgen.

Dus ik luisterde maar half toen een van de journalisten me staande hield om me te vertellen hoe geweldig het van me was dat ik de zorg voor Jimmy op me nam. 'Hij is mijn peetzoon,' zei ik. 'Ik was erbij toen hij werd geboren en heb sindsdien onderdeel van zijn leven uitgemaakt. Ik ben hier de gelukkige.'

'Maar toch,' hield ze vol. 'Om zonder financiële tegemoetkoming de zorg voor het kind van een ander op je te nemen, dat is best veel gevraagd.'

Ik moet er verward hebben uitgezien, want ze keek me overduidelijk gemaakt bezorgd aan. 'Wist je dat dan niet? Ze heeft alles aan haar liefdadigheidsinstelling nagelaten. Tot aan de laatste cent. Het zoontje krijgt helemaal niets.'

45

Ik trof George aan bij het buffet, waar hij tactvol aan een worstenbrood-je stond te knabbelen, terwijl hij als een havik de ruimte afspeurde, op zoek naar een prooi om op neer te duiken. 'Ik had zojuist een heel bizar gesprek met een journaliste van de *Herald*,' zei ik. 'Zo eentje bij wie je moet doen alsof je weet waarover ze het hebben, want anders kom je over als een onnozele trut.'

George trok zijn wenkbrauwen op. Ik geloof dat het hem nog steeds verrast wanneer ik grof in de mond ben. 'Wat vervelend voor je. Wat zei ze?'

'George, weet jij iets over Scarletts testamentaire bepalingen?' Soms lijkt de directe route van Chrissie Higgins de beste benadering. Zeker wanneer je te maken hebt met een meester van de diplomatie als Geor-gie.

Hij wierp me een gepijnigde glimlach toe. Hij wikkelde het restant van het worstenbroodje in een servetje en legde het neer. 'Ah,' zei hij, waarna hij zijn glas gin-tonic oppakte.

'Dus het is waar?'

Hij wuifde met zijn vrije hand op een manier die waarschijnlijk non-chalant moest overkomen. 'Ik weet niet wat ze je hebben verteld, Ste-phanie.'

'Mijn vriendelijke mediareptiel denkt dat Scarlett alles aan haar liefda-digheidsinstelling heeft nagelaten. Alles gaat naar het TOMORROW-fonds. Het huis, het geld en de rechten voor de merchandise. Alles. Klopt dat?'

'Ik was van plan om er later deze week rustig met je over te praten,' zei hij met schuldbewuste ogen.

'Godallemachtig,' zei ik. 'Krijgt Jimmy helemaal niets?'

'Persoonlijke bezittingen, dat is alles. Dat komt in feite neer op haar juwelen.' Zijn glimlach leek op de grimas van een man die voor de der-de keer neerging. 'Er zitten wel wat fraaie stukken tussen.'

'Je denkt toch niet dat ik de juwelen van zijn moeder ga verkopen, of wel soms? Jezus, George, waar acht je me toe in staat? En waarom hoor ik daar nu pas van?'

'Praat alsjeblieft wat zachter, Stephanie. De muren hebben hier oren. Het is niet goed om dit er in het openbaar uit te gooien. Laten we een stukje lopen.' Hij voerde me de balzaal uit en liep vervolgens met me door de gang via de hotelreceptie naar de parkeerplaats. We eindigden in een vreselijke grotachtige ruimte, die vermoedelijk was gebouwd met het oog op huwelijksfotografen. 'Het spijt me dat je er niet van op de hoogte bent gesteld, maar Scarlett wilde het per se zo.'

'Waarom? Dacht ze dat ik net zo was als haar verachtelijke familieleden? Dat ik Jimmy alleen maar zou opnemen als hij met tientjes was gevuld? Hoe denk je dat ik me daardoor voel, George?' Ondertussen schreeuwde ik waarschijnlijk zo'n beetje, maar dat kon me nu niet meer schelen.

'Ik ben het volkomen met je eens. En dat is ook precies wat ik tegen Scarlett zei toen ze me vertelde wat ze had gedaan. Ik wist wel dat je de jongen niet in de steek zou laten, hoe de financiën dan ook geregeld waren.' Weer die gepijnigde glimlach. 'Die arme Scarlett had niet het voordeel van onze ervaring. Ze vond het nog altijd moeilijk mensen te vertrouwen wanneer het om geld ging. Dat is ook de reden dat ze Chrissies vaste lasten zelf betaalde in plaats van haar het geld ervoor te geven.'

Ik gooide mijn handen in de lucht. 'Ik kan niet geloven dat ze niets voor Jimmy heeft overgelaten. Ook geen trustfonds om zijn scholing te betalen?' George schudde zijn hoofd. 'Hoe moet ik hem dat gaan uitleggen als hij groot genoeg is om het te begrijpen?'

'Alles wat je kunt doen is hem haar testament laten zien. Ik heb haar er een clausule in laten opnemen, waarin ze uitlegt waarom ze het allemaal zo heeft gedaan.'

'Echt? Er staat een uitleg in? Het was niet gewoon zo dat die vervloekte kanker haar hersenen had aangetast?'

George nam me mee naar een gekromde stenen bank en ging zitten. Hij sloeg één elegant been over het andere en haalde een sigarenetui uit zijn binnenzak. Hij nam er een kleine sigaar uit en stak hem aan met een lucifer uit een luciferboekje waarop reclame werd gemaakt voor een bar in New Orleans. Het was pas de tweede of derde keer sinds we elkaar kenden dat ik hem had zien roken. Dat mocht dus een indicatie zijn van hoe stressvol hij dit gesprek vond.

Hij blies een mondvol aromatische blauwe rook uit en staarde met zijn droevige blik voor zich uit. 'Haar standpunt is als volgt. Ze is met niets begonnen. Met minder dan niets, zou je kunnen zeggen, gezien haar ongunstige uitgangspositie. En alleen door haar eigen harde werk en haar vastberadenheid had ze succes geboekt. Onderweg was ze heel wat verwende snotapen tegengekomen. Mensen die de mogelijkheden hadden verkwanseld die het leven hun op een presenteerblaadje aanreikte. Ze had het in dat opzicht ook over Joshu. Een jongen die zowel een goed verstand als alternatieven had, maar ervoor koos om "wat aan te kloten met een stel draaitafels", zoals ze dat noemde. Ze wilde koste wat kost voorkomen dat het met haar zoon dezelfde kant zou opgaan. Scarlett heeft hard gewerkt voor alles wat ze had, en daar was ze trots op. Ze wilde dat hij eenzelfde doorzettingsvermogen zou hebben en dezelfde genoegdoeningen zou ervaren. En ze wilde hem geen gemakkelijk leventje op een presenteerblaadje aanreiken. En daarom heeft ze besloten geen geprivilegieerd kind van hem te maken.'

Het had wel een soort verwrongen logica. Scarlett wist wat mijn bestaansniveau was: comfortabel, maar niet royaal. Ze wist dat ik het me kon veroorloven een kind te onderhouden, maar hem niet de weelde van de rijken kon bieden. Ik had alleen graag gewild dat ze me genoeg had vertrouwd om me van haar besluit deelgenoot te maken. 'Ik begrijp het wel,' zei ik. 'Het was alleen fijn geweest om het van haarzelf te horen in plaats van uit de mond van een of andere journaliste van een boulevardkrant.'

George blies een perfecte rookkring uit. Vanzelfsprekend. Ik vermoedde dat George geboren werd met het vermogen om perfecte rookkringen te blazen. 'Scarlett had niet altijd oog voor de subtiliteiten van beschaafd sociaal verkeer,' zei hij vermoeid. 'Ze deed het goed voor iemand die zo'n achtergestelde opvoeding heeft genoten. En dan bedoel ik niet achtergesteld in materiële zin. Ik bedoel achtergesteld op het gebied van al die kleine dingen waardoor jij en ik thuis zijn in de wereld. Zaken die voor ons vanzelfsprekend zijn. Zoals wachten tot iedereen aan tafel zijn eten voor zich heeft voordat we beginnen te eten. Zoals begrijpen dat je ook helemaal zelf een curry kunt bereiden. Zoals altijd bedanken wanneer iemand je een boeket bloemen heeft gestuurd. Ze leven als wilden, Stephanie. Ik kon wel janken van wat ze me over haar jeugd vertelde. Dus ze begreep niet altijd welke verplichtingen vriendschap met zich meebrengt. Ze had het je moeten vertellen. Maar ik begrijp waarom ze het niet heeft gedaan.'

'Ik ook. En ik word er verdrietig van.' Ik stond op en gaf George een schouderklopje. 'Er is wel één positieve kant aan Scarletts testament.'

'En dat is?'

Ik glimlachte. 'Ik denk niet dat we nog van de advocaten van Chrissie en Jade zullen horen.'

46

Je zou denken dat ik al genoeg ellende voor één dag had meegemaakt. Maar het was nog niet voorbij. Nog lang niet. Ik liet George zijn sigaar oproken in die afschuwelijke grot en liep door de toenemende schemering over de parkeerplaats terug naar het hotel. Ik was bijna veilig binnen, toen Pete van achter een geparkeerde SUV vandaan stapte en me de weg versperde. 'Hallo, schatje,' zei hij met de relaxte glimlach van een man die weet dat hij welkom is.

Ik verstijfde en deinsde toen terug. Maar niet snel genoeg. Pete was sneller dan ik en voordat ik het wist, stond ik met mijn rug tegen het voertuig en had hij zijn armen aan weerszijden van mijn lichaam neergezet. Hij kwam dichter tegen me aan staan en drukte me tegen het busje. Ik rook zijn vertrouwde geur en werd er misselijk van. Ik kon me nu onmogelijk nog voorstellen dat ik die dierlijke geur van hem ooit zo heerlijk vond, dat ik gek was op de mannelijke geur die aan zijn huid kleefde. Nu had ik nog liever Scarlett Smile geroken dan dit.

'Laat me los, Pete,' zei ik, waarbij ik rustiger probeerde te klinken dan ik me voelde.

'Dat kan ik niet doen, Stephanie. Het is te lang geleden dat ik je zo heb vastgehouden.' Hij wreef met zijn gezicht in mijn hals. Ik voelde minimale stoppelhaartjes. Hij had zich vooraf geschoren en zijn huid voelde bijna glad aan tegen de mijne. Die gewaarwording had iets weerzinwekkends.

'Laat me los,' zei ik weer, en ik wendde mijn gezicht af. 'Je weet dat dit verkeerd is, Pete. Het is voorbij.'

'Doe niet zo gek, Stephanie. Je hebt me nu meer nodig dan ooit tevoren. Ik weet van de jongen, weet je. Een jongen heeft een vader nodig als hij niet een verwend moederskindje wil worden. En niemand is meer geschikt voor die klus dan ik.' Hij drukte me tegen het busje aan. Ik kon voelen dat hij een stijve kreeg. Ik begon nu toch echt bang te worden. Dit gedeelte van het parkeerterrein was maar vanuit een paar slaapkamers te zien en in geen van die kamers brandde licht. De combinatie van zijn hete adem in mijn hals, zijn huid tegen de mijne en de druk van zijn behoefte tegen mijn lichaam deed me huiveren van angst. Hij was nog nooit zo ver gegaan in zijn jacht op mij.

'Ik heb je niet nodig, Pete. En ik wil je ook niet. Dit is verkeerd.'

'Natuurlijk wel.' Zijn stem klonk nu scherper. 'Je hoort bij mij. Dat is altijd zo geweest. En nu zullen we een gezin worden. Jij en ik en Jimmy. We zullen voor altijd samen zijn.'

'Nee,' schreeuwde ik. 'Ga van me af, Pete.'

Zijn hand schoot naar voren en hij sloeg me. Ik hapte naar adem vanwege de schrik en de pijn en voelde mijn ogen groot worden van angst en ontzetting. 'Niet tegen me schreeuwen, Stephanie. Weet je wat mijn probleem is? Ik heb vroeger veel te veel van je geslikt. Ik had je beter moeten leren gehoorzamen en je minder je zin moeten geven.'

'Hou op, Pete.' Ik had er geen moeite mee om te smeken als dat me zou redden. Ik was inmiddels doodsbang, ook omdat ik wist hoeveel sterker hij was dan ik.

'"Hou op, Pete."' aapte hij me na. 'Moet je jezelf eens horen, Stephanie. Het klinkt niet echt alsof je het meent. Eigenlijk weet ik gewoon dat je het niet meent.'

'Dit is verkeerd, Pete.'

Hij pakte mijn wangen stevig vast en dwong me mijn mond tot een o te vormen. 'Waar is je politievriendje wanneer je hem nodig hebt, hè? Het is een stuk minder leuk wanneer je geen tamme smeris bij je hebt om me weg te jagen, hè? Wat haalde je je eigenlijk in je hoofd, Stephanie, door die bromsnor op me af te sturen? Denk je nu echt dat ik bang van hem werd, met zijn "Men heeft mij erop gewezen dat u een ongenode gast bent, meneer. Ik ben bang dat ik u van het terrein moet begeleiden." Pedante lul.' Hij schudde zijn hoofd. 'Wat stelde dat voor? Kon je zelf niet naar me toe komen om me te vertellen dat ik niet welkom was?' Hij liet mijn gezicht los en duwde mijn hoofd naar achteren, zodat ik het pijnlijk tegen het raam van de suv stootte.

'Alsof dat gewerkt zou hebben,' snauwde ik hem toe. 'De boodschap wil maar niet tot je doordringen, hè? Ik ben je vriendin niet,' zei ik, waarbij ik elke boze lettergreep afzonderlijk uitsprak. 'Ik wil je nooit meer zien.'

Ik zette me schrap tegen de klap die nooit kwam. In plaats daarvan hoorde ik het bekende gekletter van cowboylaarzen op het asfalt. En dat werd al snel gevolgd door Simon zelf, die zei: 'Wat is dít? Steph, is alles oké?'

'Hou je erbuiten, vriend, ze hoort bij mij,' snauwde Pete hem toen.

Ik probeerde me los te werken, maar Petes gewicht werkte in mijn nadeel.

'Ik denk dat je de dame beter met rust kunt laten,' zei Simon. Hij leek eerder bezorgd dan bang, maar het ging er vooral om dat hij een getuige was.

'En ik denk dat je beter kunt maken dat je wegkomt.' Om Simon te kunnen aankijken, moest Pete zich van me wegdraaien. Toen hij zich bewoog, kon ik hem verrassen en duwde ik zijn heup zo hard als ik kon naar voren. Hij wankelde bij me vandaan en dat gaf me voldoende tijd om achter Simon te gaan staan. Niks feminisme. Op dat moment liet ik me maar wat graag door een man beschermen.

'Ben je in orde, Steph?' Simon hield zijn ogen op Pete gericht.

'Ja, dank je.'

'Je hebt de verkeerde uitgekozen, vriend,' zei Pete, die zijn ogen toekneep. 'Kom nooit tussen een man en zijn vrouw. Hebben ze je dat niet geleerd op die chique school van je?'

'Hij is niet mijn man en ik ben niet zijn vrouw,' schreeuwde ik. 'Hij is mijn ex, maar dat wil maar niet tot hem doordringen. Het is voorbij, Pete. Het is al jaren voorbij. Laat me nu met rust.'

Pete deed een stap in de richting van Simon en balde zijn handen tot vuisten.

Wat ik wel kon zien, maar hij niet, was dat George hem van achteren naderde en het hele tafereel met één lange blik in zich opnam. Tot mijn verbazing ging George stevig achter Pete staan, waarna hij hem twee snelle vuistslagen tegen zijn nieren gaf.

Pete schreeuwde het uit van de pijn en draaide zich half om, terwijl hij op zijn knieën viel. George deed een stap opzij en gaf hem een harde trap tegen zijn ballen. Pete schreeuwde nogmaals en rolde in elkaar gekropen als een baby op zijn zij. 'Laat haar met rust,' zei George met een onbewogen, onberispelijke stem, terwijl hij over Petes kreunende lichaam stapte. Vervolgens gaf hij me een arm en nam me mee naar het hotel.

Simon kwam als laatste aanlopen en uitte hardop zijn verbazing over de bokskunst van George. 'Dat was heel indrukwekkend, George,' zei hij voor de derde keer toen we de hal in liepen.

'Ik had geen idee dat je de kwaliteiten van James Bond had,' zei ik, terwijl ik in zijn arm kneep.

'Ik heb wel wat gebokst bij de gardetroepen,' zei hij. 'En ik ga een paar keer per week naar de sportschool, gewoon om fit te blijven. Ik heb al zeker dertig jaar geen man meer uit boosheid geslagen.' Hij trok een gezicht. 'Misschien heb ik hem wel een beetje te hard geschopt. Dit zijn er in ieder geval zeker niet de juiste schoenen voor.' Hij bracht me van de balzaal naar de hotelbar. We vonden een tafel in een hoekje, en hij stuurde Simon naar de bar om een paar grote glazen gin te bestellen. 'Dat was toch je ex? Om wie je naar Brighton bent verhuisd?'

Ik knikte. 'Dat gedeelte heeft prima gewerkt. Hij weet niet waar ik woon. Dat is de reden waarom hij vandaag is komen opdagen. En waarom hij ook op de herdenkingsdienst van Joshu was. Hij heeft het nog altijd niet opgegeven.'

'Dat is niet goed,' zei hij.

Simon kwam terug met de drankjes. 'Dat is helemaal niet goed. Als George en ik er niet waren geweest, had het nog heel naar kunnen aflopen.'

'Geloof me, ik weet het. En ik stel het zeer op prijs, mannen.' Ik hief mijn glas en bracht een toost op hen uit.

'Wat deed je daarbuiten?' vroeg George aan Simon.

'Ik wilde een luchtje scheppen,' zei hij. 'Ik ben hier wel eens uit eten geweest met Scarlett en ik herinnerde me dat er een soort kleine omsloten tuin aan de andere kant van het parkeerterrein was. Ik dacht niet dat iemand me daar zou vinden.' Opeens leek het alsof hij in tranen zou uitbarsten. 'Het spijt me. Ik mis haar, dat is alles. Niet erg professioneel, ik weet het. Maar ik was erg gek op haar geworden.'

George schraapte zijn keel. 'Moeilijk om dat niet te zijn wanneer je haar beter leerde kennen.' Hij nam een grote slok van zijn drankje. 'Stephanie, het spijt me dat ik je nog verder onder druk zet, maar je zult echt iets moeten doen aan die schooier. Het is al erg genoeg dat hij alleen jou stalkt, maar je hebt nu ook rekening te houden met Jimmy. Ik moet er niet aan denken wat het effect op die kwetsbare kleine jongen zal zijn als hij van een dergelijk tafereel getuige zou worden. Of nog erger. Ik vind dat je met de politie moet gaan praten.'

Ik zuchtte. 'Die zullen het niet serieus nemen. Niet totdat hij echt iets doet. En nee, dat kleine incident op het parkeerterrein telt daarbij niet mee.'

We staarden allemaal enkele minuten triest naar onze drankjes. Toen leefde Simon op. 'En wat nu als je een vriendelijke politieman zou kennen, iemand die je zover zou kunnen krijgen om een hartig woordje met hem te gaan spreken?'

'Dat is het proberen waard,' zei George. 'Als je de juiste vent zou kennen.'

'Ik zat te denken... Wat dacht je van die agent die de leiding had over het onderzoek naar Joshu's dood? Dat leek me een aardige vent. En je kon toch vrij goed met hem opschieten? Ik meen me te herinneren dat je op de herdenkingsdienst met hem stond te praten.' Simon glimlachte bemoedigend.

En zo is het begonnen tussen Nick Nicolaides en mij.

47

Nick was meestal niet zo besluiteloos, maar toen hij na middernacht buiten in de regen voor Phat Phi D stond, kwam hij er niet uit wat hij nu het beste kon doen. Hij begreep maar al te goed dat het allerbelangrijkste was dat ze Jimmy weer veilig en wel terugvonden. Maar hij was er niet van overtuigd dat de nieuwste informatie direct aan agent McKuras doorspelen de beste manier was om dat te bereiken. Oké, hij was geen expert op het gebied van wetshandhaving in het buitenland, maar het beeld van in het rond schietende Amerikanen was niet voor niets een cliché geworden. Hij herinnerde zich Waco nog goed. Hij wilde niet dat Jimmy letterlijk tussen twee vuren terecht zou komen. En Matthews trouwens ook niet, als hij echt eerlijk tegen zichzelf was. Die vent was wel een bullebak en een voddenbaal, maar hij verdiende het niet om te sterven.

Hij zette zijn kraag op tegen het weer en liep langzaam terug naar zijn auto. Onderuitgezakt achter het stuur dacht hij terug aan zijn eerdere ontmoetingen met Pete Matthews. De eerste keer, bij Joshu's herdenkingsdienst, was hij tegen iets aangelopen wat hij niet begreep. Stephanie had gezegd dat hij Scarlett een plezier zou doen als hij Matthews zou vragen te vertrekken. Maar toen Nick had gesuggereerd dat ze hem als dekking gebruikte om weg te kunnen komen, had ze niet ontkennend geantwoord. En dat had hij zomaar lukraak gezegd. Hij wist niet eens zeker waarom hij tot die conclusie was gekomen. Iets in haar lichaamstaal, vermoedde hij. Tijdens zijn studie psychologie had hij ook fascinerende colleges over lichaamstaal gevolgd. Het leek Nick dat de studie van lichaamstaal systeem aanbracht in zaken die veel mensen nog altijd als intuïtie beschouwden. Hij had zich er zo op toegelegd om de informatie zo goed in zich op te nemen dat het een tweede natuur voor hem was geworden.

Hij had geen kennis van lichaamstaal nodig gehad om zich te realiseren hoe boos Pete Matthews was geweest toen hij hem had aangesproken. Nick zei eerst niet dat hij politieagent was. Hij was simpelweg op hem afgestapt en zei: 'Meneer Matthews, dit is een privéaangelegenheid waarvoor u niet bent uitgenodigd. Het zou zeer op prijs worden gesteld wanneer u zou vertrekken.'

Matthews had grote ogen opgezet en zijn mond verstrakte tot een verontwaardigde uitdrukking. Hij keek Nick boos aan en zette een halve stap in zijn richting. Toen hij besefte dat Nick hierdoor niet werd geïntimideerd, liet hij zijn wenkbrauwen zakken tot een dreigende frons. 'En wie ben jij dan verdomme wel dat je me gaat vertellen wat ik moet doen? Want dit is niet jouw feestje, zoveel weet ik wel.'

Nick pakte zijn politiepasje uit zijn jaszak. 'Brigadier Nicolaides. Hoofdstedelijke politie. Dit is privéterrein en u heeft niet het recht om hier te zijn. Bovendien is u gevraagd te vertrekken. Ik weet zeker dat een scène schoppen wel het laatste is wat u wilt, met zoveel leden van de pers hier.'

Matthews sprak hem snerend toe. 'Je hebt geen idee wat er aan de hand is, smeris. Je bent midden in een spelletje tussen geliefden beland. Ik weet niet wat Stephanie je allemaal heeft beloofd, maar ze houdt je voor de gek. Ze zal haar beloften niet nakomen, omdat ze míjn vrouw is. Begrepen? Ze wil me iets duidelijk maken door me te laten zien dat ze een sul als jij naar haar pijpen kan laten dansen.' Hij lachte wreed. 'Sukkel.' Toen hield hij zijn handen omhoog, met zijn handpalmen naar voren in het universele verzoenende gebaar. 'Het is al goed, ik ga hier niets beginnen dat Scarletts feestje zou verpesten. Ook al is het dan niets meer dan een beetje hypocriet krantenkoppen pakken.' Hij schudde zijn hoofd. 'Ze vergiet heus geen echte tranen, hoor, smeris. Vraag Stephanie maar eens hoeveel extra exemplaren van het laatste boek ze zullen verkopen nu Joshu het loodje heeft gelegd. Scarlett zou altijd liever het geld dan de man hebben.' Toen keek hij over Nicks schouder en vloekte.

Nick draaide zich om om zijn blik te volgen en zag dat Stephanie niet langer was waar hij haar had achtergelaten. Hij speurde de zaal af, maar hij zag haar nergens. Toen hij zich weer omdraaide, had Matthews zich een weg door de menigte gebaand en was hij al bijna bij de deur. Of het nu zoals Matthews beweerde om een spelletje tussen geliefden ging of om iets minder romantisch, Stephanie was duidelijk gevlucht terwijl hij Matthews had afgeleid. En wat het ook was, het had wat Nick betreft Stephanies aantrekkingskracht verkleind. Hij was niet geïnteresseerd in een relatie met een vrouw die nog iets met een andere man had. Dat was een scenario dat gegarandeerd slapeloze nachten zou opleveren en te veel uren waarin hij huilerige liefdesliedjes zou spelen.

En dus had hij Pete Matthews en Stephanie Harker uit zijn hoofd gezet. Desondanks had hij haar stem onmiddellijk herkend toen ze hem opbelde. 'Brigadier, ik weet niet of u zich mij herinnert...'

'Stephanie Harker,' zei hij, geïrriteerd dat ze hem aan het blozen had gebracht.

'Wow,' zei ze. 'Dat is indrukwekkend.'

'Ik ben muzikant, weet je nog wel? Ik ben goed in stemmen,' improviseerde hij. 'Waarmee kan ik je van dienst zijn?'

'Ik vind het een beetje ongemakkelijk om het er over de telefoon over te hebben. Zouden we ergens een kop koffie met elkaar kunnen gaan drinken? Of een borrel?'

Ondanks zijn vaste besluit om zich niet met haar problemen te bemoeien, stemde hij in. Ze troffen elkaar in een filiaal van Costa Coffee vlak bij zijn kantoor. Toen hij er aankwam, zat ze aan een tafeltje uit de buurt van de ramen, maar ze sprong op toen ze hem zag en had erop gestaan om zijn espresso voor hem te betalen. Toen ze eenmaal waren gaan zitten en de vragen over hoe het met Jimmy was achter de rug hadden, was hij achterover gaan zitten en had hij bemoedigend naar haar geglimlacht. 'Je wilde me spreken?'

En toen was er een verhaal uitgerold dat hem maar al te bekend voorkwam. Een bezitterige man die van geen afwijzing wil weten en die zichzelf ervan overtuigt dat de vrouw gewoon van hem is. Hij hoeft alleen maar vaak genoeg aan dat feit herinnerd te worden, zodat het waar wordt. Een man die haar bestookt met bloemen en e-mails en brieven en tekstberichten, die antwoordapparaten en voicemailboxen vol spreekt en voor wie het onmogelijk is om inbreuk op haar privéleven te maken omdat het hem tenslotte al toebehoort. Dus hoe kan er dan sprake van inbreuk zijn?

Nick luisterde zonder zijn koffie aan te raken en kreeg een kil gevoel in zijn maag. Hij had dit verhaal eerder gehoord. Te vaak van rouwende familieleden en vrienden van een vrouw die al in het mortuarium lag, omdat ze zich een keer te vaak tegen haar achtervolger had verzet. Of niet ver of snel genoeg had kunnen wegkomen. Toen Stephanie met horten en stoten over haar confrontatie met Matthews op het parkeerterrein van hotel Essex vertelde, voelde hij een mengeling van woede en frustratie die hem brandend maagzuur bezorgde. Hij wilde Pete Matthews slaan tot hij huilde als een gepest kind. Maar hij wist ook dat dat niet zijn manier van doen was.

'Ik heb met een advocaat gesproken toen hij me vlak nadat we uit elkaar waren lastig begon te vallen, en zij heeft uitgelegd dat ik niet veel kon ondernemen, totdat hij daadwerkelijk de wet zou overtreden. Maar ik weet niet hoe de wet luidt. En het leek me dat er door hoe ik me eronder voel en door de dreiging die er van zijn obsessie voor mij uitgaat... Nou ja, daar moet de politie toch wel iets aan kunnen doen?' Ze keek hem aan met een mengeling van bezorgdheid en verontschuldiging die hem van woede vervulde jegens de man die haar in deze positie had gebracht. Maar hij wist ook dat hij wettelijk weinig tegen Pete Matthews kon beginnen.

'Ik ben bang dat die advocaat gelijk had. Wanneer je een dagboek over zijn pesterij zou bijhouden, zou je waarschijnlijk wel een contactverbod tegen hem kunnen laten uitvaardigen. Maar dat is niet genoeg om hem te laten arresteren. Je zou niet gewoon de politie kunnen bellen wanneer hij in overtreding is. Je zou weer naar de rechtbank moeten stappen.'

'En dat betekent dus dat het in feite zinloos is?'

'Ja. Om ons in actie te laten komen, zou je moeten aantonen dat je gegronde redenen hebt om voor je leven te vrezen, of dat er op zijn minst ernstig geweld dreigt. En uit wat je me hebt verteld kan ik opmaken dat hij er heel goed op heeft gelet dat hij je niet op zo'n manier bedreigt.'

Ze pakte het houten roerstaafje op en roerde ermee in haar koffie verkeerd. 'Dus je zegt dat er niets aan te doen is.'

En dat was het moment dat Nick over de schreef ging. 'Officieel niet. Onofficieel zijn er wel mogelijkheden.' Hij besefte pas wat hij had gezegd toen hij de woorden had uitgesproken. Toen wist hij dat hij had besloten zijn verlangen te volgen in plaats van zijn verstand.

Stephanie leek geschrokken. 'Ik bedoelde niet dat...'

'Dat weet ik.' Hij haalde zijn telefoon tevoorschijn, opende het notitieprogramma en gaf hem aan haar. 'Geef me zijn adres en telefoonnummer en laat het maar aan mij over.' Nick zag hoe bezorgd ze was en glimlachte somber naar haar. Hij wiebelde met zijn vingers naar haar. 'Heb je wel eens gehoord van een band die Jethro Tull heet?'

Ze leek compleet verrast door zijn vraag, maar knikte. 'Vaag. Groot in de jaren zeventig?'

'Precies. Hun voorman, Ian Anderson, speelde fluit. Hij was zo bang om zijn vingers te beschadigen dat hij mensen die hem de hand wilden schudden zijn elleboog aanbood. Nu ben ik daar nu ook weer niet zó bezorgd om. Maar ik ben niet van plan iets tegen Pete Matthews te ondernemen waardoor mijn geliefde vingers in gevaar zouden komen.'

Ze kreeg een glimlach op haar gezicht die hem vanbinnen een beetje deed bruisen. 'Wanneer je het zo stelt...' Ze typte de informatie in op zijn telefoon. 'Bedankt.'

'Graag gedaan. Maar er hangt wel een prijskaartje aan.'

Nu keek ze weer bezorgd. 'Ik ben wel gebonden,' zei ze. 'Ik heb tegenwoordig ook de verantwoordelijkheid voor een kind.'

'Je woont toch in Brighton?'

'Ja, maar ik blijf nog in Scarletts huis in Essex wonen tot we Jimmy's verhuizing naar mijn woning hebben geregeld. Want het huis moet volgens dat verdomde, zelfzuchtige testament leeggehaald en verkocht worden.' Ze trok een gezicht. 'Het spijt me, ik zou niet moeten klagen. Ik vind het nog niet eens zo erg voor mezelf, maar het zou alles wat minder zwaar hebben gemaakt voor Jimmy als hij er had kunnen blijven wonen, of dan ten minste nog een paar maanden.'

'Aan de andere kant is het waarschijnlijk beter voor je om in Brighton te zijn dan ergens waar Matthews je weet te vinden.'

Ze knikte instemmend. 'Dat is waar.'

'Dan is dit de prijs: wanneer je weer in Brighton woont, mag ik je op mijn vrije dag komen opzoeken om je mee uit lunchen te nemen, op een moment dat Jimmy naar school is. Hoe klinkt dat je in de oren?'

Stephanie leek eerst opgelucht en vervolgens heel blij. 'Dat zou ik heel fijn vinden. Bedankt. Voor alles.'

Diezelfde avond ging Nick bij de woning van Pete Matthews kijken. Het was het tuinappartement van een hoog victoriaans rijtjeshuis in Kentish Town, een paar straten achter de hoofdweg. Wat hem goed uitkwam, was dat de voordeur onder aan een smalle trap was, zodat die min of meer onzichtbaar was vanaf de straat erboven, behalve wanneer iemand er pal naast op de stoep stond. Het hek zat dicht met een stevig kettingslot, maar het leek Nick dat een goede betonschaar er wel mee zou kunnen afrekenen.

Het was donker in het appartement van Matthews, dus hij waagde het erop en belde aan bij het appartement op de begane grond. De man die de deur opendeed leek op een verlopen dandy uit de regency-periode. Zijn korte, donkere haar zat in een punt boven op zijn hoofd geplakt en zijn nauwsluitende, gebloemde overhemd kon een hard, klein buikje niet verhullen. Hij droeg een witte spijkerbroek die met opzet zo'n model had dat het leek alsof hij zeer groot geschapen was. Nick, wiens spijkerbroek was uitgekozen omdat hij lekker zat en niet om ermee op te scheppen, had die stijl nooit begrepen. Een schaap in ramskleren. De man tuitte humeurig zijn lippen, waardoor er groepjes rimpels in zijn gezicht verschenen waarover hij zich ongetwijfeld gegeneerd zou hebben als hij ervan geweten had. 'Ja?' zei hij geïrriteerd.

Nick liet zijn politiepasje zien en probeerde nederig over te komen. 'Bent u de huismeester, meneer?'

'Dat klinkt wel heel erg begin twintigste-eeuws. Strikt genomen zouden dat mijn vrouw en ik zijn. Maar ik ben de man des huizes.' Hij probeerde chiquer te klinken dan hij was, dacht Nick.

'Ik vroeg me af of ik u even zou kunnen spreken?'

'Hebben we zonder het te weten een misdaad begaan, agent?'

'Nee, meneer. Ik vroeg me alleen af of er vanmorgen tussen negen en elf uur iemand thuis was. We onderzoeken een aanranding en zijn op zoek naar getuigen.'

Nu zag de man er geschokt uit. 'Aanranding? Is een van onze buren aangevallen?'

'Nee, dat niet. We denken dat het slachtoffer en de belager elkaar kenden en elkaar toevallig hier op straat tegen het lijf liepen. Heeft u iets gezien of gehoord? U of uw vrouw?'

Hij schudde fatterig zijn hoofd, alsof het hem persoonlijk zeer speet dat hij hem niet kon helpen. 'Mijn vrouw Madeleine en ik verlieten om tien voor negen samen het huis, zoals we altijd doen, om naar ons werk te gaan. Ik werk bij de BBC en zij runt een liefdadigheidsinstelling om de hoek van het omroepgebouw, dus we reizen altijd samen met de metro. Ik ben bang dat we geen van beiden thuis waren.'

'En uw onderbuurman?' Nick deed net alsof hij zijn notitieboekje moest raadplegen. 'Meneer... Matthews?'

'Ik heb geen idee. Hij werkt op onregelmatige uren. Hij zit in de muziekindustrie, moet u weten. U zou het aan hem moeten vragen, en ik heb geen idee wanneer hij weer terugkomt. Hij is soms wekenlang weg.'

Nick klapte zijn notitieboekje dicht en glimlachte. 'Het spijt me dat ik u lastiggevallen heb. Bedankt voor uw geduld.' Hij wachtte niet tot de man de deur had gesloten. Hij had al wat hij nodig had. Het bovenste gedeelte van het pand zou overdag leeg zijn. En Nick had woensdag een vrije dag, zodat hij nog een hele dag had om zijn voorbereidingen te treffen.

Terug op kantoor belde hij een oude vriend bij de Tactische Ondersteuningseenheid op. Nick had tijdens zijn opleiding met Declan Rafferty en een stel andere politierekruten uit de regio Manchester in het nationale opleidingscentrum in Bruche gezeten. Ze ontdekten algauw dat ze van dezelfde soort muziek hielden. Declan zou net zoals Nick liever een uur rijden om naar een nieuwe, obscure band te luisteren dan rechtstreeks naar de dichtstbijzijnde kroeg te gaan om zich samen met zijn mederekruten te bezatten. Er is in een quasimilitaire ambiance zoals op de politieschool niet veel voor nodig om een band te krijgen met een gelijkgestemde collega, en zo was het ook met Declan en Nick gegaan. Hoewel ze in hun politiewerk een heel andere kant waren opgegaan, waren ze nog altijd vrienden. Minstens één keer per maand maakten ze een pelgrimstocht naar een onbekend podium om naar muziek te luisteren die nog nauwelijks bekend was, zelfs niet nu iedereen toegang tot internet had. Dat ze nieuwe bands hadden ontdekt voordat het grote publiek dat deed, was nog altijd iets waar ze allebei trots op konden zijn.

Nadat ze een afspraak voor hun volgende uitstapje hadden gemaakt, ging Nick over naar de werkelijke reden van zijn telefoontje. 'Zit je deze week in de mobiele basis?' vroeg hij. Hij refereerde aan het snelle-reactievoertuig dat de Tactische Ondersteuningseenheid als mobiele controlekamer en crisiscentrum gebruikte, maar ook als transportmiddel om hun agenten snel ter plaatse te krijgen.

'Jawel. Maar er gebeurt niet veel,' zei Declan. 'We zitten duimen te draaien. Het is echt verdomde rustig geworden daarbuiten.'

'Ik wilde je om een gunst vragen. Een vriendendienst. Zonder dat het tot repercussies leidt, als je begrijpt wat ik bedoel?'

'Als ik je kan helpen, dan doe ik het. Maar het kost je wel een fles tequila gold.'

'Allemachtig, je begint wel een dure smaak te krijgen.'

'Waar gaat het om?'

'Ik moet de grote sleutel lenen. En een zware zijkniptang.'

Declan floot. 'Je durft wel wat te vragen, hè? Ik neem aan dat dit niet officieel is?'

'Zo onofficieel als maar kan.'

Nick telde een stilte van elf seconden, een lange tijd voor telefoonbegrippen. Uiteindelijk zuchtte Declan. 'Waar? En wanneer?'

'Idealiter morgenochtend om een uur of tien. In Kentish Town. Maar ik wil je daar niet ontmoeten. Als het allemaal verkeerd loopt, is het laatste wat ik wil dat de buren daar een agent van de Tactische Ondersteuningseenheid zien rondlopen.'

Uiteindelijk kwamen ze overeen dat Declan de stalen stormram en de betonschaar die avond na het invallen van de duisternis naar Nicks appartement zou brengen. Op voorwaarde dat ze in de tussentijd niet nodig waren –'niet waarschijnlijk, we zijn dezer dagen net het olympische vuur. We gaan nooit uit'– zou Nick ze de avond daarna weer aan Declan teruggeven.

De volgende morgen om tien uur kwam de straat waarin Pete Matthews woonde zo dicht in de buurt van een spookstraat als Kentish Town maar kon voortbrengen. Nick had zijn auto een meter of vijftien van Matthews' appartement geparkeerd en had zich achter zijn *Independent* verscholen toen de geluidstechnicus een halfuur geleden met ferme pas zijn woning verliet. Nick had toegekeken hoe Matthews gehaast naar de metro liep. Hij had even gewacht om er zeker van te zijn dan hij er niet alleen maar even was uitgegaan om melk en een krant te kopen.

Nick trok een paar leren handschoenen aan, stapte de auto uit en pakte een reistas van de achterbank. Hij liep zelfverzekerd naar het hek van Pete Matthews en zette de reistas neer. Hij haalde de zware betonschaar eruit en enkele seconden later ving hij de ketting op voordat hij op de grond zou kletteren.

Hij haastte zich de trap af en maakte de Enforcer gereed, een zestien kilo zwaar stalen geval, dat zo was ontworpen dat je met een minimale krachtsinspanning een zo groot mogelijke klap kon uitdelen. Declan had hem gewaarschuwd om er voorzichtig mee om te springen. 'We noemen hem niet voor niets de Grote Sleutel. Hij kan drie ton kinetische energie overbrengen,' had hij gezegd, alsof Nick begreep wat dat betekende.

'Je bedoelt dat hij een enorme klap uitdeelt?'

'Ik bedoel dat het een enorme dreun oplevert. Wanneer je het fout doet, word je erdoor tegen de grond geworpen.'

Nick zette zich schrap en ging goed stevig staan, waarbij hij met elke hand een hendel vasthield. De deur zag er stevig uit, maar hij bestond alleen maar uit hout. Zelfs een amateur zoals hij zou in staat moeten zijn om de deur in één keer open te rammen. Hij bewoog de stormram naar achteren en liet hem vervolgens door zijn eigen vaart naar voren komen.

Toen de stalen plaat de deur net boven het slot raakte, klonk er een dof gekraak en een dreun. De deur zwaaide traag open, alsof hij nooit in het slot had gezeten, laat staan dat hij op slot was gedaan. 'Allemachtig,' zei Nick, terwijl hij zijn eigen handwerk bewonderde. Hij stopte de stormram, de betonschaar en de ketting in de reistas en bracht de tas naar de auto. Er was nog steeds niemand op straat, nog niet eens een bewegende vitrage die erop zou kunnen wijzen dat er getuigen waren.

Hij liep terug naar het appartement en dit keer ging hij naar binnen. Er hing een koffiegeur in de voor de rest bedompte lucht. Leuk huis, dacht Nick terwijl hij er rondliep. Concertposters aan de muren, overal planken vol vinyl en cd's. Hoogwaardige muziekapparatuur met luidsprekers in alle kamers. De meubels zagen er functioneel maar comfortabel uit. Er stond een vieze mok in de spoelbak, met een koffiepot van Italian Moka Express ernaast. Het leek jammer, maar het werd tijd dat Pete Matthews een koekje van eigen deeg kreeg.

Nick begon met de keuken. Hij deed wat Stephanie hem had beschreven. Hij maakte de kastjes en de lades leeg. Hij sleepte met zijn voeten door de rotzooi, zodat hij het door het hele huis verspreidde. Hij maakte geen dingen opzettelijk stuk, maar liet het gewoon ter plekke vallen. Hij liep de woonkamer in en veegde daar de cd's en langspeelplaten van de planken, waarna hij over de ontstane stapels liep en genoot van het op pistoolschoten lijkende knallen van barstende cd-doosjes. In de slaapkamer strooide hij Matthews' kleren uit over de grond en in de badkamer gooide hij de paar aanwezige toiletartikelen in de toiletpot.

Uiteindelijk belde hij Declan op en zei: 'Ga je gang.' Dat was het teken voor Declan om Matthews op zijn mobiele telefoon op te bellen en te doen alsof hij een verveelde smeris was die een burger moest vertellen dat zijn buren een inbraak hadden gemeld.

Matthews kwam vijfentwintig minuten later binnenstormen, waar hij Nick aantrof, die in zijn leunstoel de krant zat te lezen. Hij kwam slippend tot stilstand, zoals een tekenfilmpersonage, met grote ogen en een geopende mond en een in beweging bevroren lichaam. 'Wat zullen we verdomme nou krijgen?' was alles wat hij kon uitbrengen toen hij zijn spraakvermogen weer terug had.

'In mijn vak noemen we dit herstelrecht,' zei Nick kalm, waarna hij opstond. 'Dit is een voorproefje. Als je in de toekomst ook maar bij Stephanie Harker in de buurt komt, zal dit daarbij vergeleken een voorjaarsschoonmaak lijken.'

Matthews keek woest om zich heen en draaide van links naar rechts, terwijl hij alles in zich probeerde op te nemen. 'Dit kun je niet maken.'

'Het is niets meer of minder dan jij hebt gedaan. Maar als het tot een volgende keer mocht komen, zal ik me niet inhouden.'

'Ik ga je aangeven,' schreeuwde hij. 'Je hebt bij me ingebroken, je hebt mijn huis vernield. Vuile klootzak.'

Nicks glimlach had niets met vriendelijkheid te maken. 'Probeer het maar, dan zullen we wel eens zien hoever je komt. Er is één klein detail: bewijs. En dat heb je niet. Als er vragen worden gesteld, was ik in de buurt toen ik iemand zag wegrennen. En omdat het er verdacht uitzag, ben ik op onderzoek uitgegaan.' Hij haalde zijn schouders op en baande zich door de puinhoop een weg naar de deur.

Hij hoorde voetstappen zijn kant op komen en deed snel een stap opzij, terwijl hij met zijn arm zwaaide en de geluidstechnicus met de rug van zijn hand tegen zijn keel raakte. Matthews wankelde naar achteren en maakte verstikkingsgeluiden. Hij knalde tegen een stel lege planken aan, waarbij hij met zijn slaap de hoek van de plankenconstructie raakte. Er verscheen een uitbarsting van bloed op zijn jukbeen. 'Ik heb je gewaarschuwd,' zei Nick. 'Blijf bij haar uit de buurt of ik zweer bij God dat ik je pijn zal doen. En je zult het niet zien aankomen.'

Het was wreed en tegen zijn natuur geweest, maar het had wel gewerkt. Toen hij Stephanie een paar weken later opbelde, meldde ze dat ze niets van Matthews had gehoord. En op zeker moment hadden ze samen in Brighton geluncht. Stephanie worstelde met de komst van Jimmy Higgins in haar leven. Het was duidelijk dat ze het gevoel had dat ze de jongen in bescherming moest nemen, maar het was ook duidelijk dat ze van hem genoot. Nick geloofde dat het wel goed zou komen met die twee en hij had geen bezwaar tegen het idee om een relatie te hebben met een vrouw die al een kind had. Hij vond Jimmy een leuk joch, ook al vond hij wel dat ze hem hadden verwend. Maar Stephanie was van plan daar langzaamaan verandering in te brengen.

Ondanks zijn opwinding hadden ze het kalmpjes aan gedaan. Nick dacht dat ze nu bijna een punt hadden bereikt waarop ze konden zeggen dat ze iets met elkaar hadden. Het was wel duidelijk dat hij van Stephanie hield. Hij wist alleen niet zeker of hij er klaar voor was om zijn persoonlijke ruimte met iemand te delen. Hoeveel ruimte zou er voor de muziek zijn als hij met een partner en een kind samenwoonde?

Maar hij had er desondanks alles voor over om Jimmy terug te vinden. En op dit moment dacht hij dat hij meer kans maakte dan Vivian McKuras om de verblijfplaats van Pete Matthews uit iemand in een opnamestudio in Detroit te krijgen.

Nick startte de motor en reed naar zijn kantoor. Hij wilde de stilte en de veiligheid van een vaste telefoonlijn voor zijn volgende telefoontje, en zijn werk was dichterbij dan zijn huis. Wat hem betreft was deze hele zaak tegen het ontbijt opgelost. En Stephanies dankbaarheid zou evenredig groot zijn.

48

Stephanie keek met hangende schouders omlaag naar haar handen. De kleur was uit haar gezicht verdwenen. Geen Engelse rooskleur meer nu. Volgens Vivian hadden de gebeurtenissen van de dag haar getuige er eindelijk onder gekregen. Er was een grens aan hoeveel adrenaline het lichaam kon produceren. In praktisch opzicht moest ze over niet al te lange tijd tot een besluit komen over wat ze met Stephanie zou doen. Er was geen aanleiding om haar in hechtenis te houden. Ze was zonder twijfel een doorslaggevend getuige, maar er was ook geen enkele reden om aan te nemen dat ze het land uit zou vluchten en zou weigeren bij mogelijke toekomstige gerechtelijke acties te getuigen. Vivian had niet de indruk dat Stephanie iemand was die zou vluchten zodra ze weer vrij was om te gaan en staan waar ze wilde.

Maar uit haar verhaal was wel duidelijk geworden dat er een mediastorm rond haar persoon zou losbreken, zelfs wanneer het alleen maar om de Britse media zou gaan. Vivian wilde Stephanie daartegen in bescherming nemen. Omdat haar in hechtenis nemen zwaar overdreven zou zijn, zou het misschien het beste zijn om onder een andere naam een kamer in een vliegveldhotel voor haar te boeken.

'Hoe voel je je?' vroeg ze.

Stephanie haalde haar schouders op. 'Uitgeput,' zei ze. 'Ik ben op, maar ik ben te druk in mijn hoofd om te slapen.' Niet dat ze zin had om het te proberen. Het laatste wat ze wilde was de deur openzetten voor de nachtmerries die Jimmy's verdwijning zou kunnen oproepen. Haar fantasieën waren in wakende toestand al erg genoeg.

'Waarom denk je dat ze ervoor gekozen hebben om Jimmy hier te ontvoeren? Op een vliegveld in Amerika?' vroeg Vivian. 'Dat vind ik nog altijd vreemd. Het lijkt me nodeloos gecompliceerd. Er moeten bij jullie in Engeland toch wel eenvoudigere mogelijkheden zijn geweest?'

Stephanie haalde een hand door haar haar. 'God, dat weet ik niet. Misschien proberen ze zo de aandacht van zichzelf af te leiden.'

'Hoe bedoel je?'

'Als Jimmy in Groot-Brittannië was ontvoerd, zouden de autoriteiten zich op een kleine kring verdachten hebben gericht. Wie kent hem? Wie haat mij? Wie kwam met hem in contact? Maar hier word je gedwongen met meer mogelijke verdachten rekening te houden, zodat je gaat denken: nee, wacht eens even, zo simpel kan het niet zijn, want waarom zouden ze het dan niet in Engeland doen?'

Voordat Vivian antwoord kon geven, klonk er een klop op de deur, die al snel werd gevolgd door het hoofd en de schouders van Don Abbott. 'Het spijt me dat ik jullie weer moet onderbreken,' zei hij. 'Kan ik je even spreken, agent McKuras?'

Vivian stak een vinger op naar Stephanie en kwam overeind. Zodra ze de deur achter zich had gesloten trok ze vragend haar wenkbrauwen op. 'Nieuws?' vroeg ze gretig.

'Min of meer,' zei Abbott. Hij wreef in zijn ogen. 'Ik wil je wel vertellen, wat ik zeker niet ga doen wanneer ik eindelijk thuiskom, is televisiekijken. Mijn ogen branden als een gek.' Hij wierp haar een vermoeide glimlach toe. 'We hebben een klein beetje vooruitgang geboekt. We weten inmiddels waar hij zich heeft omgekleed. De controlekamer zal een filmpje van de beelden van het gesloten videosysteem naar je computer doorsturen. Ze hebben uiteindelijk het toilet gevonden van waaruit de dader in op een uniform van de luchthavenbeveiliging lijkende kleding naar buiten komt. Vervolgens stonden ze voor de kloteklus om elke vent die er naar binnen ging te vergelijken met het beeld van hem toen hij naar buiten kwam. Ik zal je vertellen, Vivian, je denkt misschien dat jij vandaag een zware klus hebt, maar je zou God op je blote knieën moeten danken dat je niet naar beveiligingsbeelden hebt zitten kijken tot je ogen ervan uit hun kassen rolden.'

'Ik ben je dankbaar. Geloof me. Hebben jullie iets gevonden?'

Hij knikte. 'Er komt een vent binnen, met een zwart T-shirt en een zwarte broek aan, een baseballcap op en een lichtgewicht nylon rugzak om. Maar nu komt het: hij heeft een baard en een snor. Hij ziet er totaal anders uit dan de ontvoerder. En hij komt nooit meer naar buiten. Dat is onze man, Vivian.'

Ze voelde opwinding opborrelen in haar borst. 'Dat is geweldig nieuws! We moeten dat beeld naar buiten brengen. Iemand moet naast hem hebben gezeten in het vliegtuig. Nu zijn we hem op het spoor. En die rugzak van hem? Waar is die gebleven? Is er al iemand bezig met het doorzoeken van de vuilnisbakken in dat toilet?'

Abbott zuchtte geïrriteerd. 'Je hebt gelijk dat hij de rugzak heeft achtergelaten. Het slechte nieuws is dat het toilet twee uur nadat de dader er is geweest werd schoongemaakt. De vuilniszak bevindt zich ergens in een enorme berg afval. Aangenomen dat we over de mankracht zouden beschikken en over de wil om dat allemaal te doorzoeken, en aangenomen dat we het dan ook vinden, dan is de bewakingsketen toch al doorbroken. We kunnen er helemaal niets mee doen. Het ding is weg, Vivian.'

'Shit. Zijn de mensen in de controlekamer bezig met beelden terugkijken tot het moment dat hij een gate binnenkwam?'

'Daar zijn ze op dit moment mee bezig. Maar reken er nu niet op dat dat substantiële aanknopingspunten zal opleveren. Het was allemaal tot in de puntjes geregeld. Hij zal bij het vliegen geen gebruik van zijn eigen identiteitsbewijs hebben gemaakt. Hij zal een vals rijbewijs hebben. Of iets wat hij gestolen heeft.'

'Ik weet het. Maar het is alles wat we hebben.'

'En de getuige heeft ook niet echt iets?'

Vivian haalde haar schouders op. 'Een paar mogelijke aanwijzingen, maar niets wat in harde wind overeind zou blijven staan. Ik zal haar naar de nieuwe videobeelden laten kijken en zien of ze iemand herkent. Maar reken nergens op.'

49

Nick Nicolaides wilde wedden dat hij een belangrijk voordeel genoot ten opzichte van zijn Amerikaanse collega's. Hij dacht niet dat een van hen net zo bekend was als hij met de manier waarop de muziekindustrie werkte. Hij had genoeg naam gemaakt om verschillende keren door bevriende professionele muzikanten als begeleidingsgitarist voor opnames te worden ingehuurd, en hij had heel wat lange nachten doorgebracht in de controleruimte van studio's om daar de producers en geluidstechnici aan het werk te zien. Hij was thuis in hun wereld. Hij begreep hoe hij met hen moest communiceren. Hoe hij kon vermijden dat hij hen tegen zich in het harnas joeg en hoe hij hen kon overhalen.

Nick zette een handsfree headset op en legde een notitieboekje en een pen klaar. Een paar toetsaanslagen en muisklikken later had hij een telefoonnummer voor South Detroit Sounds gevonden. Het was daar nog vroeg in de avond. De kans was groot dat de band nog aan het werk was. Het werd tijd om uit te vinden of Pete er was of niet. Nick toetste het nummer in en hield zijn adem in.

De telefoon werd opgenomen door een traag en lijzig, maar vriendelijk pratende man. 'South Detroit Sounds, we zijn er om muziek voor u te maken. Waarmee kan ik u van dienst zijn?'

'Ik had gehoopt dat u me zou kunnen helpen,' zei Nick met het soort heldere en beleefde Engelse stem waarvan Amerikanen in vervoering raken. Hij zou nooit zo gaan klinken als zo'n verfijnde meneer van de televisie, maar na al die jaren in Londen kon hij zijn noordelijke klinkers zo nodig grotendeels verhullen.

'Het zou me een genoegen zijn, meneer. Wat kan ik voor u betekenen?'

'Ik geloof dat een van mijn vrienden achter de knoppen zit bij de Style Boys. Pete Matthews?'

'Klopt, ik ken Pete wel. Hij is hier op het moment niet. Ze hebben een vrije dag genomen. Morgen is hij er wel weer, misschien kunt u dan bellen?'

Eerste slag voor Pete Matthews, dacht Nick. 'Dat meent u niet? Ik ben maar één avond in Detroit. Ik vlieg morgenochtend door naar St. Louis.'

'Dat is klote. Misschien kunt u hem opbellen om iets af te spreken.'

'Dat was het eerste wat ik heb geprobeerd. Maar ik denk dat hij zijn Engelse mobieltje niet gebruikt. Ik krijg zelfs zijn voicemail niet. Heeft u misschien een ander nummer van hem?'

'Natuurlijk. Blijf even hangen, ik ben zo terug.'

Nick zat in stilte aan zijn bureau te pulken, terwijl hij in gedachten naar Bert Jansch luisterde. De Amerikaan kwam al snel weer terug aan de telefoon en las hem een mobiel nummer voor. Twee slagen in één keer. Tot dusver liep alles gesmeerd. Nu hing het er alleen nog maar van af of Nick zijn laatste list kon laten slagen. 'Dat is fantastisch, heel erg bedankt. En mag ik nu heel brutaal zijn? De accu van mijn telefoon is bijna leeg, en als ik Pete niet meteen te pakken kan krijgen, ben ik bang dat hij me niet meer zal kunnen terugbellen. Zou u me daarom heel misschien zijn adres kunnen geven? Als ik er dan niet doorheen kom, kan ik gaan kijken of hij thuis is. En als hij er niet is, kan ik in ieder geval een briefje achterlaten.' Hij antwoordde niet onmiddellijk. 'Het is zo jammer om hier te zijn en geen kans te zien hem te ontmoeten. Luister, ik begrijp volkomen dat u zijn adres niet zomaar wilt geven. Als ik hem niet te pakken kan krijgen, kom ik wel even langs de studio om daar een briefje achter te laten.'

'Nee, je bent wel oké. Laat me even gaan kijken.'

Deze keer moest Nick langer wachten. En de stem aan de andere kant van de lijn was ook een andere. En gebiedender. 'Dus u bent op zoek naar Pete?'

'Dat klopt. We zijn oude vrienden.'

'Waar kent u Pete dan van?'

'Ik heb wat opvulgitaarwerk gedaan bij de laatste opnames van Pill Brick,' zei Nick zo nonchalant als hij kon. Maar hij begon het somber in te zien. 'We kenden elkaar daarvoor ook al wel, maar tóén zijn we pas echte vrienden geworden. Luister, als het een probleem is... Ik wil u niet in verlegenheid brengen.'

'Het is oké, je klinkt wel als het echte werk,' zei de man. 'En ik geloof niet dat Pete zich voor iemand schuilhoudt. Heb je een pen bij de hand?'

En daar was het dan. Derde slag. Een adres van Pete Matthews. Iets tastbaars om de mensen ter plaatse te geven.

Vivian beëindigde het telefoontje en onderdrukte het verlangen om uit haar stoel te springen en een dansje te doen. Dat werd binnen de FBI, waar een high five geven amper werd geaccepteerd, over het algemeen niet als een passende reactie op positief nieuws beschouwd. Stephanie leefde op tijdens het telefoongesprek, ook al had Vivian haar best gedaan om wat ze zelf zei opzettelijk vaag te houden. Nu glimlachte ze. 'Die brigadier Nicolaides is wel een charmeur, zeg,' zei ze. En omdat ze Stephanie zag blozen, voegde ze er nog aan toe: 'Professioneel gezien, bedoel ik dan natuurlijk. Want hij heeft een zeer interessant stukje informatie weten los te krijgen, Stephanie. Pete Matthews is niet in Londen. Hij is zelfs niet in Groot-Brittannië. Hij is hier, in Amerika. En niet alleen in Amerika, hij is in Detroit.' Ze ging achterover zitten en leek het toonbeeld van vastberaden vreugde.

Stephanie leek het nauwelijks te durven geloven. 'Mijn aardrijkskundige kennis van Amerika is niet zo groot. Hoe ver is dat hiervandaan?'

'Ongeveer vijf uur rijden via de snelweg,' zei Vivian, die haar stoel naar achteren duwde en overeind kwam. Ze keek op haar horloge. 'Als Matthews degene is die Jimmy heeft ontvoerd, dan heeft hij tijd zat gehad om naar Detroit terug te keren en een pizza te laten bezorgen.'

'Ik kan het niet geloven,' zei Stephanie. 'Een paar minuten geleden had ik het gevoel alsof ik in een nachtmerrie zat. Een compleet verbijsterend mysterie. En nu... Zou het werkelijk het werk van die kwaadwillende klootzak zijn? Al deze ellende omdat ik nee heb gezegd tegen een bullebak?'

Vivian zette een vriendelijk gezicht op en begon zachter te praten. 'Het is niet jouw fout, Stephanie. Jij hebt het allemaal goed gedaan. Hij is degene die schuld heeft.'

'En wat nu?'

'Brigadier Nicolaides heeft echt goed werk verricht. Hij heeft een mobiel nummer voor ons te pakken gekregen en het adres waar Matthews verblijft. Dus ik stel voor dat we gaan rijden. Ik wil dat je met me meekomt, want als we Jimmy vanavond terugvinden, wat ik hoop, dan is het belangrijk dat je er bent zodat hij zich weer veilig en zeker kan voelen.' Ze maakte een schepbeweging met haar handen ten teken dat Stephanie moest opstaan en zich klaar moest maken om te vertrekken. 'Lia, ik weet dat de bagage van Stephanie en Jimmy al gescand en doorzocht is. Zou je iemand de tassen naar mijn kantoor kunnen laten brengen? We moeten zo snel mogelijk op pad.'

Lopez keek chagrijnig. Ze stelde het duidelijk niet op prijs om als bagagemedewerker behandeld te worden. Maar er was geen tijd te verliezen. Het leven van een kind kon op het spel staan. Ze bromde wat en pakte Stephanies handbagage op, waarna ze met ferme pas het kantoor uit liep, de houding van haar schouders sprak duidelijke taal.

'Volg mij,' zei Vivian, die door de deur de gang in liep. Ze had haar telefoon al aan haar oor. 'Abbott, we kunnen aan de slag. Ik heb een adres voor onze hoofdverdachte... Detroit. Kom naar mijn kantoor toe. Je moet ons rijden, want ik zal met name aan de telefoon zitten... natuurlijk. Bedankt.'

Tot dat moment had Vivian alleen maar kunnen laten zien hoe goed ze met mensen was. En dat zat wel meer dan goed. Maar ze hield ervan wanneer de zaakjes aan het rollen kwamen en ze haar instinct voor actie kon volgen. Nu moesten er mensen worden geregeld, instructies worden gegeven en was er sprake van een zoektocht die naar zijn natuurlijke einde kon worden gevolgd. En onderweg viel waardering te oogsten. Niet dat ze om die reden haar werk deed, maar het kon geen kwaad.

Ze waren amper het kantoor uit, toen een verfomfaaide Abbott kwam aanlopen, zo blij als een kind vlak voor een beloofd uitje. Vivian nam Stephanie mee naar haar auto, waarna ze terugreden naar de stoep voor de aankomst- en vertrekhal, waar Abbott naast zijn bagage stond te wachten. Hij gooide de tassen achter in de suv, verdreef Vivian van de bestuurdersstoel en scheurde weg naar de snelweg. 'De grootste drukte op de weg is al voorbij,' zei hij, terwijl hij stevig gas gaf en de auto voor hen met lichtsignalen te kennen gaf dat hij opzij moest gaan.

'Als jij er ook maar veilig voorbij blijft gaan,' zei Vivian, die haar telefoon alweer in haar hand had. De eerste die ze belde, was haar baas. Ze vertelde hem in het kort wat ze hadden en waar ze naartoe gingen. 'De plaatselijke ordehandhavers moeten het scenario bekijken voordat we er aankomen,' zei ze. 'En we hebben plaatselijke technische ondersteuning nodig. We moeten weten of Matthews thuis is, en als dat zo is, of hij alleen is. Misschien hebben we afluisterapparatuur nodig... Jawel, meneer. Vijf uur, op zijn hoogst. Ik heb de moeder bij me.' Ze sloot het gesprek af en slaakte een enorme zucht. Ze draaide zich om, zodat ze door de opening tussen de stoelen Stephanie kon aankijken en zei: 'Mijn baas overlegt nu met het plaatselijke FBI-kantoor en de plaatselijke politie. Ze gaan bekijken of er iemand thuis is. Wanneer er iemand thuis is, zullen ze afluisterapparatuur en thermische scans gebruiken om te zien hoeveel mensen er zijn en waar ze zich in huis bevinden. En wanneer we denken dat Matthews thuis is en Jimmy bij zich heeft, zullen we een SWAT-team een reddingsoperatie laten uitvoeren.' Vivian praatte snel en blaakte van zelfvertrouwen. Ze kon zien dat haar zelfverzekerdheid oversloeg op Stephanie, die erdoor opgemonterd werd en er weer hoop door kreeg.

'Zei je nou dat we naar Corktown gaan?' vroeg Abbott zonder zijn ogen van de weg af te nemen.

'Ja. Hoezo?'

'Als we een ontmoetingsplek nodig hebben, weet ik daar een geweldig barbecuerestaurant.'

Vivian rolde met haar ogen. 'Het draait niet altijd om jouw maag, Abbott.'

'Ik zeg het alleen maar.'

Stephanie schraapte haar keel. 'Ik ben ervan overtuigd dat de barbecue in Detroit heerlijk is en ik wil niet moeilijk doen, maar als we eerst nog vijf uur moeten rijden, dan kan ik wel wat te eten gebruiken. Het is lang geleden dat ik iets anders heb gegeten dan een koude cheeseburger.'

'Dat is geen onredelijk verzoek,' zei Abbott. 'Zodra we een afrit met een paar snackrestaurants zien, rijden we ernaartoe om wat in te slaan.'

'Sorry, Stephanie,' zei Vivian. 'Daar had ik zelf aan moeten denken.'

'Ze heeft de neiging door te draven,' zei Abbott. 'Op een goede manier, bedoel ik. We zullen u te eten en te drinken geven, en met wat geluk zult u uw mannetje vanavond weer in uw armen kunnen sluiten.'

50

Het joch was eindelijk in slaap gevallen. Nadat Pete hem had geslagen vanwege zijn zeurderige gehuil, had de jongen nog een paar keer geschreeuwd, totdat het uiteindelijk tot hem was doorgedrongen dat hoe meer hij jammerde, hoe meer klappen hij kreeg. Toen was het kind gestopt met huilen en hij was zachtjes jammerend in de verste hoek van het bed gekropen. Pete was naast hem komen staan, dreigend en duister, en hij had geen woord hoeven zeggen om de jongen van een onbeschrijfelijke angst te vervullen.

Toen schoot hem te binnen dat die kleine etter zichzelf waarschijnlijk onder zou pissen, dus hij greep hem bij zijn arm en sleurde hem naar het toilet met het fonteintje vlak onder de dakrand. Hij trok de broek van de jongen omlaag en liet hem op de pot zitten. Eerst lukte het de jongen niet eens om wat druppels voort te brengen. Maar toen Pete zich vol afschuw afwendde, stroomde de urine eruit, met een sterke en warme geur. Het joch veegde zich stuntelig af en rende terug naar bed voordat Pete hem kon grijpen. Daar zat hij in elkaar gedoken in de hoek, met grote, bruine en van angst opengesperde ogen.

Pete sloot hem weer in en ging naar beneden, waar hij zijn iPad een willekeurige selectie nummers van Peter Gabriel liet afspelen. Hij ging op de sofa liggen en liet de muziek als een rivier over zich heen komen. Toen het nummer 'My Body Is a Cage' werd afgespeeld, werd hij weer alert en ging rechtop zitten. Hij concentreerde zich op de manier waarop de muziek in elkaar gevlochten was, probeerde de keuzes te achterhalen die men bij de mix had gemaakt en vroeg zich af wat hij anders gedaan zou hebben. Aan het einde van het nummer liep hij naar de iPad toe en bladerde door de tracks tot hij hetzelfde nummer in de versie van Arcade Fire had gevonden. Hij luisterde er net zo geconcentreerd naar, terwijl hij probeerde te ontdekken waarom hij het origineel zoveel minder krachtig vond dan de cover.

Het zou mooi zijn geweest als Stephanie nu bij hem was. Dan zou hij haar kunnen uitleggen waarom kleine keuzes bij het opnemen van muziek grote verschillen maakten. Maar ze was er niet. En dat was onaanvaardbaar.

Hij pakte nog een biertje uit de koelkast en ging nog een keer bij de jongen kijken. Maar nu sliep hij en lag met zijn armen en benen uitgestrekt op het bed, zijn duim in zijn mond en zijn haar vochtig van het zweet. Pete vond deze inbreuk op zijn wereld maar niets, maar het zou niet voor lang zijn. Dan kon hij zich richten op het oplossen van zijn problemen met Stephanie, zodat zijn wereld weer in de juiste staat zou worden teruggebracht.

Dat was waar het om ging, niet om die kleine etterbak met zijn zachte gesnik en zijn trillende voeten. De zaken waren lang genoeg niet in orde geweest. Nu werd het tijd om het evenwicht weer te herstellen.

Pete liep geeuwend naar de grote slaapkamer op de verdieping eronder. Het zou nog niet zo'n slecht idee zijn om eens vroeg naar bed te gaan. Hij had de laatste tijd weinig geslapen en de band verwachtte morgen een volle dienst van hem. Hij nam nog een slok bier en ging op de rand van het bed zitten, waarna hij zijn laarzen uittrok en zich achterover op het bed liet vallen.

Binnenkort zou hij terug in Engeland zijn, met Stephanie aan zijn zijde. Binnenkort.

51

Tegen de tijd dat ze zich bij de plaatselijke FBI-agenten voegden in het motel in Corktown dat ze als commandocentrum gebruikten, was Stephanie de tel kwijtgeraakt hoeveel uur ze al wakker was. Er waren tijdens de rit een paar momenten geweest dat ze zichzelf voelde afglijden naar surrealistische dromen, maar ze was telkens weer wakker geschrokken voordat ze echt in slaap zou vallen. Het was alsof haar geest haar niet kon toestaan dat ze zou versuffen, niet nu de kans dat ze Jimmy zouden vinden zo reëel was. Maar haar lichaam wist hoe moe ze was. Ze voelde een lichte, zeurende pijn in haar linkerbeen, die haar deed knarsetanden.

Vivian McKuras had de hele reis bijna voortdurend zitten bellen. Stephanie had haar best gedaan om te horen wat ze zei, maar Vivian zat over haar telefoon gebogen en de SUV maakte te veel lawaai om meer dan wat losse woorden te kunnen oppikken.

Op de verkeersborden stonden plaatsnamen die ze herkende, zonder echt te weten waarvan. Kalamazoo, Lansing, Ann Arbor. Vlak nadat ze Ann Arbor voorbij waren, boog Vivian zich naar haar toe om met haar te praten. Zelfs in het zwakke licht van de dashboardverlichting kon Stephanie zien dat ze blij was. 'Ik heb wat veelbelovende informatie van het team ter plaatse gekregen,' zei ze.

'Hebben ze Jimmy gevonden?' Stephanie voelde zich beverig en greep de stoel voor zich vast.

'Ze hebben het adres gevonden waar Pete Matthews een woning heeft gehuurd. Het is een tussenwoning...'

'Wat is een tussenwoning?'

'Dat is wanneer een huis vastzit aan de huizen aan weerszijden ervan. Ik dacht dat Groot-Brittannië er vol mee stond?'

'Dat is ook zo, maar wij noemen het rijtjeshuizen. Niet tussenwoningen.'

Vivian knikte. 'Dat is het bekende verhaal van verdeeld zijn door een gemeenschappelijke taal. Het spijt me. Oké. Matthews woont dus in die tussenwoning. Hij was vandaag niet op zijn werk. De band waarvoor hij studiowerk doet heeft een vrije dag genomen. We hebben met de buren gesproken en kunnen op hun medewerking rekenen. Dankzij thermische scans en zeer gevoelige microfoons hebben we kunnen vaststellen dat er zich twee mensen in het huis bevinden. Iemand op de bovenverdieping en een tweede in de zolderkamer. Nu wil ik je niet te veel hoop geven, maar een van de buren meldde dat ze eerder op de avond dacht een huilend kind te horen. Rond een uur of acht.'

'Jimmy,' riep Stephanie.

'We kunnen niet met zekerheid te weten komen of het om Jimmy gaat. Maar die buurvrouw zegt dat het de eerste keer is dat ze een kind in het huis heeft gehoord. En dat is... Dat is dan wel heel toevallig.'

'Waarom zou er een ander kind dan Jimmy zijn? Hij had toch meer dan genoeg tijd om hier weer om acht uur terug te zijn?' Stephanie schreeuwde haast van opwinding.

'Dat zou hij inderdaad makkelijk hebben gered. Maar ik moet je waarschuwen, Stephanie. We kunnen pas met zekerheid zeggen dat het kind inderdaad Jimmy is, wanneer we het huis binnengaan en hem terugvinden. En nu moet ik je een heel belangrijke vraag stellen. Weet je of het waarschijnlijk is dat Pete Matthews over wapens beschikt?'

Stephanie voelde de schok van de vraag als een lichamelijke druk op haar borst. 'Waarom zouden jullie dat denken? Hij heeft nooit enige interesse getoond in vuurwapens of messen of dat soort zaken. Hij houdt niet eens van actiefilms.'

'We moeten het vragen. We zullen een team naar binnen sturen en we moeten op alle eventualiteiten voorbereid zijn. Weet je zeker dat hij op reis geen wapen draagt? Denk eraan, dit is een land waar je eenvoudig aan wapens kunt komen, als je lak aan de wet hebt.'

Stephanie schudde heftig haar hoofd. 'Nooit. Het zou nooit bij hem opkomen. Ik weet niet hoe ik u dat kan laten begrijpen, maar hoewel hij me bedreigde en me echt bang maakte, is hij niet het soort man dat gewelddadig reageert. In al die tijd dat ik hem heb gekend, heeft hij nog nooit ruzie gezocht in een kroeg en is hij ook nooit bij een vechtpartij betrokken geraakt of zoiets. Hij veracht gewelddadige mannen. Hij is een dwingeland, geen vechtjas.'

344

Vivian klopte haar op haar arm. 'Dat is goed om te weten, dan kan ik dat aan onze mensen doorgeven.'

'Wat gaat er nu gebeuren?'

'Onze mensen houden het huis in de gaten. We gaan nu praten met de leider van het team dat de reddingsoperatie zal uitvoeren, zodat hij je wat Jimmy's veiligheid aangaat kan geruststellen. En dan is het afwachten, ben ik bang. Don zal bij jou blijven, terwijl ik met het team zal meegaan. Het gaat goed komen, Stephanie.' Dat was moeilijk te geloven, maar Stephanie klampte zich aan die woorden vast.

Het was rustig in het motel. De nachtportier leek zich te vervelen, alsof er om de haverklap grootscheepse FBI-operaties plaatsvonden tijdens zijn dienst. Hij verwees hen naar een kleine vergaderzaal verderop in de gang, waar twee mannen op hen zaten te wachten. Stephanie had het gevoel dat ze in een konijnenhol was gevallen om er in een *Die Hard*-opname weer uit tevoorschijn te komen. Beide mannen waren lang en breedgeschouderd en waren gekleed in zwarte uniformen, compleet met lichaamsbepantsering en koppelriemen die Batman zouden beschamen. Ze hadden allebei vierkante gezichten en onverstoorbare ogen. Het enige wat hen van elkaar onderscheidde, was de bovenste helft van hun hoofd. Een van hen had kastanjebruin stekeltjeshaar en de ander had zijn haar zó kort geschoren dat het onmogelijk uit te maken was wat voor haarkleur hij had. Er lagen twee opzijgelegde helmen op de vergadertafel. Het aan elkaar voorstellen ging in een waas aan Stephanie voorbij. Het enige waarom ze gaf, was Jimmy terugkrijgen. Ze kon hem al bijna in haar armen voelen.

De agenten begonnen de operatie door te spreken, maar ze volgde het gesprek niet. Na een paar minuten onderbrak ze hen: 'Kan ik mee naar het huis? Ik beloof dat ik niet in de weg zal lopen. Maar ik wil dat Jimmy zich zo snel mogelijk veilig voelt. Ik zou er moeten staan wanneer jullie hem naar buiten brengen.'

'Daar kan geen sprake van zijn, mevrouw,' zei Kastanjebruin.

Ze kreeg ineens een ingeving. 'Jullie zullen me nodig hebben als het op een gijzelingssituatie uitloopt,' zei ze geslepen. 'Het zou tijd besparen om me dan daar al te hebben.'

Vivian glimlachte spottend. 'Ze heeft wel een punt. Ik zeg dat we haar meenemen.'

De mannen in het zwart staken de hoofden bij elkaar. Geen van beiden leek er blij mee te zijn, maar uiteindelijk stemden ze toe. Stephanie mocht in een van de commandovoertuigen gaan zitten.

Ze liep tevreden met zichzelf achter hen aan naar het parkeerterrein. Na nog geen kilometer te hebben gereden, parkeerden ze achter een grote, onopvallende bestelwagen. De twee mannen in het zwart splitsten zich van hen af en verdwenen in de nacht, terwijl Vivian op de deur van de bestelwagen klopte. Ze liet haar identiteitsbewijs zien, waarna ze allebei naar binnen klommen. Er zaten twee mannen en een vrouw over een batterij beeldschermen en communicatieapparatuur gebogen, met hun headsets strak op hun hoofd. Vivian legde uit wie Stephanie was, waarna de vrouw haar met een brom begroette en met haar duim naar een klapstoeltje in de verste hoek wees. 'Ga daar zitten. U wordt hier slechts gedoogd, dus loop ons niet voor de voeten.'

Stephanie deed wat haar gezegd was. De beeldschermen vertelden het soort verhaal dat door iedereen kon worden gelezen die maar genoeg politieseries op televisie had bekeken: een overzichtsbeeld van een straat met aantrekkelijke, door straatlantaarns verlichte, bakstenen rijtjeshuizen. Een vooraanzicht en achteraanzicht van één bepaald huis. Het veelkleurige thermische beeld van een huis met twee vage gedaanten erin. Een beeldscherm waarop een continu veranderende reeks beelden te zien was van mannen die hun bepantsering en hun wapens klaarmaakten of gasmaskers en nachtkijkers opzetten, beelden die allemaal duidelijk van een helmcamera afkomstig waren. Ze nam aan dat alle mannen met dat soort camera's waren uitgerust.

De vrouw zei: 'Klaar...' En vervolgens kwam het caleidoscopische beeld van het aanvalsteam samen tot één uitzicht op de stoep voor het huis. 'Af, en gaan, gaan!' zei ze bits.

Het vervolg was als een film, maar dan zonder geluidsband. De voordeur en de achterdeur werden open geramd, en er rolde een stungranaat door de gang. De mannen stroomden via de voorzijde en de achterkant naar binnen. Stephanie stelde zich het lawaai en de rook en de geur en de schok van dat alles voor. Jimmy zou doodsbang zijn. Maar Pete ook. En die gedachte wist wel een glimlach op haar gezicht te toveren.

Hun gelaarsde voeten stampten de trap op en gingen een slaapkamer binnen. Door een rooknevel zag ze hoe Pete met de lakens tegen zijn borst gedrukt snel achterwaarts tegen de muur kroop, terwijl zijn mond bewoog en stil geschreeuw voortbracht. Ze keek gefascineerd toe hoe drie van hen hem naakt van bed sleurden en hem tegen de grond wierpen, waarna ze hun geweren op zijn hoofd richtten. Ze deden hem handboeien om en trokken hem weer overeind.

Het beeld veranderde, en nu gingen ze een andere trap op. Er lag een stapel beddengoed op een hoopje in de hoek van de kamer. Een van de mannen stapte naar voren en nam het in zijn geheel in zijn armen. Alles wat Stephanie kon zien, was de bovenkant van een hoofd met warrig, donker haar en de uitgestrekte arm van een kind dat zich aan de nek van de FBI-agent wilde vastklampen. Maar dat was voldoende.

Voordat iemand haar kon tegenhouden, had ze de deur van de bestelwagen open gekregen en rende ze over straat, zonder ergens anders op te letten dan op het huis dat ze op de beeldschermen had gezien. De tranen liepen over haar wangen terwijl ze rende en haar mond vormde een stralende, brede glimlach. Toen ze dichterbij kwam, liep de agent die het kind in zijn armen had de deur uit en daalde af naar straatniveau.

Stephanie stortte zich op de man en trok de lakens van het hoofd van het kind af. Grote bruine ogen keken, opengesperd van angst en verbijstering, in de hare. Maar in plaats van haar armen om hem heen te gooien, deinsde Stephanie terug, met een van afgrijzen vertrokken gezicht.

Wie die jongen dan ook was, Jimmy was hij niet.

Deel 3

VERVOLGING

I

Vliegveld Heathrow, Londen, drie dagen later

Stephanie trok haar twee koffers van de bagageband en sleepte zich naar de rij passagiers die niets aan te geven hadden. Ze stond op het punt door te lopen, toen er een man in pak voor haar ging staan. 'Mevrouw Harker? Mevrouw Stephanie Harker?'

Niet weer. Niet nu, dacht ze. 'Ja, dat ben ik,' zei ze, bijna te uitgeput om te praten.

'Als u deze kant op zou willen lopen?' Hij maakte een gebaar terug naar de bagagehal.

'Wie bent u?'

'Ik ben van de immigratiedienst. Als u me zou willen volgen?'

'Heb ik dan een keuze?' Het was niet meer dan symbolisch verzet, en dat wist hij. Stephanie draaide zich om en volgde hem door een deur naar weer een achtergang van een ander vliegveld. Het was een omgeving die braakneigingen in haar opriep. Al die uren met Vivian McKuras, en waarvoor? Verlegenheid alom en een triomfantelijke Pete Matthews, die met leedvermaak opschepte over welk bedrag hij als schadevergoeding van de FBI ging eisen.

De man deed een deur open en deed een stap naar achteren om aan te geven dat ze naar binnen moest gaan. En voor het eerst in dagen fleurde Stephanie een klein beetje op. Want er zat geen vreemde aan tafel in de verhoorkamer. Het was Nick Nicolaides, en toen ze naar binnen liep sprong hij overeind en trok haar in een omhelzing dicht tegen zich aan, terwijl zijn hand in een tijdloos gebaar van troost over haar rug wreef. Hij legde zijn hoofd boven op het hare en zei: 'Het spijt me, liefste. Het spijt me dat je zo moet lijden, het spijt me voor Jimmy en het spijt me dat je dit allemaal alleen hebt moeten doormaken.'

Stephanie sloot haar ogen en nam zijn heel eigen geur in zich op. Zelfs net onder de douche vandaan rook Nick als zichzelf. Het was mateloos geruststellend. Drie dagen lang had ze niets gehad wat haar aan haar eigen leven verankerde, alleen maar een sterker wordend gevoel van ellende, met breuklijnen van crisis en onheil. 'Dank je,' mompelde ze.

Ze bleven elkaar zolang als ze nodig vonden omhelzen, zonder iets te zeggen. Toen tikte Stephanie hem zachtjes op zijn schouder, waarna ze iets uit elkaar gingen en elkaars handen vasthielden alsof ze elkaar niet helemaal konden loslaten. 'Bedankt dat je gekomen bent om me op te vangen,' zei ze.

'Ik heb tegen mijn baas gezegd dat je een politie-escorte nodig hebt, en dat was hij met me eens.'

Ze lachte droogjes en vreugdeloos. 'Goed verhaal.'

Nick trok een gezicht. 'Het is niet alleen maar een verhaaltje, Steph. Er staat daarbuiten een mediacircus met jouw naam erop. Je had geen enkele reden om ervan te weten, maar Jimmy's ontvoering is het enige waarover het hier de laatste drie nieuwscycli gaat. En iedereen wil jouw verhaal horen over wat er is gebeurd. En daarom ben ik hier om je via de achteruitgang weg te brengen.'

Ze kreunde en legde haar hoofd weer tegen zijn borst. 'Ik neem aan dat het ook betekent dat ik niet naar huis kan?'

'Alleen als je wilt dat ze van zonsopgang tot zonsondergang bij je op de drempel staan.' Hij draaide zijn hoofd half om, alsof hij haar niet in de ogen wilde kijken. 'Je zou in mijn appartement kunnen overnachten. Je zou meer dan welkom zijn. En als je alleen wilt zijn, kan ik wel bij een vriend gaan pitten.'

Deze keer wierp ze hem wel een warme glimlach toe. Nicks vrijgezellenappartement was verre van ideaal voor twee personen, maar dat was wel het minste waarover ze zich zorgen maakte. 'Ik zou nergens liever willen zijn. En evengoed bedankt, maar ik wil niet alleen zijn. Ik heb me de afgelopen drie dagen genoeg geïsoleerd gevoeld voor een heel leven.'

'Dat is dan geregeld. Kom op, tijd om te gaan. We praten in de auto wel verder.'

Tien minuten later waren ze op weg naar Londen, zonder een zichtbaar spoor achter te laten. 'Het zal daar wel één gestreste chaos zijn geweest; iedereen die probeert een ander de schuld te geven,' zei Nick.

'Volgens mij is een deel van het probleem dat er niemand is die ze de schuld kunnen geven. Eigenlijk kon niemand er echt iets aan doen. Gewoon een bizarre samenloop van omstandigheden.' Zo bizar dat het uren had geduurd om het uit te zoeken. Uren waarin Pete schreeuwde dat hij geen pedofiel was, dat hij verdomme gewoon op het kind paste. Ook al bevond hij zich aan het andere einde van de gang in het FBI-kantoor in Detroit, ze kon hem horen loeien als een opgehitste stier.

Toen eindelijk duidelijk werd hoe het in elkaar zat, bleek het doodsimpel te zijn. Tijdens zijn verblijf in Detroit had Pete aangepapt met Maribel, de dagreceptioniste van South Detroit Sounds. Wanneer ze met elkaar sliepen, was dat meestal bij haar, omdat dat makkelijker voor haar was dan een oppas voor de hele nacht voor haar zesjarige zoon Luis vinden. Maar toen haar moeder in Traverse City met een vermoedelijke beroerte met spoed naar het ziekenhuis werd gebracht, had Maribel Pete om hulp gevraagd. Ze had hem geen kans gegeven om nee te zeggen en had hem simpelweg het kind en de sleutels gegeven. Pete had besloten naar zijn eigen woning terug te gaan, waar hij een betere tv en betere muziekapparatuur had en waar hij Luis in de logeerkamer in bed kon stoppen. Vandaar de melding over een huilend kind en de twee lichamen die op de thermische scan te zien waren.

De volgende dag had bestaan uit een eindeloze evaluatie van wat er was misgegaan. En de media kregen natuurlijk lucht van de mislukte bestorming en voerden het gebeuren op als het zwart komische verhaal van de dag. Te midden van dat alles bleef Stephanie tegen iedereen die het maar wilde horen vertellen dat ze twee keer zo hard hun best moesten doen om Jimmy te vinden. Toen Vivian aan het gerechtelijk onderzoek wist te ontsnappen, verzekerde ze Stephanie dat ze er nog steeds aan werkten, maar dat ze geen aanknopingspunten hadden.

'We weten dat de ontvoerder vanuit Atlanta naar O'Hare is gevlogen. Maar dat vliegveld is ook een belangrijke doorvoerhaven. Hij kan overal wel vandaan gekomen zijn. En als hij niet probeert om het kind Amerika uit te krijgen, dan kunnen ze eenvoudigweg verdwijnen.' Vivian zag er pissig en opgejaagd uit. Waarschijnlijk door het rampscenario van haar carrière, dacht Stephanie.

Ze gingen zitten om de beelden van het gesloten videosysteem te bekijken waarop de bebaarde man te zien was die in een nepbeambte van de luchthavenbeveiliging was veranderd. Stephanie had geen idee wie hij zou kunnen zijn. 'Met die baard kan hij iedereen wel zijn,' klaagde ze.

'En de manier waarop hij loopt dan? Volgens mij loopt hij wat mank.'

Stephanie schudde haar hoofd. Na haar ongeluk had ze nog maandenlang fysiotherapie gehad om weer goed te leren lopen. Als het om beenletsel ging, kon ze het verschil tussen echt en nep wel zien. 'Hij doet alsof om zijn eigen manier van lopen te verhullen. Hij is er niet consequent in. Zie je dat? Kijk, hij ontwijkt dat kleine meisje in de centrale hal en valt daarbij uit zijn rol. Hij herstelt zich bijna onmiddellijk, maar volgens mij doet hij alleen maar alsof hij mank is.'

En daar hadden ze het bij gelaten. Er was geen vooruitgang meer, het was afwachten of de telefoontjes naar de hotline van Amber Alert iets zouden opleveren. Ze hadden niet gewild dat ze Amerika zou verlaten, maar Vivian vertelde haar hoe Nick zijn best voor haar had gedaan bij haar baas. Het eindoordeel waar hij telkens weer op terugkwam, was dat Stephanie eerst en vooral slachtoffer was. En dat ze een eerzame burger was, die zonder meer naar Amerika zou terugkeren om in eventuele toekomstige rechtszaken voor de rechtbank te getuigen. En dat ze als puntje bij paaltje kwam geen reden hadden om haar vast te houden. Dus ze konden haar maar beter op een vliegtuig naar huis zetten, of ze moesten van plan zijn haar naar Guantanamo Bay te sturen. Stephanie had duivels plezier in Vivians ogen gezien toen ze vermeldde dat Nick Guantanamo als troefkaart had uitgespeeld. Ze kreeg een donkerbruin vermoeden dat Vivian nu niet bepaald een voorstandster was van vasthouding op wettelijk gezien bedenkelijke gronden.

Dus daar stond ze dan. Ze voelde zich beroofd ondanks het feit dat ze maar negen maanden voor Jimmy had gezorgd. Zelfs niet lang genoeg om het adoptieproces af te ronden. Haar volgende gesprek met de maatschappelijk werker zou interessant worden. 'Het spijt me, ik geloof dat ik het kind kwijt ben...'

'Er is wel één positief punt,' zei Stephanie.

'Echt? Ik ben onder de indruk dat zelfs een optimist als jij nog iets goeds in deze puinhoop kan vinden,' zei Nick.

'Ik denk dat Pete eindelijk tot de conclusie is gekomen dat me op mijn huid zitten al die moeite niet waard is.'

Zelfs van opzij kon ze zijn scepsis zien. 'Ik hoop dat je dat over een halfjaar nog steeds kunt zeggen.'

Nick had zijn koelkast volgeladen met fruit, kaas en koud vlees. De broodtrommel zat vol met ciabattabroodjes, bagels en croissants. En Stephanie wist dat er net zoveel lekkere koffie zou zijn als ze zich maar zou kunnen wensen. Buiten gitaren en optredens waren eten en drinken de enige dingen waaraan hij zich te buiten ging. Maar nog meer zin dan in een late lunch had ze in een lange hete douche. De FBI had haar op een onderduikadres geplaatst, waarvan Stephanie vermoedde dat ze haar daar goed in de gaten konden houden, en niet alleen beschermen. Het leidde tot niets anders dan snelle douchesessies, waarbij ze ineengedoken als een zelfbewuste tiener na het schoolzwemmen onder de straal stond.

Toen ze onder de douche vandaan kwam, voelde ze zich bijna normaal. Nick had een keur aan voedsel uitgestald, en ze maakte een ciabatta met hummus, maïssalade en zongedroogde tomaten voor zichzelf klaar. Vervolgens gingen ze met hun broodjes en koffie elk aan een uiteinde van de ontbijtbar zitten. Een andere plek om te eten was er niet in het appartement. De woonkamer, met zijn prachtige uitzicht over Paddington Basin en West-Londen, was alleen comfortabel wanneer je een gitaar was. Of een gitarist.

'Wat gaat er nu gebeuren? Werk je nog steeds samen met de FBI?'

Nick blies een stroom naar koffie ruikende lucht uit. 'In theorie wel. Maar ze zijn niet bepaald onder de indruk van de kwaliteit van onze informatie.' Hij glimlachte somber.

'Het was niet jouw fout.'

'Nee, maar we zijn ver genoeg weg om als handige zondebok gebruikt te worden. Ze delen weinig informatie met ons, eigenlijk alleen maar wat dat heeft opgeleverd. Dus dat betekent dat ze ons alleen vertellen over alle via de hotline binnengekomen tips die niets hebben opgeleverd. Over actuele aanknopingspunten horen we niets.'

'Misschien hebben ze momenteel geen aanknopingspunten. Wanneer ze niets van de ontvoerders horen, zullen ze ook niet veel kunnen beginnen.' Haar eigen woorden sloegen haar koud om het hart. Ze duwde haar broodje van zich af en had geen honger meer.

'Ik heb wel een tekstbericht van Vivian ontvangen, waarin ze vraagt of we willen nakijken of de naam waaronder hij heeft gevlogen in onze bestanden voorkomt. Hij gebruikte de naam William Jacobs, maar ze kunnen niets vinden over het identiteitsbewijs dat hij voor de reis heeft gebruikt. De naam is hun en ons onbekend. Dus dat betekent het zoveelste doodlopende spoor.' Nick nam een hap van een bagel met pindakaas en roomkaas en kauwde zo hard dat ze de spieren in zijn kaak kon zien bewegen.

'Kan ik iets doen om te helpen?'

'Technisch gezien is er niets wat iemand van ons van hieruit kan doen, behalve wanneer ons rechtstreeks om internationale samenwerking wordt gevraagd.'

'Ondanks het feit dat Jimmy Brits staatsburger is?' Voor Nick hoefde Stephanie zich niet in te houden en kon ze haar verontwaardiging gewoon laten blijken.

'Het is een moeilijke kwestie. We kunnen onze hulp aanbieden, en dat hebben we ook gedaan, maar behalve als ze ons erom vragen, kunnen we ons niet in de jurisdictie van een ander land mengen.'

'Als het jouw zaak was, wat zou je dan doen?'

Nick streek zijn haar van zijn voorhoofd naar achteren en dacht even na. 'Ik zou me op de misdaad zelf richten, ik zou alle externe factoren wegstrepen en me afvragen wat er nu eigenlijk is gebeurd.'

'Hoe bedoel je?'

'Alle emotionele zaken die de ontvoering van een kind met zich meebrengt terzijde schuiven. Alles negeren behalve het vergrijp zelf.'

'Ik geloof dat ik het nog steeds niet begrijp.'

Nick keek over haar hoofd heen, terwijl hij nadacht over hoe hij het haar duidelijk kon maken. Ze herinnerde zich dat een van de dingen die ze zo fijn vond aan hem het feit was dat hij zijn intelligentie niet gebruikte om haar te kleineren of haar het gevoel te geven dat ze dom was. Hij wilde haar deelgenoot maken. Hij wilde haar niet domineren. 'Misschien is het het beste als we samen mijn hele gedachtegang doornemen. Wat is er gebeurd? Er is een kind ontvoerd. Was dit vergrijp een ingeving, een opportunistische daad?'

'Nee, duidelijk niet.' Stephanie legde zich neer bij een rol als het dommige hulpje.

'Was het gepland, maar willekeurig? Met andere woorden: wist de ontvoerder wel wat hij ging doen, maar nog niet welk specifiek doelwit hij zou uitkiezen?'

Stephanie fronste haar voorhoofd. 'Daar is moeilijker antwoord op te geven.'

'Maar ik denk dat we er wel een antwoord op kunnen vinden. Midden op de dag is het allesbehalve druk op een grote luchthaven. Er zijn dan minder reizigers en onze namaakbeveiliger loopt dus een grotere kans om door het echte beveiligingspersoneel te worden opgemerkt. Ik denk dat er bij dat minder grote aantal reizigers niet veel volwassenen met kleine kinderen zijn. Dat betekent dus dat je relatief weinig doelwitten hebt. Wanneer je dan nog rekening gaat houden met het percentage volwassenen dat de metaaldetector zal laten afgaan, wordt dat aantal nog kleiner. Als hij een willekeurig kind had willen pakken, zouden er veel betere mogelijkheden zijn. En bovendien kwam hij uit Atlanta. En ik heb begrepen dat die stad bijna net zo'n druk vliegveld als O'Hare heeft. Waarom zou je gaan reizen om iets te doen wat je net zo goed op je vertrekpunt had kunnen doen?' Hij was tevreden met zijn demonstratie van logisch redeneren en tikte bij wijze van toost met zijn kopje tegen het hare.

'Het was geen toeval.'

'En als het geen lukrake actie was, dan was het er speciaal op gericht om Jimmy te pakken of om jou pijn te doen, iets waar we zo nog op zullen terugkomen. Maar eerst moet ik weten wie er van jullie reisplannen op de hoogte waren.'

Stephanie leek geschrokken. 'Niemand kende de details. Ik bedoel, er waren wel mensen die wisten dat ik op vakantie ging en van wanneer tot wanneer, maar geen dingen zoals vluchttijden en vluchtnummers.'

'Oké. Wie wisten er dan dat je wegging?'

'Maggie, vanzelfsprekend. Mijn advocaat, omdat ik de juiste papieren voor de rechtbank nodig had om Jimmy mee het land uit te mogen nemen. Mijn quizteam uit de kroeg, mijn leesclub.'

'En ik,' bracht hij haar in herinnering.

'O, ja. Je staat natuurlijk op de loonlijst van die internationale kidnappersbende.' Stephanie giechelde. 'Het maakte allemaal deel uit van je snode plan om me bij je in bed te krijgen.'

'Je hebt er anders lang genoeg over gedaan om dat door te krijgen. Maar alle gekheid op een stokje... Al die mensen zouden het weer aan een ander verteld kunnen hebben.'

'Maar waarom zou je dat doen? Het is niet heel erg waarschijnlijk dat mijn quizteam uit de kroeg niets liever doet dan een of andere bedenkelijke figuur opsnorren, naast hem gaan staan en dan zeggen: "Stephanie Harker neemt haar kind aanstaande maandag voor een week mee naar Amerika," of denk jij van wel soms?'

'Wanneer je op zoek zou zijn naar een gelegenheid om Jimmy te kunnen ontvoeren, zou je er heel goed voor kunnen kiezen om met iemand uit zo'n kringetje bevriend te raken. Of je doet met een eigen team mee aan de kroegenquiz.'

Stephanie zuchtte. 'Het is allemaal erg vergezocht. En als je Jimmy dan zo graag wilde grijpen, waarom zou je hem dan niet hier in Engeland ontvoeren? Ik weet zeker dat daar toch ook wel mogelijkheden toe zijn, zoals rond het schoolplein of wanneer ik met hem in het park ben. Waarom zou je het jezelf zo moeilijk maken?'

Nick krabde onder zijn kin. 'Dat is ook een interessante vraag. Daar heb ik geen antwoord op.'

'Ik misschien wel,' zei Stephanie langzaam. 'Je begeeft je niet echt in dezelfde kringen als ik, dus het zou waarschijnlijk niet zo snel in je opkomen, maar de meesten van mijn klanten leven in een wereld waarin ze continu herkend worden. In de supermarkt. Op straat. In de fitnessclub. Als de ontvoerder ook maar enige bekendheid bij het grote publiek zou hebben, zou het logisch zijn om Jimmy te grijpen wanneer hij zich buiten Engeland bevindt.'

Nick grijnsde. 'Fantastisch! Dat zou zelfs heel erg logisch zijn. En je hebt gelijk, ik zou er lang over hebben gedaan om daar zelf achter te komen. Laten we dat dus in ons achterhoofd houden. Maar eerst weer even een paar stappen terug: op welke manier heb je je reis geboekt?'

'Ik heb de vluchten direct via de luchtvaartmaatschappij geboekt, de overnachtingen heb ik geregeld via een mij door Maggie aangeraden website van huiseigenaren, en de auto heb ik via de 24/7-website gehuurd.'

'En heb je daar ook de details over je binnenkomende vlucht opgegeven?'

'Alleen over de vlucht vanuit Chicago.'

Nick knikte ongeduldig. 'Maar voor iemand die weet dat je vanuit Engeland komt, is het niet zo moeilijk om uit te vinden hoe laat je ongeveer langs de beveiliging zou moeten komen voor die aansluitende vlucht. Heb je een account bij 24/7?'

'Ja, al heel lang. Ik maak er veel gebruik van. Het is geweldig voor weekenduitjes. Dat zouden we binnenkort ook eens moeten doen.' Ze voelde dat ze begon te blozen. Deze relatie was nog zo pril dat het ongewoon aanvoelde om een activiteit voor te stellen die hand in hand met verplichtingen ging.

'Dat zou ik leuk vinden. Maar kan ik ervan uitgaan dat zo'n beetje iedereen uit je kringetje weet dat je klant bij hen bent?'

'Waarschijnlijk wel. Daar heb ik nooit zo over nagedacht.'

'En wat is je wachtwoord?'

'Dignan97. Dat was mijn eerste klus als ghostwriter en het jaar waarin ik begon.'

'En zo'n beetje iedereen uit je kringetje zou dat kunnen uitvogelen.' Hij beet woest in zijn broodje.

Stephanie kreeg een onbehaaglijk gevoel. 'Niemand die ik ken zou hierbij betrokken zijn geweest,' zei ze.

'Je dacht dat Pete ermee te maken zou kunnen hebben,' zei Nick met zijn mond vol bagel.

Er viel een lange stilte. 'Ik maak er geen gewoonte van om vijanden te maken,' zei Stephanie. 'Behalve Pete kan ik niemand bedenken die ik zo pissig heb gemaakt dat het zo'n reactie zou oproepen. Ik bedoel, wanneer ik iemand nijdig maak, dan komt dat meestal omdat ik nee heb gezegd tegen een project. En dat is gewoon zakelijk,' voegde ze er nog aan toe. Ze schrok ervan dat Nick zich haar leven als een landschap vol boze, wraakzuchtige mensen kon voorstellen.

'Ik wil niet suggereren dat je de hele tijd mensen loopt te kwetsen,' zei hij. 'Maar er lopen heel wat gestoorde mensen rond. Vreemde vogels die anders naar de wereld kijken dan de rest van ons en die het gevoel hebben dat ze door alles en iedereen geminacht en beledigd worden. Het is niet onmogelijk dat zo iemand zich een plekje aan de periferie van je leven heeft weten te bemachtigen.'

Stephanie zuchtte. 'Dat is een vreselijke gedachte. Ik wil niet naar mijn vrienden gaan kijken alsof ze verdachten van een zwaar misdrijf zijn.'

'Dat wil niemand. Maar iemand heeft dit gedaan, Steph. Iemand heeft Jimmy ontvoerd. En ik denk dat er nog steeds een zeer goede kans is dat we hem levend terugkrijgen. Ik heb namelijk nog een ander lichtpuntje voor je: omdat het een gerichte en geen lukrake actie was, is het volgens mij zeer onwaarschijnlijk dat Jimmy door een pedofiele moordenaar is ontvoerd. Voor die mensen is ieder kind goed. Maar degene die Jimmy heeft ontvoerd, ging het om wie hij is.'

'Daarom moest ik ook aan Megan de Stalker denken. Ik weet wel dat ze volgens jou geen rol meer speelt, maar er moeten nog andere gekken zijn geweest die door Scarlett geobsedeerd waren en van wie we niet weten.'

'En daarom ben ik ook geïnteresseerd in mensen die pas relatief kort tot je kennissenkring behoren,' zei Nick. 'Als ze Jimmy als de voortzetting van Scarlett zagen en jou als een middel om bij Jimmy te komen, dan zouden ze je 24/7-account gehackt kunnen hebben en al weken van tevoren de details over je reis achterhaald kunnen hebben. Tijd genoeg om de zaak voor te bereiden.'

Stephanie stond op en schonk nog een kop koffie voor zichzelf in. 'Het idee alleen al staat me tegen. Dat je denkt dat iemand zich heimelijk toegang tot ons leven heeft verschaft, alleen maar om Jimmy weg te kapen... Dat is echt gemeen, Nick.'

Hij kon haar niet aankijken toen ze weer ging zitten. Ze vermoedde dat hij te veel kennis had van waartoe mensen in staat waren en dat dit alles aansloot bij zijn ergste nachtmerries. 'Het is ook gemeen. Wie zou er behalve jij nog meer weten over mensen die een ongezonde interesse in Scarlett of Jimmy hadden?'

'Marina ligt het meest voor de hand. Zij heeft van het begin voor Jimmy gezorgd. Ze regelde alle praktische zaken voor Scarlett. Ze was in feite de huishoudster.' Stephanie pakte afwezig haar broodje op en nam een hap. 'En Leanne waarschijnlijk.'

Nick fronste. 'Hoe zat het ook alweer met Leanne? Ik geloof niet dat ik ooit het hele verhaal heb gehoord.'

En dus vertelde Stephanie het aan hem. De dubbelgangster, de loslippigheid, de verbanning naar Spanje, de laatste ruzie over Jimmy en de weigering om toneel te spelen en naar de begrafenis te komen. Nick luisterde aandachtig. Vervolgens zei hij voorzichtig en afgemeten: 'Zeg je nu dat ze vond dat zij de voogdij over Jimmy moest krijgen?'

'Ik denk niet dat ze het meende,' zei Stephanie. 'In dat opzicht was ze net zoals Chrissie en Jade. Ze zag het als een manier om Scarletts geld in handen te krijgen. Ze had het huis en haar eigen zaak al, maar ze wilde meer. Ze was gek op haar leventje in Spanje, en een kind erbij zou haar ernstig in haar doen en laten hebben beperkt. Zowel in haar werk als in haar vrije tijd.'

'We zouden evengoed eens goed naar haar moeten kijken. Heb je haar adresgegevens?'

Stephanie knikte. 'Ik heb haar niet meer gesproken sinds ze weer halsoverkop naar Spanje vertrok, maar ik verwacht niet dat ze is verhuisd. Ze zat daar perfect.'

Nick leek licht bezorgd. 'Heb je haar dan niet gebeld toen Scarlett was overleden? Heb je haar niet gevraagd naar de begrafenis te komen?'

'Simon heeft haar toen gesproken. Ik wilde haar wel opbellen, maar het was zo'n grote chaos dat ik er nooit aan toegekomen ben. Maar ik kreeg wel een kerstkaart van haar. Ze schreef dat ze het prima naar haar zin had en dat we bij haar op bezoek moesten komen.'

Nick knikte langzaam. 'Weet je wat, Steph? Ik denk dat jij en ik hard aan een weekenduitje naar Spanje toe zijn.'

Ze begreep wel waarom hij zo dacht, en hoewel ze zich er ongemakkelijk bij voelde, kon ze hem geen ongelijk geven. Als hij Leanne eenmaal zelf had ontmoet, zou hij zien dat het organiseren van een subtiele en gecompliceerde ontvoeringsactie gewoon niet haar stijl was.

Natuurlijk zou hij dat inzien.

2

Toen ze het vliegveld van Malaga uit kwam, had ze het gevoel dat ze een smeltoven binnenliep. De droge hitte deed Stephanie haast naar adem snakken. Tegen de tijd dat de airconditioning van hun huurauto lekker draaide, plakte haar jurk aan haar rug en kon ze een straaltje zweet vanuit Nicks haar omlaag zien lopen. Ze vroeg zich af of het racistisch gedacht van haar was dat ze zijn uiterlijk beter bij deze mediterrane zonneschijn vond passen dan bij het grijze Engelse weer. Hoe dan ook. Ze vond dat hij er zonder meer aantrekkelijker uitzag in zijn witte linnen overhemd en korte cargobroek, met een omhooggeschoven zonnebril op zijn voorhoofd. Terwijl zij er waarschijnlijk gewoon verhit en ongemakkelijk bij zat.

Aan de hand van Google Maps hadden ze hun route naar Leannes huis aan de voet van de bergen achter de kuststrook eenvoudig kunnen uitstippelen. Nick dacht dat ze er ongeveer een halfuurtje over zouden doen. Stephanie, die een tijdje in Spanje had gewoond om een golfspeler, een gepensioneerde soapster en een komiek te interviewen, dacht dat het waarschijnlijk eerder een uur zou worden, gezien de staat van de Spaanse wegen en de vele toeristen op de weg. Het zou in ieder geval een mooie rit zijn, als ze eenmaal het vliegveld en de directe omgeving ervan achter zich zouden hebben gelaten.

De villa die Scarlett voor Leanne had gekocht, lag aan een stille zijweg in een klein stadje dat duidelijk rond een ouder dorpje was ontstaan. Een paar straten met oude gebouwen werden gedomineerd door glimmende witte huizen met terracottakleurige daken. Toen ze hun bestemming naderden, zag Stephanie de turquoise glinstering van zwembaden. Het zag eruit als een welvarende nederzetting, doezelend in de late ochtendhitte.

De poort van Leannes huis stond open, wat Stephanie niet verbaasde. Leanne had hier tenslotte een eigen zaak, hoewel er aan de poort geen enkel bord hing om dat te kennen te geven. Misschien probeerde ze de plaatselijke belastingman te ontlopen en werkte ze zwart en op persoonlijke aanbeveling. Ze parkeerden naast een zilverkleurige Mercedes A-klasse. Ze waren het erover eens geweest om niet van tevoren te bellen, zodat Leanne niet op haar hoede zou zijn, dus ze waren opgelucht tekenen van leven te zien. 'Verdient blijkbaar goed, dat manicuurgedoe,' zei Nick.

De hitte was minder drukkend nu ze zich hogerop bevonden, maar Stephanie vond de temperatuur nog steeds beter geschikt om op een ligstoel te liggen dan om voor privédetective te spelen. Maar toen dacht ze aan Jimmy, die uit zijn oude leven was weggerukt en wie weet wat voor verschrikkingen doorstond, en ze vervloekte zichzelf in gedachten. Hoe groot het ongemak van een hete dag in Spanje ook was, het verdween in het niets vergeleken bij de waslijst aan verlies die Jimmy had ervaren. Er kwam een spontane herinnering in haar op: de vreugde op zijn gezicht toen hij, dichtgeritst in zijn eerste wetsuit, voor de kust van Brighton in zee had gezwommen. Hij had in de lichte deining gesparteld en zich vervolgens giechelend van genot in haar armen geworpen. Het enige wat ze wilde, was een hele verzameling van dat soort momenten. Voor hen allebei.

Door die gedachte aangemoedigd, begon ze pas echt goed aandacht te schenken aan haar omgeving. Het huis was goed onderhouden, het stucwerk was schoon en fris, het grind was aangeharkt en de terracottakleurige potten stonden vol geraniums. Bougainville werd via latwerk aan weerszijden van de namaak-middeleeuwse, met nagels beslagen deur omhooggeleid. 'Zo te zien heeft ze goede hulp,' zei Stephanie. 'Ik zie Leanne dit allemaal niet zo snel zelf onderhouden.'

Nick belde aan en ze wachtten. Hij wilde net nog een keer aanbellen, toen ze het geschuifel van sandalen op vloertegels hoorden. De deur ging open en er verscheen een korte, gedrongen man in de deuropening, met een gebruinde huid als van een hagedis. Hij droeg alleen maar teenslippers en een korte broek van een stof met een zeer druk motief. Waar een wasbord had moeten zitten, zat een stevig tonnetje. Een bos dik wit haar beschermde zijn hoofd tegen de zon, die de rest van hem een mahoniehouten kleur had gegeven. Hij leek lichtelijk verrast hen te zien.

Maar niet zo verrast als Stephanie en Nick waren om hem te zien. 'We zijn op zoek naar Leanne,' zei Stephanie. 'Dit is toch het juiste huis?'

De man krabde zich op het hoofd. 'Goede huis, verkeerde jaar. We hebben het huis gekocht toen ze al verhuisd was, en we wonen hier nu, wat... negen maanden?' Zijn accent kwam uit Liverpool, maar de scherpe randjes waren eraf.

'Het spijt me, meneer...?' Nick trok zijn portemonnee uit zijn achterzak.

'Sullivan. Johnny Sullivan. En u bent?'

Nick liet hem zijn politiepasje zien. 'Brigadier Nick Nicolaides, hoofdstedelijke politie. En dit is Stephanie Harker.'

'Ik ben niet van de politie,' zei Stephanie. 'Ik ben een oude vriendin van Leanne.'

'Tja, zoals ik al zei, ze woont hier nu al een hele tijd niet meer. We hebben het huis gekocht, alles boven tafel. Maar we hebben haar nooit ontmoet. Het werd allemaal geregeld via de advocaten.'

'Kunnen we even binnenkomen, meneer Sullivan? Ik zou u een paar vragen willen stellen.'

Sullivan liet zijn wenkbrauwen zakken tot een denkfrons. 'Ik zou niet weten waarom niet. Ik heb niets te verbergen.'

Ze volgden hem door een koele gang naar een grote keuken, die uitkeek op een klein, niervormig zwembad. Erachter stond een klein gebouw. Sullivan knikte er met zijn hoofd naar. 'Daar runde ze een nagelstudio. Volgens mijn vrouw stond ze goed bekend bij de expatvrouwen hier. Ze deed goed werk en ze was niet te duur. Ze was een nicht van die Scarlett-meid, die ene uit *Goldfish Bowl* die aan kanker is overleden. Maar dat weet u natuurlijk wel, omdat u vriendinnen bent.' Hij wees met zijn duim naar de patio. 'Binnen of buiten?'

'Binnen is prima, meneer Sullivan.' Nick liet zijn hand nadrukkelijk op de rugleuning van een stoel rusten.

'Ga zitten,' zei Sullivan. 'Willen jullie een glas water? Of een biertje? Ik heb het plaatselijke merk, dat is niet slecht.'

Ze namen allebei een glas water en begonnen met hun poging om informatie van Johnny Sullivan los te krijgen. Hij was bijna overdreven behulpzaam en hield ogenschijnlijk niets achter. Een jaar geleden huurden hij en zijn vrouw nog een appartement in het dorp en waren ze op zoek naar een koophuis. Leanne was er op een dag zonder enige aankondiging vandoor gegaan, tot ergernis van haar klanten, die het haar allemaal vergaven toen ze hoorden dat bij haar beroemde nicht terminale kanker was vastgesteld. Tegen zo'n reden voor het afzeggen van een pedicure kon niemand iets inbrengen.

Wat verbazingwekkender was, was dat Leanne niet was teruggekomen. Er was overduidelijk wel iemand in de villa langs geweest om haar kleren en persoonlijke spullen in te pakken, maar men was gekomen en gegaan zonder dat iemand het had gezien. 'Iedereen nam aan dat ze had besloten in Engeland te blijven.' Hij haalde zijn schouders op. 'Sommige mensen krijgen heimwee, weet u. Ze missen het eten en het weer.'

Een paar weken na haar vertrek werd de villa stilletjes op de markt gezet. Johnny en zijn vrouw hoorden erover via het netwerk van advocaten onroerend goed. 'Ik zal niet tegen u liegen, we zijn er meteen bovenop gesprongen. De prijs was redelijk en het was precies wat we zochten.'

'Heeft u het van Leanne zelf gekocht?' vroeg Nick. Stephanie vond het fascinerend om hem in actie te zien. Hij vroeg dingen die niet meteen bij haar zouden zijn opgekomen, maar ze begreep hoe belangrijk de vragen waren. Ze waren allebei experts in het ondervragen, maar omdat ze andere doelen voor ogen hadden, bewandelden ze heel verschillende paden.

'Heel goed, jongeman. U heeft uw vinger op het enige ongebruikelijke aspect van de hele transactie gelegd. Het perceel stond niet op naam van Leanne, maar was eigendom van een of andere liefdadigheidsinstelling.'

'Was dat toevallig de TOMORROW Trust?' Stephanie dacht dat ze het antwoord wel wist, maar ze moest het vragen.

Johnny richtte zijn vinger als een pistool op haar. 'In één keer goed. Ik nam aan dat het met belastingontduiking te maken had. Dat is hier meestal het geval.'

'Heeft ze een adres achtergelaten?'

'Alleen van de advocaat. Ze kreeg niet veel post, maar wanneer er iets komt, sturen we het direct door naar de advocaat.'

'Weet u of er iemand in het dorp was met wie Leanne heel vriendschappelijk omging?' Nick leunde achterover in zijn stoel, een toonbeeld van ontspannen, vriendelijke interesse.

'Ze was wel een beetje gek op Paco. Hij runt de kroeg op het grote plein. En ze was beste maatjes met een Brits stel, Ant en Cat. Ze zaten vaak met zijn drieën in de bar tegen Paco aan te kletsen. Maar ik geloof niet dat ze nog contact met haar hebben. Ant en Cat zijn op nieuwjaarsdag getrouwd, waarvoor ze haar via de advocaat ook een uitnodiging hebben gestuurd. Maar ze heeft zelfs nog niet eens een kaartje of een huwelijkscadeau gestuurd, laat staan dat ze zelf kwam opdagen. Ze waren echt pissig op haar.' Dat was het laatste stukje informatie dat ze van Johnny Sullivan kregen.

Toen ze hem gedag zwaaiden, zei Stephanie: 'Het klinkt alsof Leanne het helemaal had gehad met Scarlett. Om dit alles de rug toe te keren, alleen maar omdat ze ruzie hadden gehad.'

Nick bromde neutraal. 'Het is interessant,' zei hij. 'Ik wil wel eens horen wat Paco en de befaamde Ant en Cat te vertellen hebben.'

Ze vonden de bar moeiteloos. En het werd nog beter, want ze troffen de mensen die ze wilden spreken daar allen aan. Het was een typische dorpskroeg: eenvoudige inrichting, simpele kaart en een vriendelijke ambiance. Maar toen hij Leannes naam liet vallen, zakte de temperatuur een paar graden. 'Ervandoor gegaan zonder iets te zeggen,' zei de geblondeerde Ant, die zijn lip minachtend opkrulde. Hij rolde met zijn schouders, zodat zijn door gewichtheffen getrainde spieren goed te zien waren. 'Ze was Cats beste maatje, maar ze heeft je alleen maar gebruikt, schatje. Zodra ze weer bij haar beroemde vrienden was, bestonden we niet meer voor haar.' Paco knikte, terwijl hij krachtig een wijnglas oppoetste.

De statige Cat, met haar ravenzwarte, Amy Winehouse-achtige manen die volledig aan de vakkundigheid van haar kapper te danken waren, knikte ernstig. 'Ze heeft Paco daar gedumpt alsof hij syfilis had. Niet eens een ansichtkaart of een tekstbericht. Ik ben de tel kwijtgeraakt hoe vaak ik haar niet een bericht heb gestuurd, zonder antwoord te krijgen.' Ant klopte zachtjes op haar hand.

'En voicemail,' onderbrak Paco hen. 'Ze negeert mijn voicemail twintig keer of meer. Ze houdt van dat leven in Londen, ik weet dat. Maar ik denk ze komt terug, want we hebben iets goeds samen.' Hij was klaar met het oppoetsen van het glas en zette het weer op de plank. 'Ik hou van haar. Maar maakt niet uit.'

'Precies, Paco. Maakt niet uit. Hoe zouden we tegen mensen als Scarlett kunnen opboksen?' Cat tuitte haar lippen, zo humeurig als een puber.

'Verwachtten jullie niet dat ze na Scarletts overlijden weer thuis zou komen?'

'Natuurlijk wel,' zei Ant, die zijn onderarmen aanspande. 'Maar ze zal wel een vent met meer geld dan verstand aan de haak hebben geslagen.'

'Ze was altijd al op eigenbelang uit.'

Dat was een vreemd oordeel, dacht Stephanie. In een klein Spaans bergdorp wonen en je geld verdienen met het lakken van vrouwennagels leek haar er nu niet echt op te duiden dat ze alleen aan eigen gewin dacht. Zij had altijd de indruk gehad dat Leanne een vrouw was die haar beperkingen kende en die er geen probleem mee had om daar het beste van te maken. Als ze een geldgeil wijf zou zijn of iemand die eropuit was om te pakken wat ze pakken kon, dan had ze daar zat mogelijkheden toe gehad toen ze nog in de haciënda woonde. Toen had ze macht over Scarlett en Joshu, maar ze had er nooit voor gekozen om die te gebruiken. Maar Ant en Cat hadden hun verhaal net zo welbewust in elkaar gezet als Stephanie de biografieën van haar klanten, en dit was de versie van Leanne die voor altijd zou worden doorgegeven.

Een tweede biertje in de kroeg leverde verder niets van enig belang op. Het was Stephanie wel duidelijk dat Leanne hier een leven had opgebouwd, waarna ze ineens alle bruggen achter zich had verbrand. Maar Nick zag andere mogelijkheden.

En het waren niet het soort mogelijkheden waar je blij van werd.

3

Ze liepen zwijgend terug naar de auto, allebei verloren in hun eigen gedachten. Nick startte de motor niet meteen. In plaats daarvan zei hij: 'Jij hebt Leannes telefoonnummer toch?'

'Jawel.' Stephanie haalde haar telefoon tevoorschijn en bladerde door haar contacten. 'Hier heb ik het. Een Spaans mobiel nummer.'

'Ik wil dat je haar een sms'je stuurt.'

'Wat moet ik dan zeggen?'

'Zeg dat je binnenkort van plan bent met Jimmy op vakantie naar Spanje te gaan en dat je haar graag wil ontmoeten. En dan wachten we wel af wat er gebeurt.'

Stephanie keek hem vreemd aan. 'Wat denk je dat er zal gebeuren? Jimmy's ontvoering heeft in alle Britse kranten gestaan. Die kunnen ze hier ook krijgen, hoor. En het heeft ook overal op internet gestaan. Als ze met me in contact had willen komen, dan had ze het inmiddels wel gedaan.'

'Misschien. Maar ik denk dat je een enthousiast sms'je terugkrijgt, met zoiets als "Wat een geweldig idee, wanneer kom je?" En wanneer je haar dan de periode doorgeeft, blijkt dat verdorie nou net de week te zijn dat ze heeft geboekt om met vrienden naar Thailand te gaan.'

Ze was niet dom. Ze begreep wat hij bedoelde. Het besef huisde als een gezwel in haar borst. Dit was wel het laatste wat ze tijdens dit uitstapje had verwacht te ontdekken. 'Je denkt dat iemand anders haar telefoon heeft. Je denkt dat ze dood is.'

Hij pakte haar hand vast. 'Het spijt me. Ik zie geen andere verklaring. We weten dat ze is vertrokken om tijd met Scarlett door te brengen voordat ze zou overlijden. Vervolgens kregen ze ruzie en is ze weggelopen. En ze had hier een leven opgebouwd. Dit was voor haar de logische plek om naar terug te keren. Maar dat deed ze niet. Ze is een huis in Essex uit gelopen en is daarna nooit meer gezien.'

'Maar Simon heeft haar na Scarletts overlijden nog gesproken, om haar te vragen naar de begrafenis te komen.'

'Was dat ook zo? Heeft hij haar echt gesproken? Of heeft hij haar een sms'je gestuurd? We weten dat haar telefoon het na haar verdwijning nog een tijdje deed. Paco heeft voicemailberichten voor haar achtergelaten. Als iemand haar heeft vermoord zou het slim zijn om de telefoon nog aan te laten staan, zodat er verwarring ontstaat over waar Leanne is. Het zou eenvoudig genoeg zijn om je in een tekstbericht voor haar uit te geven.' Nicks toon was teder, maar hij maakte het niet mooier dan het was.

Stephanie begon spontaan te huilen en de tranen vielen dik en zwaar op haar wangen. Ze begon te schokken en haar tanden klapperden. Nick trok haar dicht tegen zich aan en wachtte tot de storm ging liggen. Toen ze over de eerste schok heen was, waren haar ogen en neus opgezwollen en voelden pijnlijk aan. 'Ik kan het niet geloven,' zei ze. Ze legde haar hand op zijn borst en keek omhoog naar zijn bezorgde gezicht. 'Je had al zo'n vermoeden voordat we hiernaartoe gingen, hè?'

Hij zuchtte. 'Ik heb er wel aan gedacht, ja. Er gebeuren soms erge dingen met vrouwen die woedend de nacht in lopen.'

'Denk je dat een of andere foute klootzak haar heeft opgepikt? Dat hij haar ergens mee naartoe heeft genomen en haar heeft vermoord?'

Nick knikte. 'Zoiets. Wanneer we weer thuis zijn moet ik maar eens met de politie van Essex gaan praten. Het spoor is inmiddels al behoorlijk koud, maar ze moeten een moordonderzoek beginnen. Als haar telefoon het nog steeds doet, dan hebben ze misschien iets waarmee ze een zoektocht kunnen beginnen.'

'Arme Leanne. Ze was dan misschien niet de snuggerste, maar ze was wel een fatsoenlijk mens.' Toen ging Stephanie plotseling stijf rechtop zitten. 'Wacht eens even. Je speelt geen open kaart met me, Nick.'

Hij deinsde geschrokken achteruit. 'Wat bedoel je?'

'Je weet best wat ik bedoel. Leanne is niet door een vreemde vermoord. Het moet iemand in het huis zijn geweest. Want haar woning in Spanje werd verkocht en het geld ging naar het trustfonds.' Stephanies ogen sperden zich wijd open van afgrijzen. 'Is er een ongeluk gebeurd? Is Leanne in het huis gestorven?'

'Ho, ho,' zei Nick, terwijl hij zich in zijn stoel omdraaide en zachtjes haar schouders vastgreep. 'Je draaft nu veel te ver door. Er zijn andere verklaringen, verklaringen die veel logischer zijn.'

'Ik kan er geen bedenken.' Ze stak haar kin omhoog en had zichzelf duidelijk weer onder controle. Ze wilde antwoorden en ze was niet tegen te houden.

'Wat was Leannes werk? Wat deed ze voor Scarlett?'

'Dat weet je, ze was haar dubbelgangster, ze deed zich voor als haar.'

'Precies. Voor iemand die door Scarlett geobsedeerd werd, was Leanne net zo goed als het echte werk. Ze zouden haar zelfs ontvoerd kunnen hebben omdat ze dachten dat ze Scarlett was. Nu kan iemand die in één opzicht aan waanvoorstellingen lijdt in andere opzichten best als ieder ander functioneren. Onze mysterieuze man grijpt Leanne en houdt haar gevangen. Op een gegeven moment begint het hem te dagen dat ze Scarlett niet is. En dat betekent dus dat hij van haar af moet komen en dat hij zijn sporen moet uitwissen. Hij komt erachter dat ze een huis en een zaak in Spanje heeft en beseft dat de alarmbellen zullen gaan rinkelen als Leanne dat alles achter zich zal laten. Hij gaat ernaartoe en haalt er in het holst van de nacht al haar persoonlijke spullen weg. Vervolgens doet hij zich in brieven en e-mails en sms'jes voor als Leanne, en hij zet de villa te koop. Het maakt hem niet uit wie de nieuwe eigenaar wordt of waar het geld naartoe gaat, omdat hij niet in geld geïnteresseerd is. Hij is geïnteresseerd in Scarlett.'

Stephanie huiverde. Het was op een heldere en verschrikkelijke manier heel logisch. Er hadden vaak genoeg geobsedeerde fans rondgehangen buiten de haciënda. En bij elk openbaar optreden van Scarlett doken steeds weer dezelfde gezichten op. Soms kwamen ze te dicht bij haar in de buurt en moesten ze weggestuurd worden. Een enkeling zoals Megan de Stalker was de controle kwijtgeraakt. Maar hoe zat het met de anderen, mensen die erin slaagden zo op het oog normaal over te komen, maar die onder dat dunne laagje zo gek als een deur waren? Nicks theorie gaf veel overtuigender antwoord op alle vragen die door Leannes verdwijning werden opgeroepen dan het idee dat Scarlett of iemand uit haar kringetje iets met haar dood te maken zou hebben.

'En door alle drukte en verwarring rond Scarletts overlijden lette niemand goed op de details,' zei ze. 'De trusthouders hebben het geld van de verkoop van de villa waarschijnlijk niet eens opgemerkt tussen al het andere geld dat binnenkwam vanwege het te gelde maken van Scarletts bezittingen.'

'Wie zijn de trusthouders?' vroeg Nick.

'Simon, Marina en George.'

'Misschien wordt het tijd om eens met George te gaan praten,' zei Nick.

'Zodra we in Londen terug zijn. Wil je nog steeds dat ik dat sms'je naar Leannes telefoon stuur?'

'O, ja, dat lijkt me wel. Het zal interessant zijn om te zien hoe een sms'je van een dode vrouw eruitziet.'

4

Het was na middernacht toen ze in Nicks appartement terug waren. Ze vielen uitgeput in bed, maar niet te uitgeput om vertroosting bij elkaar te vinden. Daarna, toen Nick in slaap was gevallen, lag Stephanie nog wakker, in de greep van aanhoudend verdriet. Jimmy was zelden erg lang weg uit haar gedachten. Ze beschikte over genoeg voorstellingsvermogen om ontelbare scenario's van ellende en doodsangsten voor hem te creëren. Ook al zei iedereen wel dat ze zichzelf niet de schuld moest geven van wat er gebeurd was, Stephanie kon niet ontsnappen aan het schuldgevoel dat haar met regelmaat overspoelde. Als ze hem niet levend en wel zouden vinden, zou ze zich de rest van haar leven door haar falen getekend voelen. Ze had Scarlett iets beloofd en ze had geen woord kunnen houden.

Uiteindelijk was ze toch in slaap gevallen, en na een onrustige nacht kwam de ochtend veel te vroeg. Stephanies verblijfplaats was op miraculeuze wijze niet naar de pers uitgelekt. Nick benadrukte dat het appartement weliswaar nog een goed onderduikadres was, maar dat ze niets moesten doen waardoor ze in de kijker zouden lopen. Zoals George op zijn kantoor bezoeken of in het soort restaurant gaan eten waar de obers de nummers van de paparazzi onder een snelkeuzetoets hebben zitten. 'Die arme George stond helemaal perplex,' vertelde Stephanie aan Nick, nadat ze met de showbusinessagent had gesproken. 'Ik stelde voor dat hij hiernaartoe zou komen. Je zou denken dat ik hem had gevraagd om zwaaiend met een portemonnee vol dollars dwars door de wijk South Central in LA te lopen.'

Nick grinnikte. 'Dus hij zal komen?'

'Natuurlijk wel. Hij zei dat hij ongeveer rond elven bij ons zou zijn. Hij verwacht koekjes.'

Nick liep naar de keukenkastjes en dook er een zak cantuccini en pakje florentines uit op. 'Kan dit ermee door?'

'Weer een voorbeeld van het feit dat mannen van Mars komen en vrouwen van Venus,' zei Stephanie. 'Die zou ik niet in huis kunnen hebben. Nou ja, het kan wel, maar dan zouden ze er de volgende dag niet meer zijn. En als ik geweten had dat ze daar lagen, waren ze er al niet meer geweest.'

Nick grinnikte. 'Daar zal ik rekening mee houden. Ik heb trouwens vannacht een e-mail van Vivian McKuras ontvangen. Ze lopen keihard tegen een muur aan daar.'

'Ondanks alle technologie die we tegenwoordig hebben, kan één man zomaar met een kleine jongen weglopen, zonder dat we hem op de een of andere manier kunnen opsporen?'

'Het probleem met technologie is dat criminelen ook heel goed begrijpen wat je er allemaal mee kunt doen. Dus vogelen ze manieren uit om het te omzeilen. Behalve wanneer ze een betrouwbare en controleerbare ooggetuige hebben, doet voor hen de beste kans om de misdadiger en het slachtoffer op te sporen in zaken als deze zich pas voor op het moment dat men contact over het losgeld opneemt of over voorwaarden voor vrijlating. Geen contact...'

Stephanie beet verslagen op haar lip.

Nick sloeg kwaad over zijn eigen stommiteit met zijn hand op zijn dijbeen. 'Jezus, moet je me toch eens horen. Hoe kan ik zo ongevoelig zijn? Het spijt me.' Hij spreidde zijn armen uit.

Ze liep niet naar hem toe, maar schudde haar hoofd. 'Het is oké. Ik wil niet met fluwelen handschoentjes worden aangepakt. Ik moet de realiteit van de situatie onder ogen zien. Dat is moeilijk, maar ik wil hier niet mijn kop voor in het zand steken.'

'Oké. Maar ik zal wel wat meer rekening proberen te houden met hoe ik me uitdruk. Er is één positief punt: ik vroeg McKuras om tegen mijn baas te bevestigen dat ze mijn inbreng nog steeds nodig had, dus ik ben vrij om elk onorthodox onderzoek uit te voeren dat we maar kunnen verzinnen.'

Nu liep ze wel zijn omhelzing binnen. 'Dat is goed nieuws. En wanneer ga je met de politie van Essex praten?'

Nick keek over haar hoofd naar de glazen wand met het spectaculaire uitzicht vanaf het dak. 'Daar wilde ik het nog met je over hebben,' zei hij langzaam. 'Technisch gezien zou ik zo snel mogelijk met hen moeten gaan praten. Het vermoeden van een moord is niet iets wat een agent voor zich hoort te houden.'

'Nee, ik begrijp wel waarom ze dat zouden afkeuren,' zei Stephanie op bitse toon. 'Maar ik hoor daar ergens een "maar" aankomen.'

'Dit is inmiddels een behoorlijk oude zaak. En mijn eerste zorg is het terugkrijgen van Jimmy. Terwijl we daarover nog volledig in het duister tasten, wil ik niets doen waardoor de ontvoerder tot actie zou kunnen worden aangezet.'

'Denk je dat de ontvoering en de moord met elkaar te maken hebben? Hoe dan? Dat slaat toch nergens op?'

Nick liep weg van haar en begon het koffieapparaat te vullen. 'Ik weet niet wat ik moet denken. Op het moment is het allemaal één grote warrige chaos. Voor hetzelfde geld ontvoert een gestoord en geobsedeerd figuur wel iedereen die iets met Scarlett te maken had. Als een soort zieke verzameling souvenirs.' Hij sloeg met gebalde vuisten op het keukenblad. 'Noem het maar bijgeloof, als je daar iets mee kunt. Ik wil gewoon niet dat de mensen met wie we over Jimmy in gesprek zijn in paniek raken, omdat ze ineens door de politie over een mogelijke moordzaak worden gebeld. Er is niets te bedenken waardoor mensen zo snel hun mond ergens over houden.'

'Dus je wilt wachten? En het met niemand van de politie in Essex over Leanne hebben tot we Jimmy terug hebben?'

Ze zag zijn rug verstijven en wist dat hij er al rekening mee hield dat ze Jimmy niet terug zouden krijgen. Stephanie zou willen dat ze dat niet had gezien. Want ze kon op geen enkele manier aan zichzelf toegeven dat er ook maar de geringste kans was dat dat zou gebeuren. Iemand moest de hoop levend houden. En als dat haar van Nick zou isoleren, zou ze het nog steeds niet anders doen, hoe moeilijk dat ook zou zijn.

'Zo denk ik er wel over.' Hij draaide zich naar haar om en trok zijn wenkbrauwen vragend op.

'Daar heb ik niets op tegen. Buiten ons lijkt niemand te hebben gemerkt dat Leanne verdwenen is. Ik denk niet dat het wat uitmaakt of we vandaag alarm slaan of over een maand.'

Toen Nick wilde antwoorden, werd hij onderbroken door Stephanies telefoon, die op het keukenblad lag te trillen. 'Het is van Leanne,' zei ze, en ze pakte de telefoon op. Nick keek mee over haar schouders, zodat hij het sms'je samen met haar kon lezen: 'vind geen gd idee elkaar te zien. Te triest 4 Jimmy & 4mij. Sorry. Lx.'

Stephanie voelde haar hart zinken. Nicks vermoeden was juist geweest. 'Je had gelijk,' zei ze somber. 'Dat is Leanne niet.'

'Maar het is wel iemand die ons wil doen geloven dat Leanne nog levend en wel is. Iemand die niet weet dat we naar Spanje zijn geweest.'

'Dat beperkt het aantal mogelijke verdachten nu niet bepaald.'

'In zekere zin wel, Stephanie. Daarmee blijven haar Spaanse vrienden buiten schot. Het nieuws over ons bezoekje zal daar als een vuurtje zijn rondgegaan. Als iemand van hen voor haar dood verantwoordelijk is, zouden ze je sms'je nooit beantwoord hebben. Degene die Leanne uit de weg heeft geruimd, heeft dat in Engeland gedaan, voordat ze naar Spanje terugging.'

Voordat Stephanie kon antwoorden, piepte de intercom. Nick deed de buitendeur open voor George en liep naar de deur van zijn appartement om hem te begroeten. George kwam naar binnen, zo voorzichtig als een kat op nieuw terrein. Stephanie had zich bij de glazen wand opgesteld, zodat George het uitzicht direct en vol in zicht zou krijgen wanneer hij de kamer binnenkwam. Maar hij leek het panorama niet op te merken en liep meteen naar haar toe. Hij pakte haar handen vast en keek haar met zijn meest onderzoekende blik aan. 'Mijn lieve Stephanie,' zei hij, met een van bezorgdheid fluwelen stem. 'Je moet compleet van de kaart zijn. Wat een vreselijke ervaring voor je.' Hij keek over zijn schouder naar Nick. 'Ik ben ervan overtuigd dat Nick alles onder controle heeft, maar als er ook maar iets is wat ik voor je kan doen, dan hoef je er alleen maar om te vragen. Ik sta tot je beschikking.'

Stephanie kneep haar ogen dicht om de tranen te bedwingen die ze in reactie voelde opwellen. 'Alsjeblieft, George. Kun je ophouden met zo aardig te zijn? Ik kan momenteel alles verdragen behalve vriendelijkheid.'

Hij grinnikte en trok haar in een ingetogen omhelzing tegen zich aan. 'Zo ken ik je weer.' Hij liet haar los en keek voor het eerst om zich heen, waarbij hij het tiental gitaren dat aan de wand hing of op standaards stond in zich opnam. 'Zie ik nu dat u behoorlijk serieus met muziek bezig bent, brigadier Nicolaides?'

'Noem me maar Nick, alsjeblieft. Ja, ik kan vrij behoorlijk spelen.'

Hij gebaarde dat George op de vormeloze leren bank moest gaan zitten, zijn enige concessie op het gebied van woonkamermeubelen. 'Ga alsjeblieft zitten. Koffie?'

George keek Stephanie met één opgetrokken wenkbrauw vragend aan. 'Ja, George, het is veilig.'

Nick ging aan de slag met de koffie en de koekjes, terwijl Stephanie George het verhaal van de ontvoering en de rampzalige FBI-operatie tegen Pete Matthews vertelde. De details over wat Pete had meegemaakt verschaften hem een moment wrede voldoening. 'Net goed voor die klootzak,' zei hij. 'Misschien ziet hij nu in dat jou stalken toch meer moeite kost dan het waard is.'

Toen Nick weer terug was, kwam George meteen ter zake. 'Hoe kan ik jullie helpen om Jimmy te vinden?'

'We moeten iedereen spreken die nauwe banden met Jimmy of Scarlett had. Iemand weet wie dit gedaan heeft. Maar het kan zijn dat men niet beseft hoe belangrijk de informatie is die men heeft.' zei Nick. 'De wortels van deze misdaad reiken waarschijnlijk diep. Daarom moeten we de geschiedenis ervan ook omspitten.'

George blies zijn wangen bol en liet een stroom lucht ontsnappen. 'Ik denk niet dat ik jullie daarmee echt veel kan helpen,' zei hij. 'Eerlijk gezegd had ik zo min mogelijk met Jimmy te maken als ik kon. Ik behoor tot die generatie homofiele mannen voor wie kinderloosheid een gegeven was. Ik ben niet dol op kinderen. En al helemaal niet wanneer ze nog in de onhandelbare fase zitten. Scarlett wist dat en drong hem niet aan me op, niet persoonlijk en ook niet in verhalen.' Hij trok een gezicht. 'Waarom denken mensen toch altijd dat verhalen over hun saaie kinderen mateloos fascinerend zijn?'

'Het is wel goed, George. Ik heb je gezicht wel gezien wanneer Jimmy op je afstormde,' zei Stephanie. 'We hadden ook niet verwacht dat je zou hebben opgemerkt of er iemand was die zich ten opzichte van hem vreemd gedroeg. Maar we moeten met Marina en Simon praten. Simon kunnen we natuurlijk wel op zijn werk bereiken, maar we hebben geen adresgegevens van Marina. Ik weet dat je een van de trusthouders van TOMORROW bent, dus ik dacht dat jij wel zou weten hoe we met haar in contact kunnen komen.'

George wierp haar zijn meest zelfingenomen glimlach toe. 'Lieve help, jíj loopt achter, Stephanie. Je zult Simon tegenwoordig niet meer in de kliniek vinden.'

'O, nee? Heeft hij een nieuwe baan?'

'Nieuwe baan en een nieuw land. Hij is bij Marina in Roemenië. Simon is nu medisch directeur van het TOMORROW-project. Hij zorgt voor alle kleine weesjes.' Zijn glimlach werd nog breder toen hij Stephanies verbazing zag. 'Dat kwam als een verrassing, hè?'

'Ik ben perplex,' zei ze. 'Hebben hij en Marina dan iets met elkaar?'

George trok een gezicht. 'Je kent me toch, liefje, ik zal nooit roddelen... Maar er moet wel iets zeer dringends zijn geweest om iemand een goedbetaalde baan in een Londense privékliniek te laten verruilen voor de woestenij van Transsylvanië, lijkt je niet?'

Stephanie keek omhoog naar Nick, die op een hoge gitaarkruk zat. 'Daar heb ik nooit iets van gemerkt,' zei ze. 'Dat hebben ze dan goed geheim weten te houden.'

'Ze zijn tijdens de laatste fase van Scarletts ziekte nogal hecht geworden.'

'Dat weet ik, maar ik heb haar nooit als zijn type gezien.'

George' gezichtsuitdrukking hield het midden tussen ondeugendheid en weerzin. 'Sommige mannen vinden het wat rondborstiger soort vrouw erg onweerstaanbaar. Ik vermoed dat Simon nog nooit iemand zoals Marina ontmoet had. En ze is een slimme meid. Ze is afgestudeerd in de economie aan de universiteit van Boekarest.'

Voor de tweede keer tijdens hun gesprek stond Stephanie versteld. 'Daar heeft ze het nooit over gehad.'

'Ik kan me zo voorstellen dat het niet aan de orde kwam.'

'Ze was altijd erg zwijgzaam over zichzelf,' zei Stephanie. Ze had het schuldige gevoel dat ze zich moest verdedigen, omdat het haar eigen fout was dat ze niet voldoende interesse in Marina had getoond. 'In mijn fantasie stelde ik me altijd voor dat ze aan een veelbewogen verleden wilde ontsnappen. Dat ze zo hard voor Scarlett werkte als een vorm van boetedoening.' Ze bloosde en schaamde zich hoe onbenullig haar onthulling klonk.

'Ze leek me altijd zeer bedreven in haar werk,' zei Nick nu. 'Niet dat ik veel met haar te maken heb gehad.'

George knipoogde. 'Ze is in ieder geval erg bedreven gebleken in het van onder onze neuzen wegkapen van Simon. Overweeg je om hen in Roemenië te gaan opzoeken?'

Zijn woorden brachten Stephanie in één keer terug naar de reden voor hun gesprek. 'De FBI komt geen stap verder. We klampen ons aan strohalmen vast, George. Marina, en Simon ook, zijn de enige mensen die we kunnen bedenken die ons misschien een aanknopingspunt kunnen geven. Dus, ja, we gaan overal naartoe waar we naartoe moeten.'

'En Leanne? Heb je haar al gesproken?'

'We zijn naar Spanje geweest,' zei Nick. 'We zijn naar haar huis gegaan om er zeker van te zijn dat Jimmy daar niet was.'

George dronk zijn kopje leeg en stond op, waarna hij de vouwen weer in zijn broek schudde. 'Prima. Trouwens, uit jullie beschrijving van wat er is gebeurd kan men niet anders concluderen dan dat het Leannes geestelijke vermogens ver te boven gaat om zoiets te organiseren.' Hij ging op weg naar de deur. 'Zodra ik weer op kantoor ben, zal ik Carla je de adresgegevens van mijn mede-trusthouders laten doormailen.'

'Hoe gaat het met het trustfonds?' Nicks vraag leek terloops gesteld, alsof hij op weg naar buiten nog wat met hem wilde babbelen.

'Ik let er eerlijk gezegd niet zo heel erg op,' zei George. 'Ik ben er eigenlijk alleen maar om het drietal compleet te maken. Marina en Simon doen al het harde werk. Nadat de nalatenschap was geregeld, had het trustfonds veel geld in kas, iets in de buurt van vijf miljoen, geloof ik. Ze doen daar fantastisch werk, en Simon heeft een team vrijwilligers bij elkaar gekregen om weer een Scarlett Zwemmarathon te organiseren. Wat, zoals je wel weet, Stephanie, natuurlijk weer een geweldig domino-effect op de verkoop van de boeken gaat hebben. Het lijkt erop dat de Zwemmarathon wel eens een jaarlijks evenement zou kunnen worden. Er is veel interesse voor.'

'Fijn voor ze. Bedankt voor het langskomen, George.' Nick gaf hem een klap op zijn schouder.

George draaide zich om en wiebelde met zijn vingers naar Stephanie. 'Dag, liefje. Laat wel van je horen, hoor. Ik ben nog met een paar projecten bezig die precies in jouw straatje passen. Ik neem wel contact op met Maggie.'

Het was op dat moment het laatste waaraan ze moest denken, maar Stephanie wist dat ze haar werk niet voor eeuwig kon negeren. Er moesten rekeningen worden betaald en verplichtingen worden nagekomen. 'Bedankt, George.'

De deur ging achter hem dicht, en Nick ging ertegenaan leunen.

'Zo,' zei hij. 'Simon en Marina. Denk jij wat ik denk?'

Stephanie haalde diep adem. 'Het ontbreekt hun nog maar aan één ding om het perfect gelukkige gezinnetje te worden?'

5

Van Paddington Basin naar luchthaven Luton bij het aanbreken van de dag: verrassend veel verkeer op de weg, maar geen opstoppingen, geen angstige paniek vanwege een onverklaarbare kluit stilstaand verkeer. Vliegveldwinkels, een lichtgewicht rugzak, een waterfles, een waterdicht jack, een paar sportschoenen en een paar sokken. Van Luton naar Cluj: drie uur lang ongemakkelijk wegdoezelen boven de wolken en niet praten over wat ze van plan waren uit angst dat iemand hen zou horen. En dan uiteindelijk de huurauto, van een merk en model waarvan geen van hen ooit had gehoord, een geprinte Google Map. En toen begonnen ze aan de laatste etappe van de reis waarvan Stephanie vurig hoopte dat hij Jimmy naar haar terug zou brengen.

Ze waren de middag en avond daarvoor bezig geweest met plannen maken, ze weer verwerpen, ze veranderen en ze verder verfijnen, totdat ze uiteindelijk tot een voorlopig actieplan waren gekomen waarvan ze allebei wisten dat ze er in alle mogelijke situaties mee uit de voeten konden. Het belangrijkste was dat ze allebei duidelijk voor ogen hadden wat hun belangrijkste doel was: ze waren er om Jimmy te vinden. Al het andere was daaraan ondergeschikt.

En omdat Nick volhield dat het geen kwaad kon om dubbele veiligheidsmaatregelen te treffen, stuurden ze een tweede sms'je naar het nummer van Leanne: 'Begrijp ik helemaal, ik weet hoe gek je op Jimmy was. Misschien zou ik in mijn eentje kunnen komen? Dan kun je als herinnering aan vroeger mijn nagels doen? Sx.' Nick had het eerst gelezen en toen geknikt. 'Ik wil wedden dat je dit keer helemaal geen antwoord krijgt.'

Toen ze eenmaal het vliegveld uit waren en zeker wisten dat ze de goede kant op reden, in zuidwestelijke richting de bergen in, stopten ze bij het eerste het beste tankstation. Het was een laag bakstenen gebouw dat een overblijfsel uit de jaren vijftig leek, waarbij de moderne benzinepompen uitermate anachronistisch afstaken. Nick ging het winkeltje in en kwam terug met flessenwater, chocolade, twee pakjes met plakjes salami en een doos gewone crackers. Terwijl hij binnen bezig was, had Stephanie haar sokken en sportschoenen aangetrokken. De eerste fase van hun plan bestond uit het vinden van het weeshuis, om er vervolgens voorbij te lopen alsof ze wandelaars waren. Het nadeel van dat plan was dat de enige kleren die Stephanie bij zich had de kleren waren die ze had ingepakt voor een vakantie in Californië. Zonnejurken met bandjes en korte broeken waren prima voor Disneyland en het strand, maar niet erg geschikt om mee door de Transsylvanische bergen te lopen, zelfs niet op een mooie lentedag als deze. Vandaar ook het winkelen op de luchthaven. Met haar ene spijkerbroek en een oud Schots geruit overhemd van Nick zag ze er bijna geloofwaardig uit.

Toen ze hogerop kwamen, begon de lucht die uit de ventilatiesleuven kwam wat koeler te worden. Het landschap ging van golvende, weelderig groene heuvels bezaaid met slanke schapen over in bosrijke hellingen, waar her en der rotsachtige dagzomende aardlagen doorheen braken. Je kon je wel voorstellen dat Bram Stoker zich hier tegen deze dramatische en grotendeels lege achtergrond zijn Dracula voor de geest riep. Zo nu en dan reden ze door dorpjes die die omschrijving nauwelijks verdienden: een paar tegen een heuvel gebouwde huizen of een groepje huisjes op een klein plateau, maar ze boden niets wat hen ertoe verleidde om hun reis te onderbreken.

Na anderhalf uur omhoogrijden over kronkelige, smalle wegen, realiseerde Stephanie zich dat ze langzamerhand in de buurt van Timonescu moesten komen. Haar maag voelde tegelijkertijd gespannen en trillerig aan. 'Loop nog een keertje het plan met me door,' zei ze. 'Dit is niet iets wat ik normaal doe. Ik ben geen vrouw van actie. Niet zoals jij.'

Nick grijnsde. 'Ik ben ook geen vrouw van actie.'

Ze stompte hem speels tegen zijn bovenarm. 'Niemand houdt van wijsneuzen. Je weet best wat ik bedoel.'

'Het is simpel. We rijden langs het weeshuis, maar niet zo langzaam dat we de aandacht trekken. Dan rijden we nog iets verder door en vinden een plekje om discreet de auto te kunnen verlaten. Vervolgens doen we onze rugzak om en lopen terug langs het weeshuis, terwijl we onderweg naar uitkijkposten zoeken vanwaar we de boel in de gaten kunnen houden.'

'En dan wachten we rustig af?'

'Precies. Totdat Simon of Marina of beiden naar buiten komen. Dan proberen we hen te volgen en zien we wel waar dat ons naartoe brengt.'

'Het is nu niet bepaald een waterdicht plan, hè?' Stephanie probeerde niet te laten merken hoe nerveus ze over Nicks plan was. Maar in werkelijkheid was wat in de geborgenheid van zijn appartement nog een briljant idee had geleken beangstigender dan met Vivian McKuras in een verhoorkamer zitten. Veel beangstigender.

'We moeten flexibel zijn. We houden via de telefoon contact met elkaar. Ze zullen op deze wegen in ieder geval geen grote voorsprong op ons kunnen nemen. En er zijn nu niet bepaald veel zijwegen die ze kunnen inslaan.'

Stephanie ademde diep in. 'En als we erin slagen om Simon te volgen en we vinden Jimmy bij hem en Marina. Wat doe we dan?' Toen ze dat eerder had gevraagd, had Nick een ontwijkend antwoord gegeven door te zeggen dat ze wel zouden zien als het zover was. Maar wat haar betreft was het nu wel zo'n beetje ver genoeg.

'We beoordelen de situatie en nemen dan een besluit hoe we met het minste risico daar met Jimmy weer kunnen vertrekken,' zei Nick.

'Kunnen we niet gewoon de politie bellen en het aan hen vertellen?'

Nick stuurde de auto met een draai van zijn polsen door een haarspeldbocht en belandde vervolgens bijna in een greppel bij het ontwijken van een paard-en-wagen die uit de tegenovergestelde richting de berg af kwam rollen. 'Ik vertrouw de plaatselijke wetsdienaren niet. Het tomorrow-trustfonds pompt veel geld in de plaatselijke economie. Ze zullen meer invloed op hen hebben dan een rechercheur van Scotland Yard, die zonder enige afspraak hun district komt binnenwandelen. Zelfs wanneer het maar een paar uur zou duren om de zaken met hen te regelen, zouden Simon en Marina er met Jimmy vandoor kunnen gaan en al naar een andere plek in Midden-Europa onderweg kunnen zijn. We moeten het zelf doen. We moeten Jimmy letterlijk oppakken en daar weghalen.'

'En wat doen we dan? Ik heb zijn paspoort niet, en als Marina de plaatselijke autoriteiten in haar zak heeft, hoe kunnen we dan in hemelsnaam wegkomen over deze wegen?'

'We doen wat ze niet verwachten. Ze zullen verwachten dat we naar het vliegveld gaan. Maar wat mij betreft rijden we verder over de bergen en dan door naar Boekarest. Daar nemen we Jimmy mee naar de Britse ambassade, waar ze een noodpaspoort voor hem kunnen regelen. Wij zijn tenslotte de mannen met de witte cowboyhoeden. Wij zijn het reddingsteam.'

Stephanie was er niet gerust op. 'Denk je dat ze Jimmy aan ons zullen overdragen? Gewoon zomaar?'

'Nee. Ik denk dat we wat dreigende taal moeten laten horen. Maar Simon is de zwakke schakel. Hij is arts. Als hij ooit nog ergens praktijk wil houden, kan hij het zich niet veroorloven dat hem ergens een arrestatiebevel boven het hoofd hangt. Voor zover ik kan bepalen is hij een keurige jongen uit de middenklasse, die niet weet hoe het is om aan de verkeerde kant van de wet te staan. Hij is degene die zal zwichten, geloof me.' Hij glimlachte spottend. 'Je hebt mijn donkere kant nog nooit gezien, Stephanie. Maar vergeet niet, ik was degene die Pete Matthews voor je heeft uitgeschakeld. Ik kan dit. Ik kan Simon laten inzien hoeveel beter hij af is wanneer hij Jimmy overdraagt in ruil voor het afzien van verdere juridische vervolging.'

'Zou je dat doen? Zou je hem ermee laten wegkomen?'

Nicks kaken gingen strak staan. 'Het gaat tegen al mijn instincten in, maar ja, ik zou het doen om het joch terug te krijgen. Ik zou het doen voor Jimmy's bestwil. Het kind heeft stabiliteit en vertrouwdheid nodig en niet dat hij naar een ander land wordt verplaatst en een buitenlandse identiteit krijgt aangemeten. Want dat zullen ze moeten doen. Ze kunnen niet het risico lopen dat Jimmy Higgins weer opduikt. Hij zal de identiteit van een of andere Roemeense wees krijgen. Dus, ja, ik zou het doen voor de jongen. En voor jou.'

'En wat als Marina daar niet voor in is? Wat als Simon akkoord gaat, maar zij nee zegt?'

'Dan is het drie tegen één.' Zijn mond klapte dicht. Stephanie besefte dat ze van Nick verder niets over dit onderwerp te horen zou krijgen. Hij wilde geen situatie met haar doornemen die hij beslist wilde vermijden. Hij tuurde naar de kilometerteller. 'Volgens die teller is het nog maar een paar kilometer. Hou je ogen open voor eventuele borden langs de weg.'

Ze reden door een volgend gehucht, een groepje vervallen huizen met steile daken, dat dicht bijeengepakt was rond iets wat op een herberg leek, en terwijl ze door een reeks scherpe bochten verder omhoogreden, leek het bos dichter te worden. Toen ze de laatste haarspeldbocht uit kwamen, keken ze uit over een weiland op de andere oever van een woelige bergstroom die langs de weg voortsnelde. In het midden van het veld stond een hoge muur om een luguber stenen gebouw. Het was drie verdiepingen hoog, had twaalf ramen per etage en stond als een vierkant blok achter een hoge ijzeren poort. Het roomkleurige stucwerk en het steil oplopende, donkere dak leken in goede staat van onderhoud, maar de algemene indruk was onheilspellend. Er was een groot bestraat gebied aan het einde van de oprijlaan, waar een aantal auto's geparkeerd stond, maar voor zover ze konden zien was de rest met gras bedekt. Nick ging langzamer rijden, waarna ze via een brug de stroom overstaken. Een groot uithangbord kondigde *Orfelinat Timonescu* aan.

'Jezus,' zei Nick. 'Wat is het groot.'

Stephanie keek achterom en vanuit dat perspectief kon ze het begin van een kinderspeelplaats zien, die er goed uitgerust uitzag. 'Wat nu als ze er wonen?' zei ze. 'Wat als Jimmy daar tussen alle andere wezen zit?'

De weg maakte een ruime bocht om het terrein. Aan de rechterkant leek zich een soort bosbeheerpad van de hoofdweg af te splitsen. Nick sloeg op het allerlaatste moment rechts af en reed de eerste bocht door. Daar keerde hij de auto, en toen hij hem uiteindelijk neerzette, waren ze een kleine vijftig meter van de weg verwijderd, maar uit het zicht van een toevallige toeschouwer. 'Waarom zouden ze dat willen? Als ze zoveel moeite hebben gedaan om een nieuw leven op te bouwen, denk ik niet dat ze hun vrije tijd in een weeshuis zullen doorbrengen,' zei hij. 'Zoals ik gisteravond al zei: we moeten er flexibel mee kunnen omgaan.' Hij pakte haar hand vast en kneep erin. 'We moeten hoop hebben. Iemand moet het voor Jimmy opnemen,' zei hij.

Stephanie glimlachte. 'Je denkt dat je me kunt bespelen als een gitaar,' zei ze, zonder enig venijn in haar stem. 'Maar ik heb je wel door. Ik weet heus wel waarom we hier zijn, maar dat betekent nog niet dat ik niet ongerust zal zijn.'

'Ongerust zijn is goed. Dat betekent dat je geen domme, onbezonnen of overenthousiaste dingen gaat uithalen.' Nick deed het portier open en kroop uit de auto, waarna hij zijn armen uitrekte om de spieren in zijn rug los te maken. Stephanie kwam naast hem staan, waarna ze zwijgend hun rugzakken inruimden. Nog altijd zonder iets te zeggen, vertrokken ze vervolgens over het pad naar de weg.

'Er loopt een pad langs de bovenkant van dat weiland,' zei Stephanie. 'Dat heb ik vanuit mijn ooghoeken gezien. Volgens mij kun je er alleen komen via de brug die naar het weeshuis leidt.'

En dus liepen ze terug over de weg en staken de brug over. Er klonk geen teken van leven vanuit het deprimerende gebouw achter de muur, geen geluiden van spelende kinderen. Het was inmiddels vroeg in de middag, en het verbaasde Stephanie dat alles zo stil en rustig was.

Al snel zagen ze het smalle pad, dat door het weiland naar de boomgrens liep. Het leek precies het soort pad waartoe twee wandelaars zich aangetrokken zouden voelen. Ze bleven even staan, terwijl Nick net deed of hij de kaart raadpleegde. 'Wanneer we de bomen bereiken, kijken we nog een keer op de kaart en doen we net alsof we een vergissing hebben gemaakt. En dan gaan we weer dezelfde weg terug. Maar zodra we bij de bocht komen, verdwijn jij tussen de bomen en houdt vandaar het weeshuis in de gaten. Ik loop dan terug naar de auto en wacht daar tot je me zegt dat ik in actie moet komen.' Hij deed zijn rugzak af en pakte er een verrekijker uit. 'Neem jij deze maar.'

Ze staken resoluut de wei over en liepen nog een paar honderd meter door langs de bomen. Ineens werd op het zachte windje het geluid van schreeuwende en lachende kinderen meegevoerd. Een eindje verderop sloegen ze af en liepen weer dezelfde weg terug. Er zat een ongeveer twintig meter groot gat in de muur, waar de stenen door hoge, van punten voorziene spijlen waren vervangen. Erachter konden ze kinderen zien die druk aan het spelen waren: met een bal gooien, touwtjespringen, tikspelletjes. Of gewoon maar wat rondhangen. Sommige kinderen waren duidelijk gehandicapt, maar ze deden evengoed gewoon mee en genoten van de lentezon en van hun vrijheid. Jimmy zat er niet bij, daar was Stephanie zeker van. Drie vrouwen in donkere broeken en het soort witte tunieken dat verpleegsters en hulpverpleegsters dragen, zaten met hun benen over elkaar geslagen en hun ogen op de kinderen gericht gretig rokend en druk pratend op een bankje. Ze schonken geen aandacht aan Nick en Stephanie, die met ferme pas helemaal terug naar de weg liepen. 'Zo te zien vermaken die kinderen zich prima,' zei Stephanie. 'Scarlett heeft iets goeds gedaan. Toen ze hier voor het eerst kwam, was het hier zoals in al die gruwelijke documentaires na de val van Ceaușescu. Aan hun bedjes vastgeketende kinderen, baby's die in hun eigen vuil lagen en gehandicapte kinderen met pus lekkende doorligwonden. Er lijkt heel wat veranderd.'

'Dat is ook nog een reden om te proberen dit zonder inmenging van de politie op te lossen. Ik wil niet dat Scarletts liefdadigheidswerk door het slijk wordt gehaald. De mediamensen zouden de dag van hun leven hebben met de ironie van de situatie: "Het door zijn moeder opgezette liefdadigheidsfonds wordt misbruikt om de zo tragisch ontvoerde Jimmy te verbergen."' zei Nick, die met zijn vingers aanhalingstekens in de lucht zette.

Ze liepen verder, en toen ze de bocht om waren, verdween Stephanie tussen de bomen. Nick liep door en liet haar achter tussen de slanke stammen van de coniferen. Het probleem met dit soort bosland was dat er geen kreupelhout was om dekking achter te zoeken. Er groeide niets onder het bladerdek van naalden. Ze glipte snel tussen de bomen door en bewoog zich dichter naar de weg toe, waar varens zich tussen het grove gras en de vreemde haagstruiken begonnen te ontrollen. Als ze op het tapijt van naalden aan de rand van de bomen zou gaan zitten, vermoedde ze dat ze moeilijk te zien zou zijn. Stephanie spreidde haar waterdichte jack uit op de grond, ging zitten en bereidde zich voor op wat wel eens een lange wacht zou kunnen worden. Het was bijna vier uur in de middag en ze had geen idee hoe laat het donker zou worden, maar ze was vastbesloten om het vol te houden.

Voor Jimmy was dat wel het het minste wat ze kon doen.

6

De zon was achter de beboste top verdwenen en daarmee trok ook de laatste warmte van de dag weg. Nicks geruite overhemd was niet opgewassen tegen de scherpe kou van de wind die aan het begin van de avond opstak. Maar als ze het waterdichte jack zou aantrekken in een poging om warm te blijven, zou het vocht uit de bodem al snel Stephanies botten zijn binnengekropen, waardoor ze het zelfs nog kouder zou krijgen dan daarvoor. Het was een probleem waar geen bevredigende oplossing voor was, maar erover nadenken leidde haar gedachten af van wat hun misschien te wachten stond.

De voordeur van het weeshuis was een paar keer opengegaan, zodat ze opschrok en ineens weer alert werd, met de verrekijker tegen haar ogen gedrukt. De eerste keer waren er een man en een vrouw in het ogenschijnlijke uniform van een donkere broek en een witte tuniek naar buiten gekomen. De man liep naar een van de auto's en de vrouw liep op een drafje over de oprijlaan, waarna ze een hangslot openmaakte en de zware ijzeren poort opendeed. De man reed erdoorheen en wachtte toen tot de vrouw de poort weer dichtdeed en op slot had gedaan. Het was een onpraktisch gedoe, maar Stephanie was blij dat ze er zo lang over deden. De volgende vertrok ongeveer tien minuten later. Het was een grijsharige vrouw in een roze doorknoopoverall. Ze stapte op een scooter die achter de auto's verborgen stond en herhaalde het tafereel aan de poort.

'Kom op, Simon,' mompelde Stephanie, terwijl de scooter haar passeerde en grommend de berg opreed. Om de eentonigheid te doorbreken belde ze Nick en vertelde hem over de mensen die waren weggegaan. 'Het duurt even om de poort open en dicht te doen,' meldde ze. 'Dus als hij inderdaad naar buiten komt, heb je nog een paar minuten de tijd.'

'En gingen ze allemaal de berg af?'

'Nee, de ene omlaag en de ander omhoog.'

'Oké, dan blijf ik hier wachten tot je zeker weet welke kant hij op gaat.'

Er viel verder niets te zeggen. Geen van beiden had nu zin in een gezellig babbeltje. Stephanie concentreerde zich weer op haar wacht en sloeg haar armen om haar bovenlichaam om het beetje overgebleven warmte vast te houden.

En toen ging de deur weer open. Ze herkende Simon zelfs zonder verrekijker wel. Het overhemd over zijn spijkerbroek met rechte pijpen, de typische manier van lopen door zijn cowboylaarzen. Ze kon bijna geloven dat ze het gekletter van de hakken van zijn laarzen op de stenen traptreden hoorde. Hij deed de deur niet achter zich dicht, bleef vervolgens onder aan de trap wachten en keek achterom alsof hij iemand riep.

Toen Jimmy op volle snelheid naar buiten kwam stuiven, hield Stephanie op met ademen. Ze kreeg een beklemmend gevoel op haar borst en haar keel verkrampte alsof er daarbinnen een snik gevangenzat. De jongen haalde Simon in, die zijn haar door de war deed zoals zij zo vaak had gedaan. Ze liepen hand in hand naar een Mercedes-sedan en stapten in. Toen Simon het hangslot van de toegangspoort begon open te maken, kreeg Stephanie zichzelf weer voldoende onder controle om de snelkeuzetoets voor Nick op haar telefoontje in te drukken.

'Het is Simon,' zei ze gehaast. 'Hij heeft Jimmy bij zich.'

'Godallemachtig.' Ze kon de motor horen aanslaan toen Nick de contactsleutel omdraaide. 'Gaan ze de berg op of af?'

'Dat weet ik nog niet, Simon rijdt nog maar net de poort door. Wacht even...' Terwijl ze toekeek, groeide de spanning in haar lichaam met de minuut. Simon reed door de toegangspoort en was vervolgens lang bezig met het op slot doen. Hij deed alsof hij alle tijd van de wereld had, waardoor haar koortsige ongeduld alleen maar groter werd. Toen hij de auto eindelijk weer in beweging zette, gaf de richtingaanwijzer aan dat hij naar links ging. 'Naar beneden,' gilde ze bijna. 'Ze komen de berg af. Kom me ophalen.'

Zodra Simons achterlichten om de eerste bocht verdwenen waren, stond Stephanie op en dook door de smalle strook haagstruiken de weg op. Ze kon Nicks koplampen al door de bomen heen zien glinsteren. Het daglicht begon nu snel af te nemen, dus ze zouden in ieder geval Simons achterlichten voor zich hebben om de achtervolging te vergemakkelijken.

Nicks auto ging de bocht om en kwam slippend naast haar tot stilstand. Ze dook de passagiersstoel op en was verbaasd dat ze hijgde. Nick grinnikte en zette de auto in de versnelling. Zijn nervositeit kwam eruit in de vorm van een geintje. 'Is dit niet het moment dat je hoort te zeggen: "Het spel is begonnen, Holmes?"'

Ondanks alles maakte dat haar aan het giechelen, een hysterische reactie op zijn meligheid. 'Vergeet niet dat het inspecteur Lestrade van Scotland Yard was die de echte domkop in de Sherlock Holmes-verhalen was, brigadier Nicolaides.'

Nick gooide de auto zo snel als hij durfde door de bochten, waarbij ze zo nu en dan scharlakenrode strepen door de bomen voor hen zagen. Toen verdween het rood ineens. Ze slingerden zich door nog een paar bochten en toen stonden ze opeens oog in oog met het gehucht. Stephanie deed haar best een spoor van de Mercedes op te pikken en schreeuwde plotseling: 'Daar, voorbij de herberg. De weg die het bos ingaat. Daar rijden ze naartoe.'

Nick liet de auto met gillende banden een draai maken, waarna ze langs de huizen en de herberg schoten. Toen ze van het asfalt op de onverharde weg terechtkwamen, slingerden ze hevig heen en weer. Hij trapte op de rem en probeerde tot een beheersbare snelheid te komen. 'Kut,' zei hij, terwijl hij gespannen en woest met de gebrekkige auto worstelde.

Voor hen werden de rode lichten feller, omdat de Mercedes remde.

Vervolgens sloeg hij opeens rechts af. Nick ging langzamer rijden. 'Het is een toegangspoort,' riep Stephanie uit. 'Stop, Nick.'

Hij deed de koplampen uit en slaagde erin de auto zo'n vijftig meter van de toegangspoort tot stilstand te brengen. Het uitzetten van de motor en het stadslicht duurde maar enkele seconden, zodat ze beiden al snel op de bosweg stonden. De portieren lieten ze open. Ze renden naar de toegangspoort en Nick ging er laag gehurkt doorheen naar de andere kant.

Stephanie tuurde langs een ruwe stenen pilaar met een op zijn achterpoten staande beer erbovenop. De Mercedes was tot stilstand gekomen op een verlichte plek zo'n dertig meter verderop. Het licht kwam van schijnwerpers boven op de voorgevel van een soort mengeling tussen een jachtverblijf en een kasteel, compleet met stenen torentjes op elke hoek. Jimmy en Simon waren al uitgestapt en liepen naar de voorportiek, Jimmy hinkelend voorop.

De deur ging open en er kwam een vrouw naar buiten. Ze rende met uitgespreide armen de traptreden af om de jongen te begroeten. Ze pakte hem op en nam hem in haar armen, waarbij ze met hem ronddraaide. Toen Simon zich bij hen voegde, stopte ze om hem op zijn mond te kussen. Het was het perfecte plaatje van een gezin dat aan het einde van de werkdag weer met elkaar verenigd werd.

Het was alleen de verkeerde vrouw.

7

Stephanies knieën begaven het. Ze klapte in elkaar en viel met een zachte kreun op de grond, niet in staat om haar eigen ogen te geloven. Haar oogleden trilden, en even vroeg ze zich af of ze zou gaan flauwvallen. En toen zat Nick op zijn hurken naast haar, met zijn troostende armen om haar heen. 'Godallemachtig,' zei hij. 'Zag ik daar nu net wat ik denk dat ik gezien heb? De trap afspringend van een huis dat eruitziet als het weekendverblijf van Dracula? Was dat Scarlett?'

'Ik kan het niet geloven,' zei Stephanie. 'Ik was bij haar tot vlak voordat ze overleed. Ik zag haar in haar kist liggen.' Ze schudde haar hoofd alsof ze het van krankzinnigheid wilde zuiveren. 'Het kan Scarlett niet zijn.' Toen begon het haar te dagen. 'Denk eens na, Nick. Wie ontbreekt er? Wie is niet waar ze hoort te zijn?'

Hij kreeg een opgelucht gevoel en zijn gezicht klaarde op. 'Leanne. Het is Leanne.'

'Die achterbakse, gestoorde klootzakken,' zei Stephanie bijna bewonderend. 'Ze waren dit al van plan vanaf het moment dat Scarlett aan Leanne verteld had dat ik Jimmy's voogd zou worden. Ze was van hem gaan houden. Ze wilde hem dolgraag zelf houden. En die egoïstische, inhalige klootzakken hebben een manier gevonden om het zó te spelen dat ze ook nog eens toegang tot een groot gedeelte van het geld krijgen, met Simon geïnstalleerd als arts van het tehuis. Nu Simon en Marina de controle over het trustfonds hebben, wil ik wedden dat Simon en Leanne er warmpjes bij zitten in hun kasteel in het bos.'

Nick stond op. 'Ik ben zo blij dat ik niet naar de politie van Essex ben gestapt met onze theorieën over de moord op Leanne. Ik zou me verdomme compleet belachelijk hebben gemaakt. Nick de Griek, die voor iedereen voor schut staat.'

'Ze hebben evengoed wel een misdaad begaan, Nick. Ze hebben Jimmy ontvoerd, en zoals je al zei: ze zullen wel een luxueus leventje leiden dankzij het TOMORROW-trustfonds. We kunnen net zoveel druk op Simon en Leanne uitoefenen als we op Simon en Marina konden. We kunnen Jimmy nog steeds terugkrijgen.'

Nick beantwoordde haar opmerkingen met een meedogenloze glimlach. 'Helemaal mee eens. Ik ben er klaar voor, dus je zegt het maar.'

Een kwartier later liepen ze de korte, geplaveide oprijlaan op. Nick had erop gestaan dat ze in de auto zouden blijven wachten, met de deuren open. 'Doe het portier niet dicht. De klik van het slot is precies het soort kunstmatige geluid dat heel ver draagt op plekken als deze. We geven hun nog wat tijd om in hun gewone dagelijkse routine te komen. Dan zijn ze rustig en ontspannen en verwachten ze niet dat de pleuris elk moment gaat uitbreken.'

Toen kreeg hij een beter idee. 'Laten we de auto voor de toegangspoort duwen. Dan kunnen ze geen kant uit wanneer ze besluiten om ervandoor te gaan of om versterkingen te roepen.'

En dus haalde hij de handrem eraf, waarna ze zonder noemenswaardig geluid te veroorzaken de blikkerige kleine auto naar voren duwden, totdat hij de toegang tot het huis compleet blokkeerde. Om erdoor te kunnen, moesten ze de auto zelf als een soort doorgang gebruiken door erdoorheen te kruipen.

Nick zal het bonzen van mijn hart wel kunnen horen, dacht Stephanie terwijl ze het huis naderden. Ze had het gevoel dat ze in een sprookje rondliepen. Het huis glom vanwege recent onderhoud en de luiken waren brandschoon, het stucwerk was maagdelijk wit en het ijzerwerk was roestvrij. Onder elk raam en aan alle balustrades hingen bloembakken vol bloeiende bloembollen. Er sijpelde warm licht door de jaloezieën voor de ramen op de begane grond. Het leek wel iets uit een verhaal van de gebroeders Grimm, na een renovatieprogramma op televisie.

Ze beklommen de vier treden naar de voorportiek zo stil mogelijk. Nick liet de deurbel links liggen en ramde met zijn zaklantaarn tegen de zware houten planken van de deur. Ze hoorden geen naderende voetstappen, zó strak zat de deur in zijn omlijsting. Zonder enige waarschuwing ging hij naar binnen open. De vrouw die opendeed keek hen niet aan. Ze keek achterom over haar schouder en lachte om iets wat iemand binnen gezegd of gedaan had.

Stephanie dacht dat ze zou gaan overgeven.

De vrouw draaide zich naar hen om, en alle leven en kleur verdween uit haar gezicht. Zo moet de vrouw van Lot er hebben uitgezien, dacht

Stephanie verward. De tijd zelf leek te vertragen terwijl ze haar best deed te bevatten wat, of beter gezegd: wie ze voor zich zag. 'Hallo, Scarlett,' zei ze. Ze hoorde achter zich Nick krachtig inademen. 'Vraag je ons niet om binnen te komen?'

8

Stephanies woorden spoorden Scarlett aan tot actie. Ze probeerde de deur voor hun neus dicht te smijten, maar Nick was te snel en te ervaren. Zijn arm schoot naar voren en hij leunde met zijn volle gewicht tegen de rand van de deur om zo veel mogelijk kracht te kunnen zetten. Scarlett werd achteruit gedrongen. Terwijl ze naar achteren gleed, duwden Stephanie en Nick zich een weg naar binnen.

'Hoe kon je?' zei Stephanie met een stem die nauwelijks meer was dan minachtend gefluister.

Uit een verlichte ruimte rechts van hen kwam een hakkend geluid, gevolgd door Simons stem. 'Wie is daar, liefje?'

Stephanie liep door naar de warme keuken. Simon stond voor een houten slagersblok, waarop hij uien klein hakte. Toen hij haar zag, stopte hij halverwege zijn beweging en kletterde het mes tegen de planken vloer, terwijl hij als een goudvis in doodsnood zijn mond een aantal keren opendeed en weer sloot. Op datzelfde moment zag Jimmy haar en klauterde hij uit zijn stoel om de kleine afstand tussen hen beiden rennend te overbruggen. 'Stephie,' schreeuwde hij blij. 'Ik hou van je.' Hij sloeg lachend en joelend zijn armen om haar benen. 'Gaan we gauw naar huis?' vroeg hij nog, terwijl de verblufte en geschokte gezichten in de ruimte compleet aan hem voorbijgingen.

'Steph komt alleen maar op bezoek, om te kijken of je je hier thuis voelt,' zei Scarlett, die langs Stephanie schoot en Jimmy vastpakte. Ze droeg hem in één vloeiende beweging over aan Simon. 'Ga jij maar boven met Simon met je lego spelen. Ik moet wat dingen bespreken met Steph.' Haar glimlach paste haar net zo slecht als een toupet bij een tachtigjarige.

'Ik ga wel met de jongens mee,' zei Nick, waarna hij achter Simon aan liep.

'Stephie.' Jimmy's stem klonk schril van verlangen terwijl hij uit de keuken werd weggevoerd, zijn armen naar haar uitgestrekt over Simons schouder.

'Later,' zei Scarlett, die de keukendeur achter hen dichtdeed. Voor een dode vrouw leek ze in opvallend goede gezondheid te verkeren. Ze was licht gebruind en zag er fit uit, haar ogen sprankelden en haar huid was glad. Haar haar was weer teruggekomen, en ze had nu een volle bos in meerdere gradaties blond, die van dure bezoekjes aan een goede kapper getuigde. Waarschijnlijk niet hier in het dorpje. Het zat losjes vast met een haarclip. Ze spreidde haar armen uit in een gebaar dat moest uitnodigen om haar te omhelzen. 'Het spijt me zo vreselijk, Steph. Je hebt er geen idee van hoe erg ik het vond om je er niets over te vertellen.'

De warmte die van Scarlett uitging zette Stephanie bijna op het verkeerde been. Bijna, maar niet helemaal. Ze had moeite om te praten en het bloed pompte in haar oren, maar uiteindelijk hervond ze haar spraakvermogen. 'Hoe durf je? Na wat je Jimmy hebt laten doormaken. Hoe durf je dit af te doen alsof er eigenlijk helemaal niet zoveel aan de hand is?'

Scarlett pakte een fles prosecco uit de grote, Amerikaans uitziende koelkast en ontkurkte hem kalmpjes. 'Het gaat prima met Jimmy. Dat heb je zelf kunnen zien.' Ze pakte een paar champagneglazen uit een kast met glazen deuren. Terwijl ze inschonk, schudde ze haar hoofd op een manier die eerder droefheid dan woede uitstraalde. 'Je weet beter dan wie dan ook hoe vreselijk onmogelijk mijn leven was, helemaal nadat ik kanker kreeg. Ik kon nergens meer naartoe en kon niets doen zonder een horde paparazzi in mijn nek te krijgen. Zo kon ik niet leven. Dat zou niemand kunnen. Het zat me tot híér, Steph. Ik werd ziek van de stress. Letterlijk. Ze zijn bijna mijn dood geworden.'

Stephanie voelde het gekriebel van zweet in haar nek en vond het lastig om haar houding te bepalen tijdens dit gesprek. Scarlett deed er zo nuchter over. Laconiek, bijna. Niet als een vrouw die erop betrapt was haar eigen dood in scène te hebben gezet en haar eigen zoon naar een ander continent te hebben ontvoerd. En Stephanies eigen emoties vlogen wild heen en weer tussen opluchting dat haar vriendin nog leefde en woede om wat Scarlett had gedaan. 'Je had je uit het publieke leven kunnen terugtrekken. Je had naar het buitenland kunnen gaan, waar niemand zou weten wie je was.' Stephanie lachte bits en kort. 'Zoals in dit vervloekte Transsylvanië bijvoorbeeld. Ik wil wedden dat je hier prima boodschappen kunt doen zonder dat je door een meute wordt gevolgd.'

Scarlett bood Stephanie een glas aan, maar ze wuifde het weg. In plaats daarvan zette Scarlett het dicht bij haar op het keukenblad neer. 'Dat kan ik inderdaad ook. En daar hebben we ook wel over nagedacht. Maar het was ingewikkeld. Een arts als Simon verdient niet echt veel in Roemenië. En ook al is het leven hier goedkoop, het heeft ons nog altijd een bom duiten gekost om dit huis op te knappen. En dan zijn er nog andere dingen die niet goedkoop zijn. Satellietinternet, meerkanaalstelevisie, dat soort zaken. En als je iets beters wil hebben dan de doorsnee rotzooi, dan betaal je je blauw. Dus we moesten ervoor zorgen dat er geld bleef binnenkomen. Ik heb het recht op een behoorlijk leventje verdiend, Steph. Maar die klotejakhalzen namen het me af.'

Er was iets schokkends aan Scarletts complete gebrek aan schaamte. 'Dus je hebt die latere, terminale kanker en de zwemmarathon gebruikt om je ervan te verzekeren dat het TOMORROW-trustfonds ervoor zou zorgen dat je de levensstijl kon handhaven waaraan je gewend was geraakt?' Een ander zou uit het veld geslagen zijn door Stephanies bijtende sarcasme, maar Scarlett glimlachte alleen maar en hief haar glas op naar haar vroegere vriendin.

'Zo'n beetje wel, ja. Het weeshuis krijgt vanzelfsprekend ook een verdomd groot gedeelte. Anders zou er voor hen geen reden zijn om aan het plannetje mee te werken. Marina is de tussenpersoon. Zij zorgt ervoor dat iedereen tevreden blijft. En ze krijgen Simons diensten er bijna gratis bij, en dat is heel wat wanneer je zoveel gehandicapte kinderen hebt om voor te zorgen. Je doet het voorkomen alsof we puur op eigen voordeel uit zijn, Steph, maar we doen hier ook veel goeds.'

'Je hebt gedaan alsof je dood was.' De woedegolf was hoog genoeg geworden om Stephanies aanvankelijke geschoktheid te verdrijven. 'Ik heb om je gehuild. Ik heb je zoon vastgehouden terwijl zijn kleine lichaam schokte van het snikken, omdat hij zijn vader al had verloren en nu zijn moeder ook verloor. Heb je enig idee hoeveel leed je de mensen die van je hielden hebt aangedaan?'

Scarletts mond krulde iets op, wellicht omdat ze in verlegenheid was gebracht. 'Om zo heel veel mensen ging het nu ook weer niet. Geen mensen die me echt kenden. Eigenlijk waren jij en Jimmy en George de enigen om wie ik ook maar ene moer gaf. Simon en Marina wisten er natuurlijk van, dus die deden alleen maar alsof. Luister, ik heb gezegd dat het me spijt, en dat meende ik. Als er een andere manier was geweest, dan had ik het gedaan, geloof me. Maar ik moest je hier onkundig van houden. Iemands verdriet moest authentiek zijn. Zodat Simon en Marina konden zien hoe ze moesten reageren.'

Stephanies mond viel open. Ze kon het idee dat haar persoonlijke leed voor Scarlett niets anders had betekend dan een controlegroep in een psychologisch experiment niet bevatten. Hoe kon iemand een ander mens zo behandelen, laat staan iemand die haar beste vriendin moest voorstellen? 'Harteloos kreng dat je bent,' zei ze met zachte, bijna verstikte stem.

Scarlett dronk haar glas leeg en schonk zichzelf nog een tweede in. 'Ik speelde hoog spel, Steph. Ik heb altijd gedaan wat nodig was om te komen waar ik wilde zijn. Doe nu niet net alsof dat als een verrassing komt. Jij bent tenslotte degene die het boek heeft geschreven.'

Stephanie had het gevoel dat haar hersenen langzaam weer op volle toeren begonnen te draaien, na in een moeras van leugens te zijn vastgelopen. 'Ik heb je dood gezien. Ik heb je in je kist zien liggen.' Scarlett glimlachte als een winnares van een pokertoernooi, die eindelijk is verlost van de bittere noodzaak om een strak gezicht te blijven houden, en Stephanie kwam opnieuw tot een gruwelijk besef. 'O, mijn god,' bracht ze haperend uit. Haar hand vloog voor haar mond alsof ze dit inzicht kon wegvagen door de woorden tegen te houden.

Scarlett knikte. 'Ze was verdomme onverbeterlijk, dat weet jij ook wel. Ze wilde Jimmy, ze wilde dat ik het perceel in Spanje op haar naam zou laten zetten, ze wilde een vast inkomen. Alsof ook maar iets van dat alles zou gebeuren, zelfs al had ik echt op sterven gelegen.' Ze schudde vol afkeer haar hoofd. 'Dat domme wijf dacht dat ze me onder druk kon zetten door te dreigen dat ze alles openbaar zou maken.'

'Als ze uit de school was geklapt, zou het maar heel even groot nieuws zijn geweest, Scarlett. Je zou haar uitdaging aangenomen kunnen hebben. Inmiddels was je al de dappere kankerheldin geworden. Het feit dat je Leanne als dubbelgangster had gebruikt om zich als de ondeugende meid te gedragen, zou zelfs in je voordeel gewerkt kunnen hebben.' Stephanies bitterheid klonk in elk woord door.

Maar Scarlett leek eerder in verwarring dan van streek. 'Ik maakte me niet zo druk om dat dubbelgangstergedoe. Het ging om Joshu.'

9

Nu was het Stephanies beurt om haar verbijsterd aan te kijken. 'Wat is er met Joshu?'

'Leanne wist van de morfine.' Scarlett rolde met haar ogen alsof ze met een bijzonder domme leerling te maken had.

'Wat was er dan met de morfine?' drong Stephanie aan.

'Joshu had de morfine niet van Simon gestólen, Simon heeft die aan hem gegeven. Hij deed voorkomen alsof hij hem een gunst verleende, zodat Joshu mij met rust zou laten. Maar hij had de etiketten verwisseld. Joshu dacht dat hij een lage dosis injecteerde, maar in werkelijkheid was het de wettelijk hoogst toegestane dosis die er te krijgen is. Leanne had Simon in de keuken iets zien doen met de etiketten, en toen Joshu overleed, trok ze zo haar conclusies. Maar aanvankelijk dacht ze dat Simon het had gedaan om Joshu uit de weg te ruimen, zodat hij vrij baan zou hebben om me te veroveren. Ze had niet door dat we inmiddels al tot over onze oren verliefd op elkaar waren.' Die laatste herinnering bracht een zoete glimlach op Scarletts gezicht, alsof die de gruwelijke waarheid van wat ze zojuist had onthuld wegvaagde.

'Jullie... jullie hebben Joshu erin geluisd in de wetenschap dat die morfinedosis zijn dood zou worden?'

'Wat zou jij dan gedaan hebben? Hij was een nachtmerrie om mee te leven, dat weet je. Hij was de helft van de tijd knetterhigh, en als ik overleden was, zou hij nooit hebben opgegeven totdat hij Jimmy te pakken had en hij zou hem dan compleet naar de kloten hebben geholpen. Dat risico kon ik niet lopen, Steph. Je hebt met Jimmy samengewoond, je weet wat een schat hij is. Ik kon hem niet in handen van Joshu laten vallen. Ik heb alles geprobeerd om hem te laten inbinden. Maar daar wilde hij niets van weten. Ik had geen andere keuze.'

Stephanie pakte het glas prosecco op en dronk het in één keer leeg. Scarlett lachte verrukt. 'Dat lijkt er meer op. Meer zoals vroeger, Steph.' Ze vulde het glas weer en kneep Stephanie toen even zacht in haar arm.

Stephanie deinsde terug en trok haar arm weg, maar dat leek Scarlett niet te deren. Stephanie had begrip gehad voor Scarletts vastberadenheid, voor het doorzettingsvermogen waarmee ze het van een uitzichtloos milieu tot de jetset had geschopt. Maar om nu begrip te hebben voor de koelbloedige meedogenloosheid waarin het was veranderd, dat was nog steeds een stap die ze moeilijk kon zetten.

'Je hebt Joshu vermoord om Jimmy te beschermen. En toen heb je Leanne vermoord om jezelf te beschermen.'

Scarlett leek van haar stuk gebracht. 'En op welke manier was iemand dan beter af geweest wanneer Leanne ons had verraden? We zouden op schandelijke wijze in de gevangenis zijn beland en aan Jimmy's fijne leventje zou een einde gekomen zijn. En Leanne zou op rozen zitten, ook al was ze net zo schuldig als wij.'

'Hoe zie je dat dan? Dat Leanne ook schuldig was, bedoel ik?'

Scarlett haalde bevallig haar schouders op. 'Ze heeft gezien wat ze heeft gezien en heeft het destijds niet aan de politie gemeld. En later probeerde ze me ermee af te persen. Wat mij betreft maakt dat haar net zo goed tot een misdadiger als ons. Ze verdiende het niet om er zonder kleerscheuren af te komen en mijn zoon er nog als extraatje bij te krijgen. En ik zal niet ontkennen dat haar laatste baan als mijn dubbelgangster ons heel wat hoofdbrekens heeft bespaard over de vraag wat we in de kist moesten stoppen.' Ze grinnikte om haar eigen spitsvondigheid.

'Maar Leanne zou al weken voordat je "overleed" naar Spanje zijn teruggekeerd.' Stephanie zette vol verachting aanhalingstekens in de lucht. 'Wat? Jullie hebben haar al die tijd gevangengehouden?'

'Dat was niet zo moeilijk. Simon had er de medicijnen voor. Hij hield haar in verdoofde toestand in de kleedkamer, waar hij zogenaamd logeerde. Ze verloor al snel gewicht, waardoor het er zelfs nog authentieker uitzag. Toen we klaar waren voor mijn grote doodsbedscène, verhoogde hij de dosis. Ze heeft er niets van gemerkt. Je zou kunnen zeggen dat ze haar laatste paar weken compleet van de wereld heeft doorgebracht. Er zijn mensen die er heel wat geld voor overhebben om dat te ervaren, Steph.'

Als dat een poging tot humor was, dan sloeg ze wat Stephanie betreft de plank volledig mis. 'En het sms'je dat ik vanmorgen kreeg, zogenaamd van Leanne? Dat was jij ook, hè?'

Scarlett leek overdreven tevreden met zichzelf. 'Natuurlijk was ik dat. En ik moest er snel even iets op verzinnen.'

'Niet snel genoeg,' zei Stephanie. 'We wisten al dat Leanne niet in Spanje was. We hebben kennisgemaakt met die charmante vent aan wie je haar huis hebt verkocht.'

Scarlett leek enigszins van haar stuk gebracht. Stephanie profiteerde daar onmiddellijk van en ging in de aanval. 'En Jimmy? Wat had dat allemaal te betekenen? Je hebt Jimmy ontvoerd. Door jou ben ik de afgelopen week door een hel gegaan. Ik was krankzinnig van ongerustheid. Ik heb amper geslapen. Ik heb doodsangsten om hem uitgestaan.'

Voor het eerst leek het erop dat berouw toch tot Scarletts emotionele palet behoorde. 'Ja. Daar voelde ik me wel heel erg schuldig over, Steph. Als ik het had kunnen voorkomen, dan had ik dat zeker gedaan. Maar ik kon je toch niet gewoon vragen om hem weer terug te geven? Dat had je nooit kunnen uitleggen aan de sociale dienst, en ze zouden hebben gedacht dat je hem had vermoord of dat je hem verkocht had of zoiets.' Ze bracht een vreemd lachje uit. 'Dus ik moest hem bij jou ontvoeren. We hebben het in Amerika gedaan om de aandacht af te leiden van zaken die met ons in verband zouden kunnen worden gebracht. Simon heeft de eigenlijke actie uitgevoerd, onherkenbaar vermomd en met totaal andere schoenen om zijn manier van lopen te veranderen. Simon is met hem naar Canada gereden, waar hij hem met een stel Roemeense paspoorten de grens over kreeg. Vervolgens zijn ze vanuit Toronto terug komen vliegen. Een makkie, eigenlijk.'

'Maar waarom? Waarom zou je het zo ingewikkeld maken? Waarom hebben jullie Simon niet sowieso voogd van Jimmy gemaakt? Of zelfs Marina, als zij er toch ook van wist?'

Voor het eerst dacht Stephanie even iets stiekems in Scarletts gezichtsuitdrukking te zien. 'Wie van hen dan ook, er zou over gepraat worden. De journalisten zouden erbovenop springen. Waarom kreeg een of andere Roemeense kinderjuffrouw de voogdij over het kind van Scarlett Higgins, waarna ze hem meenam naar Roemenië? Wat voor leven zou hij daar gaan krijgen? Of waarom kreeg een of andere arts het kind? Was hij Scarletts geheime geliefde? En waarom nam hij het kind mee naar de achtertuin van Dracula?' Ze zuchtte. 'Vragen, vragen, vragen. Ik wil niet gemeen klinken, Steph, maar jij was de saaie optie. Mijn beste vriendin, mijn ghostwriter, de vrouw die erbij was toen Jimmy werd geboren, de persoon die de kanker min of meer samen met ons heeft beleefd. Je bent zijn peetmoeder, en dat maakte je tot de meest logische persoon om voor hem te zorgen.'

'En ik heb ook voor hem gezorgd.' Stephanie stak haar kin uitdagend omhoog. 'Ik had niet beter voor hem kunnen zorgen wanneer hij mijn eigen kind was geweest. Zal ik je eens de waarheid vertellen, Scarlett? Het voelt alsof hij echt van mij is. En dat is nog nooit zo sterk geweest als de afgelopen week, nadat je me hem had afgenomen.'

Scarlett beantwoordde dit door haar hoofd iets te laten zakken. 'Ik ben blij dat te horen. Maar nu heb ik hem hier nodig, bij mij. Het spijt me. Toen ik je vroeg om hem op te nemen, was dat niet als iets tijdelijks bedoeld. Ik had mezelf ervan overtuigd dat ik hem kon laten gaan. Ik wist voor mezelf dat hij beter af zou zijn zonder mij en beter alleen met jou kon blijven.' Ze meende het nu echt: haar woorden hadden emotionele diepte, anders dan toen ze het zo nonchalant over moord had gehad.

'Waardoor is daar dan verandering in gekomen?'

Scarlett draaide de steel van haar glas tussen haar vingers rond en liet zo de bubbeltjes in het glas dansen. Buiten was het gaan regenen en de toenemende wind wierp handenvol druppels tegen de ramen. Stephanie had het gevoel dat ze op een filmset stond. Ze kon maar moeilijk geloven dat ze deze verontrustende scène werkelijk meemaakte. Nick kon ieder moment samen met Simon en Jimmy komen binnenstormen om haar te vertellen dat ze haar een groteske poets hadden gebakken.

'Waardoor werd het anders?' Ze zuchtte. 'We dachten dat er meer kinderen zouden komen, ik en Simon. Jimmy opgeven... Daar was ik met mezelf over in het reine gekomen omdat we samen nog kinderen zouden krijgen. Maar toen we hier een aantal maanden waren en er gebeurde helemaal niets, heeft Simon een paar onderzoekjes gedaan. Het blijkt dat de chemokuren die ik voor mijn borstkanker heb gekregen ook mijn eitjes hebben weggebrand. Ik maak meer kans om naar de maan te vliegen dan om ooit nog zwanger te worden.'

'En dus wilde je Jimmy weer terug. Omdat je niet voor vervanging kon zorgen, dacht je hem maar gewoon terug te kunnen pakken.'

Ze sloeg haar armen over elkaar. 'Hij is tenslotte van mij, Steph. Niet van jou.'

'Nee, hij is niet van mij. Maar hij is ook niet van jou. Hij is niemands bezit. Hij is een kleine jongen die we allebei onze zorg verschuldigd zijn.

We zouden de eerlijkheid en het fatsoen moeten hebben om hém op de eerste plaats te laten komen. Wat het beste voor Jimmy is, zó zou het moeten zijn.'

Scarletts oude glimlach was weer terug. Die scheve, charmante glimlach, die altijd met een glimlach beantwoord werd door degene die hem toegeworpen kreeg. Dit keer weigerde de vertrouwde magie dienst. 'En zo zal het van nu af aan ook zijn. Ik heb een vergissing gemaakt door hem uit mijn leven te laten vertrekken. Nu heb ik dat rechtgezet. Hij gaat hier bij mij blijven, Stephanie. Je zult het gewoon moeten accepteren.'

Stephanie kreeg kippenvel van de ijzige zekerheid in Scarletts stem. Het onuitgesproken dreigement was zichtbaar in haar doordringende blik. Dit was een vrouw die al twee koelbloedige en berekenende moorden had beraamd om te krijgen wat ze wilde. In haar woorden schuilde het impliciete dreigement dat ze iets anders van Stephanie zou opeisen wanneer ze niet gewoon een jongen hier zou achterlaten die tenslotte toch niet haar eigen zoon was. Niemand hoefde te weten te komen wat hier gebeurd was.

Behalve Nick natuurlijk. Eerlijke, gepassioneerde, ongelegen komende Nick.

Als om wat ze niet had uitgesproken kracht bij te zetten, voegde Scarlett er nog terloops aan toe: 'Jullie zullen moeten blijven overnachten. De wegen hier in de omgeving zijn vreselijk. Zelfs de plaatselijke bewoners schieten regelmatig uit die bochten en stortten dan hun dood tegemoet. Jij en Nick zouden je leven in de waagschaal leggen als jullie in het donker en midden in een storm zouden vertrekken.'

Het is net alsof ik in een sprookje van de gebroeders Grimm vastzit, dacht Stephanie. En als ze zich het nog goed herinnerde, liepen de meeste van die verhalen niet goed af. Als ze hier zouden overnachten, zouden ze dan de ochtend halen? Zouden ze medicijnen in hun eten doen? Zouden hun kelen 's nachts worden doorgesneden en hun lichamen als voer voor de wilde dieren in het bos worden achtergelaten? Ze was er zeker van dat er wolven of dan toch in ieder geval wilde zwijnen zouden zijn. En iedereen wist dat varkens alles en iedereen opaten. Zouden wilde zwijnen dan zoveel anders zijn?

Of zouden ze platgespoten worden en in hun auto worden gezet om daarna van grote hoogte een zekere dood tegemoet te vallen? Zo'n vreselijke tragedie, en allemaal omdat ze zo wanhopig verlangden om met die aardige kinderjuffrouw en die behulpzame arts te praten die het dichtst bij de op mysterieuze wijze ontvoerde jongen stonden. Ze had Simon altijd zeer overtuigend gevonden, en hij zou de plaatselijke politiemensen dan ook in zijn zak hebben, die, daarvan was ze overtuigd, begrijpelijk dik waren met het plaatselijke weeshuis en zijn weldoeners.

Tot dusverre had Scarlett altijd alles gedaan wat nodig was om haar doel te bereiken. Ze hield het simpel, maar wel meedogenloos. Haar laten geloven dat haar plannetje werkte kon wel eens de enige manier zijn om dit te overleven. Stephanie sloeg haar ogen neer. 'Oké,' zei ze, en ze hoopte dat ze overtuigend klonk. 'We zullen morgen weg zijn.'

'Denk je dat je Nick de Griek kunt overhalen om zijn mond te houden over Jimmy? Het is tenslotte niet zo dat we hem over al die andere dingen hoeven te vertellen.'

Alsof hij niet slim genoeg is om dat zelf uit te vogelen, dacht Stephanie. Het lukte haar om plagerig te glimlachen. 'Hij zal doen wat ik hem zeg. Dit is geen officieel bezoek of zoiets. Hij heeft hier geen enkele bevoegdheid.'

Scarlett leek te accepteren wat Stephanie had gezegd, maar Stephanie zag weer zo'n glimp van ijs in haar blik. Scarlett was aan het pappen en nathouden, dat was alles. Ze waren nog niet veilig, zij en Nick. Eerder het tegendeel. Ze waren als Damocles, die aan het avondeten zit te wachten tot de haar waaraan het zwaard boven zijn hoofd hangt zal breken. Het enige waarvan ze zeker konden zijn, was dat ze op een zeker moment vermoord zouden worden.

Met wat ze nu wist, zag ze niet in welke uitweg om hen in leven te laten Scarlett hun nog zou kunnen bieden.

10

'Dat is dan geregeld.' Scarlett vulde hun glazen bij. Dit keer deed Stephanie mee met het feestelijke klinken van glazen. 'Je hebt geen idee hoe erg ik je gemist heb, Steph. Het enige goede aan het feit dat ik nu niets meer voor je verborgen hoef te houden, is dat je bij ons op bezoek kunt komen. We hebben zelfs nog een klein bijgebouw aan de rand van het bos staan, met een houtkachel erin. Je zou hiernaartoe kunnen komen om te schrijven, als je zou willen.' Haar opgewekte uitdrukking was in niets te onderscheiden van het gezicht waaraan Stephanie door de jaren heen gewend was geraakt.

'Dat is misschien wel leuk.' Dit was meer dan bizar, dacht ze, terwijl ze wanhopig een plan probeerde te verzinnen waardoor Jimmy veilig zou zijn en zij en Nick het er levend zouden afbrengen. Niets wat ze kon bedenken leek te werken. Of ze nu samen met Jimmy of zonder hem zouden weggaan, ze zouden zich nooit meer veilig voelen. Scarlett was geslepen, slim en meedogenloos, en Simon leek compleet in de ban van haar narcisme. Stephanie en Nick zouden nooit weten wanneer het precies zou gebeuren. Maar het enige waar ze zeker van konden zijn, was dat ze te veel wisten, en dat dit, wat Scarlett betreft, een doodvonnis betekende.

Maar Stephanie meende het toen ze zei dat Jimmy haar eerste zorg was. Het kind op de eerste plaats laten komen betekende, hoe je het ook bekeek, dat je ervoor moest zorgen dat hij niet in een huishouden opgroeide waar men niet opzag tegen moord als oplossing voor complexe problemen. Ze moesten hier weg, samen met Jimmy. Ze had het gevoel dat wanneer ze dat met zoveel woorden zou zeggen, Scarlett zou gaan lachen en zou antwoorden: 'Over mijn lijk.'

Nou, dat kon misschien wel geregeld worden.

Stephanie, die nog nooit iets gewelddadigers had gedaan dan een muizenval zetten, liet in gedachten de dramatische climaxen van films die ze had gezien en van boeken die ze had gelezen razendsnel de revue passeren. Scarlett draaide zich van haar af om de koelkast open te doen. 'Volgens mij hebben we hier nog wat olijven en kaas liggen, dan kunnen we wat knabbelen totdat Simon het eten klaar heeft,' zei ze. 'Jullie zullen wel uitgehongerd zijn.'

Stephanie wist dat ze gewoon moest handelen zonder erbij na te denken. In één vloeiende beweging pakte ze het mes op waarmee Simon uien had staan snijden en ging ze vlak achter Scarlett staan. Met haar linkerhand greep ze de dikke bos haar vast, draaide hem om haar hand en trok hem naar achteren. Scarlett gilde geschrokken toen haar hoofd naar achteren werd gerukt en haar zachte hals aan het scherpe mes werd blootgesteld, dat Stephanie van links naar rechts trok. Het mes was zo scherp dat geen van de twee vrouwen het snijden voelde.

Plotseling begon een geiser scharlakenrode stralen naar voren te sproeien, zodat het bloed tegen het glimmend witte interieur spatte en de verpakte spullen in de koelkast besmeurde. Stephanie duwde Scarlett van zich af en deed een stap naar achteren. Haar vroegere vriendin zakte in elkaar en het bloed dat uit de grijnzende haal in haar keel stroomde, vormde een plas op de grond. Er borrelde lucht in het bloed, een gruwelijk geluid waarvan Stephanie dacht dat ze het voor altijd in haar nachtmerries zou blijven horen. Scarletts lichaam schokte en verkrampte. Haar handen trilden en kromden zich in een poging om bij de wond te komen.

Stephanie gooide het mes op de grond. Toen schoten haar al die televisiefilms te binnen. Ze pakte het mes weer op en liep ermee naar de gootsteen. Ze pakte een handdoek die er lag en veegde het handvat schoon, waarna ze het onder de hete kraan hield. Het zou wel herkenbaar zijn als het moordwapen, maar haar vingerafdrukken zouden er niet op staan. Ze deed hetzelfde met haar proseccoglas. Ze dacht niet dat ze nog iets anders had aangeraakt, maar ze bleef de handdoek vasthouden. Ze had het gevoel dat ze buiten haar lichaam was getreden en dat ze toekeek hoe ze deze dingen deed, zonder er echt deel van uit te maken.

Ze keek omlaag naar haar kleren en controleerde ze op zichtbare bloedvlekken, maar ze zag er geen. Het bloed was allemaal naar voren gespoten, zodat zij schoon was gebleven. Ze haalde diep adem en keek toen weer naar het bloedbad dat ze had aangericht. Het bloed vloeide niet meer, het sijpelde alleen nog wat na. Het was verbazingwekkend hoe snel iemand kon leegbloeden. En wat een troep dat bloed kon veroorzaken.

Stephanie liep naar de deur, waarbij ze er goed op lette dat ze niet met Scarletts bloed in aanraking kwam. Ze gebruikte de handdoek bij het openen van de deur en liep de gezellige hal in, waarna ze de deur zorgvuldig achter zich dichtdeed. Verderop leidde een brede houten trap naar de bovenverdieping. Stephanie liep behoedzaam naar boven, waarbij ze rustig de tijd nam voor elke stap. Ze herinnerde zich dat ze zich ook zo had gevoeld tijdens die ene keer dat ze hasj had gerookt: haar lichaam leek niet langer een levend iets te zijn. Het was eerder een soort gigantisch robotpak, waarin zij achter de knoppen zat.

Boven zag ze licht en hoorde ze lawaai uit een deuropening op de overloop komen. Stephanie liep wat wankel naar de deuropening en bracht zichzelf ertoe te glimlachen. 'Zo te zien vermaken jullie je prima,' zei ze. Jimmy en de twee mannen legden net de laatste hand aan een legospoorlijn en waren bezig met het testen van de motoren in de treinen en de hendels die de wissels in beweging moesten zetten.

'Ik heb in jaren niet zoveel lol gehad,' zei Nick, die het leek te menen.

'Het spijt me dat ik er een einde aan moet maken,' zei ze. 'Jimmy, we moeten naar huis. Als er iets is wat je wilt meenemen, ga het dan nu maar pakken, want we moeten nu echt gaan rijden.'

Nick reageerde als eerste. Hij krabbelde overeind en tilde Jimmy hoog op. 'Wat denk je? Is er iets waar je echt niet zonder kunt, Jimmy?'

'Wacht eens even,' zei Simon, die moeite had om overeind te komen in de krappe hoek waarin hij tussen de lego en een speelgoedkist zat.

Jimmy keek fronsend om zich heen. 'Mijn DS,' zei hij, wijzend naar de kleine spelcomputer op zijn bed. Nick pakte het ding op en ging met Jimmy op weg naar de deur. Stephanie liep weer terug om de deuropening te versperren.

'Wacht eens even,' zei Simon, die een uitval naar de deuropening deed. Maar Stephanie week niet van haar plaats, en door zijn weerzin om een vrouw te slaan won ze waardevolle seconden voor Nick en Jimmy. Hij greep haar bovenarmen vast en probeerde haar in haar geheel te verplaatsen, maar Stephanie verzette zich. 'Wat heb je gedaan, gestoorde trut?' schreeuwde hij. 'Waar is Scarlett? Scarlett?'

Uiteindelijk gebruikte hij zijn grotere gewicht tegen haar en duwde haar eenvoudigweg naar achteren. Hij rende de trap af en schreeuwde Scarletts naam. Aan het geschreeuw kwam abrupt een einde toen hij de deur van de keuken opendeed. Tegen de tijd dat Stephanie haar evenwicht had hervonden en de voet van de trap had bereikt, zat hij geknield in Scarletts bloed met haar hoofd op zijn schoot heen en weer te wiegen. 'Ze liet me geen andere keuze,' zei Stephanie. 'Het was ik of zij. Dat weet je.'

Simon draaide zijn hoofd niet eens om. 'Mijn liefste,' bleef hij maar zeggen, met een overslaande en stokkende stem.

Stephanie liep nog steeds als gehypnotiseerd door naar de voordeur en vervolgens naar de kleine auto. Ze was tenslotte alleen maar een spook. Ze was hier nooit geweest. Eén gedachte bleef maar door haar hoofd malen: je kunt niet iemand vermoorden die al dood is.

Je kunt niet iemand vermoorden die al dood is.

DANKWOORD

Het is iets wat je moet leren, die schrijverij. Met elk boek leer ik weer iets over de wereld en over het schrijversvak zelf. En daarom is er een ploeg mensen die ik moet bedanken:

Jon en Ruth Jordan voor te veel dingen om op te noemen, maar deze keer vooral omdat ze me met iemand in contact hebben gebracht zonder wie dit boek nooit een begin zou hebben gekend. Bedankt voor de tip, Timm.

Linda Watson-Brown en Michael Robotham, dat ze me het witte spooklaken hebben geleend.

Kelly Smith, bedankt voor Detroit.

Professor Sue Black voor het levensbloed en voor www.millionfora-morgue.com.

Paula Tyler, die me deelgenoot heeft gemaakt van haar encyclopedische kennis van het familierecht.

Het boek komt niet vanzelf van mij tot u. Er is een heel team enthousiaste mensen bij Gregory & Co en Little, Brown, bij Grove Atlantic en HarperCollins Canada, dat een cruciale rol speelt door ervoor te zorgen dat alles werkt zoals het hoort. Vooral Jane Gregory, Stephanie Glencross, Anne O'Brien en de bezielende David Shelley, wiens passie ons allen aansteekt.

En tot slot een hoeraatje voor mijn familie en vrienden, wier steun ik nooit als vanzelfsprekend beschouw. Bedankt dat jullie me liefhebben tot het bittere einde.

[Fragment uit *Moment van afscheid*, een Tony Hill thriller van Val McDermid:]

I

Ontsnappingskunst was als magie. Het geheim schuilde in misleiding. Sommige ontsnappingen kwamen tot stand door het creëren van een nauwkeurig geplande illusie, andere waren staaltjes van kracht, durf en flexibiliteit, zowel in geestelijk als in lichamelijk opzicht, en sommige waren een mengeling van beide. Maar wat de methode ook was, het element van misleiding speelde altijd een cruciale rol. En als het om misleiding ging, erkende hij geen meerdere.

De beste misleiding van allemaal was er een waarvan de toeschouwer niet eens wist dat ze plaatsvond. Om dat te bereiken moest je ervoor zorgen dat je afleidingsactie opging in het spectrum van het alledaagse.

In sommige omgevingen was dat lastiger dan andere. Zoals in een kantooromgeving waar alles volgens een vast stramien werkte. Het zou daar moeilijk worden om een afleidingsactie te camoufleren, omdat alles wat afweek zou opvallen en de mensen zou bijblijven. Maar in de gevangenis waren er zoveel onvoorspelbare variabelen: lichtgeraakte personen, complexe machtsstructuren, onbeduidende geschillen die binnen luttele seconden explosief konden worden en opgekropte frustraties die als een rijpe puist op springen stonden. Er kon elk moment wel van alles losbarsten, en wie zou dan kunnen zeggen of het een geplande gebeurtenis was of alleen maar een van de honderd kleine plaatselijke problemen dat uit de hand was gelopen? Alleen het bestaan van die variabelen boezemde sommige mensen al angst in. Maar hem niet. Voor hem stond elk afwijkend scenario voor een nieuwe kans, een andere mogelijkheid die hij in detail onderzocht totdat hij uiteindelijk de perfecte combinatie van omstandigheden en personen zou aantreffen.

Hij had overwogen een en ander in scène te zetten en een paar gasten te betalen om een opstootje in de vleugel te veroorzaken. Maar daar kleefden te veel nadelen aan. Om te beginnen was er meer kans op verraad naarmate er meer mensen van zijn plannen wisten. En bovendien zaten de meeste mensen hier vast omdat hun eerdere pogingen tot misleiding hopeloos waren mislukt. Dus dat waren waarschijnlijk niet de geschiktste personen om er een overtuigende voorstelling van te maken. En je kon je reinste stommiteit natuurlijk ook nooit helemaal uitsluiten. Dus van doen alsof kon geen sprake zijn.

Maar het mooie van de gevangenis was dat er nooit een tekort aan pressiemiddelen was. Mannen die vastzaten vielen altijd ten prooi aan angst voor wat er zich buiten de gevangenis afspeelde. Ze hadden geliefden, vrouwen, kinderen en ouders die kwetsbaar waren voor geweld of verleiding. Of alleen al voor de dreiging daarvan.

En dus had hij opgelet en afgewacht terwijl hij informatie vergaarde en die evalueerde om uit te vinden waar de mogelijkheden de grootste kans van slagen hadden. De mensen buiten de gevangenismuren op wie hij een beroep kon doen hadden hem van de informatie voorzien waarmee hij de hiaten in zijn eigen kennis kon opvullen. Het had eigenlijk helemaal niet lang geduurd voordat hij het perfecte drukpunt had gevonden.

En nu was hij er klaar voor. Vanavond zou hij in actie komen. Morgenavond zou hij in een breed, comfortabel bed met veren kussens slapen. De perfecte afsluiting van een perfecte avond. Een kort gebakken biefstuk met een berg knoflookpaddenstoelen en rösti, voortreffelijk omlijst door een fles rode wijn die er alleen maar beter op zou zijn geworden in de twaalf jaar dat hij weg was geweest. Een bord met knapperige Bath Oliver-crackers en een stuk stilton van Long Clawson om de slechte smaak te verdrijven van wat in de gevangenis voor kaas doorging. Vervolgens een lang heet bad, een glas cognac en een Cubaanse Cohiba-sigaar. Hij zou van elke schakering met al zijn zintuigen genieten.

Er drong een scherpe kakofonie van luide stemmen door tot zijn visualisatie, een alledaagse ruzie over voetbal die over de overloop heen en weer kaatste. Een bewaker brulde hun toe dat ze niet zo'n lawaai moesten maken en daarna werd het iets rustiger. Het geprutttel van een radio in de verte vulde de pauzes tussen de beledigingen op en hij bedacht dat bevrijd te zijn van andermans lawaai hem nog beter zou bevallen dan de biefstuk, de drank en de sigaar.

Dat was het enige wat mensen nooit opnoemden wanneer ze hun mening te kennen gaven over hoe vreselijk het in de gevangenis moest zijn. Ze spraken over het ongemak, het gebrek aan vrijheid, de angst voor je medegevangenen en het verliezen van al je persoonlijke comfort. Maar zelfs de fantasierijksten onder hen hadden het nooit over de nachtmerrie van het verlies van stilte.

Morgen zou die nachtmerrie voorbij zijn. Dan kon hij zo stil of zo luid zijn als hij wilde. Maar het zou zijn lawaai zijn.

Nou ja, grotendeels het zijne. Er zouden ook andere geluiden zijn. Geluiden waar hij naar uitkeek. Geluiden die hij zich graag mocht voorstellen als hij iets nodig had om het te kunnen volhouden. Geluiden waarvan hij zelfs langer had gedroomd dan dat hij zijn ontsnappingsroute aan het voorbereiden was geweest. Het geschreeuw, het gesnik en de gestamelde smeekbeden om genade die nooit zou komen. De soundtrack van vergelding.

Jacko Vance, moordenaar van zeventien tienermeisjes en een politieagent in functie, een man die ooit tot de meest sexy man op de Britse televisie was verkozen, kon amper wachten.

2

De forse man zette twee grote, tot de rand gevulde glazen koperkleurig bier op tafel. '*Piddle in the Hole*,' zei hij terwijl hij zijn brede lijf op een kruk liet zakken die uit het zicht verdween onder zijn dijen.

Dr. Tony Hill trok zijn wenkbrauwen op. 'Daag je me nu uit voor een plaswedstrijd? Of moet het soms humor uit Worcester voorstellen?'

Rechercheur Alvin Ambrose hief zijn glas bij wijze van toost. 'Geen van beide. De brouwerij staat in een dorp dat Wyre Piddle heet en daarom denken de inwoners dat ze zich dat woordgrapje wel kunnen veroorloven.'

Tony nam een grote slok bier en keek vervolgens nadenkend naar zijn glas. 'Oké,' zei hij, 'het is een best biertje.'

Beide mannen gunden het bier een moment respectvolle stilte, waarna Ambrose zei: 'Ze heeft mijn baas ontzettend kwaad gemaakt, die Carol Jordan van jou.'

Zelfs na zoveel jaar kostte het Tony nog altijd moeite zijn gezicht in de plooi te houden wanneer Carol Jordan ter sprake kwam. Maar het loonde de moeite daarvoor zijn best te blijven doen. Om te beginnen wilde hij zichzelf nooit in een kwetsbare positie plaatsen. Maar belangrijker nog: hij had het altijd onmogelijk gevonden te definiëren wat Carol voor hem betekende en hij was niet van plan anderen de kans te geven overhaast verkeerde conclusies te trekken. 'Ze is niet mijn Carol Jordan,' zei hij mild. 'Carol Jordan is eerlijk gezegd van niemand.'

'Je zei dat ze hier bij jou in huis zou komen wonen als ze de baan zou krijgen,' zei Ambrose zonder het verwijt in zijn stem te verbergen.

Een onthulling waarvan Tony nu zou willen dat hij hem nooit had gedaan. Hij had het zich laten ontvallen tijdens een van de gesprekken laat op de avond waarin deze onwaarschijnlijke vriendschap tussen twee behoedzame mannen die weinig met elkaar gemeen hadden werd beklonken. Tony vertrouwde Ambrose, maar dat betekende nog niet dat hij hem wilde toelaten in het doolhof van tegenstellingen en complicaties dat voor zijn emotionele leven doorging. 'Ze woont nu ook al als huurder in het souterrain van mijn andere huis. Dat komt op hetzelfde neer. Het is een groot huis,' zei hij met neutrale stem, maar zijn hand spande zich om het glas.

De ogen van Ambrose vernauwden zich iets in de hoeken, maar de rest van zijn gezicht bleef uitdrukkingsloos. Tony vermoedde dat het politie-instinct in hem zich afvroeg of hij moest aandringen. 'En ze is een zeer aantrekkelijke vrouw,' zei Ambrose uiteindelijk.

'Dat is ze zeker.' Tony hief zijn glas naar Ambrose om dat te onderstrepen. 'En waarom is inspecteur Patterson zo woedend op haar?'

Ambrose haalde een gespierde schouder op met een beweging die de naad van zijn jasje strak trok. Zijn bruine ogen verloren hun waakzaamheid en hij ontspande nu hij veilig terrein betrad. 'Het gebruikelijke. Hij heeft zijn hele carrière in West Mercia gewerkt, grotendeels hier in Worcester. Hij dacht dat zijn voeten al onder het bureau staken als de positie van hoofdinspecteur zou vrijkomen. En toen liet jouw... hoofdinspecteur Jordan weten dat ze interesse had om naar Bradfield over te stappen.' Zijn glimlach was zo zuur als de citroenschil op de rand van een cocktailglas. 'En hoe zou West Mercia nee tegen haar kunnen zeggen?'

Tony schudde zijn hoofd. 'Zeg jij het maar.'

'Met een staat van dienst als de hare? Eerst werkte ze bij de hoofdstedelijke politie, daarna deed ze iets mysterieus bij Interpol, vervolgens zette ze haar eigen Team Zware Misdrijven op binnen het op drie na grootste korps van het land en daarnaast heeft ze ook nog die kloothommels van de contraterrorismedienst op hun eigen terrein verslagen... Er is maar een handjevol smerissen in het hele land met haar ervaring dat nog steeds in de frontlinie wil staan in plaats van achter het bureau te kruipen. Patterson wist meteen vanaf het moment dat de geruchtenstroom op gang kwam dat hij geen enkele kans meer maakte.'

'Niet noodzakelijkerwijs,' zei Tony. 'Sommige bazen zouden Carol als een bedreiging kunnen zien. Als de vrouw die te veel weet. Ze zouden haar als de vos in het hoenderhok kunnen beschouwen.'

Ambrose grinnikte, een laag onderaards gerommel. 'Hier niet. Ze zijn hier van mening dat ze het neusje van de zalm zijn. Ze vergelijken zichzelf met die smeerlappen van hiernaast in West Midlands en paraderen rond als pauwen. Ze zouden hoofdinspecteur Jordan als een prijsduif zien die terugkeert naar de til waar ze thuishoort.'

'Heel poëtisch.' Tony nam kleine slokjes van zijn bier en genoot van de bittere scherpte van de hop. 'Maar zo ziet die inspecteur Patterson van jou het niet?'

Ambrose maakte zijn bier grotendeels soldaat terwijl hij over zijn antwoord nadacht. Tony was gewend aan wachten. Het was een techniek die even goed werkte tijdens zijn werk als in zijn vrije tijd. Hij had nooit begrepen waarom de mensen die hij behandelde patiënten werden genoemd terwijl hij de enige was die het geduld van een patiencespeler moest opbrengen. Iemand die een bedreven klinisch psycholoog wilde worden kon het zich niet veroorloven te veel gretigheid aan de dag te leggen als het ging om het zoeken naar antwoorden.

'Het is moeilijk voor hem,' zei Ambrose uiteindelijk. 'Het is een hard gelag als je weet dat je wordt gepasseerd omdat je tweede keus bent. Daarom moet hij iets verzinnen waardoor hij een beter gevoel over zichzelf krijgt.'

'En wat heeft hij daarop bedacht?'

Ambrose liet zijn hoofd zakken. In het halfduister van de kroeg veranderde zijn donkere huid hem in een schaduwpoel. 'Hij uit openlijk kritiek op haar motieven voor de verhuizing en beweert bijvoorbeeld dat ze helemaal geen affiniteit heeft met West Mercia, maar alleen maar jou volgt nu je dat grote huis hebt geërfd en hebt besloten je hielen uit Bradfield te lichten...'